Ostatnia podróż „Valentiny"

SANTA
MONTEFIORE

OSTATNIA PODRÓŻ „VALENTINY”

Z angielskiego przełożyła
Anna Dobrzańska-Gadowska

Tytuł oryginału
LAST VOYAGE OF THE VALENTINA

Zdjęcie na okładce
Flash Press Media

Projekt graficzny serii
Małgorzata Karkowska

Redaktor prowadzący
Ewa Niepokólczycka

Redakcja
Barbara Skawińska

Redakcja techniczna
Lidia Lamparska

Korekta
Elżbieta Jaroszuk
Bożenna Burzyńska

Świat Książki
Warszawa 2007
Bertelsmann Media sp. z o.o.
ul. Rosoła 10, 02-786 Warszawa

Skład i łamanie
Plus 2

Druk i oprawa
Wrocławska Drukarnia Naukowa PAN

ISBN 978-83-247-0007-3
Nr 5287

Dedykuję mojej ciotce, Naomi Dawson

Podziękowania

Inspiracją dla tej historii stały się doświadczenia mojej ciotki, Naomi Dawson, która w latach sześćdziesiątych mieszkała na zaadaptowanej do tego celu motorowej łodzi torpedowej z okresu drugiej wojny światowej. Nie potrafię w wystarczającym stopniu wyrazić jej swojej wdzięczności za to, że pokazała mi mnóstwo fotografii, podzieliła się ze mną anegdotami, a także rzuciła światło na swoją barwną przeszłość, dostarczając mi cudownej rozrywki.

Z racji nieco bardziej wymagającego charakteru tej książki zwróciłam się o pomoc do wielu przyjaciół i wszystkim im serdecznie dziękuję: Julietcie Tennant za jej ogromną wiedzę o włoskim wybrzeżu Amalfi oraz za zgodę na wypożyczenie imienia jej córki Valentiny; kapitanowi Callumowi Sillarsowi za wiadomości o marynarce wojennej i książki o łodziach typu motor torpedo, które w czasie drugiej wojny światowej patrolowały obszar Morza Śródziemnego; Valesce Steiner za jej cudowny głos, który pomógł mi przenieść się w świat wyobraźni, oraz jej mężowi, a mojemu ojcu chrzestnemu, Miguelowi, za tłumaczenie niemieckich zwrotów, których nie mogłam znaleźć w słowniku; Katie i Casparowi Rockom za to, że pozwolili mi wziąć udział w nocnych rozgrywkach brydżowych (nie do końca biernie) oraz za wspaniały, boski tydzień spędzony z nimi wśród cykad i sosen Porto Ercole.

Redagowałam tę książkę w warunkach absolutnego hotelowego luksusu, w pięknym hotelu Touessrok na Mauritiusie, który teraz bywa moim drugim domem, dlatego najserdeczniej dziękuję Paulowi i Safinaz Jonesom, bo właśnie za ich sprawą mogłam pracować w spokoju i ciszy. Kiedy codzienny chaos mojego domowego życia postawił pod znakiem zapytania planowaną datę ukończenia książki, Piers i Lofty von Westenholzowie użyczyli mi swojej jadalni, gdzie wreszcie udało mi się napisać wytęsknione słowo: KONIEC.

Z pomocą pośpieszyli mi włoscy przyjaciele, Alessandro Belgiojoso, Edmondo di Robilant oraz Allegra Hicks, którzy cierpliwie odpowiadali na moje liczne pytania na temat ich kraju; Mara Berni zawsze pozwalała mi posmakować Włoch w San Lorenzo.

Dziękuję mojej nowej przyjaciółce, Susie Turner, która przy lunchu oczarowała mnie historiami o swoim niezwykłym życiu w latach sześćdziesiątych – spora część tych historii przyda mi się w czasie pisania następnej książki. Mój stryj i stryjenka, Jeremy i Clare Palmer-Tomkinsonowie, zostali jeszcze raz zmuszeni przeze mnie do powrotu do tamtych owianych lekką mgiełką czasów (stryj Jeremy zaprzecza istnieniu mgiełki, ale ja mu nie wierzę!). Clarissa Leigh-Wood, moja najlepsza przyjaciółka, jak zawsze wspierała mnie pozytywnym nastawieniem do życia i pracy oraz swoją obecnością – jestem jej za to niewypowiedzianie wdzięczna. Bernadette Cini dziękuję za opiekę nad moimi dziećmi i możliwość spokojnej pracy nad książką, Martinowi Quaintance zaś za to, że podzielił się ze mną swoją ogromną wiedzą o łodziach i statkach.

Dziękuję moim rodzicom, Patty i Charliemu Palmer-Tomkinsonom – to oni nadali mojemu życiu tyle barw, że mogę teraz użyczać ich książkom, które piszę; moim teściom, Stephenowi i April Sebag-Montefiore, za zainteresowanie i entuzjazm; Tarze i Jamesowi oraz Sos, Honor, Indii, Wilfridowi i Samowi za lojalność i inspirację; moim dzieciom, Lily i Sashy, za to, że oboje odmienili mnie i otworzyli przede mną drzwi do nowego świata, pełnego zrozumienia i współczucia.

Chciałabym także podziękować Jo Frank, która z poświęceniem i prawdziwą znajomością rzeczy pełniła rolę mojej agentki i zdecydowała się zaryzykować w chwili, gdy moja pierwsza książka była dopiero rodzącym się pomysłem. Z całego serca życzę jej szczęścia na nowej ścieżce – mam nadzieję, że zaprowadzi ją prosto do jasnych, radosnych miejsc. Przy okazji witam się z moją nową agentką Sheilą Crowley, która do złudzenia przypomina nieokiełznaną siłę przyrody – obyśmy wypuściły z naszych rąk jeszcze dużo książek.

Nie mogę nie wspomnieć tu o mojej redaktorce, Susan Fletcher – to ona trzyma w ręku klucz do sukcesu na każdym etapie powstawania książki; wrażliwa, pełna zdrowego krytycyzmu i mądra, zasłużyła na moje całkowite zaufanie.

I wreszcie, a raczej przede wszystkim, dziękuję mojemu mężowi, Sebagowi – bez niego nie powstałaby żadna z moich książek. Jego pomoc przy pracy nad pomysłami oraz konstrukcją wątków jest po prostu nieoceniona. Tworzymy wspaniały zespół.

PROLOG

Włochy, 1945 rok

Było już prawie ciemno, kiedy dotarli do *palazzo*. Niebo miało odcień turkusowego błękitu, który tuż nad linią drzew, tam, gdzie schowało się zachodzące słońce, przechodził w kolor bladopomarańczowy. Kamienne mury, ciemne i nieprzeniknione, wieńczyły kruszące się wieże – na jednej z nich powiewała poszarpana flaga. Dawniej, gdy wiatry Losu były przychylniejsze, flaga tańczyła żwawo, poruszana lekką bryzą, widoczna z daleka. Teraz bluszcz powoli dusił mury, które umierały, podobne do starej, poddanej powolnemu działaniu trucizny księżnej, z coraz większym trudem chwytającej powietrze. Wspomnienia wspaniałej przeszłości, ukryte pod skorupą murów, rozwiewały się i znikały, a z wnętrza zatrutego, gnijącego ciała wydobywał się odrażający smród wilgotnych, zżeranych przez pleśń dzikich ogrodów. Wiatr był dość ostry, zupełnie jakby zima lekceważyła nawoływania wiosny i lodowatymi palcami wciąż trzymała się tego kawałka ziemi. Może zresztą zima zatrzymała się tylko w tym domu, a lodowate palce należały do śmierci, która teraz postanowiła złożyć tu wizytę.

Milczeli. Wiedzieli, co muszą zrobić. Związani gniewem, bólem i głębokim żalem, poprzysięgli zemstę. Złociste światło biło z okna w tylnej części *palazzo*, lecz wewnętrzny dziedziniec pochłaniały już leśne drzewa oraz wybujałe krzewy, nie mieli więc szans, aby dotrzeć do tamtych komnat bocznym wejściem.

Musieli dostać się do środka od frontu. Dookoła panowała zupełna cisza, przerywana tylko pogwizdywaniem wiatru w konarach drzew. Nawet cykady nie ośmielały się zakłócać złowrogiej aury, która otaczała to miejsce – wolały grać niżej, w dole wzgórza, gdzie było dużo cieplej.

Dwaj zabójcy mieli sporą wprawę w bezszelestnym przemieszczaniu się nawet w tak trudnym terenie. Obaj walczyli w czasie wojny i teraz znowu połączyli siły przeciwko złu, które dotknęło ich osobiście, nieodwracalnie plamiąc ich życie. Przyszli tu, aby je zlikwidować, raz na zawsze wypalić ogniem śmierci.

Cicho weszli do *palazzo* przez okno, które ktoś nieostrożny pozostawił otwarte. Miękko jak koty przemknęli wśród cieni. Ubrani na czarno, doskonale wtopili się w noc. Kiedy dobiegli do drzwi, spod których wydobywało się pasmo światła, przystanęli i popatrzyli na siebie. Ich oczy świeciły jak wilgotne kamyki, twarze miały wyraz poważny, pełen determinacji. Nie czuli strachu, tylko oczekiwanie i pewność, że to, co zaplanowali, jest nieuniknione.

Kiedy drzwi się otworzyły, ich ofiara podniosła wzrok i spojrzała na nich z uśmiechem. Mężczyzna wiedział, że przyjdą. Spodziewał się ich przybycia i był gotowy na śmierć. Chciał im uświadomić, że zadanie mu śmierci nie złagodzi ich cierpienia. Na razie nie mieli o tym pojęcia – gdyby było inaczej, nie przyszliby tutaj. Postanowił zaproponować im drinka, nacieszyć się tą chwilą, przedłużyć ją, ale oni pragnęli tylko wykonać zadanie i odejść. Jego chłodny, przyjacielski uśmiech budził w nich odrazę, najchętniej zdarliby mu go z twarzy za pomocą noża. Mężczyzna natychmiast wyczuł ich wstręt i uśmiechnął się jeszcze szerzej. Chciał się uśmiechać nawet w chwili śmierci, aby nigdy nie pozbyli się obrazu jego twarzy i jego dzieła. Cieszyła go myśl, że nie odzyskają już tego, co im zabrał. Ich strata była jego radością, a poczucie winy, które miało zżerać ich przez całe lata, jego ostatecznym zwycięstwem.

Ostrze noża zalśniło w złocistym świetle lampy. Chcieli, żeby je widział, żeby w wyobraźni poczuł na sobie dotyk metalu i przeląkł się, ale on nie spełnił ich nadziei. Zdecydował, że umrze chętnie, z uśmiechem, czerpiąc przyjemność z własnego bólu, tak jak teraz czerpał ją z ich cierpienia. Porozumieli się spojrzeniem i skinęli głowami. Mężczyzna zamknął oczy i uniósł brodę, wystawiając na uderzenie białą szyję, niczym gardło niewinnego jagnięcia.

– Możecie mnie zabić, ale pamiętajcie, że to ja zabiłem was pierwszy! – zaśmiał się triumfalnie.

Ostrze przecięło krtań i tchawicę, krew trysnęła na podłogę i ściany, oblewając je głębokim, lśniącym szkarłatem. Mężczyzna opadł do przodu i uderzył czołem o blat biurka.

Ten, który trzymał w ręku nóż cofnął się, a drugi kopniakiem strącił zwłoki na ziemię. Zabity leżał na plecach, odsłaniając głęboko rozcięte gardło. Na jego twarzy wciąż malował się uśmiech. Uśmiechał się nawet w chwili śmierci.

– Dosyć! – krzyknął zabójca z nożem i odwrócił się. – Zrobiliśmy, co do nas należało. To była sprawa honoru.

– Dla mnie było to coś więcej niż sprawa honoru – odrzekł drugi.

PIERWSZY PORTRET

Rozdział pierwszy

Londyn, 1971 rok

– Ten młody człowiek znowu się do niej zaleca – oznajmiła Viv, stojąc na pokładzie swojej łodzi.

Chociaż wiosenny wieczór był balsamicznie łagodny, otuliła ramiona szalem z frędzlami i zaciągnęła się papierosem.

– Znowu ją szpiegujesz, skarbie? – uśmiechnął się Fitz ironicznie.

– Nie sposób nie widzieć kochanków tej dziewczyny. – Viv zmrużyła opadające powieki i wypuściła kłąb dymu z nozdrzy.

– Można pomyśleć, że jesteś zazdrosna.

Fitz upił łyk taniego francuskiego wina i skrzywił się. Był przyjacielem i agentem Viv od wielu, wielu lat i musiał przyznać, że przez cały ten czas ani razu nie zdarzyło się, by kupiła choćby jedną butelkę przyzwoitego wina.

– Jestem pisarką, więc chyba nie ma nic dziwnego w tym, że interesuję się ludźmi. To normalne, w dodatku Alba jest wyjątkowo zajmująca. Bardzo samolubne stworzenie, ale milutkie. Przyciąga uwagę, ludzie krążą wokół niej jak ćmy dookoła płomienia, chociaż oczywiście ja wolałabym widzieć siebie jako pięknie ubarwionego motyla, nie szarą ćmę... – Viv odwróciła się od burty i usiadła na krześle, rozkładając swój niebiesko-różowy pikowany kaftan niczym jedwabne skrzydła. – Tak czy inaczej, obserwacja jej życia sprawia mi przyjemność. Kiedyś, gdy już nie będziemy przyjaciółkami, może wykorzystam swoje spostrzeżenia w książce... Wydaje mi się, że Alba jest właśnie taka – cieszy się kimś, a potem zostawia go i idzie dalej. Tyle że w tym wypadku będzie inaczej – to ja pójdę dalej, zostawiając ją za sobą. Dramatyczne chwile jej życia przestaną mnie w końcu bawić, poza tym z całą pewnością znudzi mnie też Tamiza. Zacznie mnie łamać w kościach od tej cholernej wilgoci, a skrzypienie desek i podrzucanie na falach przyprawi o bezsenność... Wtedy kupię sobie mały zameczek we Francji i zacznę nowe życie z dala od świata, bo koniec końców, sława również stanie się nudna...

Viv wciągnęła policzki i rzuciła Fitzowi łobuzerski uśmiech, ale on nie słuchał, chociaż właściwie należało to do jego obowiązków.

– Myślisz, że jej płacą? – zapytał, opierając dłonie na burcie i patrząc w mętne wody Tamizy.

Obok Fitza na grubym wełnianym kocu leżał Sprout, jego stary spaniel.

– Na pewno nie! – odparła Viv. – Łódź jest własnością ojca Alby, więc dziewczyna nie musi się pocić, żeby zebrać dwanaście funtów tygodniowo na wynajęcie...

– Krótko mówiąc, to wyzwolona młoda dama, i tyle.

– Podobnie jak całe jej pokolenie. Wszyscy ci młodzi zachowują się jak stado baranów. Ja zawsze wyprzedzałam swoje czasy, Fitzroy. Brałam sobie kochanków i paliłam marihuanę, zanim rozmaite Alby tego świata otworzyły oczy, ale teraz wolę cieniutkie papierosy Silva i celibat. Mam pięćdziesiątkę na karku i jestem już za stara, żeby być niewolnicą mody. Wszystko to razem jest przerażająco frywolne i dziecinne, dlatego już dawno doszłam do wniosku, że powinnam skupić się na wyższych sprawach. Ty, co prawda, jesteś dobre dziesięć lat młodszy ode mnie, lecz nie mam cienia wątpliwości, że świat mody nudzi także ciebie.

– Nie sądzę, aby Alba wydała mi się nudna.

– Za to ty, mój drogi, wcześniej czy później kompletnie

byś ją znudził. Możesz uważać się za donżuana, skarbie, ale w Albie znalazłbyś istotę równą sobie, jeśli chodzi o te rzeczy. Ona w niczym nie przypomina innych dziewcząt. Nie mówię, że miałbyś kłopoty z zaciągnięciem jej do łóżka, lecz zatrzymanie jej tam na dłużej okazałoby się dużo trudniejsze. Alba uwielbia różnorodność, dlatego często zmienia kochanków. Obserwuję, jak pojawiają się i znikają. Scenariusz jest zawsze ten sam – wbiegają po trapie lekkim krokiem, pewni siebie i swoich możliwości, a gdy jest po wszystkim, powoli człapią na ląd niczym zbite kundle. Ta dziewczyna z przyjemnością zjadłaby cię na obiad, ale później wypluła jak kość kurczaka. To by było przeżycie, prawda? Założę się, że nigdy nie miałeś podobnych doświadczeń. Nazywa się to karma, mój drogi – to, co robisz, zawsze do ciebie wraca. Alba odpłaciłaby ci za to, że złamałeś tyle serc. Tak czy inaczej, w twoim wieku powinieneś rozejrzeć się raczej za trzecią żoną, a nie za przelotną rozrywką. Czas na stabilizację. Złóż swoje serce w rękach jednej kobiety i zostaw je tam na stałe. Alba jest jak ogień, bo to półkrwi Włoszka...

– Ach, to tłumaczy ciemne włosy i skórę w odcieniu miodu...

Viv lekko przekrzywiła głowę i spojrzała na niego uważnie, rozciągając wąskie wargi w kpiącym uśmieszku.

– Tylko skąd te bardzo jasne oczy? – Fitz westchnął, zapominając o marnym smaku taniego wina. – Dziwne...

– Jej matka była Włoszką. Umarła tuż po przyjściu Alby na świat, chyba zginęła w wypadku samochodowym. Dziewczyna ma okropną macochę i ojca nudnego jak flaki z olejem. Oficer marynarki wojennej, sam rozumiesz. Wysoka ranga, skamielina. Wydaje mi się, że od zakończenia wojny wciąż siedzi za tym samym biurkiem. Codziennie dojeżdża do pracy, wyobrażasz sobie takie nudziarstwo? Kapitan Thomas Arbuckle – zdecydowanie Thomas, w żadnym razie nie Tommy. W przeciwieństwie do ciebie, bo przecież ty jesteś raczej Fitz niż Fitzroy, chociaż ja uwielbiam twoje imię bez żadnych zdrobnień i zawsze będę go używać... W każdym razie, nie dziwię się, że Alba szybko się zbuntowała...

– Możliwe, że jej ojciec to nudziarz, ale przynajmniej nudziarz bogaty. – Fitz przyglądał się lśniącej drewnianej kabinie łodzi, delikatnie kołysanej przez prąd rzeki.

Może zresztą kołysała nią nie fala, lecz sama Alba, razem z kochankiem dokazująca w środku, kto wie... Sama ta myśl sprawiła, że mięśnie brzucha Fitza skurczyły się w napadzie nieuzasadnionej zazdrości.

– Pieniądze szczęścia nie dają, mój drogi, powinieneś o tym wiedzieć.

Fitz na moment utkwił wzrok w kieliszku, zastanawiając się nad własnym losem, który jak na razie obdarzył go wyłącznie chciwymi żonami i kosztownymi rozwodami.

– Mieszka sama?

– Dawniej mieszkała z jedną ze swoich przyrodnich sióstr, ale to nie wypaliło. Nie wątpię, że z Albą trudno jest wytrzymać pod jednym dachem... Twój problem, mój drogi, polega głównie na tym, że zbyt łatwo się zakochujesz, wiesz? Gdybyś bardziej panował nad sercem, twoje życie byłoby o wiele łatwiejsze. Mógłbyś przecież po prostu iść z nią do łóżka, a potem zapomnieć o niej, prawda? Ach, no, wreszcie! Spóźniłeś się! – zawołała Viv do swojego siostrzeńca, Wilfrida, który właśnie wchodził po trapie na łódź, z daleka przepraszając ciotkę.

Za Wilfridem szła jego dziewczyna Georgia. Oboje świetnie wiedzieli, że kiedy spóźniają się na brydża, Viv zwykle wpada w złość i niełatwo im wybacza.

Łódź „Valentina" bardzo różniła się od innych, cumujących przy Cheyne Walk. Linia jej rufy była ładna, wyraźnie wygięta ku górze, jakby w nieco tajemniczym uśmiechu. Pomalowany na niebiesko i biało domek miał okrągłe okienka i balkonik, na którym latem w doniczkach pyszniły się kwiaty, a w zimnych miesiącach zbierała się deszczówka. Podobnie jak twarz zdradza historię życia, jaką ma za sobą jej właściciel, tak ekscentryczne załamanie dachu łodzi i czarujący łuk dziobu, przypominający garbaty nos, dawały obserwatorowi do zrozumienia, że łódź niejedno przeszła. Krótko mówiąc, podstawową cechą „Valentiny" była pewna tajemniczość. Jak wielka dama, która nigdy nie pojawia się publicznie bez pełnego makijażu, tak i „Valentina" nie chciała odsłonić tego, co kryło się pod warstwami farby. Jej właścicielka kochała ją jednak nie za wyjątkowe zalety czy szczególny urok – Alba Arbuckle kochała łódź z zupełnie innego powodu.

– Boże, ależ ty jesteś piękna! – westchnął Rupert, ukrywając twarz w delikatnie pachnącej perfumami szyi dziewczyny. – I smakujesz jak migdały w cukrze...

Alba zachichotała. Uważała, że Rupert gada bzdury, ale nie mogła się oprzeć przyjemnemu uczuciu łaskotania, jakiego dostarczał jej lekko drapiący zarost młodego człowieka oraz jego dłoń, która powoli wędrowała w górę, od błękitnych zamszowych kozaczków aż pod zgrabną spódniczkę mini ze sklepu Mary Quant. Alba zadrżała, poruszona tymi wielce przyjemnymi doznaniami, i podniosła głowę.

– Nie gadaj tyle, głupku... – mruknęła. – Pocałuj mnie!

Rupert natychmiast spełnił polecenie, gotowy na wszystko, byle tylko zadowolić tę niezwykłą dziewczynę. Nabrał odwagi, kiedy nagle ożyła w jego ramionach po raczej ponurej kolacji w Chelsea. Przywarł wargami do jej ust, pewny, że dopóki będzie pieścił jej język, uniknie złośliwości, którymi wcześniej go zasypywała. Alba potrafiła mówić nawet najbardziej bolesne rzeczy ze słodkim, zniewalającym uśmiechem, chociaż w jej jasnoszarych oczach, przywodzących na myśl wrzosowisko w mglisty zimowy poranek, kryło się coś, co budziło uczucia opiekuńcze i zupełnie rozbrajało mężczyzn. Rupert zapragnął chronić Albę przed całym złem świata, choć zdawał sobie sprawę, że realizacja tego pragnienia jest mocno wątpliwa. Łatwo było kochać Albę, lecz znacznie trudniej zatrzymać ją przy sobie. Wiedział o tym, ale nie potrafił się oprzeć marzeniom, podobnie jak wielu innych mężczyzn, którzy z nadzieją w sercu wchodzili na pokład „Valentiny". Nic nie mógł na to poradzić.

Alba otworzyła oczy, kiedy rozpiął jej bluzkę i zaczął pieścić sutki ustami. Spojrzała prosto w świetlik, na pierzaste różowe chmurki i pierwszą gwiazdę, która chwilę wcześniej zabłysła na niebie. Ogarnięta podziwem dla nieoczekiwanego piękna umierającego dnia, na moment opuściła gardę i jej duszę natychmiast przepełnił wielki smutek. W jej jasnoszarych oczach zabłysły piekące łzy. Samotność dręczyła ją i prześladowała, i wydawało się, że nie ma na nią lekarstwa. Zaskoczona słabością, która dała o sobie znać w tak nieodpowiedniej chwili, objęła kochanka nogami i przewróciła go na plecy. Siedziała teraz na nim, całowała go, gryzła i drapała jak dzika kotka. Rupert oniemiał z wrażenia, lecz zaraz ogarnęło go ogromne podniecenie. Przesunął dłońmi po nagich udach Alby i odkrył, że dziewczyna nie nosi majtek. Mógł bez przeszkód pieścić niecierpliwymi palcami jej gładkie, jędrne pośladki. Nagle znalazł się w jej wnętrzu. Alba ujeżdżała go tak energicznie, jakby świadoma była tylko rozkoszy, nie obecności i bliskości mężczyzny, który dostarczał jej przyjemności. Rupert patrzył na nią z zachwytem i podziwem, spragniony dotyku jej lekko rozchylonych, obrzmiałych warg. Wyglądała na oszalałą z pożądania i bezwstydną, lecz mimo braku zahamowań miała w sobie kruchość, która sprawiała, że mężczyzna chciał ją przytulić i mocno objąć.

Wkrótce Rupert bez reszty zatracił się w seksie. Przymknął oczy i poddał się żądzy, skupiony wyłącznie na zbliżającym się wybuchu rozkoszy, rezygnując nawet z patrzenia na piękną twarz dziewczyny. Wili się i przewracali na porzuconych na łóżku stosach ubrań, aż wreszcie, osiągnąwszy szczyt, z hukiem spadli na podłogę, zdyszani i roześmiani. Alba zajrzała w zdumioną twarz Ruperta błyszczącymi oczami i zachichotała cicho.

– Czego się spodziewałeś? – parsknęła. – Dziewicy Maryi?

– Było cudownie – westchnął, całując ją w czoło. – Jesteś aniołem...

Uniosła brwi i wybuchnęła śmiechem.

– Co za głupstwa! Pan Bóg wyrzuciłby mnie z nieba za złe zachowanie...

– W takim razie niebo nie jest dla mnie...

Nagle uwagę Alby przyciągnął zwinięty w rulon kawałek brązowego papieru, który wysunął się spomiędzy drewnianych listewek pod łóżkiem. Nie mogąc go dosięgnąć, odepchnęła Ruperta, przeczołgała się na drugą stronę i wyciągnęła papier.

– Co to jest? – zapytał, wciąż jeszcze oszołomiony po odbytym stosunku.

– Nie wiem – odparła.

Podniosła się, chwyciła leżące na stoliku przy łóżku papierosy i zapalniczkę i rzuciła je kochankowi.

– Zapal mi jednego, dobrze?

Usiadła na brzegu łóżka i powoli rozwinęła papier.

Rupert nie palił. Szczerze mówiąc, z całego serca nienawidził zapachu tytoniu, nie chciał jednak okazać się za mało wyrafinowany, spełnił więc prośbę Alby, a potem rzucił się na łóżko obok niej i pieszczotliwie przejechał otwartą dłonią po jej nagich plecach. Dziewczyna zesztywniała.

– Było mi z tobą całkiem przyjemnie, ale teraz chcę zostać sama – powiedziała, nawet nie podnosząc wzroku.

– O co chodzi? – Zapytał zaskoczony jej nagłą oziębłością.

– Przecież mówię, że chcę zostać sama!

Rupert nie miał pojęcia, jak zareagować. Żadna kobieta nie potraktowała go w taki sposób. Poczuł się boleśnie upokorzony. Kiedy się zorientował, że Alba nie zmieni zdania, niechętnie zaczął się ubierać. Rozpaczliwie czepiał się myślą intymnych chwil, jakie ledwo co przeżyli.

– Zobaczymy się jeszcze? – Doskonale zdawał sobie sprawę, że w tej sytuacji jest to pytanie desperata.

Dziewczyna ze zniecierpliwieniem potrząsnęła głową.

– Idź już sobie, dobrze?

Rupert zasznurował buty. Alba wciąż na niego nie patrzyła, całkowicie skoncentrowana na kawałku zwiniętego papieru. Można by pomyśleć, że Ruperta w ogóle tu nie było...

– Sam trafię do wyjścia... – wymamrotał.

Alba podniosła głowę i spojrzała w oszklone drzwi, wychodzące na górny pokład. Zapatrzyła się w różowe wieczorne niebo, które stopniowo ogarniała ciemność. Nie słyszała ani trzaśnięcia drzwiami, ani ciężkich kroków schodzącego po trapie na ląd Ruperta; słyszała tylko cichy głos, który nagle przywołała jej pamięć.

– Och, ktoś tu nie wygląda na szczególnie szczęśliwego! – zauważył Fitz, kiedy Rupert zszedł na nabrzeże Chelsea i zniknął za rogiem.

Jego komentarz na chwilę przerwał partyjkę brydża. Sprout nadstawił uszu i uniósł ciężkie, opadające powieki tylko po to, aby je zaraz znowu opuścić z ciężkim westchnieniem.

– Ta dziewczyna po prostu ich pożera, skarbie – powiedziała Viv, wsuwając za ucho kosmyk jasnych włosów. – Jest jak czarna wdowa...

– To prawda, one pożerają swoich partnerów – przytaknął Wilfrid.

Fitz zastanawiał się chwilę nad tym uroczym porównaniem, a potem z rozmachem położył kartę na stole.

– O kim mówicie? – zainteresowała się Georgia, marszcząc nos.

– O sąsiadce Viv – wyjaśnił Wilfrid.

– To dziwka, i tyle – kwaśno dodała Viv i skontrowała.

– Wydawało mi się, że się przyjaźnicie...

– Bo tak jest, Fitzroy. Kocham Albę mimo jej wad, w końcu wszyscy jakieś mamy, prawda? – Viv z szerokim uśmiechem strząsnęła popiół do popielniczki z fluorescencyjnie zielonego szkła.

– Wszyscy poza tobą, Viv – oznajmił Fitz. – Ty jesteś doskonała.

– Bardzo ci dziękuję, skarbie... – Viv mrugnęła do Georgii. – Płacę mu, żeby od czasu do czasu mówił takie rzeczy...

Fitz wyjrzał przez okrągłe małe okienko. Pokład „Valentiny" był pusty. Wyobraził sobie piękną Albę, leżącą na łóżku, nagą, zarumienioną i uśmiechniętą, z okrągłościami i wzgórkami w odpowiednich miejscach, i na moment stracił kontakt z rzeczywistością.

– Obudź się, Fitz! – Wilfrid strzelił mu palcami przed nosem. – Przeniosłeś się na inną planetę, czy co?

Viv położyła karty na stole i wyprostowała się. Zaciągnęła się papierosem i z głośnym westchnieniem wypuściła dym.

– Tak, Fitz przeniósł się na tę smętną planetę, którą często odwiedza wielu głupich mężczyzn! – powiedziała, patrząc na niego spod powiek ociężałych od wypitego alkoholu i licznych życiowych przygód.

Alba wpatrywała się w portret, naszkicowany pastelami na kawałku papieru, i czuła, jak ogarnia ją gwałtowna fala wzruszenia. Miała wrażenie, że patrzy w lustro, ale to odbicie podkreślało i jakby intensyfikowało jej urodę. Sportretowana twarz była owalna, tak jak jej twarz, o pięknych, wyraźnie zaznaczonych kościach policzkowych i silnej, świadczącej o wielkim zdecydowaniu szczęce, lecz oczy nie należały do niej. Miały kształt migdałów, były zielonobrązowe i wyrażały mieszankę wesołości oraz głębokiego, nieodgadnionego smutku. Natychmiast przykuły uwagę Alby. Patrzyły prosto na nią i chyba widziały ją na wskroś, a przy tym wszędzie za nią podążały. Długo nie odrywała od nich wzroku, pochłonięta nadziejami i marzeniami, które nigdy dotąd się nie spełniły. Na ustach kobiety ze szkicu malował się zaledwie cień uśmiechu, lecz cała twarz wydawała się otwarta ku szczęściu jak rozchylający płatki słonecznik. Alba poczuła, jak jej żołądek skulił się z bolesnej tęsknoty. Po raz pierwszy świadomie patrzyła w twarz matki. U dołu szkicu widniały napisane po łacinie słowa: *Valentina 1943, dum spiro, ti amo.* I jeszcze wykonany tuszem podpis: *Thomas Arbuckle.* Alba przeczytała napis pod portretem co najmniej dwanaście razy, zanim gorące łzy popłynęły jej z oczu. *Dopóki oddycham, kocham cię.*

Alba nauczyła się włoskiego jako dziecko. W odruchu niezwykłej wyrozumiałości jej macocha, Bawolica, zaproponowała, żeby dziewczynka brała lekcje i w ten sposób podtrzymała kontakt ze swoimi śródziemnomorskimi korzeniami, które wszak w każdej innej sytuacji Bawolica najchętniej wypaliłaby żywym ogniem. Nie ulegało przecież wątpliwości, że matka Alby była miłością życia Thomasa Arbuckle'a, i to miłością wielką... Macocha Alby doskonale wiedziała, że pamięć o Valentinie rzuca cień na jej małżeństwo, a nie będąc w stanie wymazać wspomnień, od początku starała się je przytłumić. W rezultacie nikt nigdy nie wypowiadał imienia Valentiny w domu Thomasa i jego żony. Alba nigdy nie była we Włoszech i nie znała nikogo z rodziny matki, a ojciec zawsze unikał odpowiedzi na jej pytania, więc w końcu przestała je zadawać. W dzieciństwie szukała schronienia w kolażu faktów, jakie różnymi metodami zdołała zgromadzić. Uciekała do tego świata i znajdowała pociechę w malowanych przez wyobraźnię wizerunkach swojej pięknej matki, dziewczyny z sennego włoskiego miasteczka, która w czasie wojny poznała jej ojca i zakochała się w nim.

Thomas Arbuckle był wtedy przystojnym młodym mężczyzną – Alba widziała jego zdjęcia z tamtego okresu. Ubrany w mundur oficera marynarki wojennej, z pewnością przyciągał spojrzenia wielu kobiet. Miał jasne włosy i oczy, i nieco łobuzerski, pewny siebie uśmiech, który Bawolicy udało się, samym ciężarem swojej przytłaczającej osobowości, przemienić w pełen wiecznego niezadowolenia grymas. Zazdrosna o łódź, którą kupił i nazwał imieniem ukochanej kobiety, ani razu nie weszła na jej pokład; kiedy nie mogła już tego uniknąć, mówiła o „tej łodzi", nigdy o „Valentinie". „Valentina" przywoływała obrazy smukłych cyprysów i cykad, gajów oliwnych i cytryn oraz miłości tak ogromnej, że jej znaczenia nie mogło zniszczyć żadne wściekłe parskanie i bicie kopytami.

Alba nigdy nie czuła, że dom ojca jest naprawdę także i jej domem. Przyrodnie rodzeństwo odziedziczyło cechy fizyczne po rodzicach, tymczasem ona była ciemna i obca, zupełnie jak matka. Tamci jeździli konno, zbierali jagody i grali w brydża, natomiast ona śniła o Morzu Śródziemnym i gajach oliwnych. Mogła do woli krzyczeć i dąsać się na ojca i macochę, a oni i tak nie chcieli powiedzieć jej prawdy ani zabrać ją do Włoch, aby mogła poznać swoją prawdziwą rodzinę. Właśnie dlatego przeprowadziła się na łódź, która nosiła imię matki. Tam wyczuwała duchową obecność Valentiny, słyszała jej głos w plusku podnoszących się i opadających fal, i znajdowała ukojenie w pewności, że matka naprawdę ją kochała.

Leżała na łóżku, pod świetlikiem, przez który teraz widziała setki mrugających gwiazd oraz księżyc. Nie przyszło jej nawet do głowy, by pomyśleć o Rupercie. Przebywała teraz sam na sam z matką, słuchała jej miękkiego głosu, który przemawiał do niej z portretu, i patrzyła w pełne czułości i smutku oczy. Nie miała cienia wątpliwości, że widok portretu stopi narosłe przez te wszystkie lata warstwy lodu i ojciec wreszcie opowie jej o Valentinie.

Jak zwykle nie traciła czasu. Szybko wyciągnęła z pękającej od nadmiaru ubrań szafy odpowiedni strój, ostrożnie włożyła portret do torby i zbiegła na nabrzeże. Dwie wiewiórki biły się o jakiś przysmak na dachu łodzi, więc spłoszyła je głośnym tupnięciem.

W tej samej chwili Fitz, który sromotnie przegrał ostatnią partię brydża, opuszczał właśnie łódź Viv, trochę podchmielony po kilku kieliszkach paskudnego wina i zaskoczony przypadkowym spotkaniem z Albą. Nie zauważył, że dziewczyna płakała, ona zaś nie zauważyła Sprouta.

– Dobry wieczór... – odezwał się pogodnie, gotowy na wszystko, byle tylko zacząć i podtrzymać rozmowę.

Alba nie odpowiedziała.

– Nazywam się Fitz Davenport, jestem przyjacielem pani sąsiadki, Viv.

– Ach, tak... – odparła bez wyrazu.

Patrzyła w ziemię i opadające włosy częściowo zasłaniały jej twarz. Skrzyżowała ramiona na piersi i równym krokiem szła przed siebie, z podbródkiem wbitym w mostek.

– Mogę panią gdzieś podwieźć? Zaparkowałem samochód zaraz za rogiem...

– Ja także.

– Rozumiem...

Fitz był zdumiony, że Alba nawet nie podniosła oczu. Przywykł do tego, że kobiety patrzyły na niego chętnie i otwarcie. Miał świadomość, że jest przystojny, zwłaszcza gdy się uśmiecha, poza tym wysoki, co stanowiło spory plus, bo dziewczyny zwykle uważały, że wysocy mężczyźni są bardziej atrakcyjni od niskich czy tych średniego wzrostu. Całkowity brak zainteresowania ze strony Alby wytrącił go z równowagi. Zerknął na jej długie nogi w sięgających kolan butach z błękitnego zamszu i poczuł, jak gardło ściska mu dziwny niepokój. Jej uroda go zniewoliła.

– Właśnie przegrałem w brydża – ciągnął z gorączkowym uporem. – Gra pani w brydża?

– Tylko wtedy, gdy nie mogę się wymigać – odrzekła.

Zaczerwienił się, zażenowany jak uczniak.

– Bardzo słusznie, bo to nudna gra...

– Podobnie jak ludzie, którzy ją lubią – rzuciła.

Zanim wsiadła do sportowego mgb i znikła za zakrętem drogi, rzuciła mu lekki uśmiech. Fitz został pod uliczną latarnią, niepewnie drapiąc się po głowie. Nie wiedział, czy jej ostatnia uwaga powinna go urazić, czy może raczej rozbawić.

W samochodzie Alba rozpłakała się jak dziecko. Mogła oszukać każdego swoim chłodem i brawurą, nie widziała jednak powodu, by oszukiwać samą siebie. Poczucie straty, które wcześniej opanowało ją z tak wielką siłą, teraz wróciło, jeszcze silniejsze i głębsze. Oderwany od rzeczywistości świat cyprysów i gajów oliwnych okazał się niewystarczający. Miała prawo się dowiedzieć, jaka była jej matka. Teraz, kiedy miała portret, Bawolica musi się wycofać i pozwolić ojcu mówić. Alba mogła tylko zgadywać, w jaki sposób portret znalazł się na łodzi. Niewykluczone, że ojciec ukrył go tam przed wzrokiem Bawolicy, która teraz mimo wszystko dowie się o jego istnieniu, bo Alba nie omieszka go pokazać. Och, tak, zrobi to z ogromną przyjemnością... Zmieniła biegi i skręciła w Talgarth Road.

Było już późno. Alba wiedziała, że w domu nikt nie spodziewa się jej wizyty. Do Hampshire dojedzie najwcześniej za jakieś półtorej godziny, chociaż droga była zupełnie pusta, od początku jazdy nie przemknął przez nią nawet kot. Włączyła radio. Cliff Richard śpiewał właśnie, że najgorsze są te noce, kiedy się za kimś tęskni. Łzy od nowa popłynęły po policzkach Alby. W rozświetlanej tylko reflektorami samochodu ciemności widziała twarz matki, okoloną długimi ciemnymi włosami. Łagodne, zielonobrązowe oczy patrzyły na córkę z bezbrzeżną miłością i zrozumieniem. Nagle Albie wydało się, że czuje zapach cytryn. Oczywiście nie pamiętała zapachu matki – mogła posłużyć się wyłącznie wyobraźnią i nie była pewna, czy nie tworzy fałszywych, nieistniejących wspomnień.

Nietrudno było odgadnąć, dlaczego Bawolica nienawidziła Valentiny. Margo Arbuckle nie należała do dam urodziwych. Była potężnie zbudowaną kobietą o mocno umięśnionych, krzepkich nogach, które bardziej pasowały do kaloszy niż pantofli na wysokich obcasach, dużym tyłku, który najlepiej wyglądał w końskim siodle oraz bardzo jasnej, piegowatej cerze, nieskalanej makijażem i mytej wyłącznie mydłem. Ubierała się po prostu okropnie – w tweedowe spódnice i obszerne bluzki. Miała obfity biust i ani śladu wcięcia w talii, chociaż może dawniej wyglądała trochę inaczej. Alba często się zastanawiała, co ojciec widział w tej kobiecie. Może to ból po stracie Valentiny skłonił go do wyboru żony, która stanowiła całkowite przeciwieństwo pierwszej, kto wie, Alba była jednak zdania, że zrobiłby o wiele lepiej, gdyby zdecydował się żyć wspomnieniami i uniknął tego żałosnego kompromisu.

Jeśli chodzi o dzieci, to Thomas i Margo nie marnowali czasu. Alba przyszła na świat w 1945 roku, jej matka zginęła parę miesięcy później, Caroline zaś urodziła się już w 1948. Oburzające, pomyślała teraz Alba. W zasadzie ojciec nie miał czasu na żałobę, a już na pewno nie zdążył dobrze poznać dziecka swojej ukochanej Valentiny, dziecka, które powinien był kochać nad życie, bo przecież to w Albie żyła cząstka jej matki. Po Caroline urodził się Henry, a potem Miranda. Alba była coraz mocniej spychana na boczny tor, w kierunku świata cyprysów i gajów oliwnych, a ojciec, całkowicie pochłonięty nową rodziną, nie dostrzegał jej smutku. Tak czy inaczej, jego rodzina z pewnością nie była rodziną Alby. Dobry Boże, pomyślała z przejmującym żalem, czy on kiedykolwiek myśli o krzywdzie, jaką mi wyrządził? Teraz miała jednak portret i była zdecydowana wydusić z niego całą prawdę.

Zjechała z autostrady A30 i ruszyła dalej wąskimi, wijącymi się drogami. Reflektory wydobywały z ciemności żywopłoty i króliki, które pośpiesznie chowały się w krzakach. Alba opuściła okno i wciągnęła powietrze jak pies, ciesząc się słodkimi aromatami wiosny. Wyobraziła sobie ojca, palącego cygaro po kolacji i podnoszącego do ust duży, pękaty kieliszek do brandy, jeden z tych, które tak lubił. Margo na pewno bez przerwy gada o fascynującej nowej pracy, jaką Caroline dostała w galerii sztuki w Mayfair, należącej do przyjaciela rodziny, oraz o ostatnich postępach Henry'ego w Sandhurst. Miranda uczyła się jeszcze w szkole z internatem i przysyłała rodzicom głównie wykazy swoich znakomitych stopni i opinie zachwyconych jej zdolnościami nauczycieli. Jakież to wszystko przeraźliwie nudne i konwencjonalne, pomyślała Alba. Jakie przewidywalne... Życie ich wszystkich toczy się torami, na które skierowano je już na początku. Przypominali idealnie czyściutkie małe pociągi, które zmierzają do wytyczonego celu.

– „Niesforna lokomotywa wyrwała się spod kontroli i gwiżdżąc, zboczyła na inny tor..." – zaśpiewała fragment popularnej piosenki.

Uczucie smutku i osamotnienia ustąpiło odrobinę, kiedy z zadowoleniem skonstatowała, że jej własna niekonwencjonalna, niezależna egzystencja pędzi torem, który sama wybrała.

Mniej więcej po półgodzinie skręciła w długą jesionową aleję, prowadzącą do domu ojca i Margo. Na polu po prawej stronie dostrzegła kilka koni, których oczy zalśniły w blasku światła jak srebrne blaszki. Paskudne zwierzaki, pomyślała z odrazą. Dziwne, że nogi im się nie załamują pod ciężarem Bawolicy... Nagle przez głowę przemknęła jej myśl, że może macocha ujeżdża ojca tak samo jak swoje wierzchowce. Zachichotała głośno, ale zaraz zepchnęła ten obraz w głąb podświadomości. Starzy ludzie nie zajmują się takimi rzeczami...

Opony zatrzeszczały na żwirze przed domem. Jasne okna świeciły zapraszająco, lecz Alba wiedziała, że zaproszenie na pewno nie jest skierowane do niej. Margo z pewnością jej nie znosi, przecież to oczywiste. Znacznie łatwiej zatarłaby pamięć o Valentinie, gdyby Alba stale nie przypominała całemu światu o swojej matce.

Dziewczyna zaparkowała samochód pod imponującym murem budynku, który kiedyś był jej domem. Wysokie kominy i stara, wyblakła cegła od ponad trzystu lat dawały odpór wichrom i burzom. Z rodzinnych opowieści wynikało, że prapradziadek Alby wygrał dom w karty, lecz niedługo potem stracił żonę przez swoją skłonność do hazardu. Rozczarowana kobieta została kochanką pewnego księcia, który wprawdzie cierpiał na tę samą słabość, ale miał znacznie głębszą kieszeń i większy majątek. Oczywiście, Alba w żadnym razie nie potępiała praprababki za to, że wolała być kochanką niż żoną – Margo raz na zawsze skaziła wszystkie jej pozytywne wyobrażenia o instytucji małżeństwa.

Siedziała w samochodzie i w zamyśleniu patrzyła na dom, kiedy z ciemności wypadły trzy małe psy i zaczęły obwąchiwać koła wozu, radośnie merdając króciutkimi ogonkami. Gdy zaraz potem w drzwiach stanęła Margo, Alba nie miała wyjścia – musiała wysiąść i się przywitać. Margo sprawiała wrażenie ucieszonej przybyciem pasierbicy, chociaż w jej oczach nie było uśmiechu.

– Jaka miła niespodzianka, Albo! Trzeba było zadzwonić – powiedziała, przytrzymując drzwi, przez które na wiodące do domu schody wylało się szerokie pasmo jasnopomarańczowego światła.

Alba jakoś przeżyła rytuał składania pocałunku na policzku macochy, której skóra pachniała talkiem oraz „Lily of the Valley", wodą toaletową firmy Yardley. Na zawieszonym na szyi łańcuszku Margo nosiła duży złoty zamykany medalion, który unosił się i opadał na potężnej półce jej biustu. Alba znowu pośpiesznie odsunęła obraz macochy, ujeżdżającej ojca jak konia.

Weszła do holu o ścianach wyłożonych drewnianą boazerią i obwieszonych surowymi portretami dawno zmarłych krewnych. Natychmiast poczuła słodkawy aromat cygara ojca i jej odwaga zbladła. Thomas wyłonił się z salonu, ubrany w zieloną bonżurkę i kapcie. Jego włosy, chociaż poważnie przerzedzone, nadal były jasne i zaczesane do tyłu z czoła, co podkreślało intensywne spojrzenie błękitnych oczu. Przez krótką chwilę Alba odniosła wrażenie, że widzi nie ociężałego mężczyznę z trochę wystającym brzuchem, o ogorzałej twarzy i wygiętych ku dołowi kącikach ust, ale przystojnego, atrakcyjnego oficera, pełnego życia młodego człowieka, jakim był w czasach, kiedy wciąż jeszcze kochał jej matkę, zanim zaczął szukać pociechy i zapomnienia w konwencjonalnych zasadach i rutynie.

– Ach, to ty, kochanie... – Lekko musnął wargami jej skroń, jak zwykle. – Czemu zawdzięczamy tę niespodziewaną przyjemność?

Jego głos był nieco zachrypnięty, gruby i twardy jak żwir na podjeździe przed domem. Alba miała przed sobą jowialnego, nudnego, podstarzałego mężczyznę – młody oficer zniknął.

– Przejeżdżałam tędy – skłamała.

– Doskonale – odparł. – Wejdź na chwilę i opowiedz nam, co porabiasz.

Rozdział drugi

Alba ściskała torbę pod pachą. Dokładnie czuła wybrzuszenie w miejscu, gdzie włożyła zwinięty portret, obwiązany kawałkiem sznurka. Aż paliła się, by pokazać go ojcu i Margo, musiała jednak poczekać na odpowiedni moment, poza tym uznała, że powinna napić się dla kurażu.

– Czego się napijesz, moja droga?

– Kieliszek wina, jeśli można – odrzekła, padając na sofę.

Jeden z psów macochy drzemał w rogu, zwinięty w kłębek. Ładniej wyglądają, kiedy śpią, pomyślała. Wtedy mniej przypominają małe kudłate gryzonie... Rozejrzała się po pokoju, w którym tak często przesiadywała w dzieciństwie, podczas gdy jej rodzeństwo grało w scrabble lub inne gry, i dotkliwiej niż kiedykolwiek poczuła, że jest tu obca. Na przeładowanych malutkimi emaliowanymi pudełeczkami oraz innymi drobiazgami stolikach stało mnóstwo zdjęć. Niektóre z nich przedstawiały ją, uśmiechniętą i obejmującą ramieniem Caroline, zupełnie jakby łączyła je prawdziwa, nierozerwalna przyjaźń. Na pierwszy rzut oka mogłoby się wydawać, że Alba należy do dużej, kochającej rodziny. Prychnęła pogardliwie, usiadła prosto i założyła jedną długą nogę na drugą, podziwiając błękitne zamszowe buty z drewnianymi podeszwami, kupione ostatnio w sklepie firmy Biba. Jej macocha usadziła swój duży zad w fotelu i sięgnęła po kieliszek brandy.

– Jak tam życie w Londynie? – zapytała.

Pytanie Margo było celowo wieloznaczne, ponieważ w gruncie rzeczy ani ona, ani Thomas nie wiedzieli, czym zajmuje się Alba.

– Och, jak zwykle! – Alba odparła równie niejasno, ponieważ sama także nie wiedziała, co właściwie robi ze swoim życiem.

Niedawno o mały włos nie została muzą Terry'ego Donovana, ale spóźniła się na spotkanie i nic z tego nie wyszło, a potem była zbyt zażenowana, by zatelefonować i go przeprosić, więc po prostu dała sobie spokój. Próby zostania modelką magazynów mody, jakie czasami podejmowała, także okazywały się bezowocne, ponieważ cierpiała na brak motywacji. Rozmaici ludzie przekonywali ją, że zostanie nową Jean Shrimpton i zdobędzie wielką sławę, lecz ona nigdy nie doprowadzała niczego do końca. Viv często powtarzała, że Bóg pomaga tym, którzy sami sobie pomagają, ale Alba nie bardzo wiedziała, jak się do tego zabrać. Na razie utrzymywała się z pieniędzy, które regularnie dostawała od ojca, co w zupełności wystarczało na życie i stroje, a jeśli potrzebowała czegoś więcej, zdawała się na pomoc różnych Rupertów, Timów i Jamesów.

– Chyba robisz coś jeszcze poza przesiadywaniem całymi dniami na tej łodzi? – zagadnęła z uśmiechem Margo.

Alba postanowiła się obrazić. Margo zawsze była potwornie nietaktowna, wygadana i pozbawiona delikatności. Znakomicie nadawałaby się na dyrektorkę szkoły, bez dwóch zdań. Dziewczyna pomyślała, że macocha z przyjemnością smagałaby uczennice swoim głębokim, rozsądnym głosem niczym dyscypliną – na pewno kazałaby im „wziąć się w garść", kiedy płakałyby z tęsknoty za matkami. Gdy w dzieciństwie Alba zalewała się łzami, bo odmawiano jej czegoś, co Margo uznała za zbędne i głupie, macocha często jej radziła, żeby „zakręciła kraniki i wzięła się w garść". Teraz fala szczerego oburzenia zalała ją na wspomnienie wszystkich upokorzeń, jakich zaznała z rąk macochy. Nagle przypomniała sobie o portrecie i sama świadomość jego istnienia dodała jej odwagi i pewności siebie.

– „Valentina" wygląda piękniej niż kiedykolwiek – odparła, z naciskiem wymawiając nazwę łodzi. – A skoro już o niej mówimy... Kiedy sprzątałam, wymiotłam spod łóżka coś, co zupełnie mnie zaskoczyło...

Już miała wystrzelić celnie wymierzony pocisk, gdy ojciec podał jej kieliszek czerwonego wina.

– Bardzo dobre bordo – powiedział. – Wiele lat leżakowało w piwnicy...

Podziękowała i spróbowała wrócić do tematu, który najbardziej ją interesował, gdy znowu coś jej przerwało. Tym razem był to wysoki, cienki głos, drżący jak struny zmęczonych marną grą skrzypiec. Głos babki...

– Czyżbym spóźniła się na przyjęcie?

Wszyscy odwrócili się gwałtownie, ze zdumieniem patrząc na Lavender Arbuckle, która stała w progu w zalotnie obszytym koronką czepku i szlafroku, wsparta na lasce.

– Mamo... – wykrztusił Thomas, całkowicie zaskoczony tym widokiem.

Za dnia, w eleganckim kostiumie, Lavender wyglądała normalnie, lecz teraz, krucha i drżąca, przywodziła na myśl trupa, który przed chwilą wyszedł z trumny.

– Nie znoszę, kiedy jakieś przyjęcie zaczyna się beze mnie – oznajmiła Lavender.

Margo odstawiła kieliszek i z ciężkim westchnieniem dźwignęła się na nogi.

– Lavender, to tylko Alba – wyjaśniła. – Wpadła na drinka...

Lavender zmarszczyła brwi. Jej drobna twarz przypominała teraz główkę ptaka z błyszczącymi oczkami i malutkim dziobem.

– Alba? Czy ja znam jakąś Albę? – zapytała podniesionym głosem i zmierzyła wnuczkę badawczym spojrzeniem znad upudrowanego nosa.

– Witaj, babciu! – Alba się uśmiechnęła, nawet nie fatygując się, żeby wstać.

– Czy ja cię znam? – Lavender potrząsnęła głową, wprawiając w ruch wstążeczki czepka. – Nie wydaje mi się...

– Mamo... – zaczął słabo Thomas.

Margo szybko podeszła do staruszki.

– Jest już potwornie późno – powiedziała. – Nie sądzisz, że najlepiej będzie ci teraz w łóżku?

Ujęła teściową pod ramię i spróbowała wyprowadzić ją z pokoju.

– Jeżeli macie tu przyjęcie, to wolę zostać. – Lavender uwolniła się od Margo i pokuśtykała z powrotem do salonu. – Uwielbiam wesołe imprezy...

Thomas najwyraźniej nie miał pojęcia, jak poradzić sobie z tą sytuacją, więc tylko co chwilę zaciągał się cygarem, natomiast Margo oparła ręce na biodrach i z dezaprobatą kręciła głową.

Lavender usiadła na krześle z wysokim oparciem, na którym Thomas zwykle przeglądał niedzielne wydania gazet. Było duże, wygodne i stało pod lampą z mocną żarówką.

– I cóż, nikt nie zaproponuje mi drinka? – rzuciła ostro.

– Może odrobinkę brandy? – zagadnęła Margo, zostawiając męża na środku pokoju i podchodząc do barku.

– Ależ skąd, w żadnym razie, przecież jestem na przyjęciu! Najlepszy będzie „Słodki ulepek" – Lavender odwróciła się w stronę Alby. – Co ty na to? Tak jest, poproszę „Słodki ulepek"! – Na policzki staruszki wypełzł lekki rumieniec.

– Co to jest „Słodki ulepek"? – zapytała Alba.

– Likier miętowy – wymamrotał Thomas, marszcząc brwi.

– Bardzo pospolity drink! – prychnęła Margo i nalała teściowej brandy.

Alba, chociaż trochę rozbawiona wyczynami babki, myślała tylko o tym, żeby jak najprędzej powiedzieć ojcu o portrecie. Wino sprawiło, że odzyskała zdecydowanie i odwagę. Teraz była gotowa stawić im czoło, zażądać ujawnienia prawdy i przeprosin, że nie usłyszała jej wcześniej. Zerknęła na duży srebrny zegar na kominku i zorientowała się, że nie ma dużo czasu, jeżeli chce jeszcze tego wieczoru zrealizować swój plan. Wiedziała, że niedługo ojciec i Bawolica zechcą udać się na spoczynek.

– Długo tu posiedzisz? – zwróciła się do babki, nie ukrywając zniecierpliwienia.

– Kim jesteś? – padła lodowata riposta. – Bo już zdążyłam zapomnieć...

– To Alba, mamo! – zrezygnowanym głosem wyjaśnił Thomas.

Margo podała Lavender kieliszek brandy i wróciła na swój fotel. Jeden z małych piesków wskoczył jej na kolana, a ona zaczęła głaskać jego sierść dużą, sprawną dłonią. Lavender nachyliła się ku Albie.

– Myślą, że jestem na ostatnich nogach, dlatego sprowadzili mnie do domu... – westchnęła. – To moja ostatnia stacja... Wkrótce odejdę i pochowają mnie obok Huberta. Nigdy nie sądziłam, że naprawdę się zestarzeję – wszyscy uważamy, że będziemy wiecznie młodzi... Dobrze chociaż, że na razie nie dolega mi nic poważnego. Skleroza trochę daje się we znaki, ale poza tym nieźle się jeszcze trzymam! – Wypiła brandy i nagle się przygarbiła, krucha i drobniutka. – Kiedy Hubert i ja byliśmy młodzi, ten pokój tętnił życiem... Codziennie kłębiły się w nim tłumy znajomych i przyjaciół... Teraz oni wszyscy już nie żyją albo są za starzy, żeby wychodzić z domu. Nie mają dość energii, żeby chodzić na przyjęcia. W latach młodości człowiek naprawdę spodziewa się, że będzie żył wiecznie. Wyobrażamy sobie, że pokonamy wszelkie przeciwności, ale nikt nie pokonał kostuchy... Nie, kostucha przychodzi i zabiera nas wszystkich, i królów, i włóczęgów, oczywiście we właściwym czasie... Każdy musi zaczekać na swoją kolej, prawda? Przeżyliśmy wspaniałe lata, Hubert i ja. Jesteś mężatką? Jak ci na imię?

– Alba. – Dziewczyna z trudem stłumiła ziewnięcie.

Chwilami trudno jej było zrozumieć, co mówi babka. Zupełnie jakby miała w ustach garść owoców. Mówiła jak stara księżna z jakiegoś dalekiego kraju...

– Kobieta jest niczym bez mężczyzny i dzieci – ciągnęła Lavender. – W moim wieku człowiek zyskuje już pewną mądrość, tak, moja droga... Jestem stara i mądra, i na szczęście moje dzieci będą żyły dalej, chociaż mnie już nie będzie... Ta świadomość daje mi wielką satysfakcję, radość, którą potrafi zrozumieć tylko ktoś tak stary jak ja...

– Ale chyba zawsze warto pamiętać o tym, żeby dobrze się wyspać ze względu na urodę, prawda? – Alba wypiła ostatnie krople wina.

– Oczywiście, moja droga, oczywiście! Tyle że ja, kobieta w poważnym wieku, nie widzę wielkiego sensu w wysypianiu się. Ostatecznie, już niedługo zasnę na całą wieczność i mogę się założyć, że szybko mi się to znudzi... Za dużo snu to nic dobrego. Dobry Boże, naprawdę jest już tak późno? – Lavender wyprostowała się i utkwiła wzrok w tarczy zegara. – Mogę sobie mówić, że wcale nie chce mi się spać, ale moje ciało posiada określone przyzwyczajenia, a ja nie mam już siły, aby z nim walczyć. Miło mi było cię poznać, moja droga... – wyciągnęła dłoń do Alby.

– Jestem twoją wnuczką – przypomniała jej Alba, starając się zapanować nad irytacją.

– Naprawdę? Coś takiego! Cóż, w ogóle nie jesteś do nas podobna! Wszyscy z rodziny Arbuckle mają jasne włosy, oczy i cerę, a ty jesteś ciemna i wyglądasz jak cudzoziemka... – Lavender znowu zmierzyła Albę chłodnym spojrzeniem.

– Moja matka była Włoszką – powiedziała Alba i drgnęła, słysząc, jak ostro i wysoko brzmi jej głos.

Spojrzała na ojca, który wciąż stał na środku pokoju i palił cygaro. Jego twarz była mocno zaczerwieniona. Bawolica, nie okazując prawdziwych uczuć, podniosła się z fotela i pomogła teściowej wyjść z pokoju.

Po powrocie Margo z ciężkim westchnieniem pokręciła głową.

– O, Boże, wszystko zaczyna jej się mylić... Chciałabyś zostać na noc, Albo?

Alba dosłownie zagotowała się z wściekłości. Margo traktowała ją jak gościa, a przecież ona przyjechała do własnego domu! Niezdolna opanować narastającej frustracji, otworzyła torbę i wyjęła zwinięty szkic.

– Znalazłam to pod łóżkiem – oświadczyła, rozprostowując kawałek papieru. – To portret Valentiny, narysowany przez tatę...

Utkwiła w ojcu spojrzenie swoich dziwnych jasnych oczu. Zauważyła, że Bawolica zgarbiła się, przytłoczona napięciem, i szybko wymieniła z mężem nerwowe spojrzenie. Alba była teraz naprawdę wściekła.

– Tak, tato, to piękny rysunek! Pozwól, że ci przypomnę, kiedy powstał – w 1943 roku, w czasie wojny, kiedy jeszcze kochałeś moją matkę... – Z lodowatym wyrazem twarzy odwróciła się do Margo. – Czy ty w ogóle pozwalasz mu ją wspominać?

– Posłuchaj, moja droga... – zaczęła Margo, ale Alba podniosła głos i zaczęła wypowiadać myśli, które przez wiele lat fermentowały w jej głowie, i podobnie jak zbyt długo leżakowane wino, smakowały teraz kwaśno i gorzko.

– Zachowujecie się tak, jakby ona nie istniała! Nigdy o niej nie rozmawiacie! – zakasłała, próbując rozluźnić struny głosowe, które napięły się aż do bólu. – Jak mogłeś pozwolić, by inna kobieta zniszczyła twoje wspomnienia o mojej matce?! Dlaczego jesteś takim tchórzem, tato?! Walczyłeś na wojnie, zabijałeś silniejszych od ciebie, a jednak... A jednak wypierasz się mojej matki, żeby tylko nie denerwować Margo...

Margo i Thomas stali nieruchomo, w zupełnym milczeniu. Żadne nie wiedziało, jak zareagować na ten atak. Przywykli już do wybuchów Alby, lecz ten był wyjątkowo gwałtowny. Tylko dym z niedopalonego cygara Thomasa zakłócał kompletny bezruch, jaki zapanował w pokoju. Nawet psy nie śmiały drgnąć z przerażenia. Alba raz po raz przenosiła wzrok z ojca na macochę i znowu na ojca. Zdawała sobie sprawę, że pozwoliła swoim uczuciom wymknąć się spod kontroli, ale teraz było już za późno na odwrót. Słowa zostały wypowiedziane i nie mogła ich cofnąć, nawet gdyby chciała. W końcu Margo przerwała milczenie. Zaciskając mocno zęby, żeby zachować spokój, orzekła, że najlepiej będzie, jeżeli ojciec i córka omówią tę sprawę w cztery oczy, i bez pożegnania wyszła z pokoju.

Alba poczuła zadowolenie, że wreszcie się jej pozbyła. Podeszła do ojca i podała mu zwiniętą kartkę. Thomas wziął ją i długo wpatrywał się w twarz córki, która odpowiedziała mu wyzywającym, ostrym spojrzeniem. W jego oczach nie wyczytała jednak pragnienia walki, tylko ogromny, niezmierzony smutek. Smutek tak wielki, że po prostu musiała się odwrócić. Thomas bez słowa wrzucił niedopałek cygara do popielniczki i usiadł na tym samym krześle, które parę minut wcześniej zwolniła jego matka. Nie rozwinął rysunku, patrzył tylko na kartkę, gładząc papier kciukiem. Z odległej przeszłości, z dawno temu zamkniętego rozdziału życia napłynął ku niemu słodki zapach fig.

Alba przyglądała mu się uważnie. Ujrzała młodego mężczyznę w mundurze oficera marynarki, tego samego, który uśmiechał się do niej z fotografii w garderobie, dzielnego marynarza w białym szaliku, granatowym płaszczu i czapce z daszkiem. Thomas ze zdjęcia był szczuplejszy, przystojniejszy, szczęśliwszy... W jego oczach nie było głębokiego, niepokojącego smutku, tylko optymizm, który zawsze przeważa w duszach młodych, odważnych ludzi. Nie było tam także rozczarowania, ponieważ jego serce biło miłością do jej matki, a przyszłość rozpościerała się przed nimi jak piękny, zachwycający dywan.

– Tym razem posunęłaś się za daleko – odezwał się w końcu bardzo cichym głosem.

Alba skrzywiła się lekko.

– O wielu sprawach nie masz pojęcia, nie zaczęłaś ich nawet rozumieć – ciągnął ojciec. – Gdyby było inaczej, nie mówiłabyś do Margo takim tonem. Zachowałaś się niewybaczalnie, a ja nie zamierzam tego tolerować...

Jego słowa zapiekły ją jak mocny policzek.

– Nie, to ty nic nie rozumiesz! – zaczęła niezbyt pewnym głosem. – Chcę się dowiedzieć czegoś o mojej matce, to chyba zrozumiałe, nie wydaje ci się? Zasługuję na to, żebyś mi o niej opowiedział! Nie wiesz, jak to jest, kiedy wszędzie czujesz się obco! Zupełnie obco, jakbyś nie miał żadnych korzeni!

Thomas popatrzył na nią i ze znużeniem potrząsnął głową.

– To jest twój dom... – lekko ściągnął brwi. – Czy ja ci nie wystarczam? Nie, najwyraźniej nie... Przez całe życie chciałaś czegoś więcej, nic nie było dla ciebie dość dobre, prawda? – westchnął i przeniósł spojrzenie na zwinięty portret. – Tak, kochałem twoją matkę, a ona kochała ciebie. Ale Valentina umarła i nie jestem w stanie tego odmienić... Nie mam ci nic więcej do powiedzenia. A jeśli chodzi o korzenie, to po zakończeniu wojny przywiozłem cię tutaj, do Anglii. Twoje korzenie są tutaj, zawsze tak było. Tu jest twój dom, twoje miejsce na ziemi. Jeżeli ktoś stwarza problemy, to nie Margo, ale ty. Rozejrzyj się dookoła. Od najwcześniejszych lat tylko brałaś i brałaś, i nawet nie przyszło ci do głowy, że masz za co być wdzięczna... Nie wiem, czego jeszcze chcesz, i jestem już zmęczony bezustannym dawaniem...

– Więc nie opowiesz mi o Valentinie? – Alba walczyła ze łzami wściekłości. Czuła, że ojciec znowu ją odpycha, odgradza się od niej i od jej matki. Wiedziała jedno – demonem, który podpowiadał mu, co ma robić, była Margo, nie jego sumienie. – Nigdy nie powiedziałeś mi nawet, jak się poznaliście... – szepnęła, patrząc, jak mięśnie jego szczęk drgają nerwowo. – Nigdy nie podzieliłeś się nią ze mną... Dawniej byliśmy razem, tato, ty i ja, ale potem zjawiła się Margo i w twoim życiu nagle zabrakło dla mnie miejsca...

– To nieprawda! – jęknął Thomas. – Wyłącznie dzięki Margo jesteśmy rodziną!

– Ona nadal jest zazdrosna o moją matkę!

– Bardzo się mylisz.

Alba zaśmiała się cynicznie.

– Tylko kobieta potrafi zrozumieć drugą kobietę! – oznajmiła triumfalnie.

– Ale ty nie jesteś jeszcze kobietą, moja droga... – Ojciec popatrzył na nią zaczerwienionymi oczami.

Gdyby Alba nie nosiła w sercu tak wielkich pokładów żalu i pretensji, jego rozpacz wzbudziłaby w niej współczucie.

– Nie zmuszaj mnie, żebym wybierał między tobą i żoną – dodał Thomas.

Jego głos był tak spokojny i poważny, że po plecach dziewczyny przebiegł nagły dreszcz.

– Nie muszę nawet pytać, bo i tak wiem, kogo byś wybrał, tato – powiedziała.

Kiedy samochód ruszył z podjazdu, Margo, która wszystko słyszała, przystanęła za drzwiami salonu. Przez szczelinę doskonale widziała Thomasa. Jego twarz była mizerna i poszarzała ze smutku. Wyglądał staro. W zamyśleniu dotknął zwiniętego szkicu. Nie rozwinął go, kiwnął tylko głową, następnie wstał i przeszedł do gabinetu, gdzie z trzaskiem otworzył i zamknął szufladę.

Wcale nie pragnął ożywiać przeszłości.

Gdy Thomas wreszcie położył się obok żony, ta powoli zdjęła okulary do czytania i zamknęła książkę.

– Chyba przyszedł czas, żebyś pozbył się tej koszmarnej łodzi – powiedziała.

Thomas poprawił się na materacu i oparł głowę na poduszce.

– Łódź nie ma nic wspólnego ze złym zachowaniem Alby – odparł ze zniechęceniem, ponieważ rozmawiali już o tym setki razy.

– Wiesz, że nie o to mi chodzi. Ta łódź przynosi pecha.

– Odkąd to stałaś się przesądna?

– Zupełnie nie rozumiem, dlaczego Alba nie może wynająć sobie mieszkania, tak jak Caroline...

– Uważasz, że dobrze by było, gdyby znowu zamieszkały razem?

– Dobry Boże, nie, to by była katastrofa! – wykrzyknęła Margo. – Nie, nie możemy tego zrobić nieszczęsnej Caroline... Alba bezustannie się z nią kłóciła i zawsze zostawiała po sobie potworny bałagan. Caroline poświęcała większość wolnych wieczorów na wyrzucanie niedopałków, które Alba wrzucała do kieliszków i tak dalej. Nie, nigdy więcej nie naraziłabym Caroline na coś takiego, nie zasłużyła na to...

– Alba jest bardzo szczęśliwa na łodzi. – Thomas z ciężkim westchnieniem zamknął oczy.

– Wszystko byłoby w porządku, gdyby to nie była *ta* łódź...

– Nie zamierzam się jej pozbywać. Zresztą, czy nie wydaje ci się, że Alba odebrałaby to z pewnością jako kolejny krok, mający na celu zniszczenie pamięci o jej matce?

Margo schowała okulary do etui i odłożyła książkę na stolik. Wyłączyła lampkę i ułożyła się wygodnie, przykrywając się aż po samą szyję.

– Nie chcę cię wypytywać o ten portret, bo to nie moja sprawa – powiedziała cicho. – Jednak moim zdaniem źle się stało, że Alba go znalazła. Nie powinna ciągle wracać do przeszłości, to jej szkodzi...

– Przeszłość... – wymamrotał Thomas.

Nie mógł przestać myśleć o portrecie. Otworzył oczy i spojrzał w ciemność, gdzie już czekała na niego twarz Valentiny, wibrująca młodością i nieujarzmioną energią. Wydawało mu się nawet, że czuje słodki, miodowy zapach fig, który napłynął ku niemu z przeszłości razem z dawno zapomnianym, intensywnym aż do bólu uczuciem. Jego oczy zamgliły się łzami. Wziął głęboki oddech, żeby trochę się uspokoić. Dlaczego ten portret znalazł się właśnie teraz, po tylu latach, kiedy prawie udało mi się zostawić to wszystko za sobą, pomyślał.

– Co zamierzasz zrobić? – zapytała Margo.

Z trudem oderwał się od wspomnień.

– Z czym?

– Z tą łodzią.

– Nic.

– Nic? – powtórzyła z niedowierzaniem. – Ale przecież...

– Nic, tak jak powiedziałem. Nie mam najmniejszej ochoty rozmawiać o tym ani chwili dłużej, chcę wreszcie zasnąć. Łódź zostaje, a Alba nadal może na niej mieszkać.

* * *

Alba ledwo widziała drogę przez płynące jej z oczu łzy. Było już po północy, kiedy zaparkowała samochód pod latarnią na Cheyne Walk. Po co oddałam mu portret, pomyślała z wściekłością. Mogłam go zatrzymać i nikomu o nim nie wspomnieć, tymczasem teraz znowu nie mam nic, kompletnie nic...

Powoli przeszła po pontonowym trapie na pokład łodzi, żałośnie pociągając nosem. Jestem zupełnie sama, nie mam nikogo, nikogo, rozczuliła się. Gdyby chociaż na łodzi czekał na nią jakiś miły facet, do którego mogłaby się z przyjemnością przytulić... Nie jakiś tam Rupert, Tim czy James, ale ktoś wyjątkowy. Tej nocy nie chciała być sama. Wiedziała, że Viv często pracuje nad książkami do białego rana, więc bez wahania zapukała do jej drzwi. Czekała chwilę, ale dobiegającemu z oddali przyjaznemu szumowi miasta towarzyszyło tylko ciche trzeszczenie desek i łagodne pluskanie fal o ponton.

Odwróciła się już, przygnębiona, kiedy drzwi uchyliły się i w szczelinie ukazała się blada twarz Viv.

– Ach, to ty... – powiedziała, mierząc zapłakaną Albę uważnym spojrzeniem. – Masz ci los... Wejdź do środka, nie stój tak...

Alba poszła za ubraną w obszerny kaftan Viv do kuchni. Powietrze było tu przesiąknięte charakterystycznym zapachem wilgoci, podobnie jak na jej własnej łodzi, ale mieszkanie Viv pachniało także czymś wyjątkowym i przyjemnie egzotycznym. Viv uwielbiała palić indyjskie kadzidełka i nasączone rozmaitymi aromatami świeczki, które kupowała na Carnaby Street. Alba usiadła przy okrągłym stole w pokoju o fioletowych ścianach i skuliła się nad filiżanką kawy, którą podała jej Viv.

– Jestem w samym środku okropnie trudnego rozdziału, więc chętnie zrobię sobie przerwę i pogadam z tobą – oświadczyła pisarka. – Nie wydaje mi się, żebyś zalewała się łzami z powodu mężczyzny, mam rację? – Usiadła i zapaliła papierosa. – Weź jednego, skarbie, od razu poczujesz się lepiej... – podsunęła Albie pudełko.

Alba wzięła papierosa i pochyliła się nad stołem, aby sięgnąć do płomyka zapalniczki.

– No więc, dlaczego płaczesz? – zapytała Viv.

– Znalazłam pod łóżkiem portret mojej matki, naszkicowany przez ojca...

– Dobry Boże, co robiłaś pod łóżkiem? – Viv doskonale wiedziała, że Alba nigdy nie sprząta.

– To piękny szkic, mówię ci, naprawdę piękny... – Alba w ogóle nie usłyszała jej pytania. – A ojciec nie chce ze mną o nim porozmawiać...

– Rozumiem... – Viv zaciągnęła się i wydmuchała dym przez nos, zupełnie jak smok. – Pojechałaś w nocy do Hampshire?

– Nie mogłam wytrzymać. Myślałam, że ojciec się ucieszy...

– Jakim cudem portret twojej matki znalazł się pod łóżkiem?

– Och, ojciec schował go tam przed Bawolicą. Moją macochę zżera zazdrość, dlatego nigdy nawet nie chciała wejść na łódź, którą tata nazwał imieniem mamy. Co za głupia baba!

– Jak zareagował ojciec?

Alba przełknęła łyk kawy i skrzywiła się, bo sparzyła język gorącym napojem.

– Wściekł się na mnie.

– Niemożliwe! – oburzyła się Viv.

– Ależ tak! Powiedziałam mu o portrecie w obecności Bawolicy.

– No, to wiele tłumaczy...

– Zależało mi, by się dowiedziała, że ukrył go przed nią. – Alba zachichotała złośliwie, odsłaniając krzywy górny kieł, który zdaniem Ruperta, a może Tima, dodawał jej wargom uroku. – Założę się, że po moim odjeździe kłócili się do upadłego... Bawolica na pewno podsłuchiwała za drzwiami, kiedy rozmawiałam z ojcem, wyobrażam sobie, jak sapała przy dziurce od klucza...

– Obejrzał portret?

– Nie. Zrobił się czerwony i strasznie smutny. On wciąż ją kocha, wiesz? I pewnie nigdy nie przestanie... Chyba żałuje, że ożenił się z Bawolicą. No, nieważne... Ja chciałabym tylko, żeby podzielił się ze mną wspomnieniami o mamie, rozumiesz? A on nie chce tego zrobić, bo boi się zdenerwować Bawolicę. To wszystko przez nią...

– Musi być bardzo okrutna i głupia, skoro jest zazdrosna o zmarłą – powiedziała z przejęciem Viv, poklepując Albę po ręce.

Dziwne, jasne oczy Alby znowu wezbrały łzami i Viv niespodziewanie zapragnęła przytulić ją i pocieszyć jak matka. Alba miała dwadzieścia sześć lat, ale Viv trudno było uznać ją za osobę zupełnie dorosłą i dojrzałą emocjonalnie. Pod płaszczykiem pewności siebie ukrywało się dziecko, które czekało, aby ktoś je pokochał. Viv podała dziewczynie ligninową chusteczkę.

– Co masz zamiar zrobić, kochanie? – zapytała.

– Nic nie mogę zrobić – odparła Alba żałosnym tonem.

– Och, to nieprawda, zawsze można coś wymyślić. Nie zapominaj, że Bóg pomaga wyłącznie tym, którzy sami sobie pomagają. Mam przyjaciela, który może wpadnie na jakiś pomysł... – Viv zmrużyła oczy. – Jeżeli istnieje człowiek, którego urok działa dosłownie na wszystkich, to z całą pewnością jest nim Fitzroy Davenport...

Rozdział trzeci

Fitza przez całą noc nękały niespokojne sny o Albie, a kiedy rano się obudził, jej twarz była już na trwałe wyryta w jego pamięci. Leżał nieruchomo, ciesząc się widokiem jasnego promienia słońca, który wdarł się do pokoju przez szczelinę między zasłonami, oraz wspomnieniem Alby. Ach, ta jej owalna twarz i duże, zmysłowe wargi... Fitz z nienawiścią pomyślał o mężczyznach, którzy całowali jej usta i pośpiesznie przeniósł uwagę na niezwykłe oczy dziewczyny. Były głęboko osadzone, okolone czarnymi, grubymi rzęsami i bardzo mocno zarysowanymi, dość ciężkimi brwiami, a cienie wokół nich, prawie niewidoczne na skórze, ale jednak obecne, nadawały twarzy Alby wyraz smutku.

Podniecał go także sposób, w jaki się poruszała, no i te długie nogi w butach do kolan... I gładkie, smukłe uda, tylko symbolicznie osłonięte króciutką spódniczką... Chodziła pewnym siebie krokiem, z wdziękiem młodego źrebaka, jak określali to niektórzy pisarze ze skłonnością do banalnych sformułowań (na szczęście Viv nie miała takich upodobań).

Alba potraktowała go z niewybaczalną nieuprzejmością, ale jej uśmiech i krzywy ząb były tak czarujące, że Fitz miał wrażenie, jakby wylała mu na skórę odrobinę ciepłego miodu, potem zaś zlizała tę kroplę jednym cudownym liźnięciem szorstkiego języka.

W kuchni na dole Sprout zaczął szurać pustą miską. Fitz westchnął. Nie chciało mu się wstawać. Spróbował wymyślić jakiś pretekst, który mógł usprawiedliwić ponowną wizytę u Viv – istniała przecież szansa, że spotka Albę i zamieni z nią parę słów. Może zadzwoni do pisarki i powie, że koniecznie muszą omówić szczegółowo umowę na wydanie jej ostatniej książki we Francji i możliwość wyjazdu do tego kraju w celach promocyjnych – Francuzi uwielbiali jej powieści, więc na pewno chętnie by o tym porozmawiała... Albo może raczej podsunie jej pomysł wspólnego przejrzenia ostatnich wyników sprzedaży... Łatwo było ją zadowolić, ponieważ bardzo lubiła mówić o sobie, a tego dnia Fitz był w nastroju do słuchania. Sięgnął po słuchawkę dokładnie w tej samej chwili, gdy telefon zadzwonił. Fitz skrzywił się niechętnie, ale wyraz jego twarzy natychmiast się zmienił na dźwięk głosu Viv.

– Dzień dobry, skarbie! – zawołała pogodnie.

Dusza Fitza uleciała na skrzydłach aż pod sufit.

– Ach, to ty, kochanie! Wyobraź sobie, że właśnie miałem do ciebie dzwonić!

– Naprawdę? Coś się stało? Mam nadzieję, że to coś przyjemnego...

– Naturalnie, Viv. Jesteś moją najlepszą klientką, moją gwiazdą, przecież wiesz o tym.

– Nie trzymaj mnie w niepewności!

– Francuzi chcą, żebyś do nich przyjechała na serię spotkań z czytelnikami w Paryżu i jeszcze kilku dużych miastach – skłamał Fitz. – Naprawdę mają kręćka na twoim punkcie...

Trudno, pomyślał, później się zastanowię, jak z tego wybrnąć.

W głosie Viv zabrzmiało szczere zadowolenie – zaczęła teraz wymawiać spółgłoski z jeszcze większą emfazą niż zwykle.

– Och, skarbie, to wspaniale! Oczywiście, nie mogę odmówić, wiem, że mam obowiązki wobec czytelników... Na pewno ich nie zawiodę. Ostatecznie są mi potrzebni w tym samym stopniu, co ja im...

– Doskonale, w takim razie zaraz się z nimi porozumiem... – Fitz przerwał, słysząc, jak Viv wciąga powietrze. Był gotów się założyć, że właśnie pali papierosa w swojej fioletowej kuchni. – O czym chciałaś ze mną porozmawiać? – zapytał z nadzieją na zaproszenie.

– No, popatrz, z tego wszystkiego byłabym zapomniała! – Viv zawstydziła się, że nowiny Fitza usunęły w cień historię Alby. – Wpadnij dziś do mnie na kolację, dobrze? Mam dla ciebie zadanie, które chyba przypadnie ci do gustu. Pewna prześladowana przez los młoda dama czeka na rycerza w lśniącej zbroi, który uratuje ją z rąk złej macochy i obojętnego ojca. Myślę, że chętnie się tym zajmiesz, zwłaszcza że młoda dama wpadła ci w oko, prawda? Tylko nie zakochaj się w niej, na miłość boską...

– Będę wieczorem – oznajmił Fitz głosem zachrypniętym z podniecenia.

Viv wymownie przewróciła umalowanymi oczami i odłożyła słuchawkę. Była zdania, że na dłuższą metę z całej tej przygody nie wyniknie dla Fitza nic dobrego. Historia z Albą w roli głównej mogła przynieść mężczyźnie tylko rozczarowanie i żal, ale wobec zapału Fitza była zupełnie bezradna.

Alba ocknęła się z uczuciem przerażającej pustki. Wstała i szybko zaparzyła filiżankę herbaty. W lodówce nie było nic do jedzenia, tylko ćwierć litra mleka, dwie butelki wina i kilkanaście buteleczek lakieru do paznokci. Ranek był chłodny i dziewczyna marzła mimo włączonego ogrzewania. Otuliła się szlafrokiem i przetarła zapuchnięte oczy, głośno ziewając. Postanowiła pojechać na zakupy, żeby trochę poprawić sobie nastrój i może umówić się na lunch z Rupertem, który pracował w agencji nieruchomości w Mayfair. Nie byłoby tak źle, gdyby zajął jej większą część popołudnia, a potem kochał się z nią aż do zmroku... Uznała, że Rupert będzie naprawdę niezłym środkiem na dręczące ją przygnębienie – w jego ramionach na pewno poczuje się znacznie lepiej. Uprawiał seks z wielką czułością i entuzjazmem, a na dodatek był w tym rzeczywiście dobry. Nie obmacywał jej niezdarnie i nie dyszał niczym zmęczony słoń. Nie znosiła takich kochanków, podobnie jak tych, którzy spoconymi łapami miętosili jej piersi i pośladki. Rupert nie należał do nich i jak na razie nie prześladował jej nieustannymi telefonami. Po prostu był na miejscu, gdy go potrzebowała, i tyle. Musiała też przyznać, że jego towarzystwo naprawdę ją rozwesela.

Sięgała właśnie po słuchawkę, kiedy usłyszała głośne, natarczywe pukanie do drzwi. Natychmiast poznała ten charakterystyczny dźwięk i uśmiechnęła się. Harry Reed, zwany także „Rzeczną Trzcinką"... W sztywnym niebieskim mundurze i czapce funkcjonariusza policji rzecznej prawie codziennie patrolował Tamizę w tej okolicy. Co jakiś czas wpadał na kawę, a poza tym już nie raz wygrzewał łóżko Alby. Niestety, jego brutalne pieszczoty nie były tym, czego dziś potrzebowała.

– Cześć! – powiedziała, uchylając drzwi.

Harry był wysoki i chudy, faktycznie podobny do trzciny, miał jasnobrązowe oczy, szeroki, trochę bezczelny uśmiech i dość przystojną, chociaż nieco prymitywną twarz.

– Zapomniałem już, jak wyglądasz rano – rzekł tęsknym głosem, zdejmując czapkę i trzymając ją przed sobą w dużych, szorstkich dłoniach.

– I tylko dlatego postanowiłeś do mnie zajrzeć?

– Może poświęcisz chwilkę na wypicie kawy ze zmarzniętym policjantem, co? Przynajmniej będziesz miała pewność, że nic ci nie grozi! – Harry zawsze częstował Albę tym żartem i zawsze szczerze się z niego śmiał.

– Raczej nie, Harry, przykro mi. Śpieszę się, bo jestem umówiona – skłamała Alba. – Ale gdybyś tak wpadł wieczorem, przed kolacją? Co ty na to?

Harry'emu zaświeciły się oczy. Włożył czapkę i radośnie zatarł ręce.

– Pod koniec zmiany wpadnę na drinka – powiedział. – Później mam spotkać się z chłopakami w pubie Star and Garter, może poszłabyś ze mną?

Alba przypomniała sobie, że Viv zaprosiła ją na kolację z Fitzroyem Jak-mu-tam, więc musiała odmówić, chociaż lubiła spędzać czas w zadymionym pubie z policjantami.

– Nie dzisiaj, Harry.

– Któregoś dnia znowu zabiorę cię na przejażdżkę motorówką. Pamiętasz, jak musiałem wysadzić cię przy Chelsea Reach? Sierżant wyprułby mi flaki i zrobił sobie z nich podwiązki, gdyby zobaczył cię ze mną w łodzi...

– To było zabawne – przyznała Alba. Dobrze pamiętała, jak pośpiesznie wdrapywała się na nabrzeże, a zimny wiatr szarpał jej włosy i podwiewał spódniczkę. – Postaram się nie rzucać twojemu sierżantowi w oczy, chociaż kto wie, może by mi się spodobał...

– Ty spodobałabyś się jemu, to pewne – mruknął Harry.

Wszystkim się podobam, pomyślała Alba. Czasami okazywane przez mężczyzn uwielbienie naprawdę ją męczyło.

– To co, jesteśmy umówieni na drinka wieczorem, tak? – przypomniał jej Harry.

– Jeżeli będziesz miał szczęście, a ja ochotę... – Alba odsłoniła w uśmiechu krzywy ząb.

Harry o mało nie zemdlał z radości.

– Jesteś wyjątkową dziewczyną, jedyną w swoim rodzaju...

– A ty ciągle mi o tym przypominasz.

– Do zobaczenia wieczorem! – Harry wskoczył do motorówki, włączył silnik i ruszył w górę Tamizy, z zapałem machając czapką na pożegnanie.

Alba wybrała się do miasta. Kupiła bluzkę koszulową i dwie spódniczki mini w sklepie Escapade na Brompton Road za czternaście funtów oraz buty firmy The Chelsea Cobbler za pięć funtów, a następnie pojechała taksówką do Mayfair, na lunch z Rupertem. Rupert nie potrafił ukryć radości ze spotkania, ponieważ miał poważne obawy, że na poprzedniej randce wydał się Albie śmiertelnie nudny i nie spodziewał się, że dziewczyna sama się do niego odezwie, w dodatku tak szybko. Ciemną chmurę na jasnym horyzoncie stanowił tylko fakt, że przed trzecią miał spotkanie z klientem, rozstali się więc o drugiej i Alba poszła na spacer do parku, a Rupert pojechał do Bayswater, żeby pokazać ewentualnemu nabywcy kilka domów. Wchodząc do każdej kolejnej sypialni, wyobrażał sobie, że widzi leżącą na łóżku nagą Albę o skórze koloru miodu.

Znudzona przechadzką i zakupami Alba postanowiła dla rozrywki wrócić do domu autobusem. Już dawno przestały bawić ją pełne zachwytu spojrzenia mężczyzn, zawsze też ostro zbywała tych, którzy próbowali nawiązać z nią rozmowę, ale podróż autobusem była jednak przyjemniejsza od jazdy taksówką, poza tym zajmowała więcej czasu. Lubiła obserwować ludzi, ukradkiem przysłuchiwać się ich rozmowom i wyobrażać sobie, gdzie i w jakich warunkach mieszkają. Z przyjemnością myślała o czekającej ją kolacji u Viv i wcześniejszej wizycie Harry'ego Trzcinki. Dotąd nigdy nie pomyślała, że jej życie jest puste. Miała dużo znajomych i brała sobie kochanków, kiedy nie chciała być w nocy sama. Nie analizowała swojego sposobu życia, nie próbowała także zapełniać dni godnymi uwagi zajęciami – żyła z dnia na dzień i starała się spędzać czas w jak najprzyjemniejszy sposób. Gdyby ktoś ją zapytał, nie potrafiłaby wymienić ani jednej rzeczy, która mogłaby stać się dla niej inspiracją do działania. W niczym nie przypominała Viv, która wciąż była głodna przeżyć i spędzała długie godziny przy maszynie do pisania, tworząc książki, stanowiące odbicie jej entuzjastycznego (zdaniem niektórych cynicznego) stosunku do ludzi oraz ich słabostek. Alba nie pragnęła małżeństwa i dzieci, chociaż skończyła już dwadzieścia sześć lat i nie robiła się coraz młodsza, o czym często przypominała jej Viv. Nie myślała o przyszłości. Nie zdawała sobie sprawy, że unika snucia marzeń i planów ze strachu, iż jej przyszłość także będzie pusta.

Alba wzięła kąpiel i umyła włosy, owinęła się ręcznikiem i zaczęła malować kwiatki na paznokciach u nóg, kiedy obok „Valentiny" przycumowała motorówka Harry'ego Trzcinki. Rozpalony namiętnością policjant zjawił się wcześniej, pachnący wodą po goleniu, z włosami przylizanymi mokrym grzebieniem. Wyglądał całkiem atrakcyjnie i Alba szczerze się ucieszyła na jego widok. Nie musiała pokazywać mu, gdzie przechowuje alkohol – Harry od razu skierował się do lodówki i nalał im obojgu po kieliszku wina. Zauważyła, że Harry ze wszystkich sił stara się zajrzeć pod ręcznik i zmieniła pozycję tak, żeby utrudnić mu podglądanie. Nie miała ochoty na seks, poza tym była umówiona na kolację. Pomalowała ostatni paznokieć i usadowiła się wygodnie, aby lakier wysechł.

– Dziś po południu Revel znalazł w rzece obciętą rękę – oznajmił Harry, siadając w fotelu i wyciągając długie nogi daleko przed siebie.

– Co za ohyda! – Alba z niesmakiem zmarszczyła ładny nosek. – Co się stało z resztą ciała?

– Nie wiadomo – odparł z ważną miną. – Musimy przeprowadzić dochodzenie.

– To stara ręka czy całkiem świeża?

– Raczej stara, w każdym razie mocno nadgniła i cuchnąca. Nie chcę, żebyś miała złe sny, chociaż oczywiście znam na to dobry sposób... – Harry znacząco uniósł jedną brew.

Alba zignorowała niedwuznaczną propozycję.

– Może to szczątki torturowanego dworzanina Elżbiety I! – zaśmiała się. – Niewykluczone, że jutro znajdziecie głowę!

– A właśnie, byłaś w Tower? – zapytał Harry. – Niezły numer, mieć taki kawał historii w samym środku miasta, co?

Alba nigdy nie była w Tower, ponieważ historia w ogóle ją nie interesowała. Nie widziała najmniejszego sensu w poznawaniu losów dawno zmarłych ludzi. Zajmowała ją jedynie własna historia.

Lekceważąco wzruszyła ramionami.

– Jeśli chodzi o głowę, to na pewno pojawi się w najmniej spodziewanym momencie – powiedziała.

– Możliwe, że w najmniej spodziewanym dla ciebie... – zarechotał Harry, znowu mierząc wzrokiem jej odsłonięte nogi.

Alba zaczęła się zastanawiać, jak Viv zareagowałaby na widok gnijącej ludzkiej głowy, obijającej się o burtę łodzi, i uśmiechnęła się złośliwie, bo nagle zaświtał jej pomysł, że mogłaby wysłać ją Bawolicy, oczywiście w bardzo eleganckim opakowaniu.

– Daj mi znać, jeżeli ją znajdziecie... – parsknęła.

Chwilę jeszcze rozmawiali, potem Alba poszła na górę, żeby się przebrać. Nie mogła zamknąć za sobą drzwi, ponieważ sypialnia i łazienka stanowiły otwartą przestrzeń na półpięterku nad korytarzykiem i salonem. Robiło się już późno i uznała, że czas pozbyć się Harry'ego. Włożyła obcisłe spodnie ze sklepu Zandry Rhodes, do tego długie buty i kaszmirowy sweter naszywany płóciennymi łatkami. Kiedy Harry pojawił się u szczytu schodów z kieliszkiem w ręku i pożądliwym błyskiem w oku, Alba ostrożnie malowała czarną kreskę na dolnej powiece.

– Nie podkradaj się tak... – mruknęła niechętnie.

– Pragnę cię – wyznał ochrypłym głosem.

– Och, dajże spokój, zaraz wychodzę na kolację! Poza tym już się ubrałam, więc chyba nie spodziewasz się, że teraz zedrę z siebie ciuchy...

– Zrób coś, złotko... – poprosił Harry, podchodząc do niej od tyłu i całując ją w kark, pod splątanymi i jeszcze wilgotnymi włosami.

– Teraz jestem w stanie myśleć tylko o tej wyłowionej z wody ręce, a to najmniej romantyczna myśl, jaką można sobie wyobrazić...

Harry przeklął w duchu, że nie ugryzł się w język. Alba skończyła malować kreski na powiekach i włączyła suszarkę do włosów. Z żałosną miną padł na łóżko.

– Tylko jeden szybki numerek, moja śliczna... – jęknął. – Żebym trochę rozgrzał się w ten chłodny wieczór...

Uśmiechnął się tak łobuzersko, że po prostu nie mogła nie odpowiedzieć mu uśmiechem. Ci nieszczęśni faceci nie są winni, że wydaję im się taka atrakcyjna, pomyślała.

Wysuszyła włosy i ułożyła się obok Harry'ego. Namiętnie całowali się dłuższą chwilę i Alba była zadowolona, że ma się do kogo przytulić. Trzcinka to jeszcze jedno schronienie, na które zawsze mogła liczyć i miło było mieć tę pewność, ale kiedy jego dłonie spoczęły wysoko na jej udach, odsunęła się.

– Chyba czas już na ciebie, Harry.

– Z kim się umówiłaś na kolację? – zapytał, nawet nie próbując ukryć zazdrości. – Mam nadzieję, że nie z facetem...

– Nie, z moją sąsiadką, Viv.

– Z tą pisarką?

– Tak.

– W takim razie jakoś to przeżyję. Nie chcę, żebyś wpakowała się w kłopoty, bo przecież moim zadaniem jest chronić cię przed rozmaitymi niebezpieczeństwami...

– I całą resztę Londynu przed pływającymi w wodzie szczątkami! – roześmiała się Alba, całując go na pożegnanie i popychając w kierunku drzwi.

Harry z przerażeniem odkrył, że podczas gdy popijał wino na służbie, rozpoczął się odpływ i jego motorówka utknęła na mieliźnie. Z niedowierzaniem wpatrywał się w łódź, ocierającą się dnem o piasek niczym wyrzucony na płyciznę wieloryb, i na małe stadko kaczek, które właśnie przepłynęły w pobliżu, kwacząc z rozbawieniem.

– Cholera jasna! – zaklął, kompletnie tracąc poczucie humoru. – Mam przerąbane!

W tej samej chwili na pontonowym pomoście pojawił się Fitz. Tym razem sam przyniósł wino, dwie butelki wybornego włoskiego czerwonego. Miał na sobie koszulę w zielono-białą kratkę oraz beżową marynarkę i spodnie, a jego jasne włosy rozrzucał wiatr. Na widok Alby i policjanta, stojących przy burcie łodzi, jego żołądek skurczył się boleśnie z zazdrości. Dłoń Alby, spoczywająca na ramieniu policjanta, świadczyła o bliskiej znajomości i Fitzowi przyszła do głowy myśl, że może ledwo przed paroma minutami wstali z łóżka. Viv uprzedzała go przecież, że Alba ma cały legion kochanków. Skrzywił się gorzko, lecz w tym momencie Alba odwróciła się, pomachała mu ręką i posłała czarujący uśmiech. Czyżby jednak zapamiętała go z poprzedniego wieczoru? Ku własnemu rozdrażnieniu, uśmiechnął się szeroko do dziewczyny i uniósł obie butelki.

– Nie spóźnij się za bardzo! – zawołał. – Nie gwarantuję, że wino szybko się nie skończy!

– Mój znajomy wpadł w niezłe tarapaty – odparła Alba, przywołując go gestem i wyjaśniając, że Harry utknął w błocie. – Teraz jest jak zmęczony stary mors, który ledwo dyszy na brzegu!

Parsknęła śmiechem, a Fitz z radością pomyślał, że żadna kobieta nie mówiłaby w ten sposób o kochanku. Tylko Harry nie był rozbawiony tą sytuacją. Czuł się upokorzony i poirytowany, ponieważ Alba ani słowem nie wspomniała, że na kolacji u Viv będzie także mężczyzna.

Kiedy we trójkę zastanawiali się, co robić, do łodzi Alby podpłynęła z drugiej strony inna motorówka policji rzecznej z bardzo surowo wyglądającym funkcjonariuszem na pokładzie. Harry skurczył się jak przekłuty balon.

– No, no, cóż my tutaj mamy?

– Utknąłem na mieliźnie... – odparł Harry i już miał zacząć się tłumaczyć, dlaczego w ogóle się tu znalazł, kiedy Alba zwróciła się do policjanta z uroczym uśmiechem.

– Sierżancie, całe szczęście, że przypłynął pan właśnie w tej chwili...

Na widok obcisłych spodni i wysokich butów dziewczyny sierżant wyprostował się i wciągnął brzuch, a jego twarz przybrała wyraz przychylnego zainteresowania.

– Mój mąż i ja jesteśmy ogromnie wdzięczni patrolowemu Reedowi – ciągnęła, obejmując Fitza, któremu nagle zrobiło się bardzo gorąco. – Widzi pan, jestem pewna, że widziałam w wodzie głowę, tak, głowę, oczywiście bez reszty ciała, podskakującą na falach w pobliżu naszej łodzi, o, tam... – wskazała palcem brunatną wodę. – Może sobie pan wyobrazić, jak się zdenerwowałam... Głowa bez ciała, coś okropnego...

– Przyślę patrol, żeby zbadał tę sprawę, pani...

Alba uświadomiła sobie, że nie zna nazwiska swojego domniemanego męża.

– Davenport – podsunął Fitz. – Pani Davenport. Będziemy bardzo wdzięczni za przysłanie patrolu, nie chciałbym, żeby żona znowu doznała wstrząsu...

– Oczywiście, panie Davenport – sierżant przeniósł spojrzenie na nieszczęsną motorówkę Harry'ego. – Zabiorę patrolowego Reeda ze sobą, może wrócić po swoją łódź, kiedy zacznie się przypływ. Zajmę się wszystkim, mogą państwo być spokojni...

– Dziękujemy bardzo – uśmiechnął się Fitz. – Wybieramy się teraz z żoną na kolację. Miło nam, że mogliśmy poznać pana, sierżancie, i patrolowego... – celowo zawiesił głos.

– Patrolowego Reeda – uzupełnił niechętnie Harry.

– Właśnie... Jeszcze raz bardzo dziękujemy. – Fitz pociągnął Albę za rękę, zostawiając Trzcinkę na łasce jego zwierzchnika.

Już w motorówce sierżant odwrócił się do Harry'ego i z aprobatą skinął głową.

– Piękna dziewczyna. Dobrze, że wyszła za takiego silnego faceta, bo inaczej na pewno co chwilę wpadałaby w jakieś tarapaty...

Harry patrzył z bezsilną złością, jak Alba schodzi na łódź Viv u boku Fitza.

Viv włożyła na tę okazję turban ze starego, indyjskiego jedwabiu oraz błękitny kaftan i spodnie. Paliła papierosa w eleganckiej hebanowej cygaretce, a jej pomalowane purpurowym lakierem paznokcie były tak długie, że Alba zaczęła zastanawiać się, jak jej sąsiadka radzi sobie z pisaniem na maszynie. Viv ukryła jasne włosy pod turbanem, przez co wyglądała starzej niż zwykle, zwłaszcza że źle rozprowadzony podkład w kremie podkreślał zmarszczki wokół oczu i ust. Na widok Fitza i Alby jej twarz ożywił jednak szczerze serdeczny uśmiech, a na policzkach pojawił się naturalny rumieniec.

– Wchodźcie, wchodźcie, moi drodzy. – Gestem zaprosiła ich do środka. – Ależ hałasowaliście tam na pokładzie! Widziałam, że biedny Trzcinka utknął na mieliźnie. Ciekawe, jak się z tego wytłumaczy! – zachichotała i zaciągnęła się dymem.

Fitz nie czuł się zbyt pewnie w towarzystwie młodej kobiety, o której tak długo marzył. Przysiadł na brzegu obitej pomarańczowym aksamitem sofy, zupełnie jakby przyszedł na rozmowę w sprawie pracy, i ze zdenerwowaniem stukał palcem o palec. Alba padła na stos kolorowych jedwabnych poduszek, leżący na podłodze, podwinęła nogi i zapaliła papierosa. Obserwowała Fitza niepokojąco jasnymi oczami i zastanawiała się, w jaki sposób pomoże jej rozwiązać problem z ojcem i Bawolicą. Powietrze w pokoju przesiąknięte było ciężkim aromatem kadzidełek. Viv zapaliła świece i umieściła je w barwnych szklanych czarkach w wielu miejscach, zgasiła lampy i nastawiła cichą muzykę. Alba uważnie przyglądała się Fitzowi przez cienkie obłoczki dymu. Był atrakcyjny w bardzo arystokratyczny sposób – miał inteligentne, błyszczące poczuciem humoru oczy, szeroki, zaraźliwy uśmiech, mocny podbródek i linię dolnej szczęki, kręcone włosy, które najwyraźniej już dawno nie czuły szczotki. Od razu spodobały jej się jego oczy – szczere i łagodne, a jednak z kpiącym, ironicznym błyskiem. Nienawidziła mężczyzn, którzy byli tak dobrzy, że aż nudni, lecz Fitz raczej do nich nie należał. Teraz wyglądał na zdenerwowanego i Albie zrobiło się go żal. Od dawna dzieliła mężczyzn na dwie kategorie – tych, którzy od razu się do niej dobierali, oraz tych, którzy byli zbyt uczciwi i dobrze wychowani, aby startować natychmiast. Nie miała cienia wątpliwości, że Fitz zalicza się do drugiej grupy, co bardzo ją cieszyło. Jak dotąd nigdy nie spotkała faceta, którego można by zaliczyć do trzeciej kategorii – obojętnych na jej urok.

– Powiedz mi, jaką rolę odgrywasz w życiu Viv i dlaczego nie poznałam cię wcześniej, Fritz! – zaczęła rozkazującym tonem.

– Mam na imię Fitz – sprostował łagodnie. – To skrót od Fitzroy. Jestem agentem literackim Viv...

Pisarka wkroczyła do pokoju, trzymając jedną z przyniesionych przez Fitza butelek wina i trzy kieliszki.

– Jesteś dla mnie kimś znacznie ważniejszym niż tylko agentem, skarbie – powiedziała. – Fitz jest moim przyjacielem, moja droga, a ukrywałam go przed tobą z rozmysłem. Chciałam mieć go tylko dla siebie. Dziś dzielę się nim z tobą wyłącznie z dobrego serca, ale pamiętaj, że nigdy ci nie wybaczę, jeśli mi go ukradniesz. Widzisz, Fitz zawsze przywróci ci dobry humor, nawet jeśli jesteś w dołku. Można na niego liczyć, dlatego go zaprosiłam. Wydawało mi się, że przyda ci się odrobina radości...

Fitz skrzywił się lekko. W tej chwili nie uważał się za szczególnie rozrywkowego faceta, w gardle zaschło mu ze zdenerwowania. Pomyślał, że kieliszek wina na pewno pomoże mu się rozluźnić. Dzięki Bogu, że przyniósł lepsze niż to, które zwykle podawała Viv...

– Och, Harry Trzcinka już mnie rozweselił – powiedziała, nie zastanawiając się, jak to zabrzmi. – Ryczałam ze śmiechu, kiedy zobaczyłam jego motorówkę na mieliźnie... – Posłała Fitzowi szeroki, nieco drwiący uśmiech, sprawiając, że natychmiast odzyskał dobry nastrój. – Uratowaliśmy go, nie sądzisz? Gdyby nie my, na pewno straciłby pracę i już nigdy nie zabrałby mnie motorówką do Wapping. Brakowałoby mi tego.

– Co to za historia z tą pływającą głową? – zapytała Viv.

– Och, Revel, jeden z kolegów Harry'ego, wyłowił z Tamizy odciętą rękę w stanie rozkładu. – Alba parsknęła śmiechem. – Okropieństwo, co? Powiedziałam, że jeśli znajdzie jeszcze głowę, z przyjemnością przyjmę ją w prezencie. Chętnie wysłałabym ją Bawolicy...

– A, właśnie, Bawolica... – Viv z westchnieniem opadła na fotel. – To ta zła macocha, o której ci mówiłam, Fitz.

Alba nie przejęła się, że Viv plotkuje o jej sprawach. Uznała to za zupełnie naturalne, wiedziała, że wszyscy znajomi o niej rozmawiają.

– Chyba znam ten typ – mruknął Fitz. – Świetna pani domu bez cienia wrażliwości...

– Otóż to! – przytaknęła Alba, strząsając popiół do jednej z glinianych miseczek Viv. – Co z nią zrobimy?

– Najpierw musimy skonstruować dobry wątek, jak przy pisaniu powieści – oświadczyła gospodyni. – Ponieważ jestem pisarką, pozwoliłam sobie go wymyślić...

– Jak zawsze niezawodna! – ucieszył się Fitz.

Miał spore wyrzuty sumienia, ponieważ zapomniał zadzwonić do Francuzów.

– Jeżeli będzie taki jak w twoich książkach, to chyba padniemy z podziwu na kolana! – zawołała Alba, która nie przeczytała ani jednej powieści sąsiadki.

Viv uniosła dłoń, milczała chwilę dla uzyskania dramatycznego efektu, pociągnęła łyk wina i bez pośpiechu przystąpiła do przedstawienia wątku, starannie wymawiając wszystkie spółgłoski.

– Nigdy nie pozbędziesz się Bawolicy – zaczęła. – Nie zdobędziesz też miłości ojca, jeśli ciągle będziesz z nim walczyła. Sprawa jest bardzo prosta – na najbliższy weekend pojedziesz do Hampshire razem z Fitzroyem.

– Z Fitzem? – zdziwiła się Alba.

– Ze mną? – Fitz z trudem przełknął ślinę, zachwycony sugestią Viv.

– Tak jest. Przedstawisz go rodzicom jako swojego nowego, idealnego chłopaka.

Fitz wziął głęboki oddech, żeby opanować podniecenie. Zaproponowany przez Viv wątek podobał mu się bardziej niż wszystkie jej powieści razem wzięte.

– Widzisz, skarbie, zawsze byłaś dzieciakiem zbuntowanym, łamiącym ogólnie przyjęte zasady. – Viv zwróciła się do Alby. – Tym razem przyjedziesz do rodzinnego domu z konwencjonalnym, czarującym i bardzo odpowiednim mężczyzną. Fitz nawet nie musi się specjalnie wysilać, żeby uznali go za chodzącą doskonałość. Będzie grał w brydża i tenisa, klepał pieski po głowie, po kolacji popijał porto z twoim ojcem, rozmawiał o sztuce, literaturze i polityce, wyrażając opinie twoich rodziców. Co za zbieg okoliczności, prawda? Ojciec Fitza także walczył w czasie wojny, i to na dodatek we Włoszech. Może się znają albo przynajmniej o sobie słyszeli, kto wie? Fitz wkradnie się w łaski Thomasa Arbuckle'a, który poczuje do niego bezbrzeżną wdzięczność za to, że zajął się jego trudną córeczką. Może porozmawiają o wojnie jak mężczyzna z mężczyzną, paląc cygara w gabinecie Thomasa, kiedy kobiety udadzą się już na spoczynek. I może wtedy Thomas opowie Fitzroyowi o swojej wojennej przeszłości... Tak, widzę to oczami wyobraźni... – Viv rozłożyła dłonie. – Jest już późno. Chłodna, gwiaździsta noc... Thomasa dręczą smutne wspomnienia, a nic skuteczniej nie skłania do zwierzeń, niż subtelne pochlebstwa. Jeżeli ktokolwiek zdoła zachęcić tego starego żółwia, żeby wysunął łeb ze skorupy, to tylko ty, Fitzroy. Sir Fitzroy Potrafię-Zrobię...

Viv wetknęła cygaretkę między wargi, zaciągnęła się i dmuchnęła cienką smużką dymu, wyraźnie zachwycona swoją prezentacją.

Fitz oparł łokcie na kolanach.

– Pójdźmy jeszcze krok dalej... – powiedział.

– Ależ oczywiście, mój drogi.

– Kiedy poznam szczegóły, pozostanie już tylko jedno do zrobienia – rzekł poważnie.

– Co takiego? – odezwała się Alba, która przez cały czas słuchała w skupieniu.

– Jeśli rzeczywiście chcesz poznać prawdę o swojej matce, musisz pojechać do Włoch.

Alba zmrużyła oczy. Chociaż często o tym myślała, nigdy nie przyszło jej do głowy, że mogłaby sama wyruszyć w podróż do ojczyzny matki. Nigdy nie robiła niczego sama... Może Fitz zdecydowałby się z nią pojechać? Był przystojny, czarujący, dobry i oczywiście bardzo w niej zakochany. Pójdźmy jeszcze krok dalej, Fitz, pomyślała z lekkim uśmieszkiem. Pojedziesz ze mną. Co ty na to?

Rozdział czwarty

Po kolacji i trzeciej butelce wina wyszli na pokład i położyli się na pokładzie, aby obserwować gwiazdy, które co jakiś czas wyglądały zza ciężkich czarnych chmur. Było zimno, więc wszyscy troje kulili się pod kocem, patrząc raczej w górę niż na siebie nawzajem. Po tylu wybuchach wesołości i sporej dawce wina piękno burzliwej nocy rozbudziło w nich uczucie melancholijnego smutku – było to w pewnym sensie nieuniknione. Viv myślała o swoim byłym mężu i zastanawiała się, czy książki zajęły w jej życiu miejsce dzieci, których nigdy nie miała. Fitz nie był w stanie myśleć o niczym poza ciepłym ciałem Alby, przytulonym do jego boku, i ważnej roli, jaką miał odegrać w jej najbliższej przyszłości, natomiast Alba zapełniała pustkę w swoim sercu obrazem łagodnej twarzy matki.

– Nigdy nie znałam bezwarunkowej miłości matki – odezwała się nagle.

– A ja nigdy nie dałam jej dziecku – westchnęła Viv.

– Ja otrzymałem ją i wciąż się nią cieszę – rzekł Fitz. – I mogę śmiało powiedzieć, że jest to najcudowniejsza rzecz na świecie.

– Opowiedz mi, jak to jest – poprosiła Alba. – Dlaczego nic nie może się z nią równać?

Miała uczucie, że jej pierś przygniata jakiś niewidzialny, potwornie ciężki przedmiot.

Fitz się zamyślił. Zawsze traktował miłość matki jako coś oczywistego, coś, co po prostu mu się należało. Teraz pamięć podsunęła mu wspomnienia chwil, gdy jako małe dziecko szukał w ramionach matki pociechy i ukojenia. Ogarnął go wielki smutek na myśl, że Alba nigdy nie miała takiego poczucia bezpieczeństwa.

– Gdy jesteś dzieckiem, wiesz, że stanowisz centrum świata matki – zaczął. – Nic nie jest i nie może być ważniejsze od ciebie. Matka jest gotowa poświęcić dla dziecka absolutnie wszystko, i często to robi, ponieważ jego zdrowie i szczęście znaczą dla niej nieporównanie więcej niż jej własne dobro. Jako dorosły człowiek nigdy nie tracisz pewności, że ona nie przestanie cię kochać, niezależnie od tego, co zrobisz i jak źle się zachowasz. W oczach matki dziecko, nieważne, małe czy dorosłe, jest błyskotliwe, mądre, śliczne i wyjątkowe. Oczywiście, mogę mówić tylko o sobie, ale wydaje mi się, że tak właśnie powinno być. Matka jest dla mnie najdroższą przyjaciółką. Moja miłość do niej także jest bezwarunkowa. Trzeba jednak pamiętać, że dzieci zawsze są egoistami i nie stawiają matek na pierwszym miejscu, chociaż powinny...

– Żałuję, że nie mam dziecka – wyznała cicho Viv.

– Naprawdę? – Fitz nigdy nie słyszał, aby mówiła o tęsknocie za dziećmi. – Chciałabyś mieć dziecko?

– To bardzo głęboko ukryte pragnienie, mój drogi, i najczęściej spycham je w głąb podświadomości. Wcześniej nie chciałam go słuchać, a teraz najchętniej w ogóle o nim nie myślę, ale w taką piękną noc, w towarzystwie przyjaciół, zaczynam się zastanawiać nad wartością istnienia i swoją śmiertelnością. I czuję, że w jakiś sposób pominęłam jeden z najważniejszych aspektów życia... Cóż, jestem już stara i te bezużyteczne myśli tylko mnie przygnębiają...

– Byłabyś dobrą matką – powiedziała szczerze Alba. – Żałuję, że nie wyszłaś za mojego ojca, bo na pewno byłabyś lepszą macochą niż Bawolica...

– Nie sądzę, aby twój ojciec przypadł mi do gustu... – zachichotała Viv.

– Chyba masz rację...

– Poznałaś ojca Alby? – zagadnął Fitz.

– Nie, ale powiedzmy, że na podstawie słów Alby nabrałam pewnej antypatii do niego i jego żony.

– Ja zaczekam, aż sam ich poznam – rzekł Fitz.

– Więc pojedziesz ze mną? – ożywiła się Alba.

Fitz miał wielką ochotę odpowiedzieć, że zrobiłby dla niej wszystko, ale świadomy, że musiała słyszeć takie wyznania od niezliczonych mężczyzn, odparł tylko, że za żadne skarby świata nie przepuściłby okazji na dobrą zabawę.

Leżeli na pokładzie długo, aż w końcu gwiazdy zupełnie znikły za ciemnymi chmurami i z nieba zaczął się sączyć dokuczliwy, zimny deszczyk. Rzeka popłynęła szybciej, łódź zaczęła się kołysać i skrzypieć, więc Viv oświadczyła, że chyba siądzie przy biurku i napisze następny rozdział, bo na razie i tak nie zaśnie. Alba nieświadomie otworzyła starą ranę w sercu pisarki. Kobieta wiedziała, że dopiero światło dnia przyniesie jej ulgę i nie miała ochoty do świtu roztrząsać dawnych żalów, niespokojnie przewracając się na łóżku.

Pożegnała swoich gości i wróciła do siebie. Świece zdążyły już pogasnąć, a płyta gramofonowa dawno się zatrzymała. Powietrze wciąż pachniało kadzidełkami, w lodówce chłodziła się jeszcze jedna butelka wina. Viv zdjęła turban i kaftan i otuliła się ciepłym, miękkim szlafrokiem. Zmywanie makijażu zawsze było dla niej otrzeźwiającym doświadczeniem, bo bez warstwy kosmetyków wyglądała po prostu staro. Patrzyła w lustro tylko wtedy, gdy musiała. Wmasowała w zmęczoną skórę gęsty, odżywczy krem, który miał zdziałać cuda i cofnąć czas, i myślała przy tym, że naprawdę chciałaby cofnąć wskazówki zegara i przeżyć wszystko jeszcze raz, tylko zupełnie inaczej.

Miłość to ryzykowna sprawa, pomyślała. Dużo łatwiej jest pisać o miłości, niż jej doświadczać. Viv wiedziała, że jest już za stara, żeby mieć dzieci, i zbyt mało tolerancyjna, aby zamieszkać z kimś na stałe. Dobrze, że nigdy nie zakochała się w mężczyźnie z dziećmi, bo niewykluczone, że los obdarzyłby ją taką pasierbicą jak Alba... Broń Boże, przeraziła się.

W głębi serca współczuła nieszczęsnej Bawolicy. Z Alby był niezły numerek, dziewczyna myślała wyłącznie o sobie. Viv miała nadzieję, że Fitzroy zdoła zapanować nad swoim czułym sercem. Zasługiwał na lepszą kobietę niż Alba. Fitzroy potrzebował kogoś, kto zapewniłby mu spokojne, dobre życie, a więc kobiety, która zaopiekuje się nim z miłością i pogodą ducha, w żadnym razie nie takiej, jaką była skoncentrowana na sobie Alba.

Fitz odprowadził Albę na jej łódź. Szczerze żałował, że nie jest zacumowana na drugim końcu nabrzeża, bo wtedy mogliby długo iść obok siebie w deszczu i rozmawiać. Chciał zapytać ją o tyle różnych rzeczy... Arogancja dziewczyny wydawała mu się czarująca, ale najbardziej pociągała go jej kruchość. Pragnął zostać jej rycerzem w lśniącej zbroi, odegrać w jej życiu inną rolę niż mężczyźni, których wcześniej znała, stać się dla niej tym jedynym...

Kiedy dotarli do drzwi, odwróciła się do niego nie z nieco wyzywającym, choć niewątpliwie uroczym uśmiechem, ale z wyrazem lekkiego smutku na twarzy. Wyglądała jak samotna mała dziewczynka.

– Zostaniesz? – zapytała. – Nie chcę być dzisiaj sama...

Fitz miał ogromną ochotę objąć ją, pocałować jej obrzmiałe wargi i zapewnić, że wystarczy jedno słowo, by został z nią na zawsze, ale nagle uświadomił sobie, że jeśli teraz spędzi z nią noc, stanie się jednym z wielu mężczyzn, których zaliczyła.

– Nie mogę – odparł.

Oczy Alby się rozszerzyły. Do tej pory nikt nie odrzucił takiej propozycji.

– Chcę tylko, żebyś położył się obok mnie, bo przy tobie łatwiej zasnę – wyjaśniła, zastanawiając się, jak to się stało, że to ona musi błagać i upokarzać się przed mężczyzną.

– Mam umówione spotkanie wcześnie rano i muszę jeszcze przejrzeć dokumenty, które zostawiłem w domu – skłamał Fitz, który nagle przypomniał sobie, że przecież zamknął w kuchni Sprouta. – Przykro mi... Nie chodzi o to, że nie chcę, ale...

Alba ze złością wydęła wargi.

– W takim razie życzę ci dobrej nocy – rzuciła lodowatym tonem, odwróciła się i zamknęła za sobą drzwi.

Fitz wrócił na nabrzeże, usiłując przypomnieć sobie, gdzie zaparkował samochód. Czuł się okropnie. Alba otworzyła się przed nim na pokładzie łodzi Viv, stali się sobie bliscy, tymczasem teraz pożegnali się jak obcy ludzie. Niczego nie pragnął bardziej, niż zapukać do drzwi i powiedzieć, że się rozmyślił, zmienił zdanie, że był głupcem, stawiając pracę na pierwszym miejscu, że chce dzielić z nią łóżko i życie... Że kocha ją jak szaleniec... W ostatniej chwili uświadomił sobie, że jest pijany, nie może znaleźć samochodu i w tym stanie na pewno nie powinien ulegać rozszalałym emocjom.

Wieczór zaczął się wspaniale, a zakończył byle jak, pomyślał z żalem. Teraz Alba najprawdopodobniej nie będzie już chciała, by grał rolę jej nowego chłopaka, przecież odrzucił jej propozycję i upokorzył ją. Było mu zimno, kręciło mu się w głowie i wciąż nie mógł znaleźć samochodu. Zwykle zostawiał go za rogiem, o, tam, na tej żółtej linii... Nieprzytomnie chodził w tę i z powrotem ulicami, licząc, że samochód zjawi się przed nim w jakiś magiczny sposób. W końcu, kiedy dłuższą chwilę stał w jednym miejscu, tępo patrząc przed siebie, otrząsnął się i zatrzymał taksówkę. Nie miał siły wracać do domu pieszo.

Padł na tylne siedzenie i wygodnie oparł głowę.

– Clarendon Mews, bardzo proszę – powiedział.

Taksówkarz włączył licznik i ruszył.

– Trochę pan zmókł – zauważył z nadzieją na rozmowę.

Miał za sobą długą noc.

– Nic nie szkodzi... – wymamrotał Fitz. – Zrobiłbym dla niej wszystko...

– Ach, chodzi o damę... – kierowca ze zrozumieniem pokiwał głową.

Był przyzwyczajony do pasażerów o złamanych sercach,

którzy dawali upust uczuciom na tylnym siedzeniu jego samochodu.

– Kobiety mają nad nami ogromną władzę – podjął Fitz. – Potrafią nas zniszczyć. Jedno spojrzenie, jedno mrugnięcie okiem i już jesteśmy niczym, pyłem, miazgą... Tak właśnie się czuję, jak miazga...

– Niech pan nie będzie dla siebie taki surowy! Ona na pewno nie jest tego warta, mówię panu!

– Ależ jest... – Z piersi Fitza wyrwało się melodramatyczne westchnienie. Taksówkarz skręcił w lewo, więc Fitz runął na sąsiednie siedzenie, jego głowa kołysała się jak przejrzały, zbyt ciężki melon na wiotkiej łodydze. – Ona nie jest taka jak inne kobiety, naprawdę...

– Wszyscy tak mówią – zaśmiał się taksówkarz. – Sam też myślałem tak o mojej pani, ale teraz widzę, że ona rozstawia mnie po kątach tak samo jak żony innych facetów. Ten, kto wymyślił miłość, miał paskudne poczucie humoru, to jasne. Problem polega na tym, że po pewnym czasie łuski opadają nam z oczu, lecz wtedy jest już za późno – jesteśmy żonaci i nie mamy nic do gadania, a ona ciągle narzeka, że jest strasznie nieszczęśliwa, biedna i zawiedziona. Gdyby nie ten numer z miłością, żaden facet dobrowolnie nie poszedłby do ołtarza. Życie wpuszcza nas w maliny, słowo daję, a największe oszustwo to ta cała miłość, chłopie! Sam dałem się nabrać i teraz czuję się jak ostatni dupek!

– Nic pan nie rozumie... – wybełkotał Fitz. – Ja mówię o Albie, Albie Arbuckle...

– Ładne imię.

– Włoskie.

– Nie mam zaufania do makaroniarzy. – Taksówkarz pokręcił głową. – Na pana miejscu uważałbym, w co wchodzę... W czasie wojny zachowywali się jak ostatni dranie. Najpierw czekali, żeby sprawdzić, kto będzie górą, a potem sprzymierzyli się z Niemcami. Cholerni idioci! Na szczęście pokazaliśmy im, co spotyka tych, którzy nie szanują Anglików!

– Alba jest za młoda, żeby cokolwiek wiedzieć o wojnie... – Fitz zatoczył się w drugą stronę, bo samochód skręcił w Clarendon Mews.

– Jaki numer? – zapytał taksówkarz, zwalniając i pochylając się, żeby wyjrzeć przez przednią szybę, z której wycieraczki hipnotyzującym ruchem ścierały krople deszczu.

– Mówię o drugiej wojnie światowej, oczywiście! – zirytował się Fitz.

– Ale ja pytam, pod którym numerem pan mieszka – wyjaśnił taksówkarz, z rozbawieniem kręcąc głową.

O tej porze zwykle woził pijaków. Ten był przynajmniej dobrze wychowany i nie wyglądał na gwałtownego. Najwyraźniej upił się na smutno, i tyle.

Fitz otworzył oczy i nachylił się do przodu. Z niedowierzaniem wpatrywał się w stojący przed domem z numerem 8 samochód. Jego samochód.

– O, cholera! – zmarszczył brwi. – Skąd on się tutaj wziął?

Ponieważ Fitz był mocno wstawiony, niezbyt dokładnie widział nominały na monetach i w rezultacie zapłacił za dużo, ku zrozumiałemu zadowoleniu kierowcy.

Z trudem włożył klucz w zamek, przekręcił go i wtoczył się do środka. Był potwornie zmęczony, więc pomyślał, że położy się na kilka minut, żeby odzyskać siły. Kiedy znowu podniósł powieki, była dziesiąta rano i telefon dzwonił mu nad głową.

Z trudem dźwignął się na łokciu i drżącą ręką sięgnął po słuchawkę. Odchrząknął, żeby oczyścić gardło.

– Fitz Davenport... – wykrztusił.

W słuchawce panowała cisza.

– Halo?

– Cześć... – Głos Alby był zachrypnięty, jakby przepalony.

Fitz usiadł, ogarnięty nieoczekiwaną radością.

– Cześć! – odparł. – Jak się czujesz?

– Sennie... – zamruczała.

Miał wrażenie, że dziewczyna wciąż jeszcze leży w łóżku.

– Ja też – przyznał i nagle przypomniał sobie, że przecież wcześnie rano miał się spotkać z klientem. – Wstałem o świcie – dodał pośpiesznie. – Wczorajszy wieczór był cudowny, ale chyba trochę przesadziliśmy z winem. Ta ostatnia butelka zdecydowanie mi zaszkodziła...

– Mam potwornego kaca... – westchnęła Alba. – Szczerze mówiąc, niewiele pamiętam z ostatniego wieczoru...

Było to kłamstwo, ale Alba wolała zapomnieć o odmowie, jaka ją spotkała. Fitz poczuł lekkie ukłucie zawodu.

– Zapamiętałam tylko plan Viv – z sennym ziewnięciem ciągnęła dziewczyna. – Jest doskonały, nie wiem tylko, czy nadal jesteś gotowy mi pomóc...

Fitz unosił się na szczycie fali szczęścia.

– Oczywiście – odparł.

– Świetnie. Zadzwonię do Bawolicy i uprzedzę ją, że przyjedziemy na najbliższy weekend. Wynudzisz się za wszystkie czasy, wierz mi. Chyba powinniśmy spotkać się wcześniej, żeby uzgodnić szczegółowy plan działania.

– Słusznie!

– W czwartek wieczorem?

– Zapraszam cię na kolację – zaproponował, pragnąc zrekompensować jej rozczarowanie, jakiego doznała poprzedniego wieczoru.

– Nie, sama coś przygotuję. Przyjedź o ósmej.

Nadal była wściekła na Fitza, wiedziała jednak, że będzie jej potrzebny, a poza tym plan Viv naprawdę był wspaniały. Kiedy Fitz wyciągnie od ojca informacje o Valentinie, pojedzie z nią do Włoch. Tam Alba wreszcie pozna swoją prawdziwą rodzinę. Oczami wyobraźni już widziała tę scenę – łzy, uściski i długie godziny wypełnione historiami z życia matki, historiami, których była tak bardzo spragniona. Obejrzy rodzinne fotografie, będzie rozmawiała z braćmi i siostrami matki oraz ich dziećmi... Wszyscy podzielą się z nią swoimi wspomnieniami o Valentinie, a potem Alba zapełni nimi luki w swoim życiu i wróci do Anglii jako spełniona, szczęśliwa kobieta. Pójdzie na grób matki, złoży na nim kwiaty i wreszcie wszystko będzie tak, jak być powinno...

* * *

W czwartek Alba zaprosiła Ruperta na drinka. Zjawił się wczesnym popołudniem, z dużym bukietem czerwonych róż, których zapach poprzedzał go, niesiony lekkim wiatrem. Przywitała go w drzwiach, ubrana tylko w różowy jedwabny szlafroczek, sięgający do połowy uda. Jej zgrabne stopy tkwiły w puszystych różowych klapkach, odsłaniających różowe paznokcie o idealnym kształcie – przed południem zafundowała sobie dość kosztowny zabieg pedicure w Chelsea. Wciągnęła w nozdrza zapach róż, zmieszany z zapachem wody kolońskiej Ruperta, zacisnęła palce na jego krawacie i zatrzasnęła drzwi. Potem pocałowała go. Rupert upuścił bukiet na ziemię. Następnie wzięła go za rękę i zaprowadziła na pięterko, do swojej sypialni ze świetlikiem w dachu. Przez całą noc i ranek padał ulewny deszcz, lecz teraz na tle błękitnego nieba widać było tylko nieliczne różowoszare obłoczki.

Alba wyciągnęła się na łóżku, a Rupert pośpiesznie ściągnął z siebie ubranie. Obserwowała go spod ociężałych powiek, długie ciemne włosy tworzyły aureolę wokół jej głowy. Policzki miała zaróżowione, wargi rozchylone wyczekująco, zmysłowo obrzmiałe. Rupert osunął się na jej nagie ciało, pochłaniając je pocałunkami jak lew upolowaną ofiarę. Dziewczyna zamknęła oczy i spokojnie gładziła włosy kochanka, czując, jak jego język odbywa rozkoszną wędrówkę po jej skórze.

Za piętnaście ósma wciąż leżeli w łóżku, splątani ze sobą, spoceni, potargani i cudownie nasyceni.

– Szkoda, że musisz już iść... – westchnęła.

– Następnym razem nie umawiaj się na kolację, wtedy będziemy mieli dla siebie całą noc.

– Wiem, to był głupi pomysł... No, trudno, lepiej się ubierzmy, bo nie chcę, żeby Fitz zobaczył mnie w tym stanie...

– Kim właściwie jest ten Fitz? – zapytał Rupert, próbując pohamować zazdrość.

Ostatecznie to on przed chwilą leżał z Albą w łóżku, a nie Fitz.

– To agent literacki Viv – odparła z niedbałym ziewnięciem. – Pewnie umrę z nudów, ale jestem to winna Viv...

– Rozumiem...

– Przyjdzie punktualnie i wcześnie wyjdzie, więc będę mogła porządnie się wyspać. Jestem wykończona... Zwierzak z ciebie, Rupercie, całe szczęście, że taki rozkoszny...

Rupert wciągnął spodnie, czując narastające podniecenie.

– Szkoda, że muszę go schować... – uśmiechnął się łobuzersko. – Znowu jest gotowy do akcji...

– Ale ja nie! – Alba spojrzała na stojący na szafce zegar. Za pięć ósma. Fitz za mniej więcej trzy minuty zapuka do jej drzwi, o ile go znała. I właśnie wtedy, oczywiście za sprawą niewinnego zbiegu okoliczności, Rupert będzie ode mnie wychodził, pomyślała triumfalnie.

Fitz kupił kwiaty, żółte lilie o długich łodygach, i butelkę wina. Dobrego włoskiego wina, które miało dać im przedsmak wspólnego weekendu i „ponownego podbicia Włoch", jak to nazwał. Spryskał twarz wodą kolońską i włożył nowiutką koszulę, której kupno doradził mu doskonale znający się na modzie kolega. Fitz czuł się przystojnym, atrakcyjnym mężczyzną i tryskał optymizmem. Fakt, że Alba sama do niego zadzwoniła, wyraźnie wskazywał, iż wybaczyła mu nietakt. Gdyby ponowiła swoją propozycję, w co jednak mocno wątpił, przystałby na nią bez chwili wahania.

Przeszedł po pontonie z sercem w gardle, oddychając szybciej niż zwykle. Chwilę później stał pod jej drzwiami. Właśnie podniósł rękę, żeby zapukać, kiedy drzwi otworzyły się niespodziewanie i na pokład wyszedł Rupert, na którego twarzy malował się wyraz absolutnej pewności siebie. Fitz odwrócił się i jego ogłupiałe spojrzenie napotkało szeroki uśmiech Alby. Był wściekły i upokorzony, ale mimo wszystko jego serce zalała fala ciepła. Był dość inteligentny, by w jednej chwili zrozumieć, że zaplanowała tę scenę – chciała dać mu odczuć, gdzie jest jego miejsce i zademonstrować, że obchodzi ją tyle, co zeszłoroczny śnieg. I odniosła sukces. Fitz naprawdę czuł się słusznie ukarany i wręczył jej kwiaty z nieśmiałym, niepewnym uśmiechem.

– Och, jakie śliczne... – rozpromieniła się. – Wejdź, proszę...

Kiedy zamykał drzwi, potknął się o leżące tuż za progiem róże.

– To mój szczęśliwy dzień! – zachichotała, podnosząc kwiaty. – Ile dziewczyn dostaje dwa bukiety w ciągu jednego wieczoru, co?

Dziwka, pomyślał Fitz i natychmiast zaczerwienił się, przerażony, że określił Albę tak dosadnym, wulgarnym słowem, nawet jeżeli nie wypowiedział go na głos.

– Zasłużyłaś na nie – powiedział, nie chcąc okazać, że jest mu przykro.

Poszedł za nią korytarzem do kuchni. Nie ma znaczenia, kto komu odmówił, pomyślał z westchnieniem, wpatrzony w jej zgrabną pupę w obcisłych dżinsach. Ona ma w sobie coś, co zawsze pozwoli jej wygrać.

W całym mieszkaniu panował bałagan. Fitz kątem oka zobaczył fragment sypialni – na antycznym francuskim łóżku rozrzucone były ubrania, przy balustradzie i na schodach leżały bluzki i spodnie. Z otwartych szuflad wysypywały się koronkowe majteczki i jedwabne koszulki, na podłodze w korytarzu tkwiły różowe pantofle na koturnie. W saloniku na obitych grubą tkaniną w kolorze kości słoniowej sofach piętrzyły się stosy błyszczących kolorowych czasopism, na wszystkich meblach zalegała warstwa kurzu. Widać było, że nikt nie sprzątał tu od co najmniej paru tygodni. Kuchenny zlew wypełniały brudne naczynia. Pokoje Alby były niewielkie, z niskimi sufitami, utrzymane w bladobłękitnej i różowej tonacji. Wszędzie unosił się zapach perfum i parafiny, zmieszany z przyjemnym aromatem polerowanego drewna. Mimo tego nieokiełznanego chaosu łódź, podobnie jak jej właścicielka, miała mnóstwo uroku.

W kuchni Alba zajęła się szukaniem wazonów w szafkach, a gdy nie znalazła ani jednego, wstawiła jeden bukiet do dzbanka, drugi do słoika po rozpuszczalnej kawie. Przez cały czas pogodnie gadała o rozmaitych rzeczach, które Harry Trzcinka ostatnio wyłowił z rzeki. Z żalem przyznała, że nie była to ani głowa, ani nawet druga ręka. Nalała też sobie i Fitzowi po kieliszku włoskiego wina, które przyniósł ze sobą.

– Cudownie, że pamiętałeś o winie – powiedziała. – Włoskie... Bardzo odpowiedni wybór.

– Uczcimy nim początek przygody pod nazwą „ponowne zdobycie Włoch". – Fitz podniósł kieliszek.

Jasne oczy Alby pociemniały, zabłysło w nich prawdziwe wzruszenie.

– Nikt nigdy nie był dla mnie taki miły – uśmiechnęła się lekko. – Wierzysz we mnie bez reszty i szanujesz moją decyzję, chociaż może ona doprowadzić do otwarcia starych ran... To więcej, niż kiedykolwiek zrobili dla mnie ojciec i macocha. Razem bez trudu oczarujemy ich oboje, zobaczysz. Tata na pewno otworzy przed tobą serce. Viv mówi, że wszyscy cię uwielbiają, że jesteś najbardziej sympatycznym człowiekiem, jakiego zna...

– Nie jestem pewny, czy to dla mnie dobrze... – Fitz wzruszył ramionami. – Mam dopiero czterdzieści lat, a byłem już dwukrotnie żonaty. Kiedyś miałem spory majątek, ale prawie wszystko zabrały kobiety, które kochałem. Na dodatek wciąż dręczą mnie wyrzuty sumienia, że złamałem im serce i zrujnowałem życie...

– Bo jesteś za dobry – powiedziała szczerze. – Ja nie mam sumienia.

– Nie wyglądasz na osobę, która mogłaby kogoś skrzywdzić.

– Och, Fitz!

– Tak, jestem pewny, że twój uśmiech zagoiłby każdą, nawet najgłębszą ranę.

Parsknęła gardłowym śmiechem i zapaliła papierosa.

– Czyżbyś był nieuleczalnym romantykiem? Może stąd biorą się twoje problemy?

Usiadła przy stole, odsuwając na bok kilka buteleczek lakieru do paznokci. Fitz zajął miejsce po drugiej stronie.

– Chyba masz rację. Kiedy oddaję serce, wcale nie chcę zabierać go z powrotem. Wierzę w miłość i małżeństwo, tyle tylko, że niezbyt dobrze radzę sobie z praktyką...

– Ja zupełnie nie wierzę w małżeństwo. Byłabym okropną żoną, a jeśli chodzi o miłość, to... Cóż, istnieją rozmaite rodzaje miłości, prawda?

Fitz pociągnął łyk wina i poczuł się trochę lepiej.

– Byłaś kiedyś zakochana? – zapytał. – Ale tak naprawdę, bez pamięci...

Długą chwilę zastanawiała się nad odpowiedzią, zerkając na niego spod gęstych czarnych rzęs.

– Nie – odparła w końcu. – Na pewno nie.

– No, jesteś jeszcze bardzo młoda...

– Mam dwadzieścia sześć lat. Viv mówi, że powinnam zmienić swój stosunek do życia, jeżeli chcę mieć dzieci.

– A chcesz?

Zabawnie zmarszczyła nos.

– Właściwie to nie wiem... Chyba jeszcze nie teraz. Ogólnie biorąc, raczej nie przepadam za dziećmi. Naturalnie, są słodkie i kochane, ale jednocześnie koszmarnie wymagające i męczące... Lubię na nie patrzeć, lecz wolę trzymać się z daleka.

Wybuchnęła śmiechem, a Fitz jej zawtórował. Miała w sobie mnóstwo czarującej nonszalancji i zachowywała się tak swobodnie... Zazdrościł jej szczególnej swobody i pogody ducha. Chyba łatwo jest być Albą, pomyślał.

– Zmienisz zdanie, kiedy będziesz miała własne maluchy – powiedział, powtarzając wyrażaną przez innych opinię.

– Mam nadzieję, bo bardzo chciałabym być dobrą matką... – umilkła i utkwiła wzrok w kieliszku. – Myślę, że moja mama byłaby dla mnie przykładem... – Znowu spojrzała na Fitza i uśmiechnęła się, tym razem ze smutkiem. – Niestety, nigdy się nie dowiem, jaka była naprawdę...

– Dowiesz się – zapewnił z naciskiem, sięgając po jej dłoń. – Pomogę ci w tym, daję słowo.

– Naprawdę wierzysz, że nam się uda?
– Już niedługo dobrze poznamy twoją matkę, kochanie.
– Och, Fitz, mam nadzieję, że się nie mylisz... Od najwcześniejszych lat pragnęłam ją poznać... – Nie cofnęła ręki i rzuciła mu pełne tęsknoty spojrzenie. – Ufam ci. Wiem, że mnie nie zawiedziesz.

Fitz szybko pomodlił się w duchu do Opatrzności, która może słuchała go w tej chwili, aby był w stanie spełnić nadzieje i oczekiwania Alby.

Rozdział piąty

W sobotę, wczesnym rankiem, Fitz przyjechał po Albę swoim volvem. Sprout z wyraźnym zadowoleniem wylegiwał się na tylnym siedzeniu, obserwując przez szybę rybitwy. Fitz musiał dość długo czekać w salonie na dole, aż Alba wreszcie się ubierze. Słyszał, jak chodziła w tę i z powrotem po sypialni, zastanawiając się, co na siebie włożyć. Już wcześniej zauważył, że wszystkie jej stroje były starannie dobrane i bardzo modne. Nie miał pojęcia, dlaczego tak się starała, bo jego zdaniem równie dobrze wyglądałaby w parcianym worku.

Wyjrzał przez okno wychodzące na łódź Viv i wyobraził sobie pisarkę, siedzącą przy maszynie w długim, powiewnym szlafroku, z papierosem opartym o brzeg jednej z glinianych miseczek z jej kolekcji. Zastanawiał się, ile to razy siedział na pokładzie Viv, mając nadzieję, że uda mu się zobaczyć Albę, przynajmniej kątem oka, ukradkiem... Viv ostrzegała go, aby nie zakochał się w dziewczynie, która zmienia mężczyzn jak rękawiczki... Za późno, pomyślał z westchnieniem.

Kolacja u Alby wcale go nie rozczarowała. Zaplanował sobie, że po przyjemnym wieczorze wróci do domu. Tym razem nie upił się i nie zgubił samochodu. Rozmawiali do pierwszej w nocy, syci po dobrym risotto, które Fitz sam przyrządził. Alba, mimo wielkiego entuzjazmu, okazała się marną kucharką. Gdy on gotował, ona opowiadała mu o swoim dzieciństwie, okropnej macosze i uczuciu izolacji, które prześladowało ją przez całe życie.

Próbował jej wyjaśnić, że ojciec zachował się dość normalnie, starając się żyć dalej po śmierci pierwszej żony. Ta tragedia na pewno go załamała. Został sam z malutkim dzieckiem, którego nie byłby w stanie samodzielnie wychować. Potrzebował Margo. Alba była po prostu niewinną ofiarą determinacji ojca, aby zbudować nowe życie i zapomnieć o przeszłości.

– Patrzę na to z męskiego punktu widzenia – tłumaczył. – To wszystko wcale nie znaczy, że ojciec mniej cię kocha. On nie chce tylko wracać do przeszłości i pewnie ciebie także woli przed nią chronić...

Alba słuchała go w milczeniu.

– Może masz rację – przyznała w końcu. – Ale to nie zmienia moich uczuć do Bawolicy. Współczuję ojcu, żal mi go, bo wciąż ukrywa swoje cierpienie pod maską płytkiej wesołości. Pogoda ducha i dobry nastrój – oto mój ojciec. Lekki drink o szóstej, kolacja o ósmej trzydzieści, szklaneczka whisky i cygaro w gabinecie o dziesiątej... Zawsze wypala cygaro do samego końca, choćby miał poparzyć sobie palce. Ucieka w tę swoją przerażającą rutynę. W dzień nieodmiennie ten sam tweedowy garnitur z kamizelką, wieczorem bonżurka i kapcie, w niedzielę lunch w jadalni, a kolacja w holu, przy kominku. Kucharka co niedzielę przygotowuje taką samą pieczeń, chyba że ojciec i Bawolica zaproszą proboszcza – wtedy na stole pojawia się duszony udziec barani albo wołowina, pudding albo szarlotka. W tygodniu ojciec wraca z Londynu pociągiem o szóstej trzydzieści, bierze laseczkę i udaje się na przechadzkę po swojej posiadłości. Rozmawia z zarządcą Beechfield Park o bażantach i sadzeniu drzew. Wszystko zawsze przebiega tak samo, nic się nie zmienia. Spokój i cisza. I nagle ja znalazłam portret, którego nie spodziewał się już zobaczyć, i pociągnęłam go w przeszłość... Teraz biedaczek nie ma pojęcia, co ze mną zrobić. Tak czy inaczej, wierzę, że z tobą porozmawia. To facet, który najlepiej czuje się w towarzystwie innych facetów o męskich gustach, tak jak ty...

Fitz nie był do końca pewny, czy ta opinia powinna go cieszyć – w oczach Alby najprawdopodobniej kompletnie go dyskwalifikowała. Viv opisała Thomasa Arbuckle'a jako „starego nudziarza", lecz jeśli ojciec Alby w czasie wojny był młodym człowiekiem, to teraz mógł mieć pięćdziesiąt parę lat, więc naprawdę trudno byłoby określić go jako staruszka...

Odwrócił się od okna i swoich myśli, bo do pokoju weszła Alba. Miała na sobie proste spodnie, żakiet z beżowego sztruksu i białą kaszmirową koszulkę polo. Włosy ściągnęła w koński ogon, zostawiając długą grzywkę, swobodnie opadającą na czoło. Nie przyszło jej nawet do głowy, żeby przeprosić za bałagan.

– Jestem gotowa – oświadczyła. – Wybrałam najbardziej konserwatywne rzeczy, jakie miałam w szafie, żeby dopasować się do ciebie...

Fitz mógłby się obrazić, gdyby nie to, że sam uważał się za człowieka o dość konserwatywnym guście. Tak czy inaczej, i ta uwaga Alby podkreśliła dzielące ich ostre różnice oraz fakt, że raczej nie wyobrażała sobie związku z kimś takim. Mimo tego Fitz nie czuł się rozczarowany – byli przyjaciółmi i to mu na razie wystarczało. Lepszy rydz niż nic, pomyślał trzeźwo.

– Ślicznie wyglądasz – powiedział, omiatając jej ciało pełnym uznania wzrokiem.

Posłała mu szeroki uśmiech.

– Lubię, kiedy to robisz... – odwróciła się i ruszyła w stronę drzwi.

– Co takiego?

– Kiedy mierzysz mnie takim przyjemnym spojrzeniem. Twoje oczy są wtedy jak para rozgrzanych dłoni, prawie czuję delikatne łaskotanie...

Na dworze było ciepło. Wiosenna bryza tańczyła nad rzeką, układając wzory z drobniutkich fal na jej powierzchni. Rybitwy szybowały wysoko, a ich przenikliwe krzyki wyraźnie brzmiały na tle przytłumionego miejskiego szumu.

– Mam nadzieję, że twój samochód pasuje do twojego wizerunku. Nie jeździsz chyba sportowym wozem, co? Tata zawsze jest podejrzliwy w stosunku do mężczyzn w sportowych autach...

– Mam stare, zajeżdżone volvo.

– Idealnie... – Naturalnym gestem wzięła go pod rękę. – Musimy wyglądać na parę – wyjaśniła, kiedy spojrzał na nią pytająco.

Usiadła na fotelu pasażera, przerzucając na tylne siedzenie kilka książek i maszynopis. Wnętrze samochodu mocno pachniało psią sierścią.

– Nie wiedziałam, że masz psa – zauważyła, kiedy usiadł obok niej i włączył silnik.

– Ma na imię Sprout. Siedzi z tyłu.

Oczy Alby rozszerzyły się lekko.

– Mam nadzieję, że to nie taki mały szczurek jak psy Margo...

– Nie, nie... Sprout to krzyżówka spaniela i pointera.

– Cokolwiek to znaczy... – odwróciła się z westchnieniem. – Och, tak, może być... Dzięki Bogu, że to spory, normalny pies. Nienawidzę malutkich ujadaczy...

– Zapewniam cię, że Sprout szczeka bardzo męskim basem.

– Całe szczęście, bo inaczej musiałby zostać tutaj, na nabrzeżu, no, chyba że chciałby pożywić się tymi wstrętnymi szczurkami Margo...

– Nie słuchaj jej, Sprout – powiedział Fitz. – W gruncie rzeczy wcale nie ma takiego twardego serca.

Z tyłu rozległo się głębokie, cierpliwe psie westchnienie.

– Zrozumiesz mnie, kiedy je zobaczysz – prychnęła Alba. – Bawolica uwielbia wszystko, co nadaje się do noszenia pod pachą.

– Mam nadzieję, że ta zasada nie dotyczy twojego ojca!

Alba zachichotała i żartobliwie trąciła go łokciem w bok.

– Nie wygłupiaj się! Bawolica jest silna, ale daleko jej do Herkulesa!

Rozmawiali przez cały czas jazdy autostradą A30. Kiedy

skręcili z głównej szosy i ruszyli dalej krętymi drogami, wiejski krajobraz Hampshire w całej krasie stanął przed ich oczami. Ciepło obudziło do życia lasy, które wibrowały przejrzystą, jasnozieloną mgiełką. Powietrze było łagodne i aromatyczne, na liniach i słupach telefonicznych przysiadały ptaki, przenoszące w dziobach materiał na gniazda. Alba i Fitz umilkli, rozglądając się dookoła. Wiejski spokój i cisza stanowiły orzeźwiające antidotum na miejski gwar i hałas, uspokajały i koiły duszę. Czystym powietrzem oddychało się lepiej i głębiej, pełną piersią. Fitz czuł, jak mięśnie jego ramion rozluźniają się, a umysł uwalnia od myśli o rozmaitych denerwujących i trudnych sprawach, które czekały go w pracy. Nawet Alba sprawiała wrażenie spokojniejszej. Na tle wiosennej zieleni wyglądała młodziej, jakby wyjazd z Londynu pomógł jej zrzucić z siebie warstwę miejskiego wyrafinowania.

Zwolnił, bo wjeżdżali w jesionową aleję. Pączki na gałęziach wysokich drzew zaczęły się już rozchylać, wypuszczając delikatne czerwonawe listki. Po prawej stronie rozciągało się wielkie pole, którego granicą był ciemny las. Pasło się na nim kilka koni, które nawet nie podniosły łbów, aby przyjrzeć się przybyszom, oraz dwa duże króliki, tkwiące naprzeciwko siebie, stykające się noskami, zupełnie jakby były pochłonięte interesującą pogawędką. Ich długie uszy poruszały się leciutko. Fitz był zachwycony, ale nic nie przygotowało go na widok domu.

Beechfield Park był dużą rezydencją z czerwonej cegły i ciemnoszarego kamienia, o wyraźnym charakterze i wielkim uroku. Po ścianach swobodnie pięły się długie gałązki wisterii i klematisu, okna o tęczowych szybkach były wprawdzie nieduże, lecz przywodziły na myśl czujne i pełne humoru oczy. Linia dachu była nierówna, z licznymi załamaniami, zupełnie jakby duch domu zbuntował się przeciwko narzuconym przez architekta prostym, surowym liniom i rozprostował członki, aby ułożyć się w wygodnej pozycji. W rezultacie budynek emanował ciepłem i wyglądał niezwykle przytulnie.

– Wspaniały dom! – zawołał Fitz, kiedy pod kołami samochodu zagrzechotał gruby żwir, którym wysypany był podjazd.

– Należał do mojego prapradziadka – powiedziała Alba. – Wygrał go w karty. Niestety, przy okazji stracił żonę, która rzuciła go, zanim zdążyła nacieszyć się nową rezydencją.

Alba uwielbiała barwne opowieści i uważała, że ciekawy wątek jest znacznie ważniejszy od prawdy.

– Przegrał żonę w karty? – zapytał Fitz z niedowierzaniem.

– Tak. Oddał ją bogatemu księciu.

– Może była potwornie brzydka...

– No, nie mogła być wielką pięknością, skoro w ogóle zdecydował się o nią zagrać, prawda? Och, są szczurki! – roześmiała się, kiedy z domu wysypała się gromadka piskliwie ujadających terierków. – Oto ukochane pieski Margo! Uważaj tylko, żebyś na którymś nie usiadł! Stryj Hennie usiadł kiedyś na piesku babci i po prostu go zmiażdżył...

– Nietakt, prawda?

– Znaleźli truchełko dopiero po tygodniu, bo stryj ukrył je pod poduszką!

W tej chwili na ganek wyszli uśmiechnięci Margo i Thomas. Margo niskim, rozkazującym głosem przywołała do siebie psy, lekko klepiąc się w udo. Siwiejące włosy upięła w nieporządny kok, nie miała choćby cienia makijażu, a jej poznaczona głębokimi zmarszczkami skóra była ogorzała od wiatru i słońca – wszystko to razem tworzyło wizerunek kobiety, która spędza dużo czasu w siodle.

– Hedge, chodź tutaj! – szczeknęła Margo. – Bardzo się cieszę, że możemy cię poznać, Fitzroy – dodała, wyciągając rękę.

Fitz uścisnął ją z uśmiechem. Dłoń Margo była silna i chłodna.

– Ma pan zachwycający dom, kapitanie Arbuckle – potrząsnął ręką gospodarza.

– Mów mi po imieniu, chłopcze – zaśmiał się Thomas. – Mam nadzieję, że nie natknęliście się na żadne korki... W sobotnie ranki drogi bywają dość zatłoczone...

– Nie, dojechaliśmy spokojnie i szybko – odparł Fitz.

Thomas jak zwykle pocałował Albę w skroń. Dziewczyna odetchnęła z ulgą, ponieważ najwyraźniej ojciec nie miał do niej żalu o poprzednie spotkanie. Margo powitała ją skąpym uśmiechem – jej trudniej było ukryć uczucia, jakie budziło zachowanie pasierbicy.

– Czy mogę wypuścić Sprouta na spacer? – zapytał Fitz. – Jest już stary i nigdy nie atakuje mniejszych psów...

– Nie lekceważ małych piesków – odezwała się Margo. – Doskonale dają sobie radę w trudnych sytuacjach i nie uciekają przed agresorami.

Fitz podniósł klapę bagażnika, z którego powoli wygramolił się zesztywniały, potargany Sprout. Psy obwąchały się z zaciekawieniem, chociaż terierki Margo zdradzały większe zainteresowanie przybyszem niż on nimi. Sprout natychmiast obsikał oponę samochodu pana, po czym skupił uwagę na trawie, całkowicie ignorując małe kudłate zwierzątka, które z zapałem zbliżały noski do jego zadu. Fitz zostawił otwarty bagażnik, żeby Sprout mógł się tam schronić, kiedy terierki go zmęczą, i wszedł za Margo i Thomasem do domu.

– Caroline przyjedzie po lunchu, a Miranda ma właśnie przerwę semestralną, więc jest z nami. Biedny Henry musiał zostać w Sandhurst, nie dają mu tam spokoju – mówiła Margo, kiedy szli przez hol do salonu.

Rodzice Alby przyjemnie zaskoczyli Fitza. W niczym nie przypominali potworów, które znał z opowieści – byli zwyczajnymi ludźmi o konwencjonalnym stylu bycia. Salon utrzymany był w tonacji jasnożółtej i beżowej, umeblowany prosto i gustownie. Fitz usiadł na sofie. Zdziwił się, kiedy Alba zajęła miejsce obok niego, wzięła go za rękę i ścisnęła ją lekko. Thomas rzucił Margo porozumiewawcze spojrzenie. Stało się dla niego jasne, że Alba nigdy dotąd nie przedstawiła rodzicom chłopaka.

– Masz ochotę na drinka? – spytał Thomas.

Fitz szybko pomyślał, jakiego wyboru mogliby się po nim spodziewać, i po krótkiej chwili poprosił o whisky z lodem.

Thomas uśmiechnął się i podszedł do barku. Margo usadowiła się w głębokim fotelu i wzięła na kolana jednego z psów.

– Czym się zajmujesz, Fitzroy? – zagadnęła, gładząc grzbiet psiaka dużą dłonią.

– Jestem agentem literackim.

– Ach, tak... – Margo spojrzała na niego z zaciekawieniem.

– Między innymi reprezentuję Vivien Armitage.

Uniosła brwi, wyraźnie zaskoczona i ucieszona. Vivien była jej ulubioną autorką.

– To bardzo dobra pisarka – powiedziała. – Oczywiście, nie mam zbyt dużo czasu, bo prowadzenie domu i konie zajmują mi większość dnia, ale zawsze chętnie sięgam po jej książki. Thomas lubi Wilbura Smitha, prawda?

– Lubię dobre powieści akcji, chociaż ostatnio chętniej czytam biografie. – Thomas podał Fitzowi drinka. – Fikcja nigdy nie dorówna prawdziwej historii, nie uważasz, mój drogi?

– Czy jesteś jednym z Davenportów z Norfolk? – zapytała Margo.

– Tak – odparł Fitz.

Doszedł do wniosku, że skoro ma kłamać, to powinien robić to z dużą pewnością siebie. Zacisnął palce na dłoni Alby, a ona odpowiedziała mu w ten sam sposób. Fitz nie miał cienia wątpliwości, że dziewczyna doskonale się bawi.

– Znasz Harolda i Elizabeth?

– Harold jest kuzynem mojego ojca – rzekł Fitz, chociaż nigdy w życiu nie słyszał o Haroldzie i Elizabeth.

– Ach, więc twój ojciec to...

– Geoffrey.

Jeszcze jedno kłamstwo, ale teraz już nie wolno mi się poddać, pomyślał Fitz. Margo zmarszczyła brwi i potrząsnęła głową.

– Nie znam Geoffreya...

– A George'a?

– Też nie.

– Davida? – zaryzykował Fitz.
– Tak! – małe, brązowe oczy Margo rozbłysły uśmiechem. – Tak, znam Davida! Jest żonaty z Penelope...
– Tak jest! – rozpromienił się Fitz. – To urocza kobieta!
– Prawda? Taka szkoda, że nie mają dzieci... – Margo westchnęła i przybrała współczujący wyraz twarzy. – Więc twoi rodzice też mieszkają w pobliżu Kings Lynn?
– Nie, ojciec przeniósł się dalej na południe, do Dorset. Ma tam duży dom na wrzosowiskach. Kiedy byłem dzieckiem, spędzaliśmy część roku w jednym domu, część w drugim, a na zimę wyjeżdżaliśmy do naszego chatlet w Szwajcarii.
– Jeździsz na nartach? – zainteresował się Thomas, entuzjastyczny wielbiciel sportu.
Fitz zrobił na nim duże wrażenie, częściowo za sprawą domu na wrzosowiskach w Dorset, częściowo dzięki szwajcarskiemu châtelet. Usiadł w fotelu i pociągnął łyk martini.
– Mam nadzieję, że zostaniecie na cały weekend – uśmiechnął się. – Jutro po nabożeństwie na lunch wpadnie nasz proboszcz. Grasz w squasha, mój drogi?
– Z dużym zapałem – przyznał Fitz, który wreszcie mógł przestać kłamać. – Bardzo chętnie zagram, ale wolałbym nie przeciwko proboszczowi. Nie mam śmiałości grać z przeciwnikiem, który ma Boga po swojej stronie...
Margo roześmiała się głośno. Alba nie mogła otrząsnąć się ze zdumienia. Ojciec i macocha byli najwyraźniej bardzo zadowoleni i nie ulegało wątpliwości, że polubili Fitza. Viv miała rację, pomyślała dziewczyna. Nie na darmo jest autorką samych bestsellerów...
Fitz schylił się i wziął na kolana terierka Margo.
– Moja matka miała kilka terierów – powiedział, gładząc szorstką sierść na karku pieska. – W pewnym okresie przestała nawet wyjeżdżać na wakacje, bo nie chciała ich zostawiać. Strasznie za nimi tęskniła...
Margo przechyliła głowę i obdarzyła Fitza pełnym zrozumienia uśmiechem.

– A pani psy są naprawdę urocze – dorzucił.

– Och, Fitz, mów mi po imieniu, bo czuję się przeraźliwie staro!

W tym momencie do pokoju wpadła Miranda. Była wysoka i smukła, z prostymi jasnymi włosami uczesanymi w koński ogon. Ubrana w bryczesy i buty do konnej jazdy; na jej okrągłej, rumianej twarzy malował się wyraz irytacji.

– Summer znowu się spłoszyła, mamo! – oznajmiła, szybko chwytając powietrze.

Margo wstała.

– Kochanie, pozwól, że przedstawię cię Fitzowi Davenportowi, przyjacielowi Alby...

– Och, przepraszam... – Miranda wyciągnęła rękę do gościa. – Moja klacz jest wyjątkowo płochliwa, dlatego często mam z nią rozmaite przygody...

Fitz już miał przytoczyć anegdotę o płochliwym wierzchowcu z powieści Nancy Mitford, ale w ostatniej chwili zmienił zdanie – wątpił, aby tak młoda dziewczyna zrozumiała tę aluzję.

– Pomóc ci ją schwytać? – zaproponował. – Sprout na pewno chętnie trochę pobiega...

– Pomógłbyś jej, naprawdę? – wtrąciła Margo. – Bardzo to miło z twojej strony, mój drogi. Przecież dopiero przed chwilą przyjechaliście z Londynu!

– Chciałbym tylko przebrać się w coś bardziej odpowiedniego do rozrywek na świeżym powietrzu – powiedział Fitz. – Potem możemy nawet wytarzać się w błocie, prawda, Albo?

– Fitz ma żółty pokój – zwróciła się Margo do Alby, kiedy wyszli do holu.

Alba była przerażona. Miała nadzieję, że nie będzie musiała trzymać bramy ani tym bardziej uganiać się za koniem. Jako dziecko brała obowiązkowe lekcje jazdy konnej, nakładania siodła, szczotkowania wierzchowców i czyszczenia sprzętu, ale kiedy tylko podrosła na tyle, aby móc wyrażać swoje zdanie, zrobiła rodzicom taką awanturę, że Margo dała jej spokój i zgodziła się, aby dziewczynka pomagała w ogrodzie, zbierała warzywa i łuskała fasolkę i groszek. Alba bardzo chętnie przystała na tę zamianę. Praca w warzywniaku była nie tyle męcząca, co po prostu nudna, ale w przerwach Alba mogła czytać kolorowe czasopisma i bawić się należącymi do kucharki kosmetykami do makijażu. Poza tym w ogrodzie była najczęściej sam na sam ze swoimi myślami. Z łąki za domem dobiegały energiczne, wesołe okrzyki pozostałej trójki, lecz Alba była zadowolona, że nie musi z nimi przebywać. Zawsze miała potężną awersję do zajęć grupowych, szczególnie rodzinnych.

Teraz zaprowadziła Fitza na górę, a kiedy zostali sami, z zachwytem zarzuciła mu ramiona na szyję.

– Jesteś wspaniały! – zawołała.– Już zaskarbiłeś sobie ich sympatię, a na dodatek dzięki tobie mają teraz o mnie lepsze zdanie! Nagle zaczęli mnie traktować jak osobę dorosłą, zauważyłeś?

Zanim odsunęła się od niego, Fitz chwilę delektował się bliskością jej cudownego, jędrnego ciała.

– Przecież jesteś dorosła – powiedział, patrząc, jak idzie w stronę okna.

Zajrzał do walizki i z zaskoczeniem spostrzegł, że jego rzeczy zostały już wypakowane.

– To pani Bromley, nasza gospodyni – wyjaśniła Alba. – Tajemnicza postać, którą rzadko można zobaczyć, podobna do szarej polnej myszki...

– Zawsze rozpakowuje walizki?

– Oczywiście, ale tylko gości. Mojej nigdy nie tknie, chociaż ja potrzebuję pomocy bardziej niż ty, bo jestem strasznie chaotyczna! – roześmiała się. – Szara myszka nie zagląda do mojego pokoju...

– Myślisz, że bez problemu znajdę swoje rzeczy? – Otworzył pierwszą szufladę komody i zobaczył parę spodni, a obok skarpetki.

– Trudne pytanie... – mruknęła Alba. – Nie wiem, jak działa umysł pani Bromley, oczywiście zakładając, że w ogóle go ma. Ta kobieta to eksponat muzealny!

– Nie jest z nią tak źle – zaśmiał się Fitz, który zdążył znaleźć też dżinsy, starannie rozprostowane i powieszone w szafie.

– Nie sądzisz, że byłoby okropnie, gdybyśmy w końcu naprawdę zostali parą? Ojciec i Margo odkryliby wszystkie twoje kłamstewka...

– Nie pomyślałem o tym – rzekł poważnie, chociaż Alba chichotała radośnie, jakby ta myśl wydała jej się wyjątkowo zabawna.

– Zobaczymy się na dole – rzuciła, ściągając koński ogon na bok. – Nie zamierzam się przebierać, bo przecież nie będę uganiać się po polu za jakimś durnym zwierzakiem! Naprawdę, Fitz, trochę przesadziłeś z uprzejmością! Wiesz, że Margo trzyma w lesie dzikie świnie?

– Świnie?

– Tak, najprawdziwsze dziki! Sześć macior i dwa knury w wielkiej, ponad akrowej zagrodzie. Myśli, że zrobi duże pieniądze na hodowli. Ciągle uciekają i biegają po całym lesie. W ciemną noc na pewno nie chciałbyś się natknąć na Borysa, wierz mi. Jest przerażający i na dodatek ma największe jaja, jakie kiedykolwiek widziałam... – zrobiła zabawną minę i lekko uniosła brwi.

– Chcesz, żebym wpadł w kompleksy? – roześmiał się.

– Skądże znowu... Tak czy inaczej, nikt mnie nie zmusi, żebym biegała za tym cholernym koniem. Moim zdaniem, za bardzo wczuwasz się w rolę...

Kiedy wyszła, Fitz przebrał się w dżinsy i szary sweter. Dziewczyna miała rację – naszkicowana przez Viv rola bardzo przypadła mu do gustu. Nie była trudna, bo Thomas i Margo okazali się miłymi, niewymagającymi ludźmi. Łatwo i przyjemnie było też trzymać Albę za rękę i udawać, że jej serce należy do niego. Bardzo żałował, że to tylko gra i że pod koniec weekendu zostawi ją na Cheyne Walk i sam wróci do pustego domu przy Clarendon Mews. Miał nadzieję, że uda mu się zdobyć tyle wiadomości o jej matce, aby nabrała jeszcze większej ochoty na podróż do Włoch, lecz z drugiej strony obawiał się, że kiedy spełni swoje zadanie, stanie się zbędny. Wtedy wszystko znowu potoczy się jak dawniej – będzie grał w brydża z Viv i zaciskał zęby na widok beztrosko pogwizdującego Ruperta, lekkim krokiem wbiegającego na pokład Alby, aby tam nacieszyć się jej specyficzną odmianą gościnności... Alba szybko zapomni, że był jej potrzebny, a rodzące się między nimi uczucie bliskości rozwieje się jak mgła nad Tamizą...

Fitz pośpiesznie odepchnął smutne myśli i wyszedł z pokoju. Na czas pobytu w tym domu był chłopakiem Alby i postanowił zrobić wszystko, co w jego mocy, aby rzeczywistość nie zdołała tego zniszczyć. Nie zamierzał rozczulać się nad sobą, dopóki nie ma takiej potrzeby.

Margo i Miranda czekały na niego w holu razem z Albą. Margo zawiązała apaszkę na głowie i włożyła brązowe sztruksy. Alba wyglądała przez okno, nawet nie udając, że słucha, jak jej macocha i przyrodnia siostra rozmawiają o ogrodzeniu, które trzeba wzmocnić oraz o niezwykłej inteligencji Summer.

– Ten płot zaczyna sprawiać kłopoty – oznajmiła surowym tonem Margo. – Peter będzie musiał uważnie obejrzeć każdy metr i naprawić go w słabych miejscach. Nie możemy pozwolić, żeby Summer ciągle uciekała, bo pewnego dnia wybiegnie na drogę i spowoduje wypadek! Ach, Fitz... – odwróciła się z serdecznym uśmiechem. – Naprawdę jestem ci bardzo wdzięczna...

– Cała przyjemność po mojej stronie – odparł. – Na dodatek mamy taki piękny dzień, szkoda marnować go w domu...

Kiedy spojrzał na Mirandę, dziewczyna się zarumieniła.

– Oby tylko nie uciekła za daleko... – wymamrotała i szybko wyszła za matką na ganek.

Alba znacząco wzniosła oczy do sufitu.

– To kompletne wariactwo – zaśmiała się pogodnie. – Czułam, że oni wszyscy od razu się w tobie zakochają, ale żeby aż tak... Jesteś dokładnie w ich typie.

Fitz dobrze wiedział, że w jej ustach nie jest to komplement.

Schwytanie Summer okazało się dość skomplikowane.

Klacz pognała w górę podjazdu i zatrzymała się dopiero na łące, daleko za domem, gdzie teraz żarłocznie pochłaniała zajęczy szczaw. Początkowo Margo usiłowała przywołać ją do porządku, ostrym tonem wydając polecenia. Nawet Alba musiała dołączyć do żywego łańcucha, w ten sposób próbowali zagonić klacz w róg pastwiska. Rzuciła Fitzowi gniewne spojrzenie – gdyby nie jego gotowość do pomocy, spokojnie sączyliby wino w salonie. Sprout i teriery obiegały klacz dookoła, głośno ujadając, lecz Summer parsknęła tylko wyniośle, i dumnie unosząc głowę, oddaliła się wdzięcznym kłusem. Ponieważ taktyka Margo zawiodła, Fitz wziął sprawę w swoje ręce. Bardziej niż o Summer chodziło mu o Albę, której w żadnym razie nie chciał zdenerwować. Poprosił, by stanęła przy bramie i trzymała ją otwartą. Potem razem z Mirandą i Margo zmusił klacz do powrotu na łąkę przy domu, idąc ku niej z szeroko wyciągniętymi ramionami i zaganiając ją w ten sposób na poprzednie miejsce. Wiedziona instynktem Summer zachowała się dokładnie tak, jak sobie tego życzył – ku wielkiemu zdumieniu Mirandy pokłusowała na łąkę, a wtedy Alba z radością zamknęła za nią bramę. Cała operacja zajęła sporo czasu, ale Alba była zadowolona, więc Fitz mógł odetchnąć z ulgą.

Kiedy Margo pogratulowała mu, wyjaśnił, że wychowywał się wśród koni.

– Na twoim miejscu kazałbym jak najprędzej naprawić ogrodzenie – powiedział, starając się zrobić wrażenie człowieka o dużym doświadczeniu w tej dziedzinie. – Mieliśmy kiedyś taką płochliwą klacz... Pewnego dnia próbowała uciec na drugą stronę łąki i rozcięła sobie nogę o drut kolczasty. Paskudna sprawa...

– Oczywiście, takich sytuacji koniecznie trzeba unikać – przytaknęła Margo. – Szkoda, że Alba nie lubi koni, moglibyście się wybrać na krótką przejażdżkę przed lunchem.

Alba wzięła Fitza pod rękę. Zachwycone spojrzenia, jakie rzucała mu Miranda, nie uszły jej uwagi.

– Oprowadzę teraz Fitza po majątku – oznajmiła.

– Jeśli wolisz pojechać konno, Miranda chętnie będzie ci

towarzyszyć – zaproponowała Margo, jak zwykle mało taktownie.

Alba zagotowała się ze złości. Margo chce upolować Fitza dla Mirandy, pomyślała. Na szczęście Fitz wyczuł jej nastrój i uprzejmie odmówił.

– To bardzo miło z waszej strony, ale może innym razem – powiedział i zagwizdał na Sprouta. – Chodź, staruszku! Pójdziemy teraz poszukać szczęśliwego Borysa...

– Szczęśliwego? – Alba zmarszczyła nos.

– Oczywiście, przecież ma po temu powody. – Fitz znacząco uniósł brwi.

– Ach, jasne, że ma... – uśmiechnęła się Alba.

Margo długo odprowadzała wzrokiem Albę i Fitza, którzy poszli w kierunku sadu, potem zaś skręcili w stronę domu.

– Co za czarujący młody człowiek... – powiedziała.

– Szczęściara z tej Alby! – westchnęła Miranda. – Bardzo atrakcyjny, prawda?

– Tak – przyznała Margo. – Chociaż zupełnie nie w jej typie... Alba zwykle wybiera ładnych, modnie ubranych chłopców, w każdym razie tak mówiła mi Caroline...

– Ten jest naprawdę przystojny.

– Mam nadzieję, że wie, w co się pakuje! – Margo ze śmiechem pokręciła głową. – Alba jest uparta jak osioł, no, ale na szczęście on nie wygląda na słabeusza. Taki wysoki, silny mężczyzna, szeroki w barach... Jestem pewna, że poradzi sobie z nią bez większych kłopotów.

– Cieszę się, że znalazła sobie kogoś sympatycznego – powiedziała Miranda.

– Ja też. To wyjątkowo odpowiedni człowiek.

– Ale sporo od niej starszy, prawda?

– I dzięki Bogu! Mężczyzna w jej wieku byłby wobec niej kompletnie bezradny.

– Myślisz, że się pobiorą, mamo?

– Cóż, z Albą nigdy do końca nie wiadomo...

– Pojeżdżę jeszcze trochę. – Miranda ruszyła w stronę stajni.

– Przejadę się z tobą. Nie jestem teraz potrzebna Albie...

Margo odwróciła się w stronę ogrodu, ale pary młodych ludzi już nie było. Westchnęła ciężko i poszła do domu, żeby się przebrać.

Alba i Fitz wrócili dopiero na lunch. Oboje mieli zarumienione twarze i błyszczące oczy. Alba pokazała Fitzowi ogrody, korty do tenisa i squasha, stajnie, basen, na razie wypełniony zeszłorocznymi liśćmi, oraz staw, po którym wśród trzcin pływały kaczki i dzikie gęsi. Później przespacerowali się po lesie, gdzie Borys z wyraźną dumą zaprezentował im swoje klejnoty i pokazał, jak się nimi posługuje. Zauważyli też parę bażantów i usłyszeli chrypliwe pokasływanie perkoza. Dzwonki zaczynały obficie kwitnąć, a powietrze pachniało wilgocią i budzącą się do życia przyrodą.

Thomas był zdumiony, ponieważ Alba nigdy z własnej inicjatywy nie chodziła na spacery. Cieszyło go, że chętnie pokazuje Fitzowi rodzinny dom. Ten chłopak ma na nią dobry wpływ, pomyślał z radością.

Fitz z łatwością oczarował całą rodzinę Arbuckle. Miranda obserwowała go spod oka, a jej młode ciało drżało lekko, poruszane mrocznymi, prymitywnymi i cudownie mglistymi odczuciami. Margo nie kryła zachwytu, że Alba znalazła wreszcie normalnego młodego człowieka, wykonującego normalny zawód, człowieka ze świata, który Margo tak dobrze znała. Thomas nie mógł się już doczekać, kiedy zaprosi Fitza na cygaro i spokojnie porozmawia z tym wykształconym, inteligentnym mężczyzną. Z zadowoleniem patrzył na szczęśliwą, spokojną córkę, zadowoleniem tym większym, że spokój był czymś obcym naturze Alby. Popędliwe, łatwo wpadające we wściekłość dziecko, które tamtego wieczoru zasypało go gradem obelg, zniknęło, i Thomas miał nadzieję, że już nigdy nie wróci. Był jednak jeszcze jeden członek rodziny, którego Alba i Fitz nie wzięli pod uwagę w swoich planach.

Rozdział szósty

Lavender Arbuckle powoli wkroczyła do salonu, ciężko wspierając się na lasce. Margo powitała ją przerażonym spojrzeniem, a Thomas wstał pośpiesznie, aby podprowadzić matkę do ich ulubionego fotela. Lavender spędzała większość dni w swoim apartamencie na piętrze, ale tym razem zwęszyła panujące w domu podniecenie niczym pies smakowity obiad i zeszła na dół, żeby zobaczyć, co się dzieje, ubrana w elegancki tweedowy kostium z lat dwudziestych. Spódnica i żakiet zwisały luźno, ponieważ Lavender skurczyła się, jak prawie wszyscy starzy ludzie, poza tym jadła tak mało, że była chuda jak patyczek. Czasami Margo się dziwiła, że kości nie przebijają na wylot pomarszczonej skóry teściowej.

– Mamo, chciałbym przedstawić ci Fitzroya Davenporta – odezwał się Thomas.

Fitz zerwał się z sofy, ukłonił się i uścisnął kruchą dłoń Lavender, która przy nim wyglądała jak malutki wróbelek.

– Kim pan jest? – zapytała Lavender wyniosłym głosem, wbijając wzrok w twarz Fitza.

– Fitzroy jest przyjacielem Alby – wyjaśniła Margo.

– Ach, przyjacielem Alby... – Lavender uniosła głowę i odwróciła się do wnuczki. – Znowu tu jesteś! Jak to miło!

Alba siedziała spokojnie. Wszyscy milczeli, czekając, aż starsza pani usadowi się wygodnie.

– Jest pan żonaty, Fitzroy? – zagadnęła Lavender.

Margo znowu próbowała interweniować. Zachowanie Lavender bywało żenujące.

– Nie – odrzekł chłodno Fitz.

– To świetnie! Może poślubi pan Caroline albo Mirandę. Wygląda pan na przyzwoitego człowieka...

Alba wzięła Fitza za rękę i ostro wciągnęła powietrze.

– Jeżeli Fitz z kimś się ożeni, to raczej ze mną – oznajmiła z naciskiem, podkreślając spółgłoski tak samo jak Viv.

– A kim ty jesteś? – zapytała Lavender.

– Na miłość boską, babciu, to ja, Alba! – wybuchnęła dziewczyna. – Muszę zapalić...

Podniosła się i szybkim krokiem wyszła do holu.

– Ja także mam ochotę na papierosa... – Fitz pośpieszył za Albą.

Starsza pani zamrugała, zdumiona i zmieszana.

– Czyżbym powiedziała coś nieuprzejmego?

– Mamo, to naprawdę trochę krępujące, że nie poznajesz własnej wnuczki – poskarżył się Thomas, podając staruszce kieliszek brandy.

– Och, chodzi ci o tę dziewczynę z ciemnymi włosami... – powiedziała cicho Lavender, jakby znowu się zastanawiała, dlaczego Alba ma ciemne włosy, skoro wszyscy członkowie rodziny Arbuckle są blondynami. – Wszystko mi się myli, niestety... – odwróciła się do Margo. – Czy to twoja córka?

– To *nasza* córka, Lavender! – zdenerwowała się Margo.

Atmosfera była bardzo przyjemna do chwili, gdy do salonu wkroczyła zesklerociała matka Thomasa... Z piersi Margo wyrwało się ciężkie westchnienie.

– Piękna dziewczyna – oświadczyła Lavender, zupełnie nieświadoma, że uraziła synową.

– Jej matka umarła niedługo po jej urodzeniu – odezwał się nagle Thomas. Margo ledwo słyszała jego słowa. – Chyba to pamiętasz, mamo?

Lavender rozchyliła wargi i cicho jęknęła.

– O, tak... Valentina... – wyszeptała, jakby bała się wymówić to imię na głos albo jakby było święte. – Zupełnie zapomniałam... Jakże mogłam tak się wygłupić... – W oczach staruszki zabłysły łzy, policzki pokryły się ciemnym rumieńcem. – Musicie mi wybaczyć, moi drodzy – powiedziała, trzęsąc głową. – Kochana dziewczyna, biedactwo... Co za okropna, okropna historia...

– Wydaje mi się, że czas już siadać do kolacji. – Thomas się wyprostował. – Mirando, daj znać kucharce, że jesteśmy gotowi. I poszukaj Alby, dobrze? Chodźmy do jadalni...

Miranda pobiegła do kuchni, a Margo podała rękę Lavender. Podobnie jak wielu starszych ludzi, którzy nie chcą przyjąć do wiadomości, że stopniowo tracą siły, Lavender odsunęła ją i sama z wysiłkiem dźwignęła się na nogi.

– Nic mi nie dolega, możecie mi wierzyć... – wymamrotała, kuśtykając do drzwi.

Kiedy zmierzała przez hol do jadalni, nagle ogarnął ją obłok cudownego zapachu, ciepłego, aromatycznego i zupełnie obcego w tym domu. Lavender z rozkoszą pociągnęła nosem.

– Figi... – westchnęła. – Od tak dawna nie jadłam fig...

– Jest z nią coraz gorzej – mruknęła Margo do męża, który bezradnie wzruszył ramionami. – To się staje naprawdę żenujące... Co pomyśli sobie Fitz? Dlaczego właśnie dziś musiała wyskoczyć z tymi idiotycznymi pytaniami?

– Albie chyba bardzo zależy na Fitzu, prawda? – odezwał się. – Cieszy mnie to, słowo daję...

– Mnie także, kochanie. Mam nadzieję, że nie przestraszył się Lavender...

– Fitz ma twardszy kręgosłup, niż ci się wydaje, moja droga. Jemu także zależy na Albie.

Margo pokazała mężowi mocno zaciśnięte kciuki.

– Módlmy się, żeby wszystko ułożyło się jak należy – powiedziała, wychodząc do holu i wyprowadzając za sobą psy.

Margo zadbała, żeby Lavender usiadła między Thomasem i Mirandą, natomiast Fitza i Albę posadziła obok siebie. Kucharka podała wspaniałą jagnięcinę z pieczonymi ziemniakami i fasolką – dołożyła wszelkich starań, ponieważ

Alba przywiozła do domu nowego chłopaka. Skarcona Lavender w milczeniu skubała jedzenie, prawie nie odrywając wzroku od Alby. Nie gapiła się na dziewczynę z tak natrętnym zafascynowaniem, jak zwykle robili to ludzie w autobusie, lecz z wyrazem lekkiego zaciekawienia i współczucia. Alba powtarzała sobie, że nie powinno jej to przeszkadzać – ostatecznie babka była już starą kobietą. Jeszcze stosunkowo niedawno miała zupełnie trzeźwy umysł i opowiadała wnuczce cudowne historie o ludziach, których spotkała na swojej drodze. Nazywała ich swoimi prywatnymi tęczami.

– Gdyby nie moi przyjaciele, życie przypominałoby puste, szare niebo – mawiała często. – Nikomu nie życzę życia bez tęczy!

Alba zastanawiała się teraz, czy Lavender widzi jeszcze jakieś tęcze, czy też tylko puste, szare niebo, którego tak się obawiała.

Fitz nadal czarował ojca i macochę subtelnymi kłamstwami i chłopięcym uśmiechem. Raz czy dwa trochę się zapomniał i wtedy wymknęło mu się kilka słów, stojących w sprzeczności z utkaną wcześniej pajęczyną kłamstw, ale szybko zamaskował wpadkę, jąkając się w bardzo angielskim stylu, co także wypadło po prostu uroczo. Nikt się nie zorientował. Alba patrzyła na niego z rosnącą serdecznością. Po nietaktownych uwagach babki wyszedł za nią na ganek i razem wypalili papierosa. Całkiem możliwe, że gdyby nie on, wskoczyłaby do samochodu i wróciła do Londynu. Nigdy nie traciła czasu na próby rozwiązania trudnej sytuacji, kiedy mogła ratować się ucieczką, ale Fitz obrócił wszystko w żart i uspokoił ją. Umówili się, że mrugnie do niego za każdym razem, gdy Lavender powie coś niegrzecznego lub wręcz oburzającego. Teraz dziewczyna czekała niecierpliwie, lecz Lavender milczała.

Kucharka weszła do jadalni, niosąc duży, parujący pudding z sosem karmelowym. Lavender podniosła głowę i na jej twarzy pojawił się wyraz pełnego nadziei wyczekiwania, ale po chwili przygarbiła się znowu, wyraźnie zawiedziona.

– Myślałam, że będziemy jedli figi – odezwała się ze wzburzeniem.

– Figi? – Margo ściągnęła brwi.

– Tak, figi.

– Mamy dziś pudding – wyjaśniła Margo. – Częstujcie się wszyscy, bardzo proszę... – Skinęła głową kucharce, która postawiła półmisek na końcu stołu.

– W holu poczułam zapach fig – powiedziała Lavender, odwracając się do syna. – Ty nie?

– Nie, mamo... – odrzekł Thomas.

Nie okazał tego, lecz uwaga matki bardzo go zaskoczyła – w ciągu ostatnich dwóch tygodni sam kilkakrotnie czuł znajomy, owocowy zapach. Ten aromat przywoływał wspomnienia, które Thomas dawno pogrzebał, wspomnienia wojny, Włoch, pięknej młodej kobiety i strasznej tragedii.

– Jestem bardzo rozczarowana! – zajęczała Lavender. – Od lat nie jadłam fig...

– Bardzo mi przykro – powiedziała pośpiesznie Margo. – Kiedy następnym razem będę w sklepie, poszukam fig.

Alba mrugnęła do Fitza i uśmiechnęła się, lekko unosząc jeden kącik warg, lecz Fitz wcale nie był rozbawiony – wyraźne zagubienie staruszki budziło w nim wyłącznie litość.

Po lunchu wszyscy usiedli w salonie, gdzie podano im kawę z malutkimi kwadratowymi pierniczkami. Psy Margo spokojnie leżały u jej stóp, tylko Hedge jak zwykle zajął uprzywilejowane miejsce na kolanach pani. Lavender poszła do siebie odpocząć, więc atmosfera znowu stała się weselsza. Thomas zaproponował partyjkę brydża. Alba siedziała na sofie i paliła papierosa, podczas gdy Fitz grał z jej ojcem i macochą. Dziewczyna zdawała sobie sprawę, że wszystko to należy do planu i chociaż miała wielką ochotę odciągnąć Fitza od stolika, wiedziała, że to nierozsądne – był doskonałym brydżystą, a brydż należał do ulubionych rozrywek ojca.

Kiedy skończyli grać, przyjechała Caroline. Margo i Fitz analizowali właśnie szczegóły rozdań, roztrząsając swoje błędy i zastanawiając się, w jakim momencie mogli zagrać inaczej. Caroline z szerokim uśmiechem na twarzy weszła do pokoju.

– Och, jak cudownie jest w domu! – zawołała z zachwytem, całując rodziców i poklepując terierki.

Uściskała Mirandę i Albę, potem zaś wyciągnęła rękę do gościa.

– Zakochałam się! – oznajmiła, padając na krzesło i krzyżując nogi pod długą spódnicą. – Nazywa się Michael Hudson-Hume i na pewno od razu go polubicie! – odwróciła się do matki. – Uczył się w Eton, a później w Oksfordzie, jest bardzo inteligentny. Teraz pracuje w City...

Margo uśmiechnęła się z zadowoleniem.

– To cudownie, kochanie! Kiedy go poznamy?

Caroline odrzuciła do tyłu pasmo jasnych włosów.

– Bardzo niedługo – odparła. – Jego rodzice mieszkają w Kent. Michael spędza tam większość weekendów. Wspaniale gra w tenisa, tato, i zamierza nauczyć mnie grać w golfa. Od początku zauważył, że mam odpowiedni zasięg ramion, aby wykonać skuteczny zamach...

– Doskonale! – zaśmiał się Thomas.

– Czy jego matka ma na imię Daphne? – Margo zmrużyła oczy, starając się umieścić Michaela Hudson-Hume'a w szufladce z etykietką „Odpowiedni ludzie".

Caroline spojrzała na nią ze zdumieniem, a jej uśmiech stał się jeszcze szerszy.

– Tak! – ucieszyła się. – Jego ojciec to William...

Margo uniosła podbródek i skinęła głową.

– Daphne chodziła ze mną do szkoły – powiedziała. – Byłyśmy razem na obozie jeździeckim, wszyscy uważali ją za znakomitą amazonkę...

– Och, tak, nadal dużo jeździ, bierze też udział w rozmaitych konkursach – wyznała z dumą Caroline.

Margo uznała, że taktowniej nie wspominać, iż Daphne miała też wielką słabość do chłopców i zasłużyła sobie u nich na przydomek „Lapin", po francusku „Królik", ponieważ, jak ujmowali to z brutalną szczerością, podniecała się jak jedno z tych miłych zwierzątek i z wielkim zapałem uprawiała seks.

– Nie mogę się już doczekać, kiedy znowu ją zobaczę – uśmiechnęła się.
– Zobaczysz ją, i to bardzo niedługo! – zapewniła Caroline.
Alba wyczuła, że Michael zamierza się oświadczyć. Znając typ mężczyzn, do których niewątpliwie należał Hudson-Hume, podejrzewała, że w ciągu najbliższych tygodni przyjedzie do Hampshire i poprosi ojca o rękę Caroline. Zrobi, co należy, ponieważ ma to we krwi, podobnie jak Caroline i Miranda. Zaciągnęła się papierosem i wydmuchała długą smużkę dymu. Powieki zaczynały jej opadać, była potwornie znudzona... Ocknęła się, kiedy Fitz lekko ścisnął jej rękę.
– Chodźmy na spacer – zaproponował cicho.
Lepiej będzie wyjść, zanim zapytają, czy znam rodzinę Hudson-Hume, pomyślał. Doskonale wiedział, że nie oprze się pokusie i skłamie, iż dobrze ich zna, a to mogłoby doprowadzić do rozlicznych kłopotów w przyszłości. Nagle zmarszczył brwi. Uświadomił sobie, że jeżeli uda mu się dać Albie to, na czym tak jej zależało, nie czeka ich żadna przyszłość, w każdym razie nie wspólna.

Tego wieczoru, przebierając się do kolacji i usiłując przygładzić potargane przez wiatr włosy, Fitz zdał sobie sprawę, że nie czaruje rodziny Alby wyłącznie po to, by ich oszukać, ale także, a może przede wszystkim dlatego, że pragnie, aby go polubili. Szczerze mówiąc, w ogóle trudno było nazwać to grą... Kłamał i nieźle się przy tym bawił, podbijał bębenek Bawolicy i w myśli kpił z jej słabości do otaczania się ludźmi ze znanego jej świata, lecz w głębi serca bardzo zależało mu na ich opinii, podobnie jak na opinii Alby. Podświadomie miał nadzieję, że jeśli pomoże Albie poznać historię matki, dziewczyna pogodzi się z ojcem i nagrodzi miłością człowieka, który rozwiązał jej życiowe problemy.
Był beznadziejnie zakochany, zafascynowany Albą do tego stopnia, że odrywał od niej spojrzenie tylko z najwięk-

szym wysiłkiem. Kiedy zobaczył jej siostry, upewnił się, że miał słuszność – Alba naprawdę była wyjątkowa. W żyłach tamtych dziewcząt także płynęła krew rodu Arbuckle, lecz żadna nie posiadała urody Alby i tej niepowtarzalnej aury tajemniczości. Fitz był głęboko przekonany, że po stworzeniu Alby Pan Bóg zniszczył formę, z której powstała. Utkwił wzrok w swoim odbiciu. Czy ma szansę na jej miłość? Czy Alba kiedykolwiek go pokocha? Czy nie wie, jak bardzo go dręczy? Czy jego serce kiedyś się zabliźni? A może do końca życia będzie tylko analizował popełnione błędy, jak po partii brydża... Może wciąż od nowa będzie się zastanawiał, czy nie wygrałby, gdyby zagrał odrobinę lepiej, odważniej i sprytniej...

Przy kolacji siedział między Mirandą i Caroline. Słuchając ich, myślał o sosie do pieczywa, który bez soli wydaje się kompletnie pozbawiony smaku. Miranda i Caroline potrzebowały sporo soli, chociaż z drugiej strony tacy mężczyźni jak Michael Hudson-Hume nie szukali kobiet o wyrazistym, zdecydowanym charakterze. Ostre kobiety budziły w nich lęk, ponieważ sami byli bladzi i nudni jak flaki z olejem... Fitz zerknął na Albę, z którą w czasie spaceru rozmawiał właśnie na ten temat. Teraz wyglądała na trochę zmęczoną, jej dziwnie jasne oczy słabo lśniły w blasku świec i wydawały się otoczone cieniami. Siedziała obok ojca, ale od początku kolacji zamienili najwyżej parę słów. Fitz pomyślał, że po kolacji musi w jakiś sposób zachęcić Thomasa do zwierzeń.

Jego chwila nadeszła mniej więcej godzinę później. Thomas oparł rękę na ramieniu Fitza i zaproponował mu kieliszek porto oraz cygaro w swoim gabinecie. Mrugnął więc do Alby, ale chociaż odpowiedziała mu w ten sam sposób, na jej twarzy malowało się przygnębienie.

– Na razie mam dosyć damskiego towarzystwa – odezwał się Thomas, nalewając alkohol. – To niezłe porto – dodał, podając kieliszek Fitzowi. – Cygaro? – Otworzył szkatułkę, wyjął z niej cygaro i przesunął je sobie pod nosem, z rozkoszą wciągając intensywny zapach. – Ach, co za wspaniały aromat...

Fitz doszedł do wniosku, że wykazałby się nieuprzejmością, gdyby odmówił. Poza tym, była to być może jego jedyna szansa na szczerą rozmowę z gospodarzem.

Przez parę minut obaj z namaszczeniem przygotowywali cygara.

– W czasie wojny wypaliłem tyle papierosów, że później, kiedy ten straszny czas się skończył, przerzuciłem się na cygara – powiedział Thomas. – Nie chciałem, aby cokolwiek przypominało mi o tamtych latach, wiesz, o co mi chodzi...

Usiadł w starym skórzanym fotelu, a Fitz zajął miejsce naprzeciwko. Paląca się w gabinecie lampa z pomarańczowym abażurem rzucała przyćmione, miłe dla oka światło. Fitz rozejrzał się po pokoju. Pod ścianami stały przeszklone szafy z książkami, głównie starymi i pięknie oprawionymi. Thomas na pewno odziedziczył je po przodkach.

Chwilę prowadzili lekką, niezobowiązującą rozmowę, w końcu Fitz postanowił przejść do rzeczy.

– Mój ojciec walczył na wojnie – rzekł. – Bardzo go to zmieniło, później nigdy już nie był taki jak dawniej...

– Gdzie go wysłano?

– Do Włoch. – Fitz spostrzegł, że czoło Thomasa przecięła głęboka bruzda.

Gospodarz długo milczał, poruszając kieliszkiem z porto.

– Do której części Włoch? – zapytał wreszcie.

– Do Neapolu.

Thomas ponuro pokiwał głową.

– Dookoła Neapolu toczyły się krwawe walki...

– Ojciec mówi, że nigdy nie zapomni, w jak strasznych warunkach żyli tam wtedy ludzie. Rozpacz, upokorzenie, demoralizacja – dużo mi o tym opowiadał. Do dziś prześladują go wspomnienia scen, jakich był świadkiem.

– Nie dotarłem aż tak daleko jak Neapol. – Thomas głośno przełknął alkohol. – Służyłem w marynarce.

– Ach, tak... – mruknął Fitz.

– Dowodziłem łodzią torpedową...

Fitz skinął głową. Czytał kiedyś artykuł o MTB, torpedowych łodziach motorowych, które nękały konwoje wroga na wodach kanału La Manche, Morza Północnego, Śródziemnego i Adriatyku.

– Pamiętam to niezwykłe wrażenie pędu wśród fal... – podjął Thomas. – Rozwijaliśmy prędkość do czterdziestu węzłów, musieliśmy dopaść wroga i uciec, zanim się zorientował, skąd odpalono torpedę... Coś wspaniałego... – Wysączył ostatnie krople porto. – Tak czy inaczej, nie lubię myśleć o tamtych dniach. Po wojnie nigdy nie odwiedziłem Włoch. Dla mnie to zamknięty rozdział. Każdy powinien przeżywać swój ból w samotności, nie sądzisz?

– Nie zgadzam się z takim punktem widzenia – odparł śmiało Fitz. – Uważam, że lepiej jest przeżywać ból wśród ludzi i razem z nimi. Mężczyźni walczą u boku innych mężczyzn, wspólnie pokonują trudności. To dobry zwyczaj, że kobiety pod koniec posiłku przechodzą do innego pokoju, pozostawiając mężczyzn samych, by mogli być wobec siebie szczerzy. Nie ma w tym nic wstydliwego.

Thomas palił cygaro, załzawionymi oczami patrząc na człowieka, który najwyraźniej poskromił jego córkę.

– Nigdy nie sądziłem, że zobaczę Albę u boku kogoś takiego jak ty – powiedział.

– Nie? – zaśmiał się Fitz pogodnie. – Dlaczego?

Wyszedł ze swojej roli, ponieważ szczerze chciał poznać opinię Thomasa.

– Jesteś rozsądnym facetem, masz głowę na karku. Jesteś inteligentny, masz cel w życiu i ciekawą pracę, a na dodatek pochodzisz z dobrej rodziny. Właśnie dlatego zdziwiło mnie, że Alba cię wybrała...

– Nie wiem, jakich mężczyzn dotąd wybierała – wyznał Fitz, biorąc słowa Thomasa za dobrą monetę.

– Chłopców, którzy zaspokajali ją na krótko, nie takich długodystansowców jak ty.

– To bardzo żywiołowa dziewczyna – zauważył Fitz, zaskoczony, że Thomas mówi o rozwiązłości córki, choć tylko w dość zawoalowany sposób. – Nie tylko piękna, ale barwna, pełna życia, tajemnicza... Intryguje mnie – westchnął ciężko i zaciągnął się cygarem. – Nie sposób odgadnąć, co dzieje się w jej wnętrzu...

Thomas ze zrozumieniem pokiwał głową.

– Alba jest bardzo podobna do matki – zaśmiał się cicho. – Ona także była bardzo tajemnicza, właśnie to sprawiło, że od razu zwróciłem na nią uwagę...

Fitz miał wrażenie, że gospodarz zapomniał o jego obecności. Kiedy Thomas ponownie napełnił swój kieliszek, Fitza ogarnęły wyrzuty sumienia. Ojciec Alby nie był trzeźwy, a on nie powinien wykorzystywać tej sytuacji. Jakim prawem niedyskretnie zaglądał w jego przeszłość?

Jednak Thomas nie przerwał rozmowy i najwyraźniej wcale nie czuł się urażony. Wyglądało na to, że czuje ogromną potrzebę powrotu do przeszłości i podzielenia się wspomnieniami z młodszym mężczyzną, który zyskał jego zaufanie i sympatię.

– Kiedy patrzę na Albę, zawsze widzę Valentinę – wyznał. Jego wargi zadrżały lekko, twarz poszarzała. – Tak, Valentinę... – powtórzył. – Sam dźwięk jej imienia wciąż pozbawia mnie sił, po tylu latach... Skąd ten zapach fig, akurat dzisiaj? Moja matka nie jest szalona, wiesz? Ja także poczułem słodki, ciepły, owocowy zapach... Figi... Tak, Alba jest nieodrodną córką swojej matki... Staram się ją chronić... – W jego oczach zabłysły łzy. – Valentina była znaną pięknością. Wszyscy w okolicy wiedzieli, jak ma na imię, i mówili o jej wielkiej urodzie. Jej sława sięgała daleko poza tę małą, magiczną zatoczkę... Valentina Fiorelli, *la bella donna di Incantellaria*... Dziwna mała zatoka – Incantellaria... *Incanto* to po włosku „urok, czar", wiesz? I rzeczywiście, to było zaczarowane, pełne uroku miejsce... Wszyscy to czuliśmy, ale tylko moje serce naprawdę ucierpiało. Żałuję, że sprawy nie ułożyły się inaczej. Wojna robi dziwne rzeczy z ludźmi, dziwnie odmienia ich losy... Chyba każdy ma poczucie ulotności chwili, przemijania, rzeczywistości zawieszonej w czasie. Tak, ja także padłem ofiarą tej atmosfery. Zawsze miałem w sobie dużo odwagi i beztroski, ale Valentina sprawiła, że zupełnie się zatraciłem... Byłem wtedy innym człowiekiem, możesz mi wierzyć.

– Czas nie goi ran – powiedział cicho Fitz. – Jego upływ pozwala nam tylko łatwiej znieść cierpienie...

– Dobrze jest mieć taką nadzieję. Są rzeczy, które będą mnie prześladować do końca życia, mój drogi. Mroczne rzeczy... Nie mogę oczekiwać, że mnie zrozumiesz... – Zaciągnął się cygarem. – Człowiek jest sumą wszystkich swoich przeżyć, na pewno się z tym zgodzisz. Ja nie mogę się otrząsnąć z wojennych doświadczeń. Podświadomość wciąż podsuwa mi straszne obrazy, głównie we śnie... – Ściszył głos prawie do szeptu. – Valentina nie śniła mi się od wielu lat, ale parę dni temu... To przez ten portret. Śniłem o niej, wydawało mi się, że nadal żyje...

– Na szczęście masz Albę – zauważył Fitz.

– Alba... – westchnął Thomas. – Alba, Alba, Alba... Zaopiekujesz się nią, prawda? Nikt nie powinien żyć przeszłością.

– Zaopiekuję się – obiecał Fitz z nadzieją, że może jednak otrzyma od losu taką szansę.

– To skomplikowana, trudna dziewczyna. I zagubiona. Zawsze taka była... – Thomasowi oczy same się zamykały. Potrząsnął głową, walcząc z sennością. – Dobry z ciebie człowiek, Fitz. Podobasz mi się. Nie mam pojęcia, jaki jest ten tam Hamilton-Hume czy Harbald-Hume, ale ciebie jestem pewny...

– Chyba pójdę już spać, jeśli nie masz nic przeciwko temu – powiedział taktownie Fitz, podnosząc się z krzesła.

– Oczywiście, mój drogi... I tak długo cię zatrzymałem...

– Dobranoc, Thomasie.

– Dobranoc, mój chłopcze. Przyjemnych snów...

Fitz wrócił do salonu, ale tam nikogo już nie było. Kobiety rozeszły się do swoich pokojów, lampy pogaszono. Fitz spojrzał na stojący na kominku zegar. Srebrne wskazówki lśniły w świetle księżyca, które sączyło się do pokoju przez okna. Była pierwsza w nocy. Nie zauważył upływu czasu, nie przypuszczał, że jest aż tak późno. Nagle zrobiło mu się żal, że zmarnował cenne chwile, które przecież mógł spędzić z Albą. Dobrze chociaż, że zdołał wykonać zadanie... Dowiedział się, skąd pochodziła Valentina. Odnalezienie Incantellarii na mapie nie powinno nastręczać żadnych trudności. Wystarczy odrobina uporu i wszystko będzie wiadome...

Wyszedł na dwór, żeby sprawdzić, co dzieje się ze Sproutem. Niebo było czarne, usiane gwiazdami, wśród których jaśniał wielki, lśniący księżyc. Kiedy otworzył bagażnik, Sprout nadstawił uszy i zamerdał ogonem, był jednak zbyt zmęczony, aby podnieść głowę. Fitz poklepał go po boku.

– Dobry pies... – powiedział łagodnie, tonem zarezerwowanym dla starego przyjaciela. – Gdybyś wiedział, jak to jest, kiedy traci się serce, na pewno udzieliłbyś mi kilku cennych rad, ale ty nie masz o tym zielonego pojęcia, prawda?

Sprout westchnął z zadowoleniem. Fitz przykrył psa ciepłym kocem, popatrzył na niego z czułością i zamknął bagażnik.

Powoli wchodził po schodach, a jego serce z każdym krokiem stawało się cięższe. Wkrótce weekend się skończy i Alba nie będzie go już potrzebowała...

Skierował się do drzwi swojego pokoju. Chętnie zajrzałby do Alby i powiedział jej o swoich odkryciach, ale dom był zbyt duży, aby teraz jej szukać. Otworzył drzwi swojej sypialni i zapalił światło. Alba poruszyła się na łóżku.

– Zgaś... – wymamrotała, osłaniając oczy dłonią.

– Alba... – szepnął i natychmiast spełnił polecenie.

W pierwszej chwili przyszło mu do głowy, że pomylił pokoje. Może był równie pijany jak jej ojciec...

– Strasznie cię przepraszam... – zaczął.

– Nie wygłupiaj się – powiedziała sennie. – Chodź do łóżka... – zachichotała w poduszkę. – Ostatecznie to twoje łóżko, nie moje... Bawolica byłaby głęboko oburzona!

– Ach, tak... – mruknął niepewnie.

– Chyba nie zamierzasz znowu się mnie pozbyć, co?

– Oczywiście, że nie, pomyślałem tylko...

– Nie myśl za dużo, na miłość boską! Myślenie nikogo jeszcze nie zaprowadziło do celu, a już na pewno nie do mojego łóżka... – ziewnęła głośno. – Pośpiesz się, bo marznę. Twoja piżama jest pod poduszką...

Fitz rozebrał się pośpiesznie a kiedy wzrok przyzwyczaił

się do panującej w pokoju ciemności, wyjął piżamę spod poduszki. Włożył ją i wskoczył do łóżka. Właśnie zaczynał się zastanawiać nad następnym krokiem, kiedy Alba postanowiła uwolnić go od tego problemu.

– Możesz mnie przytulić – powiedziała. – Obiecuję, że cię nie ugryzę...

Fitz przysunął się bliżej i przyciągnął ją do siebie. Ciało Alby było smukłe i ciepłe pod bawełnianą koszulką nocną, która podjechała jej wysoko na uda. Fitz poczuł, jak krew gotuje mu się w żyłach, ale zapanował nad impulsami i otoczył dziewczynę ramieniem. Alba westchnęła z wyraźnym zadowoleniem.

– Czego się dowiedziałeś, kochanie?

Nigdy dotąd nie zwracała się do niego w tak pieszczotliwy sposób...

– Że twoja matka była sławną pięknością i mieszkała nad zatoką Incantellaria. I że jesteś do niej uderzająco podobna...

Alba odwróciła się i wsunęła głowę pod jego brodę.

– Twój ojciec myśli o niej za każdym razem, gdy na ciebie patrzy...

– Co jeszcze ci powiedział?

– Że rani go sam dźwięk jej imienia.

– I dlatego nie chce o niej mówić?

– Zapewne. Jestem pewny, że wcale nie chce odciąć cię od wspomnień o niej, ale przeszłość jest dla niego zbyt żywa i bolesna. Gdybyś widziała jego twarz, dosłownie poszarzałą ze smutku...

– Biedny tata... – westchnęła.

– Tęsknisz za kimś, kogo nigdy nie znałaś, kochanie, tymczasem on żyje wspomnieniami o kobiecie, którą znał i kochał. Jego ból jest dużo większy od twojego, wierz mi. Jeżeli chce zachować te trudne przeżycia tylko dla siebie, to musisz mu na to pozwolić...

– Och, wcale nie zamierzam go dręczyć, bo teraz sama mogę dowiedzieć się reszty. – Pocałowała Fitza w policzek. – Dziękuję ci...

Zamknęła oczy i po chwili jej oddech stał się głęboki i regularny.

Fitz długo leżał nieruchomo, zastanawiając się, co z nimi dalej będzie. Nie przyszło mu do głowy, że Alba już teraz traktuje go inaczej niż swoich poprzednich mężczyzn. Wcześniej zawsze dzieliła łóżko z mężczyzną wyłącznie po to, aby uprawiać seks. Tej nocy pierwszy raz znalazła pociechę i spokój w obecności drugiego człowieka, i nie czuła potrzeby, aby w zamian zaoferować mu swoje ciało. Zresztą, Alba także nie była jeszcze tego świadoma – ciepło ramion Fitza sprawiało jej zbyt wielką przyjemność, aby miała ochotę rozmyślać o swoich czynach i motywach działania.

Po wyjściu Fitza Thomas chwiejnym krokiem podszedł do biurka. Odstawił kieliszek, zdusił niedopalone cygaro w popielniczce i otworzył szufladę, do której włożył portret. Wyjął zwiniętą kartkę i przesunął kciukiem po krawędzi papieru, zastanawiając się, co robić. Od tamtych czasów minęło tyle lat... Ich upływ zmieniał go powoli, stopniowo. Prawie nie pamiętał już młodego człowieka, którym był, gdy zakochał się po raz pierwszy w życiu... Tamten był beztroski, odważny, może trochę bezczelny... Potem jak gąsienica zrzucił z siebie zeschniętą skórę, ale z kokonu wyfrunęła ćma, nie barwny motyl. Thomas doskonale zdawał sobie sprawę z tego, kim się stał, lecz nie miał dość siły, a może chęci, aby to zmienić. O wiele łatwiej było zbudować skorupę i ukryć się w niej, niż stawić czoło cierpieniu.

Osunął się na krzesło i rozwinął kartkę. Widok twarzy Valentiny sprawił, że jego serce zadrżało i na moment przestało bić. Wziął głęboki oddech. Czuł jej obecność... Łzy napłynęły mu do oczu, więc otarł je szybko, niedbale. Co za wielka, rzucająca na kolana uroda... Jakie tajemnicze oczy... Zakręciło mu się w głowie, kiedy wspomnienia zerwały tamę, którą sam postawił, broniąc im dostępu do siebie. Przymknął powieki i przywołał obraz uśmiechniętej twarzy. Miała uśmiech, którego uroku nie mogły oddać ani słowa, ani kreska na papierze. I ciemne oczy, skrywające tyle zagadek, oczy, które zdolne były zaprowadzić mężczyznę do innego, nieznanego świata. Łzy pociekły mu po policzkach, gdy z całą mocą uświadomił sobie, że Valentina wciąż ma go w swojej mocy. Zapalona przez Albę pochodnia oświetliła ciemne, zamknięte zakamarki jego serca, które nadal biło miłością do jej matki. Thomas znowu poczuł znajomy zapach, w pierwszej chwili bardzo lekki i ulotny, lecz im dłużej wpatrywał się w szkic, tym silniejszy i wyraźniejszy. Słodki zapach fig ogarnął go ze wszystkich stron niczym gęsta chmura, prowadząc prosto w świat wspomnień. Nagle mgłę przeszył ostry promień światła i Thomas ujrzał przed sobą Valentinę. Stała na pomoście, ciemnowłosa i cudownie piękna, piękna aż do bólu... Valentina Fiorelli, *la bella donna d'Incantellaria...*

Rozdział siódmy

Włochy, wiosna 1944 roku

Porucznik Thomas Arbuckle wprowadził uzbrojoną w torpedy łódź do spokojnego włoskiego portu Incantellaria, portu, który okazał się prawdziwym klejnotem, ukrytym w samym sercu czerwonych klifów i zatok wybrzeża Amalfi. Ciche morze miało tu barwę szafirów. Lekkie fale lśniły w porannym słońcu, połyskiwały jak brylanty. Thomas ogarnął wzrokiem zatoczkę w kształcie podkowy, nad którą rozciągało się to dziwne, średniowieczne miasteczko. Białe i różowobeżowe domy były skąpane w słońcu, w otwartych oknach i na balkonach pieniło się czerwone geranium oraz goździki. Kopuła kościoła wznosiła się ku niebu, a dalej, w tle, wzgórza pięły się jeszcze wyżej, porośnięte pachnącymi sosnami i świerkami. Błękitne jak niebo rybackie łodzie leżały na piasku niczym zabłąkane wieloryby, czekające na przypływ, który zabierze je daleko w morze. Thomas zmrużył oczy i poprawił czapkę. Na drewnianym pomoście stała niewielka grupka ludzi – wszyscy machali rękami.

– Co pan sądzi o tym porcie, sir? – odezwał się porucznik Jack Harvey, stając za Thomasem na mostku.

Na ramieniu Harveya siedziała mała ruda wiewiórka, która towarzyszyła mu na wszystkich wojennych szlakach – od Afryki Północnej, gdzie ostry odór śmierci i zniszczenia tłumił czasami zapach perfum z tanich burdeli w Kairze i Aleksandrii, aż na Sycylię, gdzie nawet ataki niemieckich messerschmittów nie zgasiły jego entuzjastycznego pragnienia przygód. Brendan, nazwany tak na cześć rudowłosego kumpla Churchilla, Brendana Brackena, mieszkał w kieszeni Jacka i kompletnie lekceważył zdanie przełożonych swego pana. Dzięki wielkiej śmiałości i silnemu instynktowi przetrwania zasłużył na miejsce w tej wojennej rodzinie, złożonej z ośmiu zmęczonych walkami mężczyzn. Dla kolegów Jacka Brendan był nie tylko symbolem nadziei, ale także wspomnieniem domu.

– Piękna zatoka, Jack – odparł Thomas. – Można by pomyśleć, że czas zatrzymał się tu jakieś trzysta lat temu... – Po ciemności, która nieodmiennie kojarzyła mu się z wojną, wydawało mu się wręcz nierealne, że nagle znaleźli się w tak spokojnym, promiennie jasnym miejscu. – Czyżbyśmy trafili do nieba?

– Chyba jeszcze nie, sir. Ile tu zieleni i kwiatów! Może zrobilibyśmy sobie krótki postój, co?

– Masz na myśli wakacje, tak? Podejrzewam, że w tym małym, sennym miasteczku może wydarzyć się więcej niż w całym basenie Morza Śródziemnego... – Thomas zaśmiał się i znacząco uniósł jedną brew. – Chętnie zafundowałbym sobie kąpiel i porządny posiłek...

– I kobietę – przerwał mu Jack, oblizując wargi suchym językiem na samo wspomnienie giętkich dziewczyn, których wdziękami delektował się na przepustce w Kairze. – Ja tam najchętniej zafundowałbym sobie kobietę...

Kiedy Jack nie był w ogniu walki, myślał przede wszystkim o Brendanie i swoim penisie, niekoniecznie w tej kolejności.

– Gadasz do rzeczy, słowo daję – zgodził się Thomas.

Często myślał o Shirley, która przysyłała mu pachnące perfumami listy miłosne i paczki z żywnością. O Shirley, której obiecał małżeństwo w uniesieniu po wspaniałym seksie, Shirley, która w oczach jego rodziców w żadnym razie nie nadawała się na synową, ponieważ była córką miejscowego przedsiębiorcy budowlanego...

– Myślę, że wszyscy chętnie zafundowalibyśmy sobie po kobiecie – dodał z entuzjazmem, niezrażony wspomnieniami o Shirley.

Odkąd siły alianckie posunęły się dalej na północ, na morzu dość rzadko dochodziło do starć. Zadaniem Thomasa było patrolowanie włoskich wybrzeży i kontrolowanie sytuacji, aby konwoje z zapasami swobodnie docierały do aliantów. Od ponad trzech lat dowodził dwudziestodwumetrową łodzią typu Vosper, o nazwie „Marilyn" – najpierw pływał nią w okolicach Aleksandrii, później wokół Malty, wzdłuż wybrzeża Tunezji i wreszcie, po inwazji Włoch, w pobliżu Augusty. Razem ze swoimi ludźmi brał udział w krwawych walkach – wspomagali lądowania w Afryce Północnej i patrolowali Cieśninę Messyńską w lipcu 1943 roku. Później uczestniczyli w tajnych operacjach służb specjalnych, pomagając w umieszczaniu agentów i sprzętu na Krecie oraz Sardynii. Thomas był znany ze swej śmiałości i odwagi, zwłaszcza w czasie mrocznych miesięcy 1942 roku, kiedy wyniszczająca ofensywa niemiecka przybierała na sile, niemal zmiatając z powierzchni ziemi doki i samoloty stacjonujące na Malcie. Łodzie MTB były szybkie i zwrotne, zdolne niepostrzeżenie przemierzać duże odległości. Jak duchy przenikały przez zaminowane wody i blokady portowe, podkradały się do nieprzyjacielskich statków, z bliska odpalały torpedy i znikały w ciemnościach. Thomas uwielbiał tę gorączkę powodowaną przez adrenalinę. Od śmierci starszego brata Freddiego czuł, że naprawdę żyje tylko wtedy, gdy rusza do walki. Był spokojniejszy, kiedy nie miał czasu wyrzucać sobie, że wciąż żyje, chociaż Freddie zginął.

Thomas stracił wielu przyjaciół, podobnie jak większość żołnierzy, ale żadna strata nie była tak bolesna jak śmierć Freddiego. Zawsze podziwiał starszego brata, usiłował mu dorównać i kochał go z prawdziwie psim przywiązaniem. Freddie imponował mu niezwykle silną osobowością, wytrwałością w dążeniu do celu i ambicją – wydawało się, że jego przeznaczeniem jest wielkość i sława, nie ponury grób na dnie morza, wśród szczątków samolotu Hurricane, który pilotował. Nie, Freddie zawsze sprawiał wrażenie nieśmiertelnego... A skoro śmierć wyciągnęła ramiona po Freddiego, to mogła zabrać każdego, w dowolnym czasie. Tragiczne odejście brata pozostawiło głęboką, pulsującą bólem bliznę w duszy Thomasa.

Na pewno poszedłby w ślady Freddiego i wstąpił do sił powietrznych, gdyby nie matka, która ze łzami tłumaczyła mu, że nie jest dość silna, aby drugi raz podjąć to samo ryzyko.

– Jeszcze nie jestem gotowa oddać cię Bogu... – powiedziała.

Ponieważ nie chciała się zgodzić, Thomas opuścił Cambridge i wstąpił do marynarki. Wcześniej zazdrościł Freddiemu, lecz to uczucie już dawno zgasło. Gdzieś pod dnem jego łodzi ogromne, groźne morze w mocnym uścisku trzymało ciało jego wspaniałego, godnego podziwu brata...

Łódź powoli wpłynęła do portu. Poranna mgła wisiała jeszcze nad wzgórzami i Thomas odetchnął głęboko aromatem sosny i eukaliptusa, cudownym antidotum na słony zapach morza. Tłumek zgromadzonych na molo mieszkańców miasteczka wciąż machał marynarzom, dookoła gromadziło się coraz więcej osób, które najwyraźniej ciągnęły do stada niczym zaciekawione owce. Thomas dostrzegł małego chłopca, który poderwał ramię w faszystowskim pozdrowieniu – matka pośpiesznie trzepnęła go po ręce i podniosła z ziemi. *Il sindacco*, burmistrz miasteczka, wypolerowany i dumnie nadęty, stał na pomoście obok miejscowego *carabiniere*, ubranego w znoszony mundur khaki, z dużymi plamami potu pod pachami. Policjant wypiął pierś, trochę podobny do walczącego o pozycję w stadzie indyka, i poprawił czapkę na głowie. Mimo wojennych niedostatków tłusty brzuch przelewał mu się nad paskiem od spodni.

W głębi lądu o żywność było niezwykle trudno, lecz tutaj, w tym małym rybackim miasteczku, odgrodzonym od reszty kraju wysokimi wzgórzami i skałami, mieszkańcy nie mieli powodów do narzekania. W lasach żyły ptaki, w morzu ryby, a na drzewach dojrzewały piękne owoce. Burmistrz i karabinier cieszyli się spokojnym życiem od czasu lądowania aliantów, którzy przegnali Niemców daleko na północ. Teraz wreszcie mieli szansę zademonstrować swoją siłę i odzyskać nadszarpnięte poczucie własnej wartości.

Brendan zwinął się w kłębuszek w kieszeni Jacka, na samym dnie, tak jak nauczył go jego pan. Nagle Thomas zauważył piękną dziewczynę o długich, czarnych włosach i dużych, nieśmiałych oczach. W ramionach trzymała wiklinowy kosz. Podziwiał jasnobrązowe wzniesienia jej piersi, częściowo widocznych dzięki głębokiemu dekoltowi sukienki. Stała w tłumie, choć jednocześnie wydawało się, że istnieje we własnej, osobnej przestrzeni. Była tak piękna, że cała jej postać jaśniała wewnętrznym blaskiem na tle zgromadzonych Włochów. Otaczające ją twarze zlewały się w niewyraźną plamę, ale jej twarz była świetnie widoczna i doskonała jak wieczorna gwiazda na ciemniejącym niebie. Uśmiechała się subtelnie, samymi kącikami warg, nie tak szeroko jak pozostali mieszkańcy miasteczka, uśmiech rozjaśniał jej oczy. Lekki, delikatny uśmiech... Thomas z trudem przełknął ślinę. Uroda dziewczyny, którą obserwował, była tak uderzająca, że aż nierealna... W jednej chwili, bez wahania oddał jej swoje serce, chociaż zapewne jeszcze nie zdawał sobie z tego sprawy.

Sindacco bardzo oficjalnie uścisnął im dłonie i wygłosił krótką mowę powitalną, oczywiście bardziej po włosku niż po angielsku. Nie zauważył, jak Brendan wysuwa rudy łebek z kieszeni Jacka, jakby sprawdzał, czy znajdują się na opanowanym przez aliantów terytorium i czy w pobliżu nie ma przypadkiem wyższych rangą oficerów, którzy mogliby mieć coś przeciwko jego obecności. Nie odrywając oczu od burmistrza, który z zapałem przepraszał ich za swoją marną znajomość angielskiego, Jack wepchnął wiewiórkę z powrotem do kieszeni. Thomas usiłował nie rozglądać się za piękną ciemnowłosą. Powtarzał sobie, że ma tu zadanie do wykonania i jeżeli wykaże się odrobiną sprytu, może zdoła przeciągnąć swój pobyt w Incantellarii, dopóki jej nie odnajdzie.

Burmistrz był przystojnym mężczyzną o czarnych włosach i wąsach, i skórze koloru toffi. Ponieważ natura poskąpiła mu wzrostu, trzymał się prosto jak struna, aby wydać się wyższym. Miał szczupłą sylwetkę, dzięki czemu wyglądał dość młodo, chociaż zmarszczki na twarzy świadczyły, że już jakiś czas temu przekroczył czterdziestkę. Jego garbaty nos zdobiły okulary w okrągłych oprawkach. Mundur miał czysty i starannie wyprasowany. Thomas zwrócił uwagę na różowe, zadbane paznokcie urzędnika – wiele wskazywało na to, że burmistrz więcej czasu spędza w salonie manicure niż na ulicach swego miasteczka czy za biurkiem. Nie ulegało też wątpliwości, że *sindacco* jest głęboko przekonany o wadze swego urzędu; teraz, po ucieczce Niemców, był najważniejszym człowiekiem w miasteczku.

Carabiniere uniósł dłoń w imitacji wojskowego salutu i uśmiechnął się, wyraźnie zadowolony z siebie.

– Lattarullo, do usług – odezwał się, świadomie wysuwając się przed burmistrza.

Thomas zasalutował w odpowiedzi. Nie mówił po włosku płynnie, lecz w szkole poznał podstawy tego języka, a ostatnie lata dostarczyły mu wielu okazji do praktyki, chociaż nadal miał kłopoty z formami czasowników i w rezultacie posługiwał się głównie bezokolicznikami. Lattarullo zdążył go już lekko zirytować – był chodzącym stereotypem włoskiego policjanta, tłusty, wiecznie zaspany i najprawdopodobniej niekompetentny. Większość funkcjonariuszy włoskiej policji chętnie przyjmowało łapówki, prawie wszyscy też byli równie skorumpowani jak przedstawiciele mafii. Najgorsze, że przy niskich zarobkach, jakie otrzymywali, niewiele można było na to poradzić. W czasie wojny kwitł czarny rynek, na którym pojawiały się przede wszystkim kradzione aliantom towary – ceny żywności osiągały zawrotną wysokość, cywile głodowali, a urzędnicy państwowi bez wahania wykorzystywali tę sytuację. Była to z góry przegrana bitwa, której wojska alianckie nie miały czasu toczyć.

Thomas wyjaśnił, dlaczego razem ze swoimi podkomendnymi zjawił się w Incantellarii. Anglicy otrzymali informację, że wycofujące się wojska niemieckie zostawiły w okolicy sporą część uzbrojenia, przybyli więc tutaj, aby zabezpieczyć sprzęt, który w przeciwnym razie mógłby łatwo wpaść w niepowołane ręce. Zwrócił się do burmistrza i policjanta, by wskazali mu drogę do opuszczonej farmy o nazwie La Marmella i przydzielili eskortę. Burmistrz skinął głową.

– Lattarullo zawiezie was na miejsce – powiedział. – Mamy samochód – dodał z dumą tym większą, że było to jedyne auto w mieście.

Wszyscy inni, naturalnie poza *marchese*, podróżowali konno lub wozami, rowerem lub pieszo. Markiz, który mieszkał w imponująco odizolowanym *palazzo* na wzgórzu, miał wspaniałą starą lagondę. Jego służący jeździł nią do miasteczka po zakupy. Sam *marchese* rzadko pojawiał się publicznie. Nie przyjeżdżał nawet do kościoła, ponieważ w jego rezydencji znajdowała się prywatna kaplica, w której *padre* Dino, miejscowy ksiądz, raz na miesiąc odprawiał mszę i udzielał markizowi komunii, wszystko to za niewielką gratyfikację.

– Powierzam pana opiece Lattarulla – ciągnął burmistrz. – Gdybyście potrzebowali czegoś jeszcze, bez wahania zwracajcie się do mnie o pomoc. Moim obowiązkiem jest uczynić wasz pobyt tutaj jak najbardziej przyjemnym, i spełnię to z największą radością... Życzę panom dobrego dnia.

– Rzeczywiście wygląda na to, że spędzimy tu krótkie wakacje... – syknął Thomas do Jacka, kiedy burmistrz odwrócił się na doskonale wypolerowanym obcasie.

Lattarullo podrapał się w kroczu i krzyknął, aby zgromadzeni rozstąpili się, robiąc miejsce dla brytyjskich oficerów. Dwaj wysocy mężczyźni w mundurach marynarki wojennej zrobili na Włochach imponujące wrażenie. Jack kroczył za Thomasem, wzrokiem szukając w tłumie pięknych młodych kobiet. Wypatrzył kilka dziewcząt, zerkających na niego zachęcająco, zanim wsiadł do obiecanego przez burmistrza samochodu, który krztusił się i rzęził niczym stary astmatyk.

Podskakiwali na wąskich, wybrukowanych uliczkach z tak wielkim hałasem, że spłoszyli pręgowanego kota, spokojnie wygrzewającego się przed jednym z domów. Kiedy opuścili cichą zatokę i skierowali się ku wzgórzom, droga zaczęła wznosić się i wić. Thomas miał ochotę zapytać o dziewczynę, którą dostrzegł na pomoście, przekonany, że Lattarullo musi ją znać. Nie mógł się oprzeć wrażeniu, że swoją urodą wstrzymała czas i sprawiła, że przez chwilę cały świat zamarł w bezruchu wokół niej – tylko morska bryza unosiła jej włosy niczym nici najdelikatniejszego jedwabiu.

Lattarullo gadał jak najęty, czerpiąc wielką satysfakcję z poczucia ważności swojej osoby i urzędu. Z przyjemnością opowiadał Anglikom o swoich heroicznych wyczynach w zmaganiach z bandytami.

– Widziałem Lupa Bianco – oznajmił cichym głosem. – Popatrzyłem mu prosto w oczy, długo i twardo. Od razu pojął, że ma do czynienia z człowiekiem, który nie zna lęku... Lattarullo nie boi się nikogo. I wiecie, co zrobił? Z szacunkiem skinął mi głową. Z *szacunkiem*, tak jest! Nie musicie bać się Lupa Bianco, dopóki jesteście pod moją ochroną...

Thomas i Jack słyszeli o Lupie Bianco, Białym Wilku – to dzięki niemu i innym dzielnym ludziom z tego regionu aliantom udało się wylądować na Sycylii. Szybko jednak się okazało, że igrają z ogniem, ponieważ Lupo Bianco był niebezpiecznym, zdolnym do wszystkiego przestępcą. Ludzie bali się go i darzyli podziwem, rozmawiali o nim przyciszonymi głosami, zupełnie jakby ściany miały uszy i mogły w każdej chwili donieść na nich bandycie.

Naturalnie, Lattarullo utrzymywał, że nigdy nie popierał Niemców i wciąż powtarzał, że Mussolini popełnił straszliwe głupstwo, podpisując pakt z hitlerowcami.

– Gdyby Mazzini i Garibaldi zobaczyli teraz nasz kraj, na pewno przewróciliby się w grobach – rzekł z ciężkim westchnieniem.

Thomas nie miał cienia wątpliwości, że gdyby wydarzenia potoczyły się inaczej, karabinier bardzo szybko zmieniłby przekonania.

Minęli gaje oliwne i winnice, gdzie gleba była wyschnięta w ostrych promieniach włoskiego słońca, małą farmę ze stadkiem wychudzonych kóz, drzemiących w cieniu i szukających kępek trawy oraz starym, ledwo żywym kundlem. Obdarte, brudne dzieci bawiły się patykami i kamieniami, a ich mizerna, wyniszczona życiem matka prała ubrania w wielkiej balii, z rękawami podwiniętymi do łokci i zaczerwienioną, spoconą z wysiłku twarzą. Thomas postanowił, że następnym razem weźmie ze sobą pastele i papier, żeby ręką artysty-amatora uwiecznić sceny, które na pierwszy rzut oka wydały mu się czarujące i zachwycające wiejską prostotą. Miał szkicownik, w którym prowadził zapis podróży i przeżyć. Włoskie krajobrazy były uderzająco piękne, lecz Thomas, chociaż tak młody, serdecznie współczuł niewinnym ludziom, których życie zostało nieodwracalnie skażone przez wojnę. Jego myśli znowu skupiły się na tajemniczej dziewczynie. Uśmiechnął się na myśl, że ją także narysuje. Była tak piękna na tle wojennej brzydoty...

Znaleźli miejsce, w którym Niemcy porzucili broń. Nie było jej tak dużo, jak się spodziewano. Niewątpliwie większość rozkradli już członkowie lokalnej mafii. Zostały tylko ręczne granaty, karabiny maszynowe i pistolety. Szczerze mówiąc, szkoda było się tu fatygować. Z entuzjastyczną pomocą Lattarulla załadowali część uzbrojenia do bagażnika i na tylne siedzenie samochodu.

Kiedy po wysiłku ocierali twarze z potu, Lattarullo zasugerował, żeby zostali w miasteczku.

– Umyjecie się, zjecie coś, wypijecie szklaneczkę marsali... – namawiał. – Jeżeli chcecie, mogę też sprowadzić kobiety... Najlepszą restauracją w mieście jest Trattoria Fiorelli – nie dodał, że jest to jedyna restauracja.

– Chętnie coś zjemy – odparł Thomas, ignorując Jacka, który gorączkowym uniesieniem brwi dawał mu do zrozumienia, że chętnie poznaliby też proponowane przez Lattarulla kobiety.

– Chcesz złapać syfa? – syknął, kiedy Lattarullo odwrócił się na chwilę. – Jak myślisz, ilu żołnierzy było tu przed nami?

– Ale przecież na pewno są tu jakieś zdrowe dziewczyny... – zaczął Jack błagalnym tonem.

– Twoja sprawa, ja nie reflektuję...

– Muszę dać odpocząć ręce! – zaśmiał się Jack, wykonując dłonią oczywisty gest. – Na nabrzeżu widziałem kilka dziewuszek, które dosłownie napraszały się o towarzystwo... Dam głowę, że znają się na rzeczy... Chyba spróbuję szczęścia, zazwyczaj przecież mi sprzyja!

Przez chwilę wydawało mu się, że czuje zapach cygar i dobrych perfum, charakterystyczny dla londyńskiego klubu Czterystu, który często odwiedzał przed wojną. Tymczasem Thomas mógł teraz myśleć o tajemniczej, ciemnookiej dziewczynie. Jego serce ściskał niepokój. Miał nadzieję, że ona nie sprzedawała się żołnierzom... Wolałby już raczej, żeby była mężatką, nieprzystępną i chłodną, niż ofiarą tej przerażającej degradacji. Brendan znowu wystawił łebek z kieszeni Jacka, jakby protestował przeciwko pomysłom swego pana.

– Jak chcesz... – Thomas wzruszył ramionami. – Możemy zatrzymać się tu na trochę, dlaczego nie? Wszyscy chętnie rozprostujemy nogi.

– A tutejsze kobitki chętnie zapoznają się z marynarskim kutasem! – Jack z uśmiechem złapał się za krocze.

Lattarullo ruszył w dół piaszczystą drogą, broń grzechotała w bagażniku za każdym razem, gdy wóz podskakiwał na wybojach. Nagle rozległ się głośny dźwięk klaksonu, hamulce zapiszczały rozpaczliwie, zobaczyli błysk białego lakieru i metalu, i policjant z okrzykiem przerażenia zjechał z drogi. Obok nich spokojnie zatrzymała się biała lagonda. Kościsty kierowca wysiadł i z niesmakiem otrzepał spodnie z pyłu. Jego nieskalanie czysty szary uniform i czapka dziwnie nie pasowały do wychudzonego, starego ciała, które chyba najstosowniej wyglądałoby w trumnie. Czerwony z wściekłości Lattarullo wyskoczył zza kierownicy, sypiąc przekleństwami. Szofer lagondy zmierzył go takim wzrokiem, jakby miał przed sobą paskudnego, irytującego insekta. Wyniośle pociągnął nosem, zamknął oczy i pokręcił głową. Potem odwrócił się na pięcie, wsiadł do auta i odjechał. Jego nos ledwo wystawał znad deski rozdzielczej. Sposób, w jaki mrużył powieki, wyraźnie wskazywał, że słońce oślepiło go na chwilę i dlatego zjechał na środek drogi.

– Kto to jest? – zapytał Thomas, kiedy Lattarullo zdołał już wyprowadzić samochód z płytkiego rowu.

– Lokaj *marchese*! – prychnął policjant, pogardliwie spluwając przez okno. – Oto, co o nim myślę! – dodał z satysfakcją, jakby dzięki temu gestowi odniósł wielkie zwycięstwo. – Uważa, że jest strasznie ważny, bo pracuje dla markiza. Kiedyś Montelimone byli najpotężniejszym rodem w całym regionie i słynęli z dobroczynności, lecz *marchese* zniszczył ich dobre imię. Wiecie, co o nim mówią? – zmrużył oczy i potrząsnął głową. – Nie, lepiej, żebyście nie wiedzieli!

Thomas i Jack poczuli zaciekawienie, lecz Lattarullo tylko znowu splunął na drogę i wymamrotał pod nosem serię obelg, którymi chętnie obrzuciłby szofera lagondy i jego pana.

Kiedy wrócili na nabrzeże, Anglikom burczało już w brzuchach z głodu. Z pomocą całej załogi przeładowali broń na łódź. Joe Cracker, najgrubszy z marynarzy, otworzył szerokie usta i zaczął śpiewać swoją ulubioną arię z opery *Rigoletto*, od którego to tytułu pochodził jego przydomek – Rigs. Rigs miał dość prymitywną, ogorzałą od słońca i wiatru twarz i mocno przerzedzone rude włosy, ale śpiewał głosem zawodowego tenora.

– Myśli, że w ten sposób skusi dziewczyny – powiedział Jack, pozwalając, żeby Brendan wymknął się z kieszeni i usadowił na ramieniu.

– To jego jedyna szansa – rzucił jeden z marynarzy. – Zaraz zacznie śpiewać pod balkonami...

Wszyscy wybuchnęli gromkim śmiechem, lecz Rigs spokojnie śpiewał dalej. Śmiali się z niego, ale on nie raz widział, jak ich oczy zasnuwała mgiełka smutku i tęsknoty w czasie długich, samotnych nocy na morzu – wtedy słuchali go z przyjemnością, bo muzyka była dla nich jedyną ucieczką i schronieniem przed lękami.

Thomas zostawił dwóch marynarzy na pokładzie, a pozostałych poprowadził do Trattorii Fiorelli. Drewniane stoły ustawione były tuż przy drodze, na której nieruchomo stał chudy osiołek z dwoma koszami na grzbiecie, ze zmęczenia mrugający w gorących promieniach słońca. Przy jednym ze stołów siedziało dwóch starych mężczyzn, pochłoniętych grą w warcaby. Brudne, zakurzone dzieci biegały po uliczce, wymachując kijami, a ich ostre, wysokie krzyki odbijały się echem w dusznym, nagrzanym powietrzu. Było już po południu. Duża kartka ze starannie wypisanym menu wisiała na drzwiach, w chłodnej sali dwóch kelnerów siedziało przy barze, słuchając radia. Kiedy do środka weszło dwóch brytyjskich oficerów, Lattarullo i czterech marynarzy, z których jeden na cały głos śpiewał arię z włoskiej opery, pośpiesznie zerwali się na równe nogi i zaprowadzili ich do stolików na dworze, z zapałem, jakiego nie mieli okazji demonstrować od czasu ucieczki Niemców.

Lattarullo usiadł razem z Thomasem i Jackiem, i ze zdziwieniem przyglądał się Brendanowi, który w tych ciężkich czasach z łatwością mógłby stać się smaczną przekąską.

– Lepiej nie spuszczajcie go z oka – poradził, ze wstydem czując, jak ślina napływa mu do ust. *Prosciutto* z wiewiórki, pyszności, pomyślał. – Dobrze, że w naszym miasteczku raczej nie brakuje jedzenia. Reszta kraju głoduje, lecz u Immacolaty zawsze mamy pod dostatkiem mięsa i ryb, starczyłoby nawet na obfity bankiet, sami zobaczycie... Jezus zamienił wodę w wino i nakarmił pięć tysięcy ludzi kilkoma bochenkami chleba i kilkoma rybami. Immacolata jest błogosławioną kobietą...

Nagle z wnętrza tawerny dobiegł ich głośny okrzyk.

– To Immacolata Fiorelli – syknął Lattarullo, zdejmując

czapkę i ocierając spocone czoło. – Ta restauracja to silnik, który napędza życie całego miasteczka, a za kierownicą siedzi Immacolata... Ja o tym wiem, burmistrz o tym wie, a także *padre* Dino. Nawet Niemcy woleli z nią nie zadzierać. Sęk w tym, że Immacolata pochodzi w prostej linii od świętej...

Thomas się wyprostował. Był oficerem brytyjskiej marynarki, więc niby dlaczego miałby się obawiać Włoszki o donośnym głosie, besztającej swoich leniwych pracowników...

Policjant szybko podniósł się zza stołu.

– Signora Fiorelli, chciałbym przedstawić pani dwóch oficerów brytyjskiej marynarki wojennej – powiedział z wielkim szacunkiem.

Odsunął się na bok, a drobniutka kobieta uniosła głowę, odsłaniając głęboko osadzone, inteligentne oczy, brązowe jak kasztany. Zmrużyła je z namysłem i uważnie przyjrzała się twarzom mężczyzn, jakby oceniała ich charakter i odpowiedzialność. Thomas i Jack wstali. Owszem, górowali nad Włoszką wzrostem, lecz od razu zauważyli, że posiada ona silną, wybitną osobowość.

– Jest pan bardzo przystojny – odezwała się do Thomasa cichym głosem, zupełnie niepodobnym do tego, jaki słyszeli wcześniej. Jej niewielkie, błyszczące oczy błyskawicznie zmierzyły go od czubka głowy po stopy, jakby była krawcową, która musi podjąć decyzję, w jakim garniturze będzie najlepiej wyglądał. – Przygotuję dla was *spaghetti con zucchini* oraz *trecia di mozzarella*... – Odwróciła się do Jacka. – I poradzę porządnym mieszkańcom Incantellarii, żeby trzymali swoje córki pod kluczem... – dorzuciła, wciągając powietrze rozszerzonymi nozdrzami. Jack głośno przełknął ślinę, a Brendan ukrył się w jego kieszeni. – Zrobię też *fritelle* – Immacolata z zadowoleniem pokiwała głową. – Kiedyś w tym miasteczku wrzało życie, lecz wojna zdławiła je w mgnieniu oka. Ludzi ledwo stać na jedzenie, nie mówiąc już o stołowaniu się w restauracji. Modlę się o nadejście lepszych czasów, o szybki koniec rozlewu krwi. Oby lew jak najszybciej położył się obok baranka... Cóż, na razie zapraszam was obu na kolację do swojego domu, do maleńkiego zakątka tego kraju, gdzie cywilizacja wciąż trwa w takiej postaci jak dawniej i gdzie staramy się przestrzegać starych zasad. Sama ugotuję dla was kolację, a potem wzniesiemy toast za pokój. Lattarullo przywiezie was do mnie. Będziecie mogli wykąpać się w rzece i przynajmniej na chwilę zapomnieć o wojnie...

– Jest pani dla nas bardzo łaskawa... – powiedział Thomas.

– Jestem zwyczajną włoską panią domu i cieszę się, że znaleźliście się w moim miasteczku – uśmiechnęła się lekko Immacolata.

Thomas pomyślał, że ta kobieta z całą pewnością nie wygląda na zwyczajną czy przeciętną, jej twarz naznaczona była arogancją i dumą.

– Poza tym wasza obecność wspomoże naszą małą społeczność – ciągnęła. – To, co wydacie, wprawi w ruch tę skromną gospodarkę... Mamy ciężkie czasy, signore... Jeżeli jesteście równie bogaci jak przystojni, to tym lepiej dla nas...

– Ma pani córki? – zapytał bezczelnie Jack.

Włoszka zmrużyła oczy i popatrzyła na niego z góry, chociaż sięgała mu zaledwie do piersi.

– Może i mam córkę, ale byłabym nierozważna, gdybym przedstawiła ją panu i pańskiej wiewiórce – rzuciła wyniośle.

– Co ma pani przeciwko Brendanowi? – zapytał Jack, wsuwając dłoń do kieszeni, żeby pogłaskać zwierzątko. – Brendan ma słabość do pięknych pań...

– A moja córka ma słabość do wiewiórek! – zaśmiała się Immacolata.

W jej śmiechu nie było cienia wesołości, brzmiał tak smutno i melancholijnie, jak bicie dzwonów. Ach, *prosciutto* z wiewiórki, znowu pomyślał Lattarullo, oblizując wargi i śliniąc się jak wygłodniały pies.

Po paru minutach restauracja wypełniła się ślicznymi dziewczynami o umalowanych twarzach, ubranych w najlepsze sukienki i starannie uczesanych. Ich piersi wylewały się z głębokich dekoltów jak dobrze spienione cappucino.

Bynajmniej nie ukrywały oczywistej chęci schwytania Anglika. Ci marynarze mogli stać się ich przepustką do innego, lepszego świata, szansą na wyrwanie się z tego ubogiego, klaustrofobicznego miasteczka. Mierzyły ich zalotnymi spojrzeniami, chichotały i szeptały do siebie, zasłaniając usta opalonymi na brąz dłońmi, zakładały nogę na nogę i bezwstydnie podnosiły spódniczki, pokazując łydki i kolana.

Jackowi oczy wychodziły z orbit, a Brendan przyglądał się dziewczętom z wysokości ramienia swego pana. Zabawna wiewiórka przyciągała uwagę kobiet i wkrótce Jacka otoczył obłok perfum i sieć brązowych rąk, wyciągających się w stronę zwierzątka.

– Ach, Brendanie, ty moja maskotko... – śmiał się Jack, usiłując nawiązać z dziewczynami rozmowę łamanym włoskim.

Rigs, który nie zamierzał ustępować mu pola, wdrapał się na krzesło i ku zachwytowi wszystkich obecnych, znowu zaczął śpiewać. Gestykulował przy tym tak dramatycznie, jakby znajdował się na scenie Covent Garden.

Powoli mieszkańcy Incantellarii zaczęli uchylać okiennice i ciągnąć w kierunku Trattorii Fiorelli, skuszeni tonami wzruszającej arii Pagliacciego, rozbrzmiewającymi w nagrzanym popołudniowym słońcem powietrzu. Dziewczyny ucichły, wróciły do swoich stołów i oparły głowy na dłoniach, patrząc na śpiewaka zamyślonymi, pełnymi melancholii oczami. Thomas zapalił papierosa i obserwował całą scenę zza woalu dymu. Nie mógł przestać myśleć o pięknej dziewczynie, którą widział na przystani. Zastanawiał się, dlaczego nie przyszła. Kobiety, które zjawiły się w restauracji, były dość ładne (Jackowi coraz trudniej było spokojnie usiedzieć za stołem), ale nie dla niego. Wciąż szukał jej wzrokiem w gęstniejącym tłumie, w końcu z piersi wyrwało mu się pełne rozczarowania westchnienie.

Jakiś staruszek zaczął grać na akordeonie. Rigs śpiewał coraz bardziej dramatycznie, zatracając się w słowach pieśni i muzyce, dając wyraz dręczącemu go poczuciu osamotnienia. W oczach miał łzy. Wojna wydawała się bardzo odległa, lecz wszyscy nosili jej piętno. Thomas podejrzewał, że nigdy nie uwolnią się od przerażających scen, jakie widzieli. Naznaczeni na całe życie, będą nosili wewnętrzne blizny aż do śmierci, kiedy ich dusze porzucą ciała i dołączą do tych, którzy odeszli wcześniej, jak Freddie Arbuckle.

Kiedy Rigs skończył, Thomas poprosił o wesołą piosenkę, taką, którą mogliby zaśpiewać wszyscy razem. Otarł wilgotną twarz serwetką, pociągnął duży łyk wody i sam zanucił pierwsze takty *La donna e mobile*. Wkrótce trattorię wypełniły pogodne głosy, rytmiczne klaskanie i tupanie.

Rozdział ósmy

Thomas i Jack nie mieli wielkiej ochoty na kolację u Immacolaty Fiorelli, a Brendan był bardziej zdenerwowany od nich obu. Woleliby zjeść kolejny posiłek w trattorii, gdzie znajdowała się osobna sala do tańca – Rigs i bezzębny staruszek, grający na akordeonie, zapewniliby im muzykę, nie zabrakłoby też kobiet, spragnionych miłości i podniecających przeżyć. Jack był wściekły na Thomasa, który przyjął zaproszenie właścicielki restauracji.

– Dlaczego nie mogłeś jej zwyczajnie odmówić? – złościł się.

– Bo byłoby to bardzo nieuprzejme – tłumaczył się słabo Thomas. – Widać przecież, że ta kobieta rządzi miasteczkiem, gdy burmistrz przesiaduje w salonie kosmetycznym...

– Nie wiadomo nawet, czy ma córki!

– Ma jedną, tę, która chętnie jada wiewiórki! – Thomas wyszczerzył zęby do Brendana.

Wiewiórka obrzuciła go wyniosłym spojrzeniem z ramienia swego pana.

Rigs i chłopcy wesoło pomachali im na pożegnanie, rozbawieni ich niechęcią. Lattarullo przespał całe popołudnie w swoim biurze, za zamkniętymi drzwiami, z czapką nasuniętą głęboko na czoło i nogami na stole i teraz tryskał energią i zadowoleniem z życia.

W milczeniu jechali krętymi drogami. Lattarullo próbował zacząć rozmowę, ale obaj Anglicy byli pochłonięci własnymi sprawami – Jack myślał o kobietach, które będzie pieprzył po powrocie do trattorii, a Thomas o pięknej nieznajomej, która zabrała mu serce. Policjant nie przestawał tokować, nie zważając, że pasażerowie go nie słuchają.

W końcu zaparkował samochód pod drzewem oliwnym o wykręconym pniu. Do domu prowadziła stąd nie droga, lecz wąska, wydeptana ścieżka.

– Immacolata Fiorelli pokaże wam, jak dojść nad rzekę – oświadczył Lattarullo, który dostał zadyszki już po paru krokach. – Ta kobieta ma mydło, a to najważniejsze! – zaśmiał się.

Thomas wiedział, że mydło jest dostępne jedynie na czarnym rynku i że większość Włoszek myje się pumeksem, popiołem i oliwą.

Popatrzył na spokojne morze, które rozciągało się aż po zamglony horyzont. Gdyby nie mundur i przerażające doświadczenia, może zapomniałby, przynajmniej na chwilę, że świat wciąż niszczy straszliwa wojna. Może zapomniałby, że brzegi Afryki spływają krwią ludzi, którzy, podobnie jak on, walczyli o uwolnienie świata z pęt tyranii, o pokój. Miał przed sobą zachwycający widok i jego palce rwały się do pasteli, którymi mógłby uwiecznić go na papierze. Chętnie rozstawiłby sztalugi na szczycie wzgórza, wśród szarych drzew oliwnych. Gdyby nie wojna, poszukałby tej dziewczyny, znalazł ją i poprosił, żeby pozowała mu na tle ogromnego nieba. Rysowałby jej portret powoli, z namysłem. Westchnienia morza i granie cykad stworzyłyby niepowtarzalną melodię leniwego końca gasnącego dnia... Potem, gdy skończyłby szkicowanie, wyciągnęliby się na trawie i kochali aż do nocy... Ale wojna jeszcze trwała, a on miał zadanie do wykonania.

Po krótkim marszu ujrzeli przed sobą skromny wiejski dom, kryty szarą dachówką. Grube pędy wisterii pięły się po ścianach, liliowe kwiaty zwisały z nich całymi kiściami, a małe ptaszki fruwały dookoła, bawiąc się w jakąś sobie tylko znaną grę. Dom osłaniały wysokie cyprysy, pod ścianami stały donice plumbago i rosły kępy lilii, lawendy i nasturcji. W miarę jak się zbliżali, ogarniał ich stopniowo coraz gęstszy obłok ciepłego, słodkiego, cudownego zapachu.

– Co to takiego, sir? – zagadnął Jack, głęboko wciągając powietrze.

– Nie wiem... – Thomas przystanął, oparł ręce na biodrach i uniósł głowę. – Pachnie tak mocno, że aż kręci mi się w głowie...

Odwrócił się do Lattarulla i po włosku zapytał go, co jest źródłem tego niebiańskiego zapachu, ale policjant tylko wzruszył ramionami.

– Nie wiem, o co wam chodzi – powiedział. – Nic nie czuję...

– Niemożliwe! – zirytował się Thomas.

– *Niente, signor Arbuckle.* – Lattarullo zrobił zabawną minę i pokręcił głową. – *Niente...*

– W takim razie chyba kompletnie straciłeś węch! – prychnął Thomas. – Nie wierzę, że nic nie czujesz!

Anglik miał na twarzy wyraz takiej pewności, że policjant wolał mu przytaknąć. Zresztą, rzeczywiście czuł leciutki zapach, ale nie było to nic cudownego czy nadzwyczajnego. Te wzgórza były pełne rozmaitych aromatów, mieszkańcy nawet ich nie zauważali.

– Pachnie figami... – rzekł z wahaniem, rozkładając ręce i podnosząc je ku niebu.

Potem znowu wzruszył ramionami, niepewny, czy to wyjaśnienie zadowoli Anglika.

– Tak jest! – ucieszył się Thomas. – To zapach fig, prawda? – zwrócił się do Jacka.

Jack kiwnął głową i zdjął czapkę, żeby wytrzeć spocone czoło.

– Tak, to zapach fig – powtórzył. – Prosto z ogrodu samego Boga...

Lattarullo przyglądał im się z rosnącym zaciekawieniem. Immacolata Fiorelli będzie wiedziała, co z tym zrobić, pomyślał, odwracając się i podchodząc bliżej domu.

Immacolata nigdy nie zamykała drzwi na klucz, nawet w ostatnich, niebezpiecznych latach. Jako silna, zdecydowana kobieta uważała, że jest w stanie poradzić sobie z każdym mężczyzną, nawet uzbrojonym w bagnet. Lattarullo wsunął głowę do środka i głośno zawołał gospodynię.

– *Siamo arrivati*! – oznajmił, obracając czapkę w rękach jak pokorny uczniak.

Thomas znacząco przewrócił oczami i uśmiechnął się do Jacka. Po chwili w progu stanęła Immacolata, nadal ubrana w czerń, zupełnie jakby nosiła żałobę. Na jej szyi wisiał duży srebrny krzyż, wysadzany półszlachetnymi kamieniami.

– Wejdźcie... – zaprosiła ich gestem do domu.

W środku było chłodno i ciemno. Okiennice przymknięto i przez szczeliny do domu przedostawało się niewiele światła. Mały, surowy salonik, w którym na podłodze z kamiennych płyt stały podniszczone kanapy i ciężki drewniany stół, wydawał się zaskakująco przytulny – obaj Anglicy pomyśleli, że jest to miejsce, w którym naprawdę toczy się życie. Thomasa uderzył widok miniaturowych ołtarzyków, krucyfiksów i religijnych obrazów, zdobiących wszystkie ściany i zakamarki pokoju. Srebrne i pozłacane przedmioty tajemniczo lśniły w mroku.

– Valentino! – zawołała Immacolata łagodnym, pieszczotliwym głosem, zupełnie innym niż ten, którego używała wobec personelu restauracji. – Mamy gości...

– Mąż signory Immacolaty zginął we Włoszech – poinformował ich szeptem Lattarullo. – Jej czterej synowie także walczyli – dwóch dostało się do niewoli brytyjskiej, a o dwóch nic nie wiadomo... Valentina jest jej najmłodszym i najbardziej kochanym dzieckiem, zaraz ją poznacie...

Thomas zasłuchał się w cichy głos, nucący miłą melodię gdzieś na zewnątrz. Mocny zapach fig stał się jeszcze bardziej intensywny i mężczyzna przymknął oczy. Wiedział już, kogo zobaczy, czuł to. Lekki wiatr wpadł do pokoju niczym preludium jakiegoś niezwykłego, magicznego wydarzenia i nagle Thomas ujrzał ją przed sobą, ubraną w białą sukienkę, przez którą przeświecało słońce. Serce na chwilę przestało mu bić w piersi. Miała wąską talię, łagodnie zaokrąglone biodra, kształtne nogi i smukłe kostki, zgrabne stopy w prostych sandałach. Jej uroda wydała mu się jeszcze bardziej porażająca niż na nabrzeżu. Bał się mrugnąć, przekonany, że dziewczyna zniknie niczym senna wizja, ale ona uśmiechnęła się i wyciągnęła do niego rękę. Dotyk jej skóry wyostrzył mu zmysły.

– *E un piacere...* – wyjąkał niepewnie.

Jej uśmiech, choć lekki, mówił o dużej pewności siebie, zupełnie jakby przywykła do tego, że mężczyźni w jej obecności tracą mowę i serca. Głos Immacolaty przerwał tę czarowną chwilę i nagle świat znowu ożył, wracając do normalnego stanu. Thomas zastanawiał się, czy tylko on zauważył szaleńcze tempo swego pulsu.

– Valentina zaprowadzi was nad rzekę, żebyście mogli się wykąpać – oświadczyła gospodyni.

Szybko podeszła do komody, na której stała oprawiona fotografia mężczyzny w otoczeniu małych, palących się świeczek. Obok zdjęcia leżała Biblia w okładce z czarnej, podniszczonej skóry. Thomas pomyślał, że musi to być podobizna nieżyjącego małżonka signory. Kobieta wyjęła z szuflady owinięty w szary papier przedmiot i podała go córce.

– Nawet w czasie wojny trzeba zachowywać się w cywilizowany sposób – powiedziała poważnie. – Pójdziecie teraz nad rzekę...

Ani Thomas, ani Jack nie mieli wątpliwości, że powierzyła Valentinie kostkę cennego mydła.

Valentina odwróciła się i wyszła. Thomas zauważył, że porusza się w niepowtarzalny sposób – stawia stopy na zewnątrz, wciąga brzuch, wypina pupę do tyłu i kołysze biodrami. Był to jedyny w swoim rodzaju krok, zdaniem Thomasa, najbardziej uroczy i wdzięczny, jaki kiedykolwiek widział. Z całego serca żałował, że nie może pozbyć się Jacka, który sprawiał wrażenie równie zafascynowanego. Obaj mężczyźni ruszyli za Valentiną w dół stromą, bardzo wąską ścieżką.

Powietrze było wilgotne i duszne, nad ich głowami unosiły się stada komarów. Thomas wciąż czuł zapach fig, chociaż po drodze mijali tylko eukaliptusy, cytrynowce, sosny i cyprysy. Całe zbocze pulsowało wygrywaną przez cykady rytmiczną melodią, głośną i dziwnie brzmiącą w uszach nieprzywykłych do takich dźwięków Anglików. Ścieżka była sucha, piaszczysta, tu i ówdzie usiana kamykami, sosnowymi igłami i szyszkami. Co kilkanaście metrów napotykali drewniane stopnie, wbudowane w pochyłe zbocze, aby ułatwić schodzenie. Wreszcie Thomas dostrzegł połyskującą między drzewami rzekę, niewielką, lecz dość szeroką, żeby w niej pływać. Spływała spomiędzy wzgórz, bulgocząc wśród kamieni i skał i tworząc leniwe rozlewisko niedaleko miejsca, gdzie wpadała do morza. Okazało się, że właśnie tam mają się wykąpać.

Valentina odwróciła się do nich z uśmiechem, szerszym i pogodniejszym niż poprzednio.

– Mama musi mieć o was bardzo wysokie mniemanie – odezwała się. – Nie z każdym dzieli się mydłem, które u nas jest na wagę złota...

Thomas był zdumiony, że Immacolata pozwoliła córce towarzyszyć dwóm obcym mężczyznom. Chyba rzeczywiście była o nich dobrego zdania...

Valentina podała im małą paczuszkę.

– Proszę bardzo – powiedziała. – Życzę wam przyjemnej kąpieli, tylko nie zużyjcie całej kostki...

Thomas wziął mydło z jej ręki. Znowu ogarnęła go irytacja, że Jack stoi obok i na pewno zaraz zepsuje tę niezwykłą chwilę niesmacznym żartem.

– Przyłączysz się do nas? – Jack rzucił dziewczynie łobuzerski uśmiech.

Zaczerwieniła się i potrząsnęła głową.

– Nie – odparła z pełną uroku godnością. – Zostawię was, żebyście mogli spokojnie się umyć...

– Nie odchodź! – wyrwało się Thomasowi. Odchrząknął, świadomy, że w jego głosie zabrzmiała nuta rozpaczliwego błagania. – Zaczekaj, aż wejdziemy do wody, a potem siądź gdzieś niedaleko i porozmawiaj z nami... Nie znamy Incantellarii, może mogłabyś opowiedzieć nam o swoim miasteczku...

– Dawniej siadywałam tutaj i obserwowałam braci. – Valentina wskazała skąpany w słońcu brzeg. – Strasznie chlapali...

– Więc z nami także mogłabyś posiedzieć – nalegał Thomas.

– Dawno nie mieliśmy przyjemności rozmawiać z kobietą, a już na pewno nie tak piękną jak ty – dodał Jack, przyzwyczajony do czarowania dziewcząt.

W normalnych okolicznościach Thomas by się wycofał i pozwolił przyjacielowi zalecać się do dziewczyny, ostatecznie to Jack cieszył się opinią bardziej atrakcyjnego, lecz tym razem nie zamierzał ustępować.

– Mamie by się nie spodobało, że towarzyszę kąpiącym się mężczyznom...

– Jesteśmy brytyjskimi oficerami – powiedział Thomas, prostując się i usiłując przybrać jak najbardziej poważny, oficjalny wyraz twarzy. Pomyślał, że Freddie zachowałby się właśnie w taki sposób. – W naszej obecności możesz czuć się całkowicie bezpieczna, signorina...

Uśmiechnęła się nieśmiało i usiadła na kamieniu, dyskretnie odwracając głowę, gdy się rozbierali. Poszukała ich wzrokiem dopiero wtedy, kiedy usłyszała plusk wody.

– Och, jak cudownie! – cieszył się Jack, szybko chwytając powietrze pod dotykiem zimnej wody, która wyraźnie ostudziła jego miłosne zapały. – Właśnie tego było mi potrzeba!

Thomas namydlił dłonie i ramiona, świadomy, że Valentina patrzy na niego. Jej brązowe oczy w blasku słońca wydawały się żółtozielone, miodowe. Gdy podniósł głowę, rzuciła mu uśmiech, chyba nieco zalotny. Jack właśnie zanurkował, więc Thomas był pewny, że uśmiech dziewczyny był przeznaczony tylko dla niego.

Po kąpieli usiedli na słońcu, aby wysuszyć bieliznę. Thomas z przyjemnością narysowałby Valentinę właśnie w tej chwili, ze słońcem we włosach i na twarzy, z lekko pochyloną głową i oczami wpatrzonymi w nich uważnie, w skupieniu. Sprawiała wrażenie nieśmiałej. Thomas i Jack wypytywali ją o miasteczko, w którym się wychowała.

– To takie miejsce, gdzie wszyscy się znają – powiedziała.

Thomas nie wątpił, że Valentinę wszyscy znaliby nawet w mieście wielkości Londynu.

Kiedy wyschli, ubrali się i wrócili na wąską ścieżkę, przyjemnie odświeżeni po chłodnej kąpieli. Valentina, pełna ogromnej, nieokiełznanej energii i zapału do życia rozpalała wyobraźnię ich obu.

W domu zapach jedzenia natychmiast wypełnił ich nozdrza i obudził głód. Immacolata poprowadziła ich przez pokoje na zarośnięty winoroślą i jaśminem taras. Na trawniku obok wygrzewały się kurczęta i dwie przywiązane do drzewa kozy. Stół był już nakryty. Na środku stał koszyk z chlebem i pękata karafka oliwy z oliwek. Lattarullo wrócił do miasteczka – miał przyjechać po nich po kolacji. Wcześniej policjant zaproponował, żeby następnego ranka jeszcze raz pojechali do La Marmella z kilkoma ludźmi z załogi i zabrali resztę niemieckiego uzbrojenia. Thomas szczerze wątpił, czy taka wyprawa ma jakikolwiek sens – darzył Lattarulla mniej więcej takim zaufaniem, jak wiecznie głodnego psa, którego ktoś zostawia na straży smakowitej kości. Niemniej, nie przeszkadzało mu to. Miał już dosyć patrolowania wybrzeża. Działania wojenne toczyły się teraz na północy, w okolicy Monte Cassino. Thomas doskonale wiedział, że razem z grupką mężczyzn nie ma najmniejszych szans w starciu z lokalnymi bandytami. Korupcja była wtopiona w kulturę tej części Włoch równie głęboko jak pojęcie *macho*. Zerknął na profil Valentiny i postanowił, że niezależnie od wszystkiego postara się jak najdłużej zostać w Incantellarii.

Immacolata zaprosiła ich do stołu i wspólnej modlitwy. Zaplotła palce wokół wiszącego na szyi krzyża i cichym, poważnym głosem podziękowała Bogu za posiłek.

– *Padre nostro, figlio de Dio...*

Kiedy skończyła, Thomas podsunął krzesło Valentinie. Popatrzyła na niego łagodnymi, brązowymi oczami i uśmiechnęła się. Pragnął usłyszeć jej głos, ale gospodyni zajęła już miejsce przy stole i dobre wychowanie nakazywało, aby poszli w jej ślady.

– Mój syn Falco był w oddziale partyzanckim, signor Arbuckle – zaczęła Immacolata. – Teraz walki już ustały, w każdym razie w naszej okolicy. Mam czterech synów, więc chyba nic dziwnego, że w naszej rodzinie można znaleźć prawie wszystkie frakcje. Bogu dzięki, że nie trafił mi się żaden komunista, bo tego bym nie zniosła! – Napełniła szklaneczki marsalą, słodkim winem o dość wysokiej zawartości alkoholu, i wzniosła swoją w toaście. – Za wasze zdrowie, panowie, i za pokój! Oby Bóg w swojej dobroci w końcu obdarzył nas pokojem...

Thomas i Jack powtórzyli jej gest.

– Za pokój i pani zdrowie, signora Fiorelli – dodał Thomas. – Dziękujemy za ten wspaniały posiłek i pani gościnność...

– Nie mam dużo, ale znam życie – odparła. – Jestem już stara i widziałam więcej, niż wy kiedykolwiek zobaczycie... Co was tu sprowadza, panowie?

– Nic poważnego, wiadomość o broni, porzuconej przez wycofujące się wojska niemieckie. Niedużo tego zostało, ale musimy ją zabezpieczyć.

Immacolata z powagą pokiwała głową.

– Większość rozdrapali bandyci. Są wszędzie, ale nie mają odwagi, żeby mnie zaatakować. Nawet wszechmocny Lupo Bianco miałby kłopoty ze zdobyciem mojej małej twierdzy, tak, nawet on...

– Mam nadzieję, że rzeczywiście nic tu pani nie grozi, signora. Ma pani piękną córkę...

Thomas poczuł, że rumieniec zalewa mu policzki na samą wzmiankę o Valentinie. Nagle jej dobro i bezpieczeństwo stało się dla niego najważniejsze na świecie. Valentina spuściła oczy. Immacolata sprawiała wrażenie zadowolonej z tej uwagi i jej twarz rozjaśnił pierwszy w ich obecności uśmiech.

– Bóg jest dla nas dobry, signor Arbuckle, ale w czasie

wojny uroda bywa przekleństwem. Robię, co mogę, żeby ją chronić. Na szczęście teraz, w towarzystwie brytyjskich oficerów, nie mamy się czego obawiać... – Sięgnęła po koszyk z chlebem. – Jedzcie, proszę, bo nigdy nie wiadomo, kiedy znowu usiądziecie do stołu...

Thomas wziął kawałek ciemnego chleba i zanurzył go w oliwie. Chleb był nieco gliniasty, ale bardzo smaczny. Immacolata jadła z apetytem. Anglicy docenili wysiłek, jaki włożyła w przygotowanie makaronu z sosem rybnym i z zapałem chwalili jej kunszt. W okolicy na pewno trudno było zdobyć wiele produktów, lecz signora Fiorelli poczęstowała ich iście przedwojennym posiłkiem, podobnie jak rano w trattorii. Jakby zainspirowana smakowitym daniem, zaczęła opowiadać im o historii swojej rodziny.

– Kiedyś Włochy były kolebką wielkiej kultury. Staram się zachować ślady tej cywilizacji w naszym domu, niezależnie od tego, co dzieje się w kraju. Robię to dla córki.

Szczegółowo streściła dzieje jednego ze swoich przodków, który był hrabią.

– Walczył razem z Caraciolo w wojnie przeciwko Nelsonowi i Burbonom.

Thomas słuchał jej tylko jednym uchem, ponieważ cała jego uwaga i wszystkie zmysły skupione były na milczącej Valentinie.

– Jak długo planujecie tu zostać? – zagadnęła Immacolata po kolacji, kiedy siedzieli nieco ociężali od jedzenia i wina.

– Dopóki nie przeniesiemy niemieckiej broni na pokład statku – odparł Thomas.

– W okolicy jest znacznie więcej porzuconej broni – powiedziała gospodyni. – W wielu miejscach można natknąć się na stosy karabinów i ręcznych granatów. Powinniście zadbać, żeby nie dostały się w niepowołane ręce, prawda?

– Oczywiście... – Thomas lekko zmarszczył brwi.

– W takim razie będziecie musieli przedłużyć swój pobyt. Ta zatoka wygląda uroczo, ale zło czai się tu na każdym kroku. Ludzie nie mają nic, dosłownie nic, i są gotowi zabić za kęs jedzenia. Życie straciło wszelką wartość...

– Zostaniemy tak długo, jak długo będziemy potrzebni – zapewnił ją Thomas, chociaż świetnie wiedział, że niewiele są w stanie zrobić, aby zlikwidować zło, o jakim mówiła.

Zachodzące słońce zabarwiło niebo na różowo, a oni wciąż rozmawiali na cienistym tarasie. Immacolata zapaliła świece, wokół których natychmiast skupiły się ćmy i komary, niebezpiecznie zbliżając skrzydełka do śmiercionośnego płomienia. Thomas i Jack palili papierosy, boleśnie świadomi obecności Valentiny. Gdy dziewczyna się odzywała, obaj słuchali uważnie. Nawet Jack, który bardzo słabo znał włoski, z przyjemnością pozwalał, aby jej miękki głos o pięknej, melodyjnej artykulacji pieścił go niczym dotyk ciepłych kropli gęstego syropu na skórze. W rozmowie uczestniczył głównie Thomas, którego włoski był znacznie lepszy, lecz Jack miał przecież swoją żywą maskotkę i kiedy poczuł, że blednie razem z zachodzącym słońcem, wypuścił Brendana z kieszeni i posadził go sobie na ramieniu. Zgodnie z jego przewidywaniami, wiewiórka natychmiast skupiła na sobie uwagę dziewczyny.

– *Ah, che bello*! – zawołała, wyciągając rękę.

Nie ulegało najmniejszej wątpliwości, że nie ma zamiaru zjeść uroczego zwierzątka. Thomas obserwował, jak jej smukłe brązowe palce pieszczą rude futerko, i zaczął sobie wyobrażać, jak gładziłyby jego skórę. Unikał wzroku Jacka, ponieważ bał się, że przyjaciel znacząco uniesie brew, ale Jack także był pod wrażeniem urody Valentiny i chyba wyczuł, że przy tym stole nie powinien pozwalać sobie na lubieżne żarty.

Koło dziesiątej trzydzieści na skraju drogi zatrzymał się zakurzony samochód.

– To Lattarullo – powiedział Thomas.

Bardzo żałował, że nie miał okazji zamienić kilku słów z Valentiną, lecz Immacolata całkowicie zdominowała rozmowę. Dziewczyna najwyraźniej wcale nie miała tego matce za złe – wychowana wśród tylu braci, pewnie przywykła, że zawsze usuwano ją w cień.

Na tarasie pojawił się Lattarullo. Czoło miał mokre, beżową koszulę wilgotną od potu. Upał sprawił, że brzuch wydął mu się jak u martwej świni, a wokół głowy unosiła się chmura komarów. Policjant nie stanowił przyjemnego widoku. Od razu poinformował Thomasa i Jacka, że reszta załogi przetańczyła cały wieczór w trattorii.

– Ten pieśniarz zachwycił wszystkich mieszkańców! – oznajmił.

Sądząc po wyglądzie, tłusty Lattarullo także musiał tańczyć do upadłego.

Thomas poczuł, że ogarnia go fala przerażenia. Kiedy znowu zobaczy Valentinę? Podziękował Immacolacie za gościnność i odwrócił się do jej córki. Ciemne oczy Valentiny wpatrywały się w niego uważnie, jakby była w stanie odczytać jego myśli. Kąciki warg uniosły się w lekkim, nieśmiałym uśmiechu, policzki zalał rumieniec. Thomas szukał odpowiednich słów, jakichkolwiek słów, ale nic nie przychodziło mu do głowy. Wszystkie myśli zatraciły się w jej spojrzeniu. Nagle słońce ukryło się za morzem i blask świec przemienił brąz jej oczu w czyste złoto.

– Może będziemy mogli jeszcze się zobaczyć... – wykrztusił w końcu nieco zachrypniętym głosem.

Valentina chciała odpowiedzieć, lecz przerwała jej matka.

– Może jutro wieczorem przyjdziecie na *festa di Santa Benedetta*? – zaproponowała. – Uroczystości odbywają się w małej kaplicy San Pasquale. Będziecie świadkami cudu i może Bóg obdarzy was szczęściem... – Spracowaną dłonią dotknęła krzyża na szyi. – Valentina będzie wam towarzyszyć – dorzuciła.

– Mama odgrywa w czasie uroczystości ważną rolę, będę więc sama – odezwała się Valentina, spuszczając oczy, jakby wstydziła się tego zaproszenia. – Z radością pójdę z wami do kaplicy...

– A my z największą przyjemnością będziemy ci towarzyszyli – rzekł Thomas, ujęty jej skromnością.

Postanowił już, że w żadnym razie nie zabierze ze sobą Jacka.

W samochodzie Jack z zachwytem pokręcił głową.

– Ta Valentina to prawdziwa piękność! – powiedział. –

Nawet Brendan był pod wrażeniem, a jego trudno zadowolić...

– Straciłem serce – oznajmił poważnie Thomas.

– Więc lepiej szybko je odszukaj – zaśmiał się Jack. – Nie zostaniemy tu długo!

– Ale ja muszę się z nią jeszcze zobaczyć!

– A potem co? – Jack zrobił ponurą minę, naśladując Lattarulla, i wzniósł ręce do nieba. – Nic z tego nie wyjdzie, sir.

– Może i nie, ale muszę wiedzieć...

– To nie jest dobry czas na miłość, a już na pewno nie z Włoszką! Poza tym jej matka to straszna kobieta.

– Nie interesuje mnie matka, tylko córka! – zniecierpliwił się Thomas.

– Niektórzy twierdzą, że mężczyzna zawsze powinien dobrze przyjrzeć się matce, zanim zacznie starać się o względy córki...

– Uroda Valentiny nigdy nie zblednie. Przetrwa długie lata, chyba nawet ty zdajesz sobie z tego sprawę...

– Dziewczyna jest wyjątkowo piękna, to prawda – przyznał Jack. – Rób, co musisz zrobić, ale nie przychodź wypłakiwać mi się w rękaw, jeżeli cała sprawa smutno się zakończy. Ja tam mam na głowie dużo ważniejsze sprawy – jeśli jeszcze dziś nie pójdę do łóżka z jakąś laleczką, to chyba zgwałcę Brendana...

Kiedy wrócili do miasteczka, żaden nie miał ochoty na tańce. Woleli przejść się brzegiem morza. Dwóch starych mężczyzn siedziało w łodziach, naprawiając żagle. Światło lamp wydobywało z gęstniejącego mroku ich pomarszczone twarze i bezzębne usta. Ktoś śpiewał *Wróć do Sorrento* przy wtórze akordeonu – smutny głos odbijał się echem w uliczkach. Błękitne okiennice budynków były już pozamykane. Thomas mimo woli zaczął się zastanawiać, co dzieje się wewnątrz domów, czy ich mieszkańcy już śpią, czy też przez szpary obserwują angielskich marynarzy. Ani on, ani Jack nie chcieli jeszcze wracać na pokład, więc zagłębili się w wąskie alejki. W pewnej chwili tuż przed nimi pojawiła się młoda kobieta. Jackowi natychmiast zabłysły oczy. Była to jedna z tych dziewcząt, które podziwiał rano. Miała długie, kręcone włosy, brązową skórę i nieco senny uśmiech.

– Chodźcie zobaczyć, co Claretta może dla was zrobić... – zamruczała, kiedy podeszli bliżej. – Wyglądacie na zmęczonych, a Włoszki słyną z gościnności... Chodźcie ze mną, chodźcie...

Jack zerknął na przyjaciela.

– Wrócę za pięć minut – powiedział.

– Chyba zwariowałeś!

– To ty jesteś szalony! Ja przynajmniej nie narażam swojego serca.

– Za to narażasz swojego kutasa! – wybuchnął Thomas.

– Będę ostrożny...

– Nie chcę mieć chorego pierwszego oficera! Nie mam nikogo, kto mógłby cię zastąpić!

– Każdy facet potrzebuje małego pieprzonka – oświadczył Jack. – Oślepnę, jeżeli sobie nie ulżę, zobaczysz! Ślepy pierwszy oficer też raczej ci się nie przyda, poza tym spoczywa na nas święty obowiązek wspomożenia lokalnej gospodarki... Włoszki też muszą jakoś zarabiać na życie.

Thomas patrzył, jak Jack znika w drzwiach domu, z którego przed chwilą wyszła dziewczyna. Oparł się o ścianę i zapalił papierosa. Gdy został sam w pustej uliczce, jego myśli od razu wróciły ku Valentinie. Wiedział, że już jutro wieczorem zobaczy ją na uroczystości Santa Benedetta, ale nawet nie starał się zastanawiać nad dalszą przyszłością. Jeżeli uda mu się naszkicować Valentinę, będzie miał jakąś pamiątkę, coś, co zabierze ze sobą w daleką drogę. Żołądek boleśnie skurczył mu się z tęsknoty i pragnienia. W szkole i na studiach czytał miłosne poematy i inne utwory Szekspira, ale nigdy nie uwierzyłby, że tak intensywne, silne uczucie w ogóle istnieje. Teraz nie wątpił już, że może ono dotknąć każdego.

Kilka minut później Jack stanął przed nim z szerokim uśmiechem na twarzy, zapinając rozporek. Thomas rzucił niedopałek na ziemię i przydeptał go.

– Chodź – powiedział. – Wracamy na pokład.

Rano ujrzeli niezwykły widok. Gdy wyszli spod pokładu, zobaczyli, że cała łódź została w nocy udekorowana kwiatami, czerwonymi i różowymi pękami geranium, irysów, goździków oraz lilii. Kwiaty były starannie poprzypinane do lin i rozsypane na pokładzie niczym pachnące konfetti. Rigs, który pełnił nocną wachtę, zasnął nad ranem i nie miał pojęcia, co się stało, bo we śnie stał na scenie Covent Garden i dziękował publiczności za gromkie, entuzjastyczne oklaski, jakimi powitała jego wykonanie arii Pagliacciego. Thomas powinien był wpaść we wściekłość, bo drzemka na wachcie była poważnym wykroczeniem przeciwko regulaminowi, a przede wszystkim błędem, który mógł kosztować ich wszystkich życie, ale widok przepięknych kwiatów, barwnych i niewinnych, złagodził jego gniew. Pomyślał o Valentinie, o czekającym go wieczorze i tylko poklepał nieszczęsnego marynarza po plecach.

– Jeżeli złapiesz przestępców, którzy dopuścili się tego czynu, możesz natychmiast iść z nimi do łóżka – uśmiechnął się.

Rozdział dziewiąty

Kiedy rano dotarli do szopy, w której złożono resztę broni, odkryli, że nie ma w niej ani jednego granatu. Lattarullo jęknął i rozłożył ręce.

– Ach, ci bandyci! Szkoda, że nie przyjechaliśmy wcześniej! – powiedział, bezradnie kręcąc głową.

Parę chwil później, w pełni świadomy, że jest głównym podejrzanym, poinformował ich o innych miejscach, w których jakoby miała znajdować się porzucona przez Niemców broń. Thomas parsknął śmiechem. Spodziewał się tego – ostatecznie byli we Włoszech... Niezależnie od wszystkiego, potrzebował jakiejś wymówki, by usprawiedliwić przedłużenie postoju o kolejny dzień i Lattarullo dostarczył mu jej. Poklepał policjanta po ramieniu.

– W takim razie musimy zabezpieczyć tamte punkty, zanim dowiedzą się o nich ludzie Lupa, prawda?

Lattarullo oddalił się w stronę posterunku, a dwaj oficerowie poszli do trattorii na drinka. Znaleźli Rigsa i innych marynarzy przed restauracją, wygrzewających się w słońcu w otoczeniu dziewcząt. Rigs znał tylko włoskie arie operowe, ale to najwyraźniej całkowicie wystarczało młodym kobietom, które śmiały się i głaskały go po policzkach i włosach, ku wielkiemu rozdrażnieniu bardziej przystojnych członków załogi.

– I kto powiedział, że mężczyzna nie podbije serca kobiety pięknym głosem? – roześmiał się Thomas. – Założę się, że Rigs mógłby mieć każdą z tych dziewczyn...

– Jeżeli już ich wszystkich nie miał – dorzucił Jack. – Ale ja zaraz zepsuję tę idyllę, skupiając ich uwagę na mojej maskotce...

Od poprzedniego dnia Brendan ciągle przesiadywał na jego ramieniu.

– To może okazać się interesujące... – mruknął Thomas. – Piękny głos kontra szczur!

– Ile razy mam ci powtarzać, że to nie jest szczur! – warknął Jack.

– Szczur z ogonem.

– Ach, ale za to jakie sztuczki wyprawia tym swoim puszystym ogonkiem... – Jack uśmiechnął się lubieżnie.

Thomas się skrzywił.

– Nie chcę wiedzieć, do czego zmuszasz to biedne stworzenie...

– Ujmijmy to tak. Brendan jest szczerym wielbicielem kobiecych piersi.

– Dobrze już, dobrze! Nie musisz mnie przekonywać, że twoje perwersje nie znają granic!

Immacolata nie przyszła do trattorii na lunch. Kelner powiedział Anglikom, że przygotowuje się do *festa di Santa Benedetta*, religijnej uroczystości, która teraz pochłaniała całą jej uwagę i energię, wcześniej zaproponowała jednak, żeby goście zjedli *ricci di mare*. Thomas i Jack nigdy nie próbowali drobnych morskich skorupiaków i sama myśl o przełknięciu ich błyszczących, na wpół przejrzystych ciałek sprawiła, że zrobiło im się trochę niedobrze. Kiedy danie znalazło się przed nimi na stole, jedna z Włoszek zademonstrowała, jak należy je jeść. Sprawną dłonią rozerwała skorupkę, wycisnęła parę kropel cytryny na jeszcze drżącą zawartość i wygarnęła wszystko łyżką prosto w szeroko otwarte usta.

– *Che buono*! – zawołała, zlizując szminkę z warg.

– Zaraz jej powiem, co może sobie wsadzić w te usteczka... – wymamrotał Jack.

Marynarze ryknęli donośnym śmiechem, a zdumiona dziewczyna, która nie zrozumiała uwagi Jacka, przyłączyła się do nich.

Wkrótce znowu znaleźli się w centrum uwagi całego miasteczka. Thomas nie czuł się najlepiej, jedząc posiłek na oczach stada śliniących się widzów. Po chwili do trattorii zajrzał *il sindacco*, elegancki i pachnący wodą kolońską, przepędził mieszkańców Incantellarii jak krowy, które weszły w szkodę, i strzelił palcami, przywołując kelnera.

– *Ricci di mare*! – zamówił, przełykając ślinę, która jemu także napłynęła do ust na widok stojących przed Anglikami talerzy.

Podczas gdy burmistrz pochłaniał pierwsze kęsy miejscowego przysmaku, przy stoliku Thomasa i Jacka usiadł Lattarullo i podał kapitanowi sztywną białą kopertę. Thomas wziął ją i lekko zmarszczył brwi. Na kopercie widniało jego imię i nazwisko, wypisane pięknymi, niezwykle kształtnymi literami. Długą chwilę wpatrywał się w nią, próbując zgadnąć, kto mu ją przysłał. Lattarullo wiedział, ale milczał. Nie chciał zepsuć niespodzianki. Otarł mokre czoło serwetką i z rozkoszą pomyślał o czekającej go drzemce.

– Na miłość boską, otwórz ją wreszcie, sir! – zawołał Jack ze zniecierpliwieniem, nie mniej zaciekawiony niż sam adresat.

Thomas rozdarł kopertę i wyjął elegancką kartę wizytową z nazwiskiem i tytułem, wydrukowanym u góry granatową czcionką. *Marchese* Ovidio di Montelimone, przeczytał. Niżej, wypisane tym samym pięknym charakterem pisma, znajdowało się uprzejme zaproszenie na podwieczorek w domu markiza, *palazzo* Montelimone.

– Więc to jest ten słynny *marchese*? – zwrócił się do Lattarulla, lekko unosząc brwi.

– Tak, arystokrata, który mieszka w rezydencji na wzgórzu, ten, którego szofer wczoraj o mało nas nie zabił.

– Czego ode mnie chce?

Lattarullo wzruszył ramionami i przybrał swój ulubiony wyraz twarzy.

– *Bo*! – powiedział niejasno.

Thomas spojrzał na Jacka, który natychmiast zrobił taką samą minę jak *carabiniere*.

– *Bo*! – powtórzył Jack. – Pojedziemy i zobaczymy. Może chce przeprosić za swojego kierowcę, kto wie...

– Powinniśmy chyba przyjąć zaproszenie – rzekł Thomas, wkładając kartę do koperty. – Tak nakazuje dobre wychowanie. Sądzę, że markiz po prostu chce nam się przedstawić, znam ten typ... Na pewno uwielbia opowiadać o sobie i swojej ważnej pozycji.

– Podobno ma piwniczkę na wino wielkości przeciętnego domu. – Lattarullo przejechał suchym językiem po spierzchniętych wargach. – Niemcy jej nie znaleźli, więc markiza warto odwiedzić choćby z tego tylko powodu... Powinienem pojechać z wami, bo przecież nie znacie drogi.

Po południu wyruszyli we trzech piaszczystą drogą do *palazzo*. Po paru kilometrach Lattarullo utknął w połowie stromego zbocza, na środku coraz bardziej zwężającej się drogi. Drzewa rosły tu tak gęsto, że samochód z trudem mieścił się między nimi. Silnik rzęził i krztusił się jak wyczerpany starzec, ale w końcu ujrzeli przed sobą imponującą czarną bramę, strzegącą wjazdu do *palazzo* Montelimone, zardzewiałą i porośniętą pędami winorośli, których najwyraźniej nikt nie przycinał. Cały teren wyglądał tak, jakby las powoli wdzierał się na opanowaną przez człowieka ziemię, wyciągając zielone macki aż do bramy. Thomasowi przemknęła przez głowę myśl, że pewnego dnia i brama, i pałac znikną bez śladu, wchłonięte przez potężne siły przyrody.

Przejechali przez bramę i w milczeniu ruszyli dalej. Sam budynek był piękny, lecz zaniedbany i zniszczony. Z donic na tarasie wylewały się fale wisterii, jakby pałac starał się zamaskować toczącą go zgniliznę pięknym makijażem. Ogrody sprawiały wrażenie zupełnie zdziczałych. Kwiaty dzielnie rozchylały swe pąki, ale nic i nikt nie chronił ich przed atakiem potężnych, dławiących wszystko chwastów.

Lattarullo zaparkował wóz pod bogato zdobionymi płaskorzeźbą murami, które wznosiły się wysoko, tworząc wieże i wieżyczki. Na jednej z nich powiewała poszarpana flaga. Kiedy wysiedli, wielkie odrzwia otwarły się cicho, jak na zawołanie, i w progu ukazał się przygarbiony stary mężczyzna w czerni. Thomas i Jack natychmiast rozpoznali w nim szofera markiza.

– Jest wierny jak pies – odezwał się Lattarullo, nawet nie starając się ukryć głębokiej niechęci. – Pracuje dla markiza od kilkudziesięciu lat. Gdyby musiał, sprzedałby dla pana nawet swoje złote zęby. Dużo wie o rodzinie Montelimone i zabierze tę wiedzę do grobu, na pewno już niedługo...

– Z pewnością nie kopnie w kalendarz, dopóki w piwnicy jest tyle doskonałego wina! – zaśmiał się Thomas. – Dam głowę, że to ono trzyma go przy życiu...

Jack przytaknął, a Lattarullo, który nie mówił po angielsku, powiedział mniej więcej to samo po włosku.

Alberto przywitał ich sztywno, bez cienia uśmiechu. Wyglądał tak, jakby ostatni raz uśmiech gościł na jego twarzy wiele lat temu, albo może nawet nigdy. Poszli za nim przez mroczny hol i cienisty dziedziniec, gdzie trawa rozsadzała kamienne płyty, aż do głównej części pałacu. Kiedy mijali kolejne pokoje, każdy piękniejszy od poprzedniego, zdobiony utrzymanymi w pastelowej tonacji malowidłami na ścianach, ich kroki odbijały się echem od wysokich sklepień. Pokoje były puste, tkaniny, które dawniej na pewno wisiały na ścianach, zdjęto lub rozpadły się ze starości, więc nic nie pochłaniało dźwięku. W każdym pomieszczeniu widzieli wielkie, marmurowe kominki z rzeźbionymi kratami i wysokie okna, w których szyby miejscami pokrywała pleśń. Cały budynek był dziwnie pusty i milczący. Thomasowi wydawało się, że przechodzą wśród duchów dawnych mieszkańców pałacu.

Wreszcie dotarli do jednego z niewielu zamieszkałych pokojów, gdzie w fotelu siedział dystyngowany, mniej więcej siedemdziesięcioletni dżentelmen. Pod ścianami stały szafy wypełnione pięknie oprawionymi książkami, po obu stronach okna wisiały dwa olbrzymie obrazy, na małym stoliku tkwił wielki globus. Siwe włosy mężczyzny były zaczesane do tyłu, z nadal przystojnej twarzy o prostym, rzymskim nosie patrzyły głęboko osadzone oczy koloru akwamarynu. Gospodarz nosił się z niewyszukaną, szlachetną elegancją – miał na sobie marynarkę i spodnie z lekkiego tweedu oraz białą koszulę z jedwabnym fularem, zawiązanym w gładki węzeł pod szyją. Jego przodkowie najprawdopodobniej pochodzili z północnej części Włoch – wskazywała na to zaskakująco jasna cera.

– Witajcie! – odezwał się płynnym angielskim, z iście książęcą godnością podnosząc się z fotela.

Uścisnął dłonie Anglikom, lecz policjantowi tylko skinął głową, następnie, ku widocznemu rozczarowaniu Lattarulla, polecił Albertowi, aby zaprowadził go do kuchni i poczęstował chlebem z serem. Gdy dwaj mężczyźni wyszli, gestem wskazał gościom stojące obok jego fotela krzesła.

– Jak podoba się panu moje miasto, kapitanie Arbuckle? – zapytał, nalewając herbatę do przygotowanych na srebrnej tacy filiżanek z delikatnej, ozdobionej motywem winorośli porcelany.

Thomas pomyślał, że tak wspaniały serwis zupełnie nie pasuje do tego zaniedbanego pokoju.

– Miasteczko jest doprawdy czarujące, *marchese* – odparł nie mniej formalnym tonem.

– Mam nadzieję, że zdążyliście się już trochę rozejrzeć się po okolicy. Tutejsze wzgórza są szczególnie piękne o tej porze roku.

– Całkowicie się z panem zgadzam – przytaknął Thomas.

– Mieszkańcy Incantellarii to prości, niewykształceni ludzie – rzekł markiz. – Ja mogę uważać się za szczęśliwca... Matka zatrudniła dla mnie angielskiego guwernera, a później wysłała mnie na studia do Oksfordu. Były to najszczęśliwsze dni mojego życia...

Postukał długimi palcami w poręcz fotela. Jego dłonie były tak delikatne i zadbane jak ręce pianistki. Zakasłał ciężko, z poświstem. Thomas pomyślał, że pewnie choruje na astmę albo rozedmę.

– Tutejsi ludzie wciąż pielęgnują swoje przesądy – podjął gospodarz. – Żyją w dwudziestym wieku, ale ulegają prawdziwie średniowiecznym obsesjom... Cieszę się, że mieszkam na tym wzgórzu, bo dzięki temu mogę trzymać się z daleka od nich. Mam stąd doskonały widok na ocean i port, zawsze widzę, kto przybija do brzegu i odpływa. Tam, na tarasie, mam teleskop, widzicie? Nie angażuję się w życie miejscowych i ich rytuały, muszę jednak przyznać, że religijne ceremonie zajmują uwagę ludzi, odwracając ją od codziennych trudności i niedostatków. Mieszkańcy włoskiego południa są głęboko religijni i dzięki temu raczej mało kłopotliwi... Wychowywałem się tutaj z gromadką braci i sióstr, chociaż dziś nie wiem, co się z nimi dzieje i czy w ogóle żyją. Naszą rodzinę rozdzieliła gorzka wrogość. Odziedziczyłem pałac i zostałem w nim na dobre. Może gdybym się ożenił, kobieca ręka odmieniłaby to miejsce i mnie samego, ale, niestety, nie znalazłem godnej partnerki i teraz na pewno nie mam już na to szans. Pałac rozpada się nad moją głową, spychając mnie coraz głębiej w swoje wnętrze – jeszcze trochę i nie zostanie z niego nic poza tym pokojem... Przetrzymał Niemców, lecz upływ czasu stopniowo rzuca go na kolana. Czas to surowy sędzia... Jest pan żonaty, poruczniku Arbuckle?

– Nie.

– Wojna nie sprzyja miłości, prawda?

Wręcz przeciwnie, pomyślał Thomas.

– Jestem szczęśliwy, że nie zostawiłem w Anglii ukochanej kobiety – odparł jednak. – Jeżeli zginę, opłakiwać mnie będzie tylko matka...

Pamięć natychmiast podsunęła mu obraz Freddiego i drgnął niespokojnie. Dobrze, że Freddie nie osierocił żony ani dzieci... Poczuł ogromne przygnębienie i zapragnął, aby markiz wreszcie wyjawił im główny powód zaproszenia. Pokój był mroczny, powietrze wydawało się coraz bardziej duszne, cuchnące kryptą.

– A pan wciąż ma przy sobie swego małego puszystego przyjaciela... – *Marchese* odwrócił się do Jacka, który otworzył usta ze zdziwienia.

Brendan powoli wygramolił się z kieszeni oficera, zupełnie jak niesforny uczniak, przyłapany na wyjadaniu przysmaków ze szkolnej spiżarni.

– Jeżeli wyruszycie w głąb kraju, chociaż nie sądzę, abyście się tam zapuścili, radziłbym panu znaleźć dla niego lepszą kryjówkę – ciągnął markiz. – We Włoszech panuje wielki głód, ludzie sprzedają własne córki za żywność...

– Brendan przeżył już wiele większych niebezpieczeństw – odparł Jack z niezwykłym jak na niego respektem.

Nie ulegało wątpliwości, że uznał gospodarza za człowieka godnego szacunku.

– Czy wasza przyjaźń wywodzi się jeszcze sprzed wojny? – zapytał markiz.

– Tak – uśmiechnął się Thomas. – Studiowaliśmy razem w Cambridge.

– Ach, w Cambridge! – roześmiał się. – W takim razie jesteście moimi rywalami!

Thomas zauważył, że jego oczy pozostały chłodne i poważne.

Marchese nie chciał rozmawiać o wojnie. Nie pytał, dlaczego Thomas i Jack zatrzymali się w Incantellarii, oni zaś przeczuwali, że dzięki swojemu teleskopowi oraz intuicji i tak wiedział, co przywiodło ich w te strony. Opowiedział im o spędzonym w pałacu dzieciństwie. W tamtych latach rzadko odwiedzał miasteczko i naturalnie nigdy nie bawił się z miejscowymi dziećmi, od których odgradzała go niewidzialna, ale i niemożliwa do pokonania bariera. Powiedział, że dzieci z Incantellarii mogły obserwować świat rodziny Montelimone z pewnej odległości, lecz nie miały najmniejszych szans stać się jego częścią.

– Jak długo zamierzacie u nas gościć? – zapytał nagle.

Thomas pomyślał, że teraz mógłby wzruszyć ramionami jak Lattarullo i zrobić głupią minę, ale uprzejmie odparł, iż najprawdopodobniej rano otrzymają rozkaz powrotu do bazy.

– Wojna to straszny czas... – rzekł *marchese*, wstając z fotela. – Alianci utknęli pod Monte Cassino. Naprawdę wierzycie, że zwyciężą? Moim zdaniem, kompletnie się tam wykrwawią. Bardzo mi żal tych wspaniałych młodych ludzi. Co za strata... Ludzie nigdy nie uczą się na własnych błędach, chociaż historia wciąż się powtarza i naprawdę daje im szansę... Nieustannie popełniamy te same pomyłki, które przed nami popełnili nasi ojcowie i dziadowie. Ulegamy iluzji, że uczynimy świat lepszym i piękniejszym, gdy tymczasem niszczymy go i obracamy w gruzy. Chodźcie, pokażę wam mój teleskop...

Przez uchylone francuskie okno, którego ramy były już mocno przegniłe, wyszli na skąpany w słońcu taras. Thomas wystawił twarz na powiew świeżego wiatru, który ożywił go jak chłodna fala. Pod nimi na zboczu rozciągał się ogród, dawniej na pewno bardzo zadbany, sięgający aż do brzegów ozdobnego stawu, teraz pokrytego grubym kożuchem rzęsy. Thomas wyobraził sobie osłonięte falbaniastymi parasolkami kobiety w pięknych sukniach, przechadzające się wśród wierzb, prowadzące lekkie, niezobowiązujące rozmowy i zerkające na swoje odbicia w wodzie. Taki widok musiał dosłownie zapierać dech w piersiach. Później czas i zaniedbanie pozbawiły pałacowe ogrody uroku. Teraz nikogo nie obchodziło, co się tutaj dzieje. Ogród umierał powoli, podobnie jak pałac i kaszlący stary *marchese* w dusznym pokoju, wciąż trzymający się resztek rodzinnych tradycji.

Markiz podszedł do aparatu, którego oko wycelowane było w port. Spojrzał w obiektyw, pokręcił jakąś tarczą, przycisnął guzik i odsunął się, robiąc miejsce Thomasowi.

– I jak? – zapytał z wyraźną przyjemnością. – Wspaniałe, prawda?

Thomas dokładnie widział miasteczko. Uliczki były puste. Przesunął lekko aparat i popatrzył na swoją łódź. Dobra, stara „Marilyn"... Chłopcy kręcili się po pokładzie, na krótko pozbawieni dyscypliny. Thomas pomyślał, że powinien jak najszybciej ich stąd zabrać, ale serce ścisnęło mu się z bólu na myśl o rozstaniu z Valentiną. Ledwo poznał tę cudowną dziewczynę... Przeniósł wzrok na nabrzeże, ale Valentiny nigdzie nie było.

– Wspaniałe... – przyznał tępo.

W tej chwili bez wahania zamieniłby się miejscami ze starym markizem, byle tylko zostać blisko niej.

– Obserwuje pan gwiazdy? – zagadnął Jack, stając przy teleskopie.

Markiz był zachwycony pytaniem Anglika i natychmiast wdał się w szczegółowy opis konstelacji, planet i spadających gwiazd. Teraz, kiedy mówił ze szczerym zapałem, jego włoski akcent stał się bardziej wyraźny.

Thomas oparł ręce na balustradzie i zapatrzył się w lśniące w popołudniowym słońcu morze. Poczuł ulgę, kiedy w prowadzących na taras drzwiach stanął Lattarullo, z brzuchem wypchanym pieczywem i serem. W porównaniu z grubym policjantem, Alberto wydawał się jeszcze chudszy i bardziej niż kiedykolwiek podobny do szkieletu – wyglądał, jakby nie jadł od wielu lat.

– Powinniśmy już wracać – powiedział Thomas, wciąż niepewny, z jakiego właściwie powodu zostali zaproszeni do pałacu.

– Z przyjemnością panów poznałem. – Markiz z uśmiechem potrząsnął dłonią Anglika.

Kiedy się pożegnali, na krętą ścieżkę poniżej tarasu wyszedł spomiędzy przerośniętych cyprysów i krzewów chłopiec. Miał uderzająco ładną, otwartą twarz, białe jak śnieg loki i błyszczące ciemnobrązowe oczy. Gdy wszedł na taras, widok angielskich oficerów wyraźnie go zaskoczył, za to od razu rozpoznał Lattarulla, którego uprzejmie przywitał.

– To jest Nero – rzekł gospodarz. – Piękny, prawda?

Thomas i Jack wymienili porozumiewawcze spojrzenia, lecz starali się zachować obojętny wyraz twarzy.

– Nero załatwia dla mnie rozmaite sprawy – ciągnął markiz. – Robię, co w mojej mocy, żeby pomóc tej niewielkiej społeczności... Mam szczęście, bo jestem bogaty, no i nie mam synów ani córek, których mógłbym obsypać pieniędzmi. Żyjemy w trudnych czasach, panowie. Wojna toczy się nie tylko na polach bitew, ale także w każdej włoskiej wiosce, miasteczku i mieście, codziennie. To walka o przetrwanie. Nero nigdy nie będzie głodny, prawda, mój drogi? – Czułym gestem potargał włosy nad czołem chłopca.

Nero uśmiechnął się szeroko, odsłaniając sporą szczerbę po dwóch przednich zębach.

– Co za dziwny facet... – odezwał się Thomas, kiedy byli już w drodze do miasteczka.

Rozmawiali po angielsku, żeby *carabiniere* nie mógł ich zrozumieć.

– Załatwia dla niego rozmaite sprawy, akurat! – prychnął Jack, znacząco unosząc brew. – Nero to chłopak o uderzającym wyglądzie. Skąd ta jasna cera i platynowe włosy tutaj, na południu?

– Markiz robi naprawdę niesamowite wrażenie. – Thomas w zamyśleniu podrapał się po głowie. – Coś jest z nim nie tak, ale nie potrafię tego sprecyzować... Aż strach myśleć, co wyrabiał w Oksfordzie. Najszczęśliwsze dni jego życia, też mi coś! I po co nas do siebie zaprosił, do diabła? Na filiżankę herbaty? Czy może na nudny jak flaki z olejem wykład o jego rodzinie i gwiazdach?

Jack rozłożył ręce.

– Nie mam pojęcia. Dziwne to wszystko...

– Jedno ci powiem – rzucił Thomas. – Nie zaprosił nas bez powodu. Co więcej, wyczułem, że nasza wizyta w pełni go usatysfakcjonowała...

Rozdział dziesiąty

Cienie wydłużyły się i zapach sosnowych igieł zgęstniał w wieczornym powietrzu. Mieszkańcy Incantellarii wyszli z domów i zgromadzili się przed niewielką kaplicą San Pasquale. Na placyku panowała atmosfera wyczekiwania. Zgodnie ze wskazówkami Immacolaty Thomas stał pod apteką i z rosnącym niepokojem rozglądał się w poszukiwaniu Valentiny. Zauważył, że wiele osób trzyma zapalone małe świeczki, których płomyki migotały w mroku. Obdarty garbus przesuwał się wśród tłumu jak pracowity żuk gnojarz, a wszyscy starali się dotknąć jego garbu, oczywiście na szczęście. Thomas nigdy nie widział takiej sceny i był mocno zaintrygowany. W końcu tłum się rozstąpił, w każdym razie tak wydawało się stęsknionemu Anglikowi, i Valentina podeszła do niego swym roztańczonym krokiem. Ubrana była w prostą czarną sukienkę w białe kwiaty, a włosy zaczesała do góry i ozdobiła stokrotkami. Przywitała Thomasa, a w nim serce zadrżało z radości, ponieważ na jej twarzy malował się ciepły, prawie czuły uśmiech. Poczuł się trochę tak, jakby już wyznali sobie miłość i od dawna byli kochankami.

– Cieszę się, że przyszedłeś – powiedziała.

Wyciągnęła rękę, ujął ją i nagle zrobił coś, co zaskoczyło jego samego – przycisnął jej dłoń do ust i pocałował, ani na chwilę nie odrywając wzroku od jej twarzy. Długo i głęboko patrzył jej w oczy, smakując wargami skórę i wdychając znajomy zapach fig. Valentina na moment spuściła głowę i roześmiała się. Thomas nie słyszał wcześniej jej śmiechu, którego dźwięk w jakiś sposób wydał mu się podobny do odgłosu bąbelków powietrza, pękających na powierzchni wody. Zawtórował zachwycony jej wesołością.

– Ja też się cieszę, że tu jestem – odparł, nie wypuszczając jej dłoni.

– Mama jest jedną z *parenti di Santa Benedetta* – rzekła Valentina.

– To znaczy?

– Należy do potomków świętej. Właśnie dlatego siedzi przy ołtarzu i może z bliska oglądać cud.

– Na czym właściwie ma polegać ten cud? – spytał Thomas.

– Po twarzy Jezusa spływają krwawe łzy – głos dziewczyny brzmiał teraz bardzo poważnie, uśmiech zastąpił wyraz pobożnego skupienia.

– Naprawdę? – Trudno mu było uwierzyć w tę manifestację boskiej mocy. – A jeżeli nie zapłacze?

Oczy Valentiny rozszerzyły się z przerażenia.

– To by znaczyło, że szczęście opuści nas na cały następny rok...

– Dopóki cud znowu się nie zdarzy?

– Właśnie. Zapalamy świece, żeby okazać Bogu naszą wierność i posłuszeństwo.

– I na wszelki wypadek dotykacie garbusa, żeby szczęście jednak nie uciekło...

– Wiesz więcej, niż myślałam – uśmiech powrócił na twarz Valentiny.

– Tak tylko zgaduję...

– Chodźmy, zajmiemy lepsze miejsca z przodu. – Wzięła go za rękę i poprowadziła przez tłum.

Drzwi kaplicy się otworzyły. Wnętrze było mroczne i dość prymitywnie zdobione. Na ścianach widniały freski przedstawiające narodziny i ukrzyżowanie Chrystusa. Thomas podejrzewał, że wszystkie wartościowe sprzęty ukradli Niemcy lub rabusie, bo całą dekorację ołtarza stanowiły proste świeczniki i gładki biały obrus. Wyżej, na głównej ścianie, wisiał marmurowy krucyfiks z rozpiętą na nim postacią Chrystusa.

Ciężka cisza, nabrzmiała strachem, niepewnością i wyczekiwaniem, wibrowała w powietrzu jak przyciszone tony skrzypiec. Thomas nie wierzył w cuda, ale panująca w kaplicy atmosfera była zaraźliwa, wkrótce i jemu serce zaczęło bić szybciej, podobnie jak zebranym przed ołtarzem wiernym. Czuł na sobie spojrzenia wielu oczu, niektóre wrogie, ponieważ nie brakowało tu ludzi, którzy uważali, że jego obecność uniemożliwi cud. Może, zresztą, nie podobało im się po prostu, że uwaga Anglika skupiona była na Valentinie, kto wie... Thomas dostrzegł starszą kobietę, która obrzuciła dziewczynę niechętnym wzrokiem, a potem odwróciła głowę z pogardliwym prychnięciem. Miał nadzieję, że jego towarzystwo nie stawia Valentiny w negatywnym świetle.

Był zaintrygowany, ale jednocześnie pragnął, by ceremonia jak najszybciej dobiegła końca, a on mógł zabrać dziewczynę w jakieś ustronne miejsce, gdzie byliby tylko we dwoje. W chwili gdy wyobrażał sobie ich pierwszy pocałunek, ciężkie drewniane drzwi otworzyły się i do kaplicy wkroczyły trzy drobne kobiety w długich czarnych sukniach i przejrzystych welonach na głowie. Trzymały w rękach duże świece, których płomienie podświetlały od dołu pomarszczone twarze, dając niezwykły efekt. Immacolata szła jako pierwsza, dwie pozostałe posuwały się za nią dostojnie, jak druhny tworzące orszak panny młodej, z nisko pochylonymi głowami. Matka Valentiny trzymała głowę dumnie uniesioną, a jej oczy wpatrywały się w ołtarz. Nawet kapłan, *padre* Dino, szedł dopiero za kobietami, cicho odmawiając różaniec. Towarzyszył mu mały chłopiec z chóru, który powoli kołysał kadzielnicą, wypełniając powietrze intensywnym, egzotycznym aromatem tlących się w środku ziaren. Wszyscy wierni wstali.

Procesja dotarła do ołtarza i trzy *parenti di Santa Benedetta* zajęły miejsca w pierwszym rzędzie. *Padre* Dino i ministrant stanęli z boku. W kaplicy zapadła śmiertelna cisza. Nikt nie modlił się głośno ani nie śpiewał – powietrze pulsowało ciszą i niewidzialną siłą modlitwy. Thomas patrzył na krucyfiks, podobnie jak wszyscy zebrani. Nie był w stanie uwierzyć, że wyrzeźbiona w marmurze postać naprawdę zapłacze krwawymi łzami. Podejrzewał, że może w grę wchodzi jakieś szalbierstwo, któremu ulegają mieszkańcy Incantellarii, i był przekonany, że jego nikt nie zdoła nabrać. Wszyscy wpatrywali się w rzeźbę Chrystusa, lecz nic się nie działo. Zegar na wieży ratusza wybił dziewiątą. Zgromadzeni wstrzymali oddech. W kaplicy było bardzo gorąco, Thomas zaczął się pocić.

Nagle gorączkowo zamrugał kilka razy. Niemożliwe, pomyślał, to tylko złudzenie... Za długo trwałem w skupieniu, więc teraz mam halucynacje. Spojrzał na Valentinę, która przeżegnała się pośpiesznie i wymamrotała jakieś niezrozumiałe słowa. Kiedy znowu popatrzył na rzeźbę, krew spływała po marmurowej twarzy Chrystusa, zostawiając szkarłatne ślady na białym kamieniu i kapiąc z brody na posadzkę.

Immacolata podniosła się i z powagą skinęła głową. Dzwon nad kaplicą rozśpiewał się monotonnie, a ksiądz, mały chłopiec i trzy *parenti di Santa Benedetta* wyszli na plac.

Miasteczko wybuchnęło radością. Muzykanci zaczęli grać, na środek placu wyskoczyły młode kobiety, jeszcze przed chwilą tak skromne i rozmodlone. Teraz tańczyły jak w opętaniu, a tłum wyklaskiwał rytm i wznosił okrzyki. Thomas stał jak zaczarowany, klaszcząc w dłonie razem z innymi. Na placu pojawiła się Valentina, witana oklaskami i gwizdami mężczyzn oraz zaskakująco wrogimi i zjadliwymi spojrzeniami kobiet. Thomas pomyślał, że zazdrość je szpeci, wykrzywiając ładne rysy i nadając im wyraz groteskowych masek lub zniekształconych odbić w krzywym zwierciadle. Valentina przesunęła się na środek, inne kobiety rozstąpiły się, tworząc pusty krąg wokół niej. Tańczyła z wdziękiem, jej włosy wirowały wokół głowy jak gęsta chmura, stopy szybko drobiły w rytm muzyki. Thomasa ogarnęło zdumienie – wyrwawszy się z cienia matki, Valentina stawała się wesoła i pełna życia. Poruszała się śmiało, bez zahamowań, nie zważając, że w tańcu spódniczka jej sukienki unosi się wysoko, odsłaniając lśniące, brązowe łydki i uda. Częściowo widoczne w głębokim dekolcie piersi przypominały wzgórki sufletu czekoladowego. Thomas nie mógł opanować pożądania. Dziewiczy wdzięk Valentiny, połączony z prawdziwą eksplozją zmysłowości, stanowił mieszankę, której nie sposób było się oprzeć.

Wpatrywał się w nią jak zaczarowany, ona także nie odrywała od niego wzroku. Jej ciemne, roześmiane oczy wydawały się czytać w nim jak w otwartej książce, bo tanecznym krokiem zbliżyła się i wzięła go za rękę.

– Chodź... – szepnęła mu do ucha.

Opuścili placyk przed kaplicą i wąskimi uliczkami poszli w stronę morza, potem dalej brzegiem, między skałami, aż w końcu dotarli do małej, odizolowanej zatoki, gdzie światło księżyca i łagodnie liżące piasek fale odsłoniły przed ich oczami pustą, pokrytą drobnym żwirem plażę.

Thomas nie tracił czasu na słowa. Otoczył ramieniem jej szyję, wciąż jeszcze spoconą i rozgrzaną po szybkim tańcu, i pocałował ją. Valentina zareagowała tak, jak tego pragnął – rozchyliła wargi i zamknęła oczy, a z jej piersi wyrwało się głębokie, pełne zadowolenia westchnienie. Z daleka dobiegała jeszcze rozbrzmiewająca w miasteczku muzyka, przypominająca wesołe bzyczenie pszczół. Ale oni byli w tej chwili tak oderwani od rzeczywistości, że wojna równie dobrze mogłaby się toczyć na innej planecie. Mocno objął dziewczynę i przyciągnął ją do siebie. Czuł cudowną miękkość jej ciała, które poddawało się jego dotykowi. Nie cofnęła się, kiedy zanurzył twarz w zakamarku między jej szyją i barkiem, smakując językiem słony pot i wdychając przytłumiony aromat fig. Valentina odchyliła głowę do tyłu, aby jego wargi mogły swobodnie całować linię jej szczęki i delikatną skórę szyi. Thomas czuł narastające podniecenie, członek coraz mocniej napierał na tkaninę spodni, lecz dziewczyna nie próbowała odsunąć się od niego. Przesunął palcami po aksamitnej skórze w miejscu, gdzie jej piersi wzbierały ponad sukienką jak rozkoszna fala. Ujął je w dłonie, pieszcząc kciukiem sutki, a wtedy jęknęła cicho, gardłowo.

– *Facciamo l'amore...* – zamruczała.

Nie zastanawiał się, czy powinni się kochać ani czy zachowuje się jak dżentelmen, biorąc ją na plaży, po zaledwie dwudniowej znajomości. Była wojna i ludzie kierowali się emocjami, popędami. Czuł, że zakochał się w Valentinie, a ona w nim. Mogli się już nigdy więcej nie spotkać. Pomyślał, że zabierze z sobą jej niewinność, że jeżeli teraz zostanie jej kochankiem, mężczyzną, który ma do niej prawo, ona zaczeka na niego. Nie miał cienia wątpliwości, że jeśli przeżyje, pod koniec wojny wróci i ożeni się z Valentiną, i prosił Boga, aby chronił ją do czasu, kiedy on będzie mógł się nią zaopiekować.

– Jesteś pewna? – zapytał.

W odpowiedzi musnęła tylko jego usta wargami. Pragnęła go. Szybkim ruchem porwał ją w ramiona i zaniósł nieco wyżej, w osłonięte skałami, zaciszne miejsce, gdzie delikatnie położył ją na drobnych kamykach. Kochali się w przejrzystym, perłowosrebrzystym blasku księżyca.

Leżeli objęci, mocno przytuleni do siebie aż do świtu, kiedy czerwone promienie wschodzącego słońca splamiły niebo na horyzoncie. Thomas opowiadał Valentinie o swoim życiu w Anglii, o pięknym domu, w którym kiedyś oboje zamieszkają, i o dzieciach, które będą tam razem wychowywać. Mówił, jak bardzo ją kocha i że naprawdę można stracić serce w jednej chwili, z radością oddając je w ręce ukochanej osoby.

Wracali przez skały. Uroczystości dobiegły już końca i miasteczko trwało w dziwnej, niesamowitej ciszy. Tylko bezpański kot skradał się po szczycie muru, polując na myszy. Zanim Thomas odprowadził Valentinę do domu, zabrał z łodzi teczkę z przyborami do malowania.

– Będziesz mi pozować? – zapytał. – Chcę patrzeć na twoją twarz, ilekroć zapragnę...

Roześmiała się i potrząsnęła głową.

– *Che carino*! – powiedziała z czułością, biorąc go za rękę. – Skoro chcesz... Chodź za mną, znam odpowiednie miejsce...

Poszli wąską ścieżką między skałami, a potem piaszczystą dróżką przez las. Zapach tymianku mieszał się w powietrzu z aromatami eukaliptusa i sosny, wśród liści odzywały się cykady. Co jakiś czas widzieli umykające przed nimi salamandry, które pośpiesznie ukrywały się w wysokiej trawie. Ptaki śpiewały głośno, obwieszczając nadejście poranka. Po chwili drzewa się rozstąpiły, odsłaniając łąkę porośniętą gajami cytrynowymi. Znajdowali się dość wysoko i morze rozpościerało się pod nimi jak srebrzysta tafla, połyskująca tu i ówdzie między skupiskami cyprysów.

Na szczycie wzgórza znajdowały się ruiny starej strażnicy – pokruszone morskim wiatrem i słonym powietrzem cegły leżały na ziemi. Był to wspaniały punkt obserwacyjny, z którego roztaczał się widok na całą okolicę. Valentina pokazała Thomasowi swój dom, śmiejąc się na myśl o matce, śpiącej jeszcze spokojnie i zupełnie nieświadomej, w jaką przygodę wdała się jej córka. Dziewczyna usiadła wygodnie pod resztkami murów strażnicy i pozwoliła Thomasowi naszkicować swój portret. Łagodny wiatr rozwiewał jej włosy. Rysował olejowymi pastelami, z wielką radością analizując wzrokiem jej twarz i starając się jak najwierniej przenieść piękne rysy na papier. Bardzo zależało mu, aby oddać aurę tajemniczości, tę szczególną cechę, która czyniła Valentinę inną od wszystkich kobiet. W jej oczach i lekkim uśmiechu kryło się coś, co sugerowało, że dziewczyna posiadła jakiś cudowny sekret. Dla Thomasa było to prawdziwe wyzwanie – za wszelką cenę pragnął utrwalić na papierze emanującą niezwykłym czarem twarz, aby później, w czasie rozstania, patrzeć na nią i wspominać dokładnie taką, jaką była.

– Kiedyś opowiemy o tym poranku naszym dzieciom – powiedział, podnosząc szkic, aby z innej perspektywy popatrzeć na niego spod zmrużonych powiek. – Spojrzą na ten portret i same zobaczą, jak piękną dziewczyną była ich matka i dlaczego ich ojciec kompletnie stracił dla niej głowę...

Valentina roześmiała się cicho i obrzuciła go pełnym czułości wzrokiem.

– Jaki z ciebie głuptas... – mruknęła, lecz z jej oczu Thomas wyczytał, że w gruncie rzeczy wcale tak o nim nie myśli.

Odwrócił kartkę, żeby mogła zobaczyć szkic. Jej policzki zarumieniły się, twarz spoważniała.

– Jesteś mistrzem! – szepnęła z przejęciem, dotykając swoich warg na papierze czubkami palców. – To piękny portret, signor Arbuckle!

Thomas parsknął śmiechem. Jeszcze nigdy nie zwracała się do niego po imieniu, a teraz, po chwilach cudownej intymności, taka formalność wydawała mu się absolutnie cudaczna.

– Mów mi „Tommy" – poprosił.

– Tommy... – spróbowała niepewnie.

– W domu wszyscy tak mnie nazywają.

– Tommy... – powtórzyła. – Podoba mi się – Tommy... – podniosła ciemne oczy i popatrzyła na niego z takim wyrazem twarzy, jakby widziała go po raz pierwszy.

Delikatnie pchnęła go na trawę i położyła się na nim.

– *Ti voglio bene*, Tommy – wyszeptała.

Kiedy uniosła głowę, jej oczy lśniły złocistym światłem bursztynu. Przesunęła dłonią po jego czole, odgarnęła włosy do tyłu i pocałowała go w grzbiet nosa.

– *Ti amo*... – powiedziała.

Powtarzała to wyznanie raz po raz, pieszcząc wargami każdy fragment jego twarzy, jak zwierzę, które znaczy swoje terytorium. Uczyła się go na pamięć.

Nie chciał odprowadzać jej do domu, bał się tej strasznej chwili, gdy straci ją z oczu, kiedy będzie musiał odejść. Długo jeszcze siedzieli na zboczu pod ruinami, mocno objęci, z lękiem wpatrując się w morze, które wkrótce miało ich rozdzielić.

– Jak to możliwe, że pokochałem cię tak głęboko, skoro znam cię tak krótko, Valentino?

– Sam Bóg przyprowadził cię do mnie – odparła.

– Nic o tobie nie wiem...

– Co chciałbyś wiedzieć? – zaśmiała się ze smutkiem, muskając jego twarz czubkami palców. – Lubię cytryny i lilie, zapach świtu i sekrety nocy. Uwielbiam tańczyć, jako mała dziewczynka chciałam zostać tancerką. Boję się samotności, a jeszcze bardziej tego, że będę nikim, osobą bez znaczenia, nieważną, pomijaną... Fascynuje mnie księżyc, czasami wydaje mi się, że mogłabym całą noc wpatrywać się w jego twarz. W świetle księżyca czuję się bezpieczna. Nienawidzę tej wojny, ale kocham ją za to, że przywiodła cię do mnie. Boję się zbyt intensywnej miłości, boję się, że ktoś mnie zrani, że będę musiała aż do śmierci cierpieć z miłości do kogoś, kogo nie mogę zdobyć. I boję się śmierci, nicości, odkrycia, że Boga nie ma. Robi mi się zimno na myśl, że moja dusza mogłaby błądzić w strasznej pustce, która nie jest ani życiem, ani śmiercią. Moim ulubionym kolorem jest fiolet, ukochanym kamieniem brylant. Chciałabym włożyć na szyję kolię z najdoskonalszych brylantów na jedną noc i poczuć się jak wielka dama. Najbardziej na świecie kocham morze, no i ciebie, Tommy...

Thomas się roześmiał.

– Doskonały opis – powiedział. – Szczególnie jego ostatnia część...

– Chcesz wiedzieć coś jeszcze?

– Zaczekasz na mnie, prawda? – zapytał poważnie. – Wrócę po ciebie, przyrzekam...

– Jeśli Bóg istnieje, wyczyta prawdę w moim sercu i przyprowadzi cię do mnie – rzekła.

– Co ty ze mną zrobiłaś, na miłość boską... – westchnął Thomas.

W milczeniu wrócili do jej domu. Pod drzwiami pocałowali się ostatni raz.

– To nie jest pożegnanie. – Thomas zdecydowanie pokręcił głową. – Niedługo zobaczymy się znowu, wierz mi...

– Wiem... – szepnęła. – Ufam ci, Tommy.
– Będę do ciebie pisał.
– A ja obsypię każdy twój list pocałunkami...
Przedłużanie tej chwili byłoby torturą, więc Valentina bez słowa weszła do domu i zamknęła drzwi. Thomas zrozumiał ją i odwrócił się. Poranek stracił nagle całą świeżość, zupełnie jakby słońce zakryły ciemne chmury. Liście drzew nie zachwycały już żywą zielenią, śpiew ptaków wydawał się mniej melodyjny, a brzęczenie cykad przemieniło się w suchy szelest. Tylko zapach fig, który pozostał na skórze Thomasa, przypominał mu o Valentinie, zapach fig i naszkicowany portret. Z ciężkim sercem i dojmującym smutkiem, który wcześniej czuł tylko raz, po otrzymaniu wiadomości o śmierci brata, powoli zszedł ścieżką do portu. Wiedział, że musi wrócić na łódź i znowu walczyć.

Rozdział jedenasty

Beechfield Park, 1971

Thomasa obudziły uderzenia stojącego w holu zegara. Kark miał zupełnie zesztywniały i obolały, zamrugał niepewnie, rozglądając się po pokoju. Przez chwilę nie wiedział, gdzie jest. Wydawało mu się, że ocknął się na pokładzie łodzi, ale jego stopy spoczywały na nieruchomym, solidnym podłożu. Powoli odnajdywał wzrokiem znajome fragmenty gabinetu. W pokoju panował chłód, ciemność rozpraszała tylko paląca się na biurku lampa. Spojrzał na zegarek. Dochodziła trzecia w nocy. Przeniósł spojrzenie na portret, który wciąż trzymał w dłoni. Widział twarz Valentiny równie wyraźnie, jak tamtego poranka na wzgórzu, jej oczy wpatrywały się w niego z czułą uwagą. Więc jednak udało mu się uchwycić jej wyjątkowość, wszystko to, czego nigdy nie zdołałby wypowiedzieć słowami, nawet tę cechę, o której istnieniu nie miał wtedy pojęcia... Tak, nawet to. Jakże mógł tego nie dostrzec?

Dopiero teraz poczuł, że na policzkach ma łzy. Musiały popłynąć mu z oczu we śnie... Zwinął szkic i sztywno podniósł się z fotela. Valentina nie żyła. Po co wracał do wspomnień, dlaczego płakał we śnie jak dziecko? Czy miało to jakikolwiek sens? Wszystko należało do przeszłości i tam powinno pozostać. Z wysiłkiem zdjął ze ściany portret swego ojca. Za nim ukryte były drzwiczki do sejfu, który Margo kazała zamontować niedługo po ich ślubie. Ach, Margo... Margo myślała o wszystkim, była taka trzeźwa, rozsądna i zapobiegliwa... Znalazł klucz i otworzył sejf. W wyłożonym aksamitem wnętrzu leżały pudełeczka z biżuterią i cenne dokumenty. Jeszcze przez sekundę mocno trzymał portret w ręku. Jakaś cząstka jego serca wzdragała się przed powierzeniem tej pięknej twarzy mrocznemu sejfowi, czuł się tak, jakby znowu kładł ukochaną do trumny, wiedział jednak, że musi to zrobić. To było dobre rozwiązanie. Spuścił głowę i prawie na ślepo wsunął portret daleko pod tylną ściankę sejfu. Kiedy zwinięty kawałek papieru zniknął, poczuł się lepiej. Powiesił portret ojca na miejscu, cofnął się i uważnie popatrzył na ścianę. Nikt by się nie domyślił, że za ramą obrazu kryją się drzwiczki do sejfu, a za nimi portret Valentiny. Kto wie, może nawet jemu samemu uda się o tym zapomnieć...

Kiedy Fitz się obudził, Alba była w łazience. Leżał nieruchomo, mrugając oczami w przyćmionym świetle. Czuł, że za gęstymi zasłonami czeka na niego jasny, słoneczny dzień. Przeciągnął się leniwie i uniósł ręce wysoko nad głowę. Był rozczarowany, że po przebudzeniu nie poczuł tuż przy sobie ciepłego ciała Alby, zdawał sobie jednak sprawę, że tak jest lepiej. Nie kochali się, spali tylko obok siebie jak przyjaciele. Słyszał, że dziewczyna myje zęby, nucąc jakąś melodię. Nie bardzo wiedział, jak ma się zachować.

Alba wyszła z łazienki w koszulce nocnej, ze splątanymi włosami, opadającymi na twarz i ramiona. Jej długie brązowe nogi były kusząco nagie. Posłała Fitzowi rozleniwiony uśmiech i wskoczyła na łóżko.

– Skorzystałam z twojej szczoteczki do zębów – odezwała się. – Mam nadzieję, że nie masz mi tego za złe...

Fitza ogarnęło zmieszanie. Alba wróciła do łóżka, a wcześniej umyła zęby jego szczoteczką – wszystko to razem świadczyło o łączącej ich intymności, a przecież nie spali ze sobą... Podniósł się i poszedł do łazienki.

Kiedy wrócił do pokoju, nie był pewny, czy Alba życzy sobie, by znowu położył się obok niej, czy żeby się ubrał, okazało się jednak, że musi rozwikłać ten dylemat w ułamku sekundy. Alba leżała z głową opartą na poduszce i uśmiechała się, wyraźnie rozbawiona jego wahaniem.

– Mężczyźni zwykle nie kręcą się niepewnie przy łóżku, w którym na nich czekam! – zaśmiała się. – Mam nadzieję, że nie masz awersji do kobiet?

Fitz położył się, rozdrażniony jej kpinami. Nie czekając na zaproszenie, ujął jej głowę między dłonie i przycisnął wargi do jej ust. Alba z entuzjazmem odpowiadała na jego pocałunki, potem jęknęła cicho i mocno objęła go ramionami. To właśnie jej zdławiony jęk przeważył szalę i sprawił, że Fitz znowu poczuł się mężczyzną. Wsunął rękę pod jej koszulkę i odkrył, że nie ma na sobie majteczek.

– Całą noc byłaś naga? – zapytał, pieszcząc dłońmi jej pośladki.

– Nigdy nie noszę majtek – odparła. – Już dawno doszłam do wniosku, że tylko mi przeszkadzają...

– Nigdy? – powtórzył z niedowierzaniem.

Boże, jestem potwornie konwencjonalny, pomyślał.

– Nigdy, dziadku! – zachichotała, przywierając ustami do jego szyi.

– Zapewniam cię, że potrafię kochać się jak nastolatek! – roześmiał się Fitz.

– Nie potrzebuję zapewnień, mój młody kochanku, tylko dowodów!

Fitz starał się nie myśleć o wielu mężczyznach, którzy przed nim spali z Albą, próbował wyobrazić ją sobie jako czystą i nietkniętą. Nie było to proste, bo Alba naprawdę uprawiała miłość z licznymi kochankami, tyloma, że trudno ich zliczyć. Dużo wiedziała o seksie i potrafiła się nim cieszyć. Wykazywała się zrodzoną z zapału pomysłowością i wcale się tego nie wstydziła. Fitz usiłował przejąć kontrolę i traktować ją jak niewinną dziewczynę, lecz Alba wiła się pod nim i jęczała jak *femme du monde*, którą w rzeczywistości była.

– Skarbie, całuj mnie trochę niżej... Tak, tam... Językiem, błagam! Delikatniej, delikatniej i wolniej, tak, dużo, dużo wolniej... Tam, tak, właśnie tam!

Szczerze i bez wahania mówiła mu, czego pragnie i wzdychała z rozkoszy, kiedy spełniał jej polecenia. Fitz nie mógł zaprzeczyć, że była wspaniałą kochanką, doskonale znającą techniki uprawiania seksu, lecz później, gdy leżeli zdyszani, słysząc, jak serca mocno biją w ich piersiach, nie umiał oprzeć się wrażeniu, że w jej pieszczotach czegoś brakuje. Była świetna technicznie i wyrafinowana, ale technika nie miała dla niego znaczenia, jeżeli nie towarzyszyło jej uczucie. To namiętność i czułość czyniły seks wyjątkowym przeżyciem. Fitz kochał Albę, lecz ona ani trochę nie kochała jego.

Później na palcach przemknęła do swojego pokoju. W głębi serca miała nadzieję, że niby przypadkiem wpadnie na Bawolicę i z przyjemnością spojrzy jej w twarz. Fitz został u siebie, dręczony uczuciem dziwnej pustki i zawodu. Czuł się tak, jakby zjadł połowę pysznego pączka i odkrył, że w środku nie ma ani odrobiny dżemu. Oddał Albie duszę, a ona tylko na chwilę wypożyczyła mu swoje ciało, śmiejąc się beztrosko. Pomyślał o Viv i o tym, jak zareagowałaby na jego wyznanie. „Ty głupcze – warknęłaby na pewno. – Mówiłam ci, żebyś nie powierzał jej swego serca, prawda? Alba przeżuje je i wypluje ci prosto pod nogi, kiedy się jej znudzisz!". Viv miała prawo do obaw, bo przecież Alba traktowała w taki sposób wszystkich mężczyzn, ale Fitz czuł, że z nim będzie inaczej. Nawet jej ojciec się zdziwił, że związała się z kimś takim jak on. A dlaczego? Ponieważ był długodystansowcem...

Ubrał się elegancko, przewidując, że po śniadaniu pojadą do kościoła. Zastanawiał się, jak ułożą się ich sprawy po powrocie do Londynu. Czy Albę bawiło odgrywanie wyznaczonej roli, czy też czuła do niego coś więcej?

– Zachowuję się jak baba! – warknął do siebie, próbując przyczesać włosy przed lustrem.

Już dawno z rezygnacją przyjął do wiadomości, że jego fryzura zawsze pozostanie bezładną masą fal i loków, niezależnie od czasu i uwagi, jakie poświęcał na jej uporządkowanie. Cóż, trudno, wielebny będzie musiał pogodzić się z jego wyglądem...

Wypuścił Sprouta z bagażnika, żeby pies mógł pobiegać po ogrodzie, i poszedł do jadalni, zwabiony głosami dobiegającymi przez otwarte francuskie okno.

– Dobrze spałeś, Fitz? – powitała go ciepło Margo. – Mam nadzieję, że łóżko okazało się wygodne... Nie zmarzłeś?

– Było mi bardzo wygodnie i ciepło – zapewnił ją Fitz. – Bardzo ciepło... – powtórzył, zadowolony, że Alby nie ma w pokoju, bo bez wątpienia zrobiłaby wszystko, żeby pobudzić go do śmiechu.

– To dobrze... Tam jest herbata i kawa – gospodyni wskazała mu szeroki blat pod oknem. – Jaja na bekonie i grzanki. Jeżeli wolisz, kucharka chętnie zrobi ci jajko na miękko...

– Nie, bardzo chętnie zjem jajka na bekonie. – Wciągnął zapach przysmażonej wędzonki i poczuł, jak ślina napływa mu do ust. – Co za uczta...

– Nasza kucharka jest prawdziwym cudem natury, nie wiem, jak poradziłabym sobie bez niej – powiedziała Margo. – Gotuje dla nas od lat. Kiedy Thomas był dzieckiem, zaczęła pracować u jego rodziców, prawda, mój drogi?

Thomas, który siedział przy stole, przeglądając gazety, popijając kawę i usiłując zignorować gadaninę żony i córek, podniósł zaczerwienione oczy i kiwnął głową. Fitz od razu zauważył, że gospodarz wygląda na bardzo zmęczonego. Jego twarz była szara, jakby cała krew wyciekła z niej prosto w czerwone skarpetki, które tego dnia włożył.

– Dzień dobry, Fitz – odezwał się. – Mam nadzieję, że dobrze spałeś...

– Tak, dziękuję – odparł Fitz, wyczuwając, że Thomas nie ma ochoty na rozmowę.

Szybko odwrócił się do Margo, pozwalając mu znowu ukryć się za rozłożoną gazetą.

Caroline bez przerwy mówiła o swoim ukochanym. Po chwili do jadalni weszła Alba, ubrana w najkrótszą spódniczkę, jaką udało jej się znaleźć, wzorzyste rajstopy i zamszowe buty do kolan. Fitz spojrzał na nią z zachwytem, przypomniał sobie, że dziewczyna nigdy nie nosi majtek i natychmiast poczuł, że znowu ma erekcję. Nie mógł, po prostu nie mógł wstać teraz od stołu. Na twarzy Alby malował się triumfalny uśmiech. Fitz od razu się domyślił, co jest jego przyczyną. Przeniósł wzrok na Margo, która stała przy bufecie, sztywna z oburzenia. Alba zbliżyła się do niego, ujęła jego głowę w dłonie i wycisnęła na wargach długi, namiętny pocałunek. Fitz nie był w stanie wykrztusić ani słowa, podobnie jak Margo. Tylko pochłonięty lekturą Thomas pozostał niewzruszony wobec figlów Alby.

Wreszcie, kiedy dziewczyna nalewała sobie kawę, Margo dała wyraz swojej wściekłości.

– Moja droga, chyba nie zamierzasz wybrać się w tym stroju do kościoła... – zaczęła takim tonem, że Fitz pomyślał, iż dawniej musiała chyba służyć w wojsku albo przynajmniej w policji.

– Owszem! – spokojnie odparła Alba.

Fitz nagle stracił apetyt. Pociągnął łyk kawy i z rezygnacją czekał na dalszy rozwój kłótni.

– W żadnym razie! – zdecydowanie sprzeciwiła się Margo, starannie podkreślając poszczególne sylaby.

Jednak Alba nie była już dzieckiem i takie traktowanie mogło ją tylko zachęcić do jeszcze gorszego zachowania.

– Dlaczego? – zapytała, zabierając filiżankę z kawą i siadając przy stole obok Fitza. – Nie podoba ci się?

– Nieważne, czy mi się podoba, czy nie! – warknęła Margo. – Istotne jest tylko to, że w tak krótkiej spódnicy nie możesz iść na nabożeństwo!

– Myślę, że Bóg przyjmie mnie taką, jaka jestem – odpaliła Alba, smarując grzankę masłem.

– Ale nie wielebny Weatherbone!

– Co niby zrobi nasz wielebny? – zapytała wyzywającym tonem. – Wyrzuci mnie z kościoła?

Fitz postanowił interweniować, co okazało się poważnym błędem.

– Kochanie, może po prostu włóż płaszcz – zaproponował odważnie. – Wtedy i Margo byłaby zadowolona, i ty także...

Wydawało mu się to rozsądnym rozwiązaniem, ale Margo była innego zdania.

– Przykro mi, Fitz, ale to całkowicie nieodpowiedni strój! Jesteśmy najbardziej liczącą się rodziną w parafii, więc powinniśmy świecić przykładem, nie gorszyć ludzi!

– Och, na miłość boską! – zawołała Alba. – Nikt nie będzie się przyglądał, w co jestem ubrana! Nie chodziłam do kościoła od lat, więc wszyscy powinni być zadowoleni, że w ogóle przyszłam!

– Dopóki jesteś w tym domu, moja droga, masz postępować zgodnie z moimi zasadami! Jeżeli chcesz popisywać się nagością, rób to w Londynie, na tej swojej łodzi, ale nie tutaj, gdzie nasza rodzina cieszy się zasłużonym szacunkiem!

Fitz przygarbił się i wstrzymał oddech. Wiedział, że uwaga o łodzi wystarczy, aby wyprowadzić Albę z równowagi. Dziewczyna wydęła wargi i chwilę w milczeniu jadła grzankę. Caroline i Miranda pośpieszyły matce na pomoc.

– Musisz jechać do kościoła? – zagadnęła Caroline.

– Mogłabyś zabrać Summer na przejażdżkę – podsunęła Miranda.

– Wybieram się do kościoła, ubrana tak, jak mi się podoba. To moja sprawa i nikomu nic do tego.

Teraz Margo odwołała się do męża, wyciągając go zza gazety jak przestraszonego żółwia ze skorupy.

– Musisz mnie poprzeć, Thomasie!

Gospodarz się wyprostował.

– O co chodzi?

– Widziałeś, co ma na sobie twoja córka?!

Alba nie znosiła, kiedy Margo mówiła o niej w taki sposób, chociaż zawsze ze wszystkich sił starała się dowieść, że nie ma z macochą nic wspólnego.

– Moim zdaniem wygląda uroczo – powiedział Thomas.

Alba nie posiadała się z radości, zwłaszcza że reakcja ojca całkowicie ją zaskoczyła. Thomas rzadko opowiadał się po jej stronie.

– Dobrze się czujesz, mój drogi? – zapytała Margo. – Jesteś taki blady...

– Może narzucić płaszcz na ramiona, żeby nie drażnić wielebnego Weatherbone'a – dodał Thomas, nie odpowiadając na pytanie żony.

Nie czuł się dobrze, ponieważ ciągle myślał o zamkniętym w sejfie portrecie. Valentina nadal miała nad nim władzę, wciąż widział ją w twarzy córki...

– Och, niech będzie, włożę płaszcz – ustąpiła Alba. – Może pożyczysz mi jakiś, Margo, bo ten, który przywiozłam ze sobą, na pewno nie jest dłuższy od mojej spódnicy... – włożyła sobie do ust ostatni kawałek grzanki. – Pyszna... – zamruczała.

Po śniadaniu wszyscy zebrali się w holu. Miranda i Caroline miały na sobie proste brązowe płaszcze i kapelusze, Margo tweedowy kostium z dużą broszką w kształcie bukiecika przypiętą na piersi. Thomas wybrał szary garnitur, a Fitz, który przecież wychował się na wsi, bardzo odpowiednią zieloną marynarkę, skromny krawat i elegancki kapelusz fedora. Alba zbiegła po schodach w bezkształtnym płaszczu z wielbłądziej wełny, pożyczonym od Margo. Na razie płaszcz był zapięty, żeby ułagodzić Bawolicę, ale Alba zamierzała rozpiąć go zaraz po wejściu do kościoła. Podeszła do Fitza i wzięła go za rękę.

– Przez cały czas będę sobie wyobrażać, że pieścisz mnie w łóżku... – szepnęła mu do ucha.

Fitz zaśmiał się cicho. Margo rzuciła Albie pełne dezaprobaty spojrzenie – uważała, że w towarzystwie nie powinno się szeptać.

Thomas miał zawieźć do kościoła żonę i dwie córki, natomiast Fitz zabrał do swego volva Albę i Sprouta, który przez całą drogę wyglądał przez tylną szybę.

– Mam nadzieję, że wielebny Weatherbone jest gotowy

na spotkanie z Albą – powiedziała Margo, usiłując dostrzec coś zabawnego w trudnej sytuacji.

– Alba wygląda nieodpowiednio nawet w twoim płaszczu, mamo – zaćwierkała siedząca z tyłu Caroline.

– Fitz jest taki przystojny! – zachwyciła się Miranda. – Cudownie wygląda w tym kapeluszu...

– Co on widzi w Albie? – zastanawiała się Caroline. – Przecież oni zupełnie do siebie nie pasują...

– Dziękujmy Bogu, że mu na niej zależy. – Margo zerknęła na męża. – Cóż, Alba faktycznie nie należy do osób konwencjonalnych. Ale za to jest pełna życia i energii – dodała taktownie. – Fitz na pewno nie będzie się przy niej nudził...

– Może i jest pełna życia, ale ten jej temperamencik... – mruknęła Caroline. – Oby Fitz wiedział, w co się pakuje...

– Założę się, że jeszcze nie widział jej w ataku furii – zauważyła Miranda.

– Niech Bóg ma w opiece tego biedaka – wymamrotała Margo.

Szybko spojrzała na męża, lecz Thomas przebywał już w innym, odległym świecie.

Kościół w Beechfield był dokładnie taki, jak Fitz się spodziewał – bardzo stary, pięknie położony i zadbany. Zbudowany z cegły i kamienia, miał drewnianą dzwonnicę, na której Fred Timble, Hanna Galloway oraz Verity Forthright od ponad trzydziestu lat na zmianę pełnili zaszczytne obowiązki dzwonników. Margo z całą powagą traktowała swoją pozycję i obowiązki najważniejszej damy w parafii. Raz w miesiącu ubierała kościół kwiatami i bardzo się starała, aby jej dekoracje były najbardziej imponujące. Stanowiło to duże wyzwanie, ponieważ Mabel Hancock miała zachwycający ogród i mnóstwo fantazji, którą się zawsze popisywała przy układaniu bukietów. Kiedy Mabel przystrajała ołtarz, żołądek Margo boleśnie kurczył się ze zdenerwowania przez całą drogę do kościoła, dopóki się nie upewniła, że jej rywalka jednak nie okazała się lepsza.

Kiedy wysiedli z samochodów, dzwony kościelne już biły, zwołując na nabożeństwo odświętnie ubranych mieszkańców wioski. Czas na spotkania i pogawędki towarzyskie przychodził później, po odmówieniu modlitw i oczyszczeniu sumień. Alba ujęła dłoń Fitza i ruszyła za macochą i ojcem. Pewna, że nie patrzą, pośpiesznie rozpięła płaszcz.

– Co robisz? – zaniepokoił się Fitz, który za żadne skarby nie chciał być świadkiem następnej kłótni.

– Chcę dać wielebnemu lekcję mody...

– Nie sądzisz, że powinnaś raczej...

– Nie – przerwała mu ostro. – Nic mnie nie obchodzi, co sobie myśli Bawolica. Mam już prawie trzydzieści lat, na miłość boską!

Wolał nie protestować.

– Dzięki temu będziesz mógł patrzeć na moje nogi – dodała z zalotnym uśmieszkiem. – Chcę czuć twoje spojrzenia na moich udach...

Mimo woli uśmiechnął się w odpowiedzi. Alba była naprawdę czarująca... Serce zabiło mu mocniej z miłości. Próbował wyrzucić z pamięci wcześniejsze poczucie pustki. Może kiedy znowu będą się kochać, Alba zachowa się inaczej, może za pierwszym razem była po prostu zdenerwowana i wszystkie te zmysłowe jęki miały tylko maskować jej prawdziwe uczucia...

– Nie martw się, będę myślał wyłącznie o twoich nogach – powiedział cicho, kiedy przez szeroko otwarte drewniane drzwi weszli do kościoła.

Wszystkie ławki były już zajęte, wszystkie z wyjątkiem pierwszej, która jak zawsze w niedzielę zarezerwowana była dla rodziny Arbuckle. Thomas przepuścił żonę z dwiema młodszymi córkami i zajął miejsce obok nich. Skinął głową Fitzowi, porozumiewając się z nim bez słów, jak mężczyzna z mężczyzną, i przesunął się bliżej środka, zostawiając dwa miejsca dla gościa i najstarszej córki.

Alba usiadła z brzegu i rozsunęła poły płaszcza. Długą chwilę podziwiała wzór na swoich kremowych rajstopach, za które zapłaciła czterdzieści pensów w sklepie firmy Army and Navy. Czuła jego rozpalony wzrok na udach i z przyjemnością wspominała chwile, które spędziła z nim w łóżku. Najmocniej utkwił jej w pamięci jego pocałunek, bardziej czuły niż pieszczoty innych mężczyzn. Nagle ogarnęło ją zażenowanie i lęk, jakby pocałunek Fitza był w jakiś niewytłumaczalny sposób zbyt intymny, zaraz jednak przypomniała sobie, że sprawił jej dziwną rozkosz. Może kiedyś znowu pocałuje ją tak czule i gorąco... Jeżeli to zrobi, to może ona zdoła zapanować nad uczuciem zagubienia, podobnym do tego, jakie ogarniało ją, gdy z niedozwoloną prędkością przejeżdżała przez most w pobliżu Kings Worthy.

Nagle przed ołtarzem pojawił się wielebny Weatherbone. Biała szata unosiła się za nim niczym skrzydła, szpakowate włosy miał rozwiane, jakby wpadł do kościoła niesiony potężnym podmuchem wiatru. Na jego twarzy malował się nigdy niegasnący zapał, oczy płonęły ogniem wiary, usta były rozciągnięte w szerokim uśmiechu. W czasach, gdy Alba jako dziewczynka chodziła jeszcze do kościoła, proboszczem był wiecznie skwaśniały i nadęty wielebny Bolt. Nie spodziewała się, że jego następca będzie przypominał szalonego naukowca. Głos wielebnego Weatherbone'a, dźwięczny i przykuwający uwagę, odbijał się echem od kościelnych murów. Wszyscy słuchali duchownego w skupieniu, jakby rzucił na nich urok. Alba pośpiesznie zakryła kolana płaszczem. W tej samej chwili wielebny odwrócił się w jej stronę i dziewczyna zadrżała, poruszona głębią jego spojrzenia.

– O, Boże! – wyrwało jej się bezwiednie.

– Dziękuję za tę reklamę, panno Arbuckle – powiedział duchowny.

Przez zgromadzenie przebiegł cichy, nerwowy chichot, a Alba zarumieniła się mocno i spuściła oczy. Głośno przełknęła ślinę i kątem oka zerknęła na macochę.

Margo wpatrywała się w wielebnego Weatherbone'a z wyrazem ogromnego, nabożnego podziwu. Oto teraz stoi tu i przemawia do tych dobrych wieśniaków, a po nabożeństwie usiądzie z nami do stołu, myślała z zachwytem. Musi w jakiś sposób powiadomić Mabel, pomyślała, że proboszcz spożywa z nimi niedzielny lunch. Świadoma, gdzie się znajduje, przekonywała samą siebie, że taka dziecinna rywalizacja jest całkowicie nieszkodliwa.

Alba przyjechała do kościoła wyłącznie po to, aby rozdrażnić Bawolicę króciutką spódniczką i pochwalić się nowym „chłopakiem". Nie zamierzała słuchać kazania, Bóg nie był kimś, czyją obecność z radością witałaby w swoim życiu. Jeżeli w ogóle o Nim myślała, to tylko z poczucia winy. Wychowano ją w przekonaniu, że Bóg istnieje, lecz później wyrosła z Jego nauk, a w każdym razie tak sobie wciąż powtarzała. Oczywiście zdawała sobie sprawę, że światem włada bliżej nieokreślona siła wyższa – ostatecznie jej matka żyła nadal w jakimś innym wymiarze, na pewno nie leżała w trumnie, pożerana przez robaki. Życie duchowe niewątpliwie istniało, lecz Alba nigdy nie pozwalała sobie rozmyślać o nim zbyt długo, przede wszystkim z lęku przed dezaprobatą matki, której z pewnością nie podobałby się jej rozwiązły, dekadencki styl bycia. Po takich refleksjach zawsze czuła się nieszczęśliwa i pełna niechęci do samej siebie, i szybko dochodziła do wniosku, że znacznie lepiej żyć teraźniejszością. A jednak wielebny Weatherbone przykuł jej uwagę, nie mogła oderwać od niego wzroku.

Wygłaszając kazanie, przechadzał się pod ołtarzem w rozwianej szacie, z włosami tak wzburzonymi, jakby żyły własnym życiem, i emanował taką charyzmą, że nawet Alba, najbardziej sceptyczna z całego zgromadzenia, uwierzyła, iż sam Bóg przemawia przez duchownego bezpośrednio do niej.

Nie myślała teraz o seksie i nie wspominała pocałunków Fitza. Po raz pierwszy w życiu Alba Arbuckle myślała wyłącznie o Bogu.

Rozdział dwunasty

Kiedy nabożeństwo dobiegło końca, wielebny Weatherbone stanął na ganku i uściskiem dłoni witał się z wychodzącymi z kościoła. Margo znalazła się tuż za Mabel Hancock i jej mięśnie napięły się w odruchu zazdrości, kiedy duchowny pogratulował jej rywalce pomysłu ułożenia kwiatów w poprzednim tygodniu. Nie zdołała zdusić pragnienia, by wtrącić się do rozmowy, ponieważ w tej chwili najbardziej zależało jej na tym, aby Mabel się dowiedziała, że wielebny jest zaproszony na lunch do Beechfield Park.

– Och, tak, nigdy nie poradzilibyśmy sobie bez Mabel... – uśmiechnęła się słodko.

– Bez pani także, pani Arbuckle – zauważył dyplomatycznie duchowny.

– Świadczenie takich usług sprawia ogromną satysfakcję i dodaje energii – odwzajemniła komplement Margo.

– Bardzo mnie cieszy, że Alba była dziś w kościele.

– Tak, przyjechała na weekend ze swoim nowym chłopakiem. Mamy nadzieję, że to coś poważnego, zresztą pozna go pan osobiście w czasie lunchu. Proszę przyjechać, kiedy uwolni się pan już od obowiązków... – Margo rzuciła Mabel triumfalny uśmiech.

– W głowie mi się kręci, kiedy widzę, co dziś noszą młodzi ludzie... – Mabel z dezaprobatą pokręciła głową i szybko zeszła po schodkach, nie czekając na reakcję Margo.

Margo odwróciła się i zerknęła na Albę, która właśnie witała się z wielebnym. Poły rozpiętego płaszcza trzepotały na wietrze, odsłaniając krótką spódniczkę i wzorzyste rajstopy. Podeszła do pasierbicy, zastanawiając się, w jaki sposób przedstawić strój Alby w żartobliwym, niewinnym świetle. Dlaczego głupia dziewczyna nie zapięła płaszcza, na miłość boską?! Ku swemu wielkiemu zdumieniu odkryła, że głównym tematem rozmowy jest właśnie ta koszmarna minispódniczka i że duchowny głośno i z entuzjazmem wychwala najnowszy trend mody.

Praktycznie nieistniejąca spódnica Alby wzbudziła także wyraźne zainteresowanie dzwonników – Freda Timble, Hanny Galloway oraz Verity Forthright. Po zakończeniu wymagającej wyjątkowych umiejętności pracy, która, jak często narzekali, zwykle pozostawała niezauważona przez większość parafialnej społeczności, usiedli na drewnianych ławeczkach w dzwonnicy, aby złapać oddech i pogadać o nabożeństwie. Tym razem nie tracili czasu na roztrząsanie zalet kazania, podziwianie stojących przy ołtarzu kwiatów czy zabarwione lekką pogardą komentowanie zachowania wybitnych postaci życia w wiosce, ale po prostu skoncentrowali się na Albie Arbuckle.

– Z twarzy pani Arbuckle można wyczytać, że nie aprobuje takiego stroju – oznajmiła Verity, która nigdy nie miała o nikim nic dobrego do powiedzenia. – Nawet w długim płaszczu widać było tę spódniczkę szerokości wstążki i te buty! I to w kościele!

Fred był od lat zafascynowany Margo i uważał ją za prawdziwą damę, pełną godności i uroku, zdecydowaną i świetnie wychowaną. Podobał mu się jej sposób mówienia, specyficzna, zanikająca już artykulacja wyrazów, która wyróżniała ją spośród innych mieszkańców Beechfield. Raz czy dwa Margo łaskawie odezwała się do Freda – pochwaliła jego umiejętności i oświadczyła, że jej zdaniem naprawdę świetnie dzwoni.

– Właściwy dźwięk, wydobyty z dzwonu, odpowiednio nastraja wiernych do uczestnictwa w nabożeństwie – powiedziała.

Fred dokładnie zapamiętał jej słowa, lecz Margo przestała mieć o nim tak wysokie mniemanie, gdy się dowiedziała, że popijał alkohol i palił papierosy z czternastoletnią Albą w lokalnym pubie. Wkroczyła wtedy do lokalu z zaczerwienioną z gniewu twarzą i zabrała przyłapaną na gorącym uczynku nastolatkę do domu.

– Rozczarował mnie pan, panie Timble, naprawdę! – wykrzyknęła.

Fred do dziś krzywił się boleśnie, wspominając tamtą chwilę.

– A miałam pana za człowieka honoru! – dorzuciła bezlitośnie Margo. – Sprowadza pan na złą drogę takie dziecko!

Potem chwyciła Albę za ucho i wyciągnęła z pubu. Mniej więcej miesiąc później Alba wróciła do baru i opowiedziała Fredowi, że za karę długo nie mogła jeść słodyczy i wychodzić z domu, musiała natomiast codziennie jeździć na płochliwym kucyku Mirandy. Na zakończenie dodała, że teraz z trudem trzyma nogi złączone, bo do krwi obtarła sobie skórę na wewnętrznej stronie ud.

– Stara Bawolica będzie mnie miała na sumieniu, jeżeli po tym wszystkim zostanę dziwką! – parsknęła śmiechem.

Po przykrym incydencie z Margo Fred i Alba popijali alkohol i palili papierosy wyłącznie za rogiem pubu.

– Alba zawsze robiła to, co niedozwolone – odpowiedział teraz Fred na uwagę Verity. – Pani Arbuckle od dawna nad tym boleje...

– Och, Alba jest po prostu młoda – rzuciła Hanna, która zawsze dostrzegała jedynie zalety bliźnich. – Szaleje jak źrebak, który wyrwał się z zagrody, ale to minie. Moim zdaniem, wyglądała dziś cudownie. To piękna dziewczyna, a jej nowy chłopak wydał mi się bardzo sympatyczny...

Hanna poklepała dłonią swój szpakowaty koczek, aby sprawdzić, czy włosy wciąż są porządnie ułożone. Była schludnie ubraną kobietą o dość obfitych kształtach, która w niedzielę zawsze starała się wyglądać wyjątkowo korzystnie. Tego ranka doszła do wniosku, że robi się już trochę za stara, aby pełnić obowiązki dzwonnika. Jeszcze rok czy dwa i wspinanie się po wąskich schodkach stanie się dla niej za trudne.

– Na pewno w końcu wyjdzie za tego miłego młodego człowieka i ustatkuje się – dodała. – Wszystkie dziewczyny tak kończą, nawet te najbardziej beztroskie. Moja wnuczka...

Verity nie była jednak zainteresowana losami wnuczki Hanny. Nosiła w sercu gorycz, ponieważ nie miała dzieci, tylko kłótliwego, zrzędliwego starego męża, przy którym musiała napracować się bardziej niż przy niemowlęciu.

– Ten narzeczony nie wytrzyma zbyt długo – Hannie kwaśno przerwała. – Już ja znam takie ślicznotki jak Alba... Dziewucha miała więcej kochanków niż ja filiżanek herbaty w ciągu jednego miesiąca!

– Verity! – wykrzyknęła z oburzeniem Hanna.

– Verity! – powtórzył jak echo Fred.

Czasami te kobiety zapominały, że rozmawiają w obecności mężczyzny, naprawdę...

– Nie powinnaś tak o niej mówić, na dodatek w tym miejscu! – syknęła Hanna. – Nic o niej nie wiesz, moja droga!

– Wiem, i to niejedno. – Verity podniosła się z ławki i wygładziła plisowaną spódnicę. – Edith świetnie się orientuje, co dzieje się w domu Arbuckle'ów. Wystarczy poczęstować ją odrobiną sherry i można z niej wszystko wyciągnąć, zresztą, ona gada sama z siebie, bo przecież nigdy nie przyszłoby mi do głowy, żeby ją wypytywać... – Wydęła wargi, niezadowolona, że zdradziła Edith, która od pięćdziesięciu dwóch lat pracowała w Beechfield Park jako kucharka. – Tak czy inaczej, Edith mówi, że Alba i pani Arbuckle kłócą się przy każdej okazji, a kapitan chowa głowę w piasek i udaje, że go nie ma – dorzuciła, nie mogąc się powstrzymać. – Edith uważa, że kapitan Arbuckle ma poczucie winy wobec Alby, bo pani Arbuckle nie jest jej rodzoną matką, tylko macochą. Oczywiście to nie jego wina, ale biedak dźwiga to wszystko na swoich barkach... Bardzo szybko się postarzał, nie wydaje wam się? Pani Arbuckle interesuje się głównie swoimi córkami i nie ma w tym nic dziwnego, bo krew jest gęstsza od wody, a na dodatek te dziewczęta nie sprawiają żadnych kłopotów, w przeciwieństwie do Alby...

– Gdyby Edith wiedziała, co dla niej dobre, trzymałaby buzię na kłódkę! – W głosie Hanny zabrzmiała niezwykle ostra nuta.

– Edith jest bardzo dyskretna, rozmawia na te tematy tylko ze mną...

– A ty powtarzasz to wszystko każdemu, kto się nawinie! – warknęła Hanna, wciskając ręce w rękawy płaszcza. – No, na mnie już czas, trzeba brać się za przygotowanie lunchu...

– Idę do pubu. – Fred narzucił na ramiona stary kożuch.

– Wielebny Weatherbone będzie dziś na lunchu w Beechfield Park. Ciekawe, co powie na zachowanie Alby, wcześniej chyba nie miał okazji jej poznać...

– Jeżeli ktokolwiek ma szanse się tego dowiedzieć, to z pewnością ty, Verity! – prychnęła Hanna, z rozmachem otwierając drzwi.

W Beechfield Park Margo właśnie wskazywała wszystkim miejsca przy stole. Kucharka przez cały ranek pociła się nad wołową pieczenią, puddingiem yorkshire, pieczonymi ziemniakami, które powinny być chrupiące, a jednocześnie rozpływać się w ustach, oraz nad szerokim wyborem warzyw, ugotowanych, lecz nie rozgotowanych. Sos do mięsa był gęsty i brązowy, przygotowany według własnego przepisu Edith, która nie zdradziła jego tajemnicy nikomu, nawet Verity Forthright, chociaż ta błagała ją o to przy wielu okazjach.

Niewiele było rzeczy, które mogły poruszyć kucharkę. Przepracowała w domu rodziny Arbuckle ponad połowę życia i widziała już wszystko, od ataków złości Alby po rozmaite inne jej wyczyny, na przykład całowanie się z chłopcami za żywopłotem, kiedy dziewczyna miała zaledwie kilkanaście lat. Mimo dużego doświadczenia Edith przeżyła jednak wstrząs na widok skąpego kawałka materiału, który Alba włożyła rano zamiast porządnej spódnicy. Spod tego czegoś wystawały bardzo długie nogi w tych okropnych butach do kolan... Dziewczyna wyglądała w nich dziwnie wyzywająco, zupełnie jak dziwka... Nic dziwnego, że pani Arbuckle zabroniła jej jechać do kościoła bez płaszcza. Właśnie dlatego kucharka nie mogła otrząsnąć się ze zdumienia, kiedy wielebny Weatherbone zjawił się na lunch i zaczął stroić sobie łagodne żarty ze stroju Alby. Przecież wielebny Weatherbone był duchownym, kapłanem w Domu Pańskim, na miłość boską...

Podając kolejne dania, Edith udawała, że nie zwraca najmniejszej uwagi na rozmowę przy stole, której fragmenty oczywiście mimo wszystko do niej docierały. Wielebny Weatherbone siedział między panią Arbuckle i Albą, co było straszną pomyłką ze strony pani domu. Kucharka była o tym głęboko przekonana, bo gdy Alba usiadła, jej miniaturowa spódniczka zupełnie znikła. Równie dobrze mogła usiąść do stołu w samych majtkach, pomyślała Edith. To doprawdy niegodziwe, żeby duchowny musiał patrzeć na uda dziewczyny, a cóż dopiero o nich rozmawiać...

– W czasach mojej młodości mężczyzna mógł zobaczyć kobiece uda dopiero po ślubie – zauważył wielebny Weatherbone.

Alba zachichotała prowokacyjnie. Jej śmiech był nieco zachrypnięty i niski, gęsty jak dym z komina. Kucharka rzuciła jej ostre spojrzenie, oburzona, że dziewczyna śmie flirtować z duchownym.

– Nie zniosłabym, gdyby ktoś narzucał mi takie ograniczenia – powiedziała Alba. – Poza tym, w tych butach czuję się jak królowa, pani tego świata. To prawdziwy włoski zamsz.

– Sam chciałbym mieć takie buty. Jak sądzisz, jak wyglądałyby pod sutanną?

– Co za różnica, jeśli nosi się coś w ukryciu. Przecież nawet gdyby pan był nagi pod sutanną, to i tak nikt by się nie zorientował...

Oboje wybuchnęli śmiechem.

Kucharka zerknęła spod oka na panią Arbuckle, pogrążoną w rozmowie z Fitzem. Ach, cóż to za uroczy młody człowiek, pomyślała. Rozsądny, łagodny, uprzejmy... Poprzedniego wieczoru po kolacji zajrzał nawet do kuchni, żeby podziękować jej za „wspaniałą ucztę", jak się wyraził. Zauważyła, że wielebny Weatherbone nałożył sobie cztery ziemniaki. Cóż, najwyraźniej ma nie tylko słabość do ładnych dziewczyn, ale także doskonały apetyt... Dawniej duchowni imponowali skromnością i umiarkowaniem w jedzeniu i piciu, lecz te czasy widać już się skończyły... Edith pozwoliła sobie na pełne dezaprobaty prychnięcie i zabrała półmisek, zanim wielebny zdążył nałożyć sobie więcej ziemniaków.

Kapitan Arbuckle uśmiechnął się do kucharki i pochwalił lunch. Edith bardzo lubiła kapitana, którego znała od jego lat dziecięcych. Kiedy wrócił z wojny z maleńkim dzieckiem w ramionach, o mało nie pękło jej serce. Jakże mógłby poradzić sobie sam z takim maleństwem? Rozpacz zniekształciła jego rysy, wyglądał jak stary człowiek, w niczym niepodobny do przystojnego młodzieńca, wiecznego buntownika, który zawsze sprzeciwiał się narzucanym mu zasadom. Tommy, jak go wtedy nazywano, był prawdziwym łobuzem, ale dzięki uroczemu uśmiechowi potrafił wykaraskać się z każdych tarapatów... Z wojny wrócił jednak całkowicie odmieniony przez ciężkie doświadczenia i smutek. Gdyby nie mała dziewczynka, którą tak rozpaczliwie ściskał w ramionach, może zupełnie straciłby wolę życia i odszedł z tego świata. Takie rzeczy się zdarzyły, kucharka nie raz słyszała o podobnych tragediach. W domu wszyscy rozmawiali o Valentinie szeptem, zupełnie jakby wypowiedzenie jej imienia na głos mogło ją w jakiś sposób znieważyć. Podobno była bardzo piękna, prawdziwy anioł... Potem na scenie pojawiła się druga pani Arbuckle i nikt więcej nie wspominał o Valentinie, w każdym razie nie wprost. Nic dziwnego, że Alba zaczęła się buntować... Kucharka znowu chrząknęła wzgardliwie, a kapitan, pewny, że wyraża w ten sposób niezadowolenie z tego, że nałożył sobie za dużo pieczonych ziemniaków, dyskretnie odłożył jeden na półmisek.

Edith podeszła do Fitza. Młody człowiek pachniał olejkiem sandałowym, którego aromat przebijał przez apetyczny zapach pieczeni. Fitz od razu zyskał aprobatę kucharki, chociaż musiała przyznać, że on i Alba tworzą dziwną parę. Nie ulegało wątpliwości, że darzą się sympatią, a Fitz potrafił szczerze rozbawić dziewczynę, lecz Edith nie sądziła, by faktycznie zdobył serce Alby. Wiedział, jak do niego trafić, i starał się po nie sięgnąć, ale chyba nie do końca mu się to udało, podobnie jak wielu innym młodym mężczyznom, którym Alba pozwalała zabiegać o swoje względy. Kucharka czuła, że serce Alby jest zimne jak lód – wystarczyło zajrzeć jej w oczy. Tak czy inaczej, Fitz miał pewne szanse, jeżeli naturalnie nie podda się zbyt szybko. Cóż, Alba zawsze najpierw bawiła się młodymi ludźmi, a potem odsuwała ich od siebie, wyraźnie znudzona. Jej własny ojciec powiedział o niej, że nie ma skłonności do trwałych związków, Edith słyszała, jak pewnego wieczoru rozmawiał o tym z żoną, rozpaczając nad dekadenckim stylem życia Alby i wyrażając pragnienie, by wreszcie się ustatkowała. Dziewczynie przybywało latek, a tymczasem wciąż tylko zmieniała kochanków jak rękawiczki. Edith była zdania, że nie może wyniknąć z tego nic dobrego. Kiedy Fitz wziął z półmiska ostatniego ziemniaka, obdarzyła go macierzyńskim uśmiechem.

Późnym popołudniem, gdy kucharka zmierzała do salonu w poszukiwaniu swych chlebodawców, aby powiedzieć im, że zostawiła w lodówce zimną pieczeń i sałatkę na kolację, przypadkiem natknęła się na Albę, która szukała czegoś w gabinecie ojca. Edith stała chwilę, z ogromnym zaciekawieniem obserwując dziewczynę przez szparę w drzwiach. Wiedziała, że powinna wstydzić się niezdrowej ciekawości, ale nie potrafiła nad nią zapanować.

Alba ostrożnie otwierała szuflady biurka i ze zmarszczonymi brwiami przerzucała leżące w nich papiery. Najwyraźniej nie mogła znaleźć tego, co było jej potrzebne. Co jakiś czas zerkała spod oka na drzwi do holu, chyba pełna obaw, że ktoś może ją zaskoczyć, zaraz jednak wracała do poszukiwań. Kucharka wpatrywała się w nią z uchylonymi ustami. Wiele by dała, żeby się dowiedzieć, czego Alba szuka.

Nagle zesztywniała, widząc cień, który padł na podłogę w gabinecie. W progu stała pani Arbuckle, a jej solidna sylwetka zasłaniała przedostające się z holu światło. Alba podniosła głowę, wyprostowała się i ostro wciągnęła powietrze. Przez chwilę obie kobiety patrzyły na siebie bez słowa. Na twarzy pani domu malowała się gorąca, lecz starannie kontrolowana wściekłość. Teraz kucharka nie była w stanie ruszyć się od drugich drzwi, choćby nawet chciała, świadoma, że najmniejszy ruch może zdradzić jej obecność. Drobniutkie włosy na karku i ramionach stanęły jej dęba.

– Szukasz czegoś, Albo? – odezwała się w końcu pani Arbuckle nienaturalnie spokojnym głosem.

Edith, która widziała twarz Alby tylko z profilu, zobaczyła, jak kącik ust dziewczyny unosi się w drwiącym uśmiechu. Alba nachyliła się nad biurkiem ojca i wyjęła z dużego kwadratowego kubka ołówek z gumką.

– Już znalazłam! – rzuciła niedbale. – Ależ ze mnie gapa, przez cały czas miałam go przed nosem!

Pani Arbuckle patrzyła z niedowierzaniem, jak pasierbica mija ją i wychodzi z pokoju.

Minęła długa chwila, nim Margo Arbuckle wreszcie się poruszyła. Spokojnie podeszła do biurka, pozamykała szuflady i ułożyła listy męża w równy stos. Jej sprawne ręce poruszały się powoli i ostrożnie; przerwała porządkowanie dopiero wtedy, kiedy wszystko było jak należy. Kapitan był pedantem, najprawdopodobniej wielkie zamiłowanie do porządku narodziło się w nim w czasie służby w marynarce wojennej. Nagle dłoń pani Arbuckle zawisła w powietrzu, kobieta przygryzła wnętrze policzka, jakby zastanawiała się, co zrobić. Wydawało się, że zmaga się ze sobą. Może szukała tej samej rzeczy co Alba? Po pewnym czasie cofnęła rękę i wyszła, cicho zamykając za sobą drzwi.

Kiedy kucharka znalazła Margo Arbuckle w salonie, pani domu siedziała na brzegu taboretu i pogodnie rozmawiała z Caroline, zupełnie jakby nic się nie stało. Z uśmiechem podziękowała Edith za lunch i życzyła jej dobrej nocy. Edith była głęboko zaintrygowana. Wrogość panująca między Albą i panią Arbuckle była tajemnicą poliszynela, ale kucharce nigdy nie przyszło do głowy, że to uczucie jest aż tak silne.

Po powrocie do domu Edith znalazła wiadomość od Verity, która prosiła o telefon. Kobieta prychnęła wzgardliwie. Co ta Verity sobie wyobraża, pomyślała ze złością. Na pewno znowu będzie prosić, żebym dała jej przepis na sos do mięsa. Nie dam go, i już. Nie ma mowy.

Alba i Fitz wyjechali niedługo po wyjściu kucharki. Thomas musnął skroń córki wargami i mocno uścisnął dłoń Fitza.

– Mam nadzieję, że wkrótce znowu się zobaczymy – powiedział.

– Ja także – odparł Fitz. – Wizyta w Beechfield Park sprawiła mi ogromną przyjemność. Teraz, gdy poznałem rodziców Alby, już wiem, po kim odziedziczyła ten niezwykły urok...

Thomas zaśmiał się cicho. Przez chwilę wydawało się, że spod grubej, pomarszczonej skóry postarzałego człowieka uśmiecha się młody, ciekawy życia porucznik. Zdążył już zapomnieć, jak dobrze jest być młodym... Poklepał Fitza po ramieniu i nagle drgnął, bo odniósł wrażenie, że to Jack uśmiecha się do niego. Zamrugał nerwowo i twarz starego przyjaciela zniknęła równie nagle, jak się pojawiła. Nie rozmawiał z Jackiem od zakończenia wojny, nie wiedział nawet, gdzie on przebywa, jeżeli w ogóle przebywał jeszcze na tym świecie... Zawrócił w kierunku ganku. Pamiętał, jak wchodził po tych schodach z małą Albą na rękach i poczuciem, że jego świat bezpowrotnie obrócił się w gruzy. Tak mu się wtedy wydawało, lecz przecież malutkie zawiniątko, które niósł w ramionach, było ucieleśnieniem nadziei i światła w beznadziejnym, mrocznym życiu... Popatrzył na wsiadającą do samochodu Albę i pomachał jej na pożegnanie.

Po paru minutach jazdy Alba dała wyraz miotającej nią furii.

– Schował portret! – wykrzyknęła. – Przejrzałam wszystkie szuflady w jego biurku! Ukrył go albo zniszczył! Żałuję, że w ogóle mu go dałam, taka jestem głupia!

– Nie wierzę, by go zniszczył – próbował ją uspokoić Fitz. – Nie po tym, co powiedział mi o niej wczoraj wieczorem...

Szczerze polubił ojca Alby. Jego zdaniem kapitan Arbuckle stanowił całkowite zaprzeczenie „starego bufona", jak nazywała go córka. Thomas był jeszcze stosunkowo młodym człowiekiem, powinien być mężczyzną w kwiecie wieku, lecz wojenne przeżycia ograbiły go z młodości, podobnie jak wielu innych.

– Poprosiłaś go, żeby oddał ci portret matki? – zapytał.

Alba rzuciła mu zaskoczone spojrzenie.

– Nie – odparła. – Przecież ja nigdy z nim o niej nie rozmawiam... Za każdym razem, kiedy próbuję, dochodzi między nami do potwornej kłótni, a wszystko przez Bawolicę. Podejrzewam, że ukrył szkic w bezpiecznym miejscu i co jakiś czas będzie go wyjmował i patrzył na nią... Na pewno nie zostawił w biurku, bo Margo natychmiast by go znalazła. Ten portret powinien być w miejscu, do którego obydwoje mielibyśmy dostęp – powiedziała cicho. – Mama należy do mnie i do taty, nie do Bawolicy, Caroline, Mirandy i Henry'ego. Chciałabym porozmawiać o niej z ojcem przy kominku, popijając dobre wino... Ten portret powinien być dla nas czymś szczególnym, wyjątkowym, ale przez Bawolicę historia moich rodziców stała się brudnym sekretem... Czuję się podle, ponieważ jestem owocem tego sekretu.

Jechali w milczeniu, rozmyślając, w jaki sposób rozsupłać węzeł, który stworzyła śmierć Valentiny. Słońce zachodziło za ich plecami, barwiąc niebo intensywnym odcieniem ciemnego złota, na tym tle wędrowały pierzaste, jasnoróżowe chmurki. Sprout spokojnie spał na tylnym siedzeniu.

– Odnajdę ją sama – oznajmiła Alba, splatając ramiona pod głową. – Pojadę do Incantellarii.

– Świetnie! – uśmiechnął się Fitz. – Pomogę ci...

– Naprawdę? – przerwała mu w pół zdania. – Pojedziesz tam ze mną?

Fitz się roześmiał.

– Zamierzałem zaproponować ci, że pomogę ci znaleźć Incantellarię na mapie...

– Ach, tak... – westchnęła, wyraźnie rozczarowana.

Kiedy dojechali do Cheyne Walk, Fitz zatrzymał samochód pod latarnią. Nie wiedział, czego może się spodziewać, bo przecież odegrali swoją rolę. Mogli wrócić do normalnego życia. Czyżby miał znowu przyjeżdżać na brydżowe wieczory do Viv tylko po to, aby tęsknie zaglądać przez okna łodzi Alby i z nienawiścią patrzeć na jej zalotników, wbiegających na pokład z bukietami róż i zarozumiałymi uśmiechami na twarzach?

– Wlepią ci mandat, jeśli stąd szybko nie odjedziesz.

– Zaraz odjadę...

Zmarszczyła brwi.

– Dlaczego?

Fitz westchnął.

– Nie chcę się tobą z nikim dzielić.

– Dzielić się mną?

– Tak, nie chcę się dzielić tobą z Rupertem, Trzcinką czy jeszcze kimś tam... Jeżeli mam być z tobą, to chcę mieć cię tylko dla siebie...

Roześmiała się.

– W porządku, masz prawo na wyłączność! Masz mnie tylko dla siebie!

Fitza znowu ogarnęło nieprzyjemne uczucie pustki. Alba mówiła o ewentualnym związku tak lekkim, niedbałym tonem... Zwycięstwo przyszło zbyt łatwo.

– Naprawdę przestaniesz spotykać się z innymi mężczyznami? – zapytał z niedowierzaniem.

– Ależ oczywiście, za kogo ty mnie masz? – spojrzała na niego chmurnie, wyraźnie urażona. – Nie przyszło ci do głowy, że może ja też nie chcę się tobą z nikim dzielić?

– Nie – odrzekł niepewnie.

– W takim razie zaparkuj samochód tam gdzie zwykle i weź ze mną gorącą, przyjemną kąpiel, co ty na to? Jeżeli Sprout będzie grzeczny, to może sobie popatrzeć. Uwielbiam popijać wino w kąpieli. Nie, nie, nigdy nie robiłam tego z nikim innym! Ty będziesz pierwszy i Sprout także...

Fitza ogarnęły wyrzuty sumienia.

– Przepraszam cię – powiedział, całując ją w policzek.

– Nic nie szkodzi... – Alba znowu parsknęła zaraźliwym śmiechem, który rodził się gdzieś w jej brzuchu. – I pomyśleć tylko, że naprawdę staliśmy się parą, chociaż mieliśmy tylko udawać zakochanych przez weekend... Czy życie nie jest zabawne?

Rozdział trzynasty

Alba dotrzymała słowa i powiedziała wszystkim mężczyznom, którzy cieszyli się podniecającym ciepłem jej łóżka, że ma teraz chłopaka i nie będzie mogła więcej się z nimi spotykać. Rupert pogrążył się w rozpaczy. Zjawił się na łodzi z naręczem kwiatów. Z nieszczęśliwą twarzą błagał Albę, żeby została jego żoną. Tim nawrzeszczał na nią przez telefon i rzucił słuchawką, lecz potem przysłał pierścionek zamiast przeprosin, z nadzieją, że przyjmie podarunek i wyjdzie za niego. James, zwykle tak łagodny w obyciu i dobrze wychowany, przyjechał pewnego wieczoru pijany, z wiatrówką, którą dostał od ojca, i strzelał do wiewiórek na dachu „Valentiny", dopóki nie zabrali go policjanci, wezwani przez Viv. Alba zbyła ten incydent nonszalanckim wzruszeniem ramion, nalała sobie kieliszek wina i zabrała Fitza na górę, żeby się z nim kochać.

Fitz zlekceważył ostrzeżenia Viv i ślepo podążał za obiektem swojego uczucia. Większość nocy spędzał na „Valentinie", ponieważ Alba nie lubiła być sama. Największą przyjemność czerpała z tych nocy, kiedy nie uprawiali seksu, leżeli tylko przytuleni i mocno objęci. Czuła wtedy, jak oddech Fitza łaskocze jej skórę i słyszała czułe słowa, które szeptał jej do ucha. Był dla niej kimś więcej niż kochankiem – kochanków zawsze miała na pęczki – był przyjacielem. Nikt nigdy nie był jej tak bliski jak Fitz.

Pojechała z nim do sklepu firmy Mr Fish przy Beauchamp Place i nakłoniła do kupienia kilku nowych koszul.

– Twoje ubrania pasują do średniowiecza – oświadczyła, kiedy jedli lunch w modnej restauracji Drones. – Uważam, że aż za dobrze pasowałeś do Beechfield Park... Założę się, że Bawolicę aż kusiło, żeby złapać cię dla Caroline, więc na wszelki wypadek nie spalę wszystkich twoich starych koszul...

Fitz nie lubił, kiedy z niego kpiła. Czy nie wiedziała, że wkrótce zostanie jego żoną?

Poszli na wystawę Andy'ego Warhola w Tate Galery i Fitz, starając się dotrzymać kroku Albie, kupił jej najnowszą płytę Led Zeppelin z jej ulubioną piosenką *Stairway to Heaven*. Wieczorami chodzili do rozmaitych lokali, najczęściej Tramp i Annabel's, i tańczyli do świtu. Fitz miał pewne trudności z nowym stylem życia, lecz bawił się do rana, zauroczony nowymi króciutkimi szortami, które Alba traktowała jak strój wieczorowy. Dziewczyna była przyzwyczajona do późnego chodzenia spać, nie musiała wcześnie wstawać, chociaż Trzcinka często wpadał o świcie, sprawdzał, czy wszystko w porządku, i odpływał. Fitz miał jednak pracę, a Viv wciąż wypytywała go o swoją wyprawę promocyjną, która najprawdopodobniej miała objąć nie tylko Francję. Musiał też pamiętać, aby codziennie rano wyprowadzić Sprouta na spacer w Hyde Parku.

– Wyglądasz na zmęczonego, Fitz – zauważyła Viv, rozdając karty.

– Ledwo żyję – odparł.

Viv nie mogła nie zauważyć leciutkiego uśmiechu, jaki uniósł kąciki jego ust.

– To nie potrwa długo – zawyrokowała kwaśno, strząsając popiół do zielonej miseczki.

– Jak chcesz wyjść? – zapytał Wilfrid. – Otwierasz mocno czy słabo, bez atu?????

– Słabo – westchnęła Viv. – Widzę, że Trzcinka nadal rano zagląda do Alby...

– Ufam jej – rzekł Fitz zdecydowanym tonem. – Ma prawo widywać się z przyjaciółmi.

Chętnie wytłumaczyłby Viv, że Alba sypiała z mężczyznami wyłącznie z powodu samotności. Teraz, gdy ma jego, już nigdy nie będzie się czuła osamotniona.

– Mam mnóstwo znajomych i zaprzyjaźnionych kobiet, a Georgia nie ma nic przeciwko temu, prawda, skarbie? – wtrącił Wilfrid, tasując karty i pocierając podbródek.

– Dam sobie rękę uciąć, że żadna z nich nie przypomina Alby! – prychnęła Viv.

Georgia poczuła się dotknięta. Nigdy by się do tego otwarcie nie przyznała, ale w głębi serca wiedziała, że bardzo chciałaby mieć taką przyjaciółkę jak Alba.

– Nie zamierzam rozmawiać o niej przy stoliku do kart, to nie po dżentelmeńsku – oświadczył Fitz. – Jeden diamond...

– Nagle zmieniłeś melodię! – zirytowała się Viv. – Pas.

– Jeden heart – powiedziała Georgia.

– Pas – westchnął Wilfrid.

– Trzy bez trumps – rzucił Fitz. – Szanuję ją.

Viv przewróciła oczami.

– Ludzie nie zawsze są tacy, jakimi chcemy ich widzieć, mój drogi. Jestem pisarką i bezustannie ich obserwuję, wierz mi. Alba przywykła do odgrywania różnych ról w życiu różnych ludzi, to urodzona aktorka. Założę się, że nawet sama nie wie, kto tak naprawdę kryje się pod całą tą brawurą...

– Czy Alba wybiera się do Włoch, żeby odnaleźć matkę? – zapytała Georgia.

– Chyba tak – odrzekł Fitz.

– Czego właściwie ma się zamiar dowiedzieć? – Wilfrid nie znał całej historii, wiedział tylko, że głównym motywem jest matka Alby.

– Dobre pytanie – mruknął Fitz. – Wydaje mi się, że Alba nie przemyślała tego zbyt dokładnie. Jej matka zginęła trzydzieści lat temu. To długi okres i dużo mogło się w tym czasie wydarzyć, choćby to, że rodzina Valentiny się przeprowadziła. Podejrzewam, że Alba szuka wspomnień, rodzinnych anegdot, chce zdobyć pewność, że matka ją kochała. Nigdy nie czuła, że należy do rodziny macochy i chyba myśli, że jeśli spojrzy na swoich włoskich krewnych, zobaczy własne rysy w ich twarzach i wreszcie odnajdzie swoje miejsce na ziemi...

– Jesteś nieuleczalnym romantykiem, Fitz... – Viv spod zmrużonych powiek popatrzyła na Georgię, która właśnie zaczęła wygrywać. – Wybierasz się z nią do Włoch?

– Nie. Tę podróż musi odbyć sama.

– Nie wydaje mi się, by Alba kiedykolwiek robiła coś sama – mruknęła Viv.

– Gdzie jest ta miejscowość? – Wilfrid pochlebiał sobie, że zna Włochy, ponieważ studiował historię sztuki w Oksfordzie.

– Mniej więcej godzinę drogi na południe od Neapolu, na wybrzeżu Amalfi. Znaleźliśmy już Incantellarię na mapie. W ten weekend Alba zamierza powiedzieć ojcu o wyjeździe.

– Więc nadal masz rolę do odegrania w tej sztuce? – Viv lekko uniosła brwi.

– To już nie jest sztuka – odparł Fitz. – To życie.

Tego wieczoru w Beechfield Park Margo i Thomas kładli się spać przy wtórze lejącego za oknem deszczu. Duże, lodowate krople uderzały o szyby twardo i mocno jak kamyki.

– Co za cholernie zimna wiosna... – wymamrotał Thomas, rozchylając zasłony w garderobie.

Widok mrocznego, mokrego ogrodu, połyskującego ciemną zielenią w padającym z okien domu świetle, przypomniał mu niespodziewanie tamtą odległą noc, gdy wrócił z Włoch z maleńką Albą. Wtedy także lało jak z cebra.

– Mam nadzieję, że nie będzie już przymrozków, bo inaczej śmierć czeka wszystkie pączki, które zaczęły się rozwijać – odparła Margo. – Ostatnio było całkiem ciepło, a teraz coś takiego... W tym kraju człowiek nigdy nie może być niczego pewny. – Zdjęła spódnicę i uniosła ręce, aby zdjąć z szyi łańcuszek z medalionem. – Nie zapomniałeś powiedzieć Peterowi, żeby obejrzał nogę Borysa? Zauważyłam, że trochę utyka.

Thomas odsunął się od okna i zaciągnął zasłony.

– Pewnie się skaleczył, ganiając za prosiakami. – Złożył spodnie i przewiesił je przez oparcie krzesła.

Nagle pamięć znowu podsunęła mu obraz twarzy Jacka i czujnego Brendana, siedzącego na ramieniu przyjaciela. Jack sprawiał wrażenie rozbawionego jakimś dowcipem, najpewniej własnym, a jego śmiech jak zwykle był zaraźliwy.

– Co powiedziałeś? – Margo upuściła halkę na podłogę.

– Nic, kochanie – odrzekł, rozpinając guziki koszuli.

– Wiesz, że Mabel zadzwoniła, aby przypomnieć mi, że przygotowuję kwiaty na nabożeństwo w tę niedzielę? Zupełnie jakbym mogła o tym zapomnieć, wyobrażasz sobie? – Margo zdjęła majtki i biustonosz i włożyła białą nocną koszulę. Potem usiadła przed lustrem i zaczęła szczotkować włosy, teraz już prawie całkiem siwe. Nigdy nie przejmowała się swoim wyglądem. Wtarła odrobinę kremu „Ponds" w dłonie i szybko oklepała opuszkami palców policzki. – Mabel uwielbia wtykać nos w nieswoje sprawy, słowo daję. Powinna wystartować w wyborach na burmistrza czy coś takiego, bo wtedy jej wścibstwo może przyniosłoby coś dobrego. Alba przyjedzie na weekend z Fitzem, to już trzeci raz w tym miesiącu. Wydaje mi się, że on ma na nią doskonały wpływ – dorzuciła, kiedy Thomas nie odpowiadał.

Po chwili wyszedł z garderoby z zaczerwienioną twarzą i płonącymi oczami.

– Dobrze się czujesz, kochanie? – Margo ściągnęła brwi. – Na pewno wszystko w porządku?

Ostatnio mąż był trochę nieswój.

– Czuję się świetnie – odparł Thomas. – Chodźmy do łóżka, skarbie...

Margo była zaskoczona. Nie kochali się od... Cóż, od bardzo dawna. Nie pamiętała już nawet, kiedy robili to ostatni raz. Zawsze miała tyle spraw na głowie – Summer, Borysa, dzieci, Albę, święto w wiosce, kwiaty do kościoła, wyprzedaże na cele charytatywne, rozmaite akcje Instytutu Kobiet, nie wspominając już o przyjęciach, jakie czasami wydawali... W jej życiu po prostu nie było czasu na miłość i seks.

Weszli do łóżka. Margo chętnie poczytałaby najnowszą powieść – miała już za sobą pierwsze trudne rozdziały i bohaterowie wreszcie nabrali życia. Z westchnieniem rezygnacji zgasiła światło i wygodnie ułożyła się na poduszce. Thomas wyłączył lampkę po swojej stronie i przysunął się, żeby pocałować żonę.

– Nie jesteśmy już na to trochę za starzy? – zapytała z zażenowaniem.

– Zestarzały się tylko nasze ciała, kochanie... – szepnął, muskając wargami jej szyję. – Nasze dusze z pewnością nadal są młode...

W jego głosie było tyle napięcia i smutku, że Margo szybko przytaknęła, wyczuwając potrzebę jego skołatanego serca. Thomas nie był sobą, odkąd Alba przyjechała do domu z portretem matki. Tamte wspomnienia leżały dotąd na samym dnie jego duszy niczym muł na dnie czystego jeziora, lecz Alba zmąciła wodę. Odpowiadając na pieszczoty Thomasa, Margo zastanawiała się, czy jej mąż myśli w tej chwili o Valentinie.

Alba słuchała rytmicznych uderzeń kropli deszczu o świetlik. Była nasycona i zadowolona, w przeciwieństwie do Fitza, który wciąż miał wrażenie, że nie potrafi się do niej zbliżyć.

– Jak mógłbyś zbliżyć się do mnie jeszcze bardziej? – pytała Alba, przywierając do niego ciepłym ciałem.

Jednak Fitzowi chodziło o coś innego i nawet nie spodziewał się, że Alba go zrozumie. Może taką już miała naturę, ale on wiedział, że jakaś część jej istoty pozostaje wciąż ukryta przed nim i całkowicie mu obca. Czasami wydawało mu się, że dziewczyna gra jakąś rolę i nic nie mógł na to poradzić. Nie uważał Alby za osobę płytką, po prostu nie miał pojęcia, jak odkryć najgłębsze warstwy jej duszy. Na pewno trzeba na to więcej czasu, pocieszał się.

– Pojedziesz ze mną, kochany? – zagadnęła, przesuwając palcami po jego piersi.

– Oczywiście – odparł, pewny, że chodzi jej o najbliższy weekend.

– Ale ja mówię o wyjeździe do Włoch...

Długą chwilę oboje milczeli. W końcu Fitz westchnął, przewidując jej reakcję.

– Wiesz, że nie mogę...

– Z powodu Sprouta?

– Nie.

– Z powodu pracy?

– Nie do końca.

– Viv nie miałaby nic przeciwko temu. Mógłbyś powiedzieć jej, że przygotowujesz dla niej następną serię spotkań autorskich, tym razem z czytelnikami we Włoszech. Jestem pewna, że w Incantellarii też jest jakaś księgarnia...

– Nie byłbym tego taki pewny.

– Nie kochasz mnie? – W jej głosie zabrzmiała nuta urazy.

– Dobrze wiesz, że cię kocham, ale to jest coś, co naprawdę powinnaś zrobić sama. Moja obecność tylko by ci przeszkadzała.

– W żadnym razie! – rzuciła twardo. – Jesteś mi potrzebny!

Fitz znowu westchnął.

– Kochanie, przecież ja nawet nie znam włoskiego...

– To najgłupsza wymówka, jaką w życiu słyszałam! Spodziewałam się, że okażesz się bardziej lojalny, przynajmniej ty...

Machnęła ręką i usiadła, zapalając papierosa.

– To nie ma nic wspólnego z lojalnością – zaoponował Fitz. – Jestem wobec ciebie absolutnie lojalny, ale ty powinnaś potraktować tę wyprawę jak przygodę.

Zmierzyła go tak zimnym wzrokiem, jakby zrobił coś strasznego.

– Bardzo mnie rozczarowałeś. Myślałam, że jesteś inny.

Teraz Fitz poczuł się dotknięty.

– Jak mogę rzucić wszystko, żeby jeździć za tobą po Włoszech? Mam własne życie i chociaż ty stanowisz jego najważniejszą część, nie mogę zrzucić wszystkich obowiązków na barki innych ludzi. Bardzo chciałbym spędzić z tobą długie wakacje w jakimś pięknym miejscu, ale to nie jest dobry moment.

Alba zerwała się z łóżka, wpadła do łazienki i zatrzasnęła za sobą drzwi. Fitz leżał wpatrzony w świetlik, niezliczone krople deszczu wciąż rozpryskiwały się o szybę. Od samego początku bał się zdenerwować Albę. Wiedział, że jego ukochana ma ognisty temperament i świadomie unikał okazji, które mogłyby doprowadzić do wybuchu. Zachowywał się tak z obawy, że ją utraci i teraz nagle uświadomił sobie, że to właśnie lęk przeszkadzał mu w pełnym zbliżeniu się do Alby. Oboje nie byli wobec siebie uczciwi i szczerzy. Spełnianie wszystkich kaprysów Alby nie prowadziło do niczego dobrego, Fitz zrozumiał wreszcie, że w ten sposób zachęca ją, aby manipulowała nim i postępowała jak rozpuszczone, nieznośne dziecko. Jeżeli ich związek miał przetrwać, trzeba było sprowadzić Albę na ziemię i pomóc jej odnaleźć się w rzeczywistości.

Kiedy wyszła z łazienki, miała na sobie różowy szlafroczek i puszyste klapki na stopach.

– Nie jestem przyzwyczajona do takiego traktowania – oznajmiła, mocno zaciskając wargi. Założyła ręce na piersi i obrzuciła Fitza wściekłym spojrzeniem. – Jeśli nie zamierzasz mnie wspierać, to po co w ogóle ze mną jesteś?

– To, że nie chcę jechać z tobą do Włoch, wcale nie znaczy, że cię nie kocham... – zaczął Fitz, lecz Alba go nie słuchała.

Gdy wpadała w gniew, słyszała tylko własny głos.

– Ta podróż jest dla mnie bardzo ważna, może najważniejsza w życiu! Nie mogę uwierzyć, że człowiek, który twierdzi, że mnie kocha, nie chce mi towarzyszyć! Chyba nie możemy być dłużej razem... – Jej głos nagle zadrżał i załamał się.

– Nie możemy przecież rozstać się z powodu jednej głupiej kłótni – usiłował jej wytłumaczyć Fitz, czując, jak żołądek boleśnie kurczy mu się ze zdenerwowania.

– Właśnie w tym sęk – ty uważasz, że to głupia kłótnia, tymczasem dla mnie moja matka jest najważniejszą osobą, a odnalezienie jej korzeni najważniejszą rzeczą, jaka mnie czeka. W moich oczach ta kłótnia wcale nie jest głupia!

– Ale z pewnością głupotą byłoby rozstanie z jej powodu! Musisz zrozumieć, że świat nie kręci się wokół ciebie. Jesteś piękna i pełna uroku, ale jednocześnie masz w sobie tyle egoizmu, że mogłabyś obdzielić nim cały legion! Jeżeli ustąpię ci w tej sprawie, nie będę wierny ani sobie, ani tobie. Skoro naprawdę chcesz, żebyśmy się rozstali, to odejdę od razu, chociaż zrobię to z ogromnym żalem...

Wargi Alby zadrżały. Spojrzała na niego spod rzęs. Zepchnęła Fitza na samą krawędź, ale nie ustąpił. Tymczasem doświadczenie nauczyło ją, że mężczyźni zawsze jej ustępują...

– Tak, chcę, żebyś odszedł.

Fitz ze smutkiem pokręcił głową.

– Wiem, że w głębi serca wcale tego nie chcesz – powiedział. – To kwestia dumy, prawda?

– Po prostu idź stąd, i już!

Ubrał się i pozbierał swoje rzeczy, wciąż czując na sobie jej wzrok. Nie odezwali się do siebie ani słowem. Łódź trzeszczała i kołysała się na wzburzonych wodach Tamizy, co parę sekund obijając się o gumową oponę, która odgradzała ją od łodzi Viv. Fitzowi nagle zrobiło się niedobrze ze zdenerwowania. Miał nadzieję, że jeśli da Albie trochę czasu, dziewczyna przemyśli swoją decyzję. Z całego serca pragnął, by zmieniła zdanie, ale był zbyt dumny i dojrzały, żeby błagać i wycofywać się z tego, co powiedział. Zapach oleju z piecyków, które ogrzewały łódź, przesycił wilgotne powietrze. Deszcz wciąż lał jak z cebra. Fitz nie miał ochoty wychodzić na dwór w taką pogodę, w środku nocy, zwłaszcza że nie przyjechał samochodem i nawet nie miał parasola. Sprout, który doskonale czuł się w ciepłej kuchni Alby, zmoknie i jeszcze się przeziębi, nie daj Boże...

– W takim razie rzeczywiście musimy się pożegnać – rzekł, dając Albie ostatnią szansę. – Sam trafię do drzwi, nie odprowadzaj mnie...

Wargi dziewczyny zaciśnięte były w wąską linijkę.

Alba usłyszała trzaśnięcie zamykanych drzwi. Potem na łodzi zaległa cisza, przerywana tylko skrzypieniem desek kadłuba i jej własnym cichym szlochaniem. Osunęła się na łóżko i ukryła twarz w dłoniach.

Jej uwagę zwrócił w końcu odgłos spadających na podłogę kropel, głośniejszy i powolniejszy niż szum deszczu. Podniosła głowę i zobaczyła szczelinę w suficie. Woda spadała na dywan dużymi kroplami, które do złudzenia przypominały łzy. Dźwignęła się z łóżka, mając wrażenie, że jej ciało zakute jest w żelazną zbroję. Przyniosła z łazienki puszkę po farbie i postawiła ją na podłodze. Uderzenia kropli wody przez chwilę brzmiały dziwnie metalicznie, później słychać już było tylko plusk. Pożałowała nagle, że odprawiła Fitza. Gdyby był teraz z nią, na pewno wiedziałby, co zrobić. Zwykle wszelkimi naprawami na „Valentinie" zajmowali się Harry Trzcinka, Rupert albo nawet Les Pringle z firmy zajmującej się naprawą łodzi i jachtów z Chelsea, który przyjeżdżał raz na tydzień, żeby napełnić zbiornik z wodą, ale teraz Alba nie chciała już Harry'ego, Ruperta czy kogokolwiek innego. Pragnęła mieć przy sobie Fitza.

W fatalnym nastroju wróciła do łóżka i zwinęła się w kłębek na kocu z grzałką elektryczną. Powtarzała sobie, że rano Fitz przyśle jej kwiaty lub jakiś drobiazg od Tiffany'ego, a ona przyjmie jego przeprosiny i znowu wszystko wróci do normy. I nie będzie sama... Resztę nocy przespała przy włączonym świetle.

Fitz wyszedł na pomost i poczuł, jak deszcz w jednej chwili przesiąka przez warstwy ubrania na jego plecach. Postawił kołnierz płaszcza i przygarbił się. Spout skulił się pod uderzeniami zimnych kropel i zaskomlił żałośnie. Na nabrzeżu nie było żywej duszy. Ulicą co jakiś czas przejeżdżał samochód, ale taksówek nie było. Fitz zdawał sobie sprawę, że nie może pójść do domu pieszo, bo dotarłby tam najwcześniej o świcie. Nie miał wyjścia, musiał zapukać do drzwi Viv. Długo czekał, zanim w korytarzyku zapaliło się światło. Najwyraźniej Viv akurat tej nocy nie pisała. Kiedy otworzyła drzwi, na jej twarzy odmalowało się zdziwienie.

– Och, myślałam, że to Alba... – powiedziała zaspanym głosem.

Bez makijażu wyglądała zupełnie inaczej niż za dnia. Zanim Fitz zdążył cokolwiek wyjaśnić, szybko wciągnęła go do środka i zamknęła drzwi, odgradzając ciepłe wnętrze łodzi od panującego na zewnątrz wilgotnego zimna.

– Nie powiem, że cię ostrzegałam, bo nie należę do osób, które cieszą się nieszczęściem bliźnich – mruknęła. – Tak, możesz zostać na noc, Sprouta zostaw w kuchni. Powiem tylko jedno – nie posyłaj jej rano kwiatów, na miłość boską, bo to byłoby potwornie banalne, a poza tym jestem głęboko przekonana, że to ty masz rację.

Kiedy następnego dnia Alba nie dostała nic od Fitza, najpierw poczuła się rozczarowana, a potem wpadła w furię. Żadnych kwiatów, żadnego podarunku, żadnego telefonu! Do wieczora chodziła po domu w szlafroku, bo nie chciało jej się ubrać. Nie zamierzała z nikim się spotykać, a jeśli Fitz zdecydowałby się wpaść, mniej czasu zmarnowałaby na rozbieranie się. Leżała na łóżku i na pociechę malowała paznokcie u stóp lakierami o różnych odcieniach czerwieni. Wreszcie, pod koniec trzeciego dnia, uświadomiła sobie, że Fitz nie planuje się z nią skontaktować, w każdym razie nie w tej chwili, i że będzie musiała sama pojechać do Beechfield Park.

Ojciec i macocha zareagowali na wiadomość o jej wyjeździe do Włoch dokładnie tak, jak się spodziewała. Tym razem Alba postanowiła zdetonować bombę w czasie kolacji. Lavender zeszła na dół, ubrana w jedwabną suknię i naszyjnik z kilku krótkich sznurków pereł, który dostała od Huberta z okazji którejś rocznicy ślubu. Błyskawicznie zapominała wydarzenia i fakty z najświeższej przeszłości, za to doskonale pamiętała wszystko, co miało miejsce przed laty, i teraz z wielką satysfakcją opowiedziała zebranym przy stole domownikom historię zakupu naszyjnika. Kucharka przygotowała wyśmienitą zapiekankę, do której podała marchewkę z groszkiem, a Thomas otworzył butelkę wina. Gdy Margo zapytała, dlaczego Fitz nie przyjechał, Alba skłamała.

– Pojechał do Francji w sprawach zawodowych. Organizuje serię spotkań z czytelnikami dla Viv. Jej książki cieszą się tam ogromną popularnością.

Margo natychmiast się domyśliła, że pasierbica pokłóciła się z Fitzem, co nie było trudne, bo Alba była wyraźnie przygnębiona i dziwnie cicha, co nie zdarzało się często.

Podczas deseru, nie czekając, aż kucharka wyjdzie z jadalni, Alba powiadomiła rodzinę o swojej decyzji.

– Jadę do Włoch odnaleźć rodzinę mojej matki.

Margo spojrzała na nią z przerażeniem, Henry, Caroline i Miranda wstrzymali oddech.

– Rozumiem... – odezwał się Thomas.

– Uważam, że skoro ty nie chcesz mi nic powiedzieć, muszę sama poznać jej historię. Bóg pomaga tylko tym, którzy pomagają sami sobie, jak mówi Viv, więc liczę na Jego opiekę. Jestem pewna, że wielebny Weatherbone byłby tego samego zdania... – Uśmiechnęła się nonszalancko.

– Kochanie... – zaczęła Margo, starając się panować nad głosem. – Jesteś przekonana, że rzeczywiście chcesz grzebać w przeszłości?

– Absolutnie tak.

– Czasami lepiej tego nie robić...

– Dlaczego? – zapytała Alba zupełnie spokojnie.

Margo skarciła się w myśli, że w ogóle podjęła ten temat.

– Lepiej zostawić przeszłość w spokoju, bo... – zająknęła się.

– Bo wszystko to wydarzyło się bardzo dawno temu – dokończył za nią Thomas. – Oczywiście nie możemy cię powstrzymywać, jeżeli sobie tego życzysz, ale ze względu na twój własny spokój ducha i szczęście powinniśmy odwieść cię od tej decyzji...

– Nie będę szczęśliwa, dopóki nie wrócę do swoich korzeni – wyjaśniła Alba, zaskoczona, że tak panuje nad sobą.

– I naprawdę wiesz, gdzie tkwią twoje korzenie? – Thomas uniósł brwi.

– W Incantellarii – odparła.

Thomasowi nagle zrobiło się ciemno przed oczami.

– W Incantellarii... – powtórzyła Lavender.

Wszyscy przy stole utkwili wzrok w starszej pani.

– W Incantellarii można znaleźć tylko śmierć i rozpacz – powiedziała staruszka dobitnie.

– Może jeszcze kawałek ciasta? – Margo pośpiesznie podsunęła teściowej talerz.

Nagle uświadomiła sobie, że kucharka wciąż jest w pokoju.

– Proszę przynieść nam trochę śmietany, dobrze? – poprosiła.

Wiedziała, że srebrny dzbanuszek jest pełny, ale nic innego nie przyszło jej do głowy.

– Wydaje mi się, że nie powinniśmy rozmawiać na ten temat przy służbie – zwróciła się do męża, kiedy Edith niechętnie wyszła. – Szczerze mówiąc, chyba w ogóle nie powinniśmy ciągnąć tej rozmowy. Alba doskonale zna nasze zdanie. Twoja rodzina jest tutaj, moja droga. Po co masz jechać do Włoch? Żeby wrócić do pełnej duchów przeszłości?

Albę ogarnęło ogromne zmęczenie.

– Idę spać – oświadczyła, wstając od stołu. – Pojadę tam niezależnie od tego, czy poprzecie moją decyzję, czy nie. Uważałam po prostu, że powinnam wam o tym powiedzieć. Ostatecznie moja matka była twoją żoną, tato!

Thomas odprowadził córkę wzrokiem aż do drzwi. Był zaskoczony, bo uczucie przerażającej beznadziejności znikło, a jego miejsce zajęła wielka ulga. Nie ponosił już odpowiedzialności za poczynania córki. Alba od dawna nie była dzieckiem. Jeśli chciała jechać do Włoch, to on z pewnością nie mógł jej w tym przeszkodzić.

Po kolacji poszedł do gabinetu na szklaneczkę brandy. Usiadł w skórzanym fotelu i tak długo wpatrywał się w portret ojca, aż w końcu łzy napłynęły mu do oczu. Za dystyngowaną postacią Huberta Arbuckle'a spoczywał portret Valentiny, mroczny sekret Thomasa.

Nie zapomniał o niej. Bardzo się starał, ale nigdy mu się to nie udało. Teraz znowu poczuł słodki zapach fig, zupełnie jakby Valetnina pochyliła się nad nim, żeby pocałować go w skroń. Z nostalgicznych mgieł pamięci wyłoniła się wieża obserwacyjna i Thomas znowu wrócił do Incantellarii.

Rozdział czternasty

Włochy, maj 1945

Thomas poczuł, jak serce zaczyna mu bić w szalonym rytmie, kiedy łódź wpłynęła do małego portu Incantellaria. Spojrzał w górę, gdzie stojąca na szczycie wzgórza stara wieża obserwacyjna wyraźnie rysowała się na tle nieba. Pamiętał Valentinę taką, jaka była – z włosami rozwianymi przez wiatr, oczyma pełnymi smutku, z policzkami zarumienionymi po pieszczotach. Właśnie taką Valentinę widywał w snach – fascynującą, tajemniczą, podobną do promienia światła, którego nie sposób schwytać i zatrzymać.

Po ich rozstaniu brał udział w walkach o Elbę, potem został ponownie skierowany na wody Adriatyku. 15 sierpnia 1944 roku dowodził łodzią torpedową w czasie inwazji w południowej Francji, mniej znanego dalszego ciągu lądowania aliantów na plażach Normandii. Bezpośrednio po śmierci brata Thomas nie dbał o to, czy zginie, czy przeżyje, i rzucał się w wir walki z szaloną odwagą, typową dla ludzi, którzy całkowicie lekceważą swoje życie, lecz później spotkał Valentinę i nagle życie znowu stało się dla niego cenne. Nawet najdrobniejsze potyczki napełniały go lękiem. Kiedy wchodził na pokład wrogich statków dostawczych, robił znak krzyża i dziękował Bogu za kolejny przeżyty dzień, ponieważ każdy dzień zbliżał go do ponownego spotkania z Valentiną. Pragnienie życia było w nim teraz tak silne, że jego odwaga wzmocniła się jeszcze bardziej, pozbawiona mrocznego elementu szaleństwa i arogancji.

Później otrzymał rozkaz patrolowania Zatoki Genueńskiej. Starał się jak najczęściej pisać do Valentiny. Nadal nie posługiwał się włoskim zbyt dobrze, szczególnie w piśmie, lecz mimo błędów gramatycznych i ubogiego słownictwa potrafił przekazać jej płonącą w sercu tęsknotę. Pisał do niej o tym, że codziennie wpatruje się w jej portret, który naszkicował na wzgórzu pod rozsypującą się starą wieżą, tam, gdzie miłość połączyła ich niemożliwą do zerwania więzią. Pisał o ich wspólnej przyszłości, o ślubie, który wezmą w kapliczce San Pasquale, i o tym, jak zabierze ją do Anglii i zapewni jej życie godne królowej. Valentina nie odpowiadała, natomiast Shirley regularnie przysyłała pachnące perfumami listy i paczki z żywnością, aż wreszcie pewnego wrześniowego wieczoru, po zatopieniu wrogiego statku dostawczego, Thomas wrócił do bazy w Leghorn i znalazł czekający na niego list. Pismo na kopercie było nierówne i jakby dziecinne, pieczątka włoska.

Długą chwilę patrzył na kopertę, wstrzymując oddech. Rozpaczliwie pragnął, aby był to list od Valentiny, zresztą kto inny mógłby pisać do niego z Włoch... Potem jego optymizm zbladł. Co zrobi, jeżeli Valentina pisze, że nie chce z nim być? Jak jego kruche serce zniesie tak straszny cios? Przesunął palcem po kopercie, ściągając brwi w wyrazie niepokoju i troski, lecz w końcu usiadł, wziął głęboki oddech i otworzył ją.

W środku znajdowała się tylko jedna kartka, przejrzysta niczym skrzydła motyla, z datą: sierpień 1944.

Mój najdroższy Tommy,

Także i moje serce bezustannie za Tobą tęskni. Codziennie wchodzę na zbocze, aż do stóp starej wieży, i czekam, mając nadzieję, że ujrzę Twoją łódź, wpływającą do portu. Codziennie spotyka mnie rozczarowanie. Mam dla Ciebie nowinę. Chciałam zachować ją do naszego spotkania, ale boję się tej wojny, boję się, że zginiesz i nie zdążysz jej poznać. Dlatego chcę przekazać Ci ją teraz, w tym liście, który niedługo do Ciebie dotrze, w każdym razie taką mam nadzieję. Jestem w ciąży. Moje serce przepełnione jest radością, bo noszę pod nim dziecko, które poczęło się z naszej miłości. Mamma *mówi, że będzie błogosławione, ponieważ poczęliśmy je w święto* di Santa Benedetta, *kiedy nasz Pan objawił swoją miłość do nas, roniąc krwawe łzy. Modlę się, abyś przeżył tę wojnę i aby Bóg znowu przyprowadził Cię do mnie i pozwolił Ci zobaczyć naszego syna albo córkę. Czekam na Ciebie, mój ukochany.*

Twoja kochająca Valentina

Thomas przeczytał list kilka razy, bo prawie nie mógł uwierzyć, że na świat ma przyjść jego dziecko. Wyobraził sobie Valentinę z zaokrąglonym brzuchem i oczami rozjaśnionymi blaskiem macierzyńskiej miłości. Nagle przeszył go strach – uświadomił sobie, jak krucha i bezbronna jest jego ukochana w tej małej zatoczce. Zerwał się i zaczął nerwowo chodzić po kabinie, wyobrażając sobie wszystkie straszne rzeczy, jakie mogły przydarzyć się Valentinie pod jego nieobecność. Pragnął popłynąć do niej, lecz przecież nie mógł tego zrobić. Na północy miał do wykonania określone zadanie, a wojna wciąż szalała niczym pożar w lesie. Alianci zdołali opanować ogień i perspektywy były dobre, ale wszystko mogło się zmienić w jednej chwili.

Thomas myślał o niewinnych istnieniach, zniszczonych przez wojnę, o wszystkich okropnościach, na które musiały patrzeć oczy dzieci i ludzi zbyt młodych, aby mogli zrozumieć, co się dzieje, i jego serce wypełnił strach. Jego dziecko miało przyjść na ten przerażający, okropny świat... Czy Valentina i on mieli prawo powołać do życia tę niewinną istotę?

– Co cię tak przygnębiło? – zapytał Jack, siadając obok Thomasa.

– Dostałem list od Valentiny – odparł, z niedowierzaniem potrząsajac głową.

– Coś się stało?

– Jest ze mną w ciąży...

Jack otworzył usta.

– O, Chryste... – jęknął. – Co masz zamiar zrobić, do diabła? – odezwał się po chwili milczenia.

– Ożenię się z nią – odpowiedział Thomas bez wahania.

Jack rzucił mu niepewne spojrzenie.

– To dość drastyczny krok, nie sądzisz? Przecież ty jej w ogóle nie znasz!

– Wiem o niej wszystko, co powinienem – lubi cytryny, morze, fioletowy kolor... – Thomas uśmiechnął się z rozczuleniem, wspominając jej dziecinną wyliczankę. – Dobry Boże, zakochałem się w niej od pierwszego wejrzenia, a teraz jeszcze coś takiego...

– Nie wyobrażam sobie, aby Lavender i Hubert przyjęli ją z otwartymi ramionami!

– Na pewno spodoba im się bardziej niż Shirley.

– Nie byłbym tego taki pewny... – Jack pokręcił głową. – Twój ojciec jest wyjątkowym snobem i nie lubi cudzoziemców, a zwłaszcza Włochów...

– Nie będą mieli wyboru!

– Teraz, po śmierci Freddiego, ty wszystko dziedziczysz...

Thomas wzruszył ramionami.

– Wszystko, to znaczy co? Dom? Ojciec nie przekazuje mi tytułu hrabiowskiego, prawda?

– To fakt, ale Hubert bardzo poważnie traktuje Beechfield Park. Zresztą, zarządzanie taką posiadłością to nie żarty, jeśli mam być szczery...

– Valentina wszystkiego się nauczy. Ja ją nauczę...

– Cholera jasna, ty masz być ojcem... – Jack znowu pokręcił głową.

Długo i w skupieniu wpatrywał się w twarz Thomasa, nie jak podwładny, lecz przyjaciel z dziecięcych lat. Kiedy wreszcie przemówił, w jego oczach błyszczały łzy.

– Wojna bardzo cię zmieniła, Tommy. Kiedyś byliśmy do siebie podobni jak dwie krople wody – lekceważyliśmy panujące w Eton zasady, rozrabialiśmy na lekcjach i byliśmy pewni, że cały świat do nas należy... Oksford różnił się od

Eton tylko tym, że tam mieliśmy mniej zasad do złamania, a zaraz potem zaczęła się ta cholerna wojna... Staliśmy się mężczyznami, prawda? Staliśmy się mężczyznami, chociaż wydawało nam się to niemożliwe... Gdyby Hubert cię teraz zobaczył, byłby z ciebie okropnie dumny, wiesz? Kiedy wrócimy do domu, opowiem mu, jak wspaniale sobie poradziłeś...

Thomas westchnął ciężko i wyjął papierosa z podsuniętej przez Jacka paczki.

– Ale to tobie przypadły w udziale wszystkie dziewczyny... – mruknął. – Mnie dostały się tylko okruchy z pańskiego stołu...

– Zdobyłeś tę, która naprawdę się liczy, Tommy.

– Tym razem rzeczywiście mi się poszczęściło...

– I zasłużyłeś na nią – uśmiechnął się Jack, chociaż na dnie jego serca czaił się lęk.

Valentina nie znała angielskiego i została wychowana w małej, portowej mieścinie, zamieszkałej przez najwyżej kilkaset osób. Czy Tommy naprawdę sądzi, że taka dziewczyna zdoła zająć się domem wielkości pałacu starego *marchese*? Jak odnajdzie się wśród chłodnych, snobistycznych Brytyjczyków, z których prawie każdy traktuje obcokrajowców w sposób dziesięć razy bardziej wyniosły i pogardliwy niż Immacolata? Fantastyczne wizje są bardzo romantyczne, lecz rzeczywistość rzuci młodym pod nogi tysiące kłód. Jack zdawał sobie jednak sprawę, że teraz nie powinien zaczynać rozmowy na ten temat. Valentina jest w ciąży, więc Tommy jako człowiek honoru zachowa się tak jak należy.

– Jesteś bardziej podobny do Freddiego, niż sądziłem, stary – powiedział Jack.

Thomas nagle ujrzał w oczach przyjaciela piętno wojny, które ten zwykle ukrywał pod maską wesołości. Szczerość i troska Jacka poruszyły go do głębi. Z trudem przełknął ślinę, wyprostował się i odchrząknął.

– Proszę zwracać się do dowódcy: „sir”, poruczniku Harvey! – rzucił, pragnąc zamaskować wzruszenie.

Jack zamrugał gwałtownie, odganiając wspomnienia

z dzieciństwa, które nieoczekiwanie przeniknęły przez tarczę sztucznej beztroski.

– Tak jest, sir – odparł służbiście, chociaż obaj nadal patrzyli na siebie oczami chłopców.

Teraz, wpływając do malutkiego portu na pokładzie niewielkiej motorowej łodzi, Thomas nie był już niczyim dowódcą. Wojna dobiegła końca, wszyscy zostali zdemobilizowani, a on otrzymał posadę w Ministerstwie Obrony. Jack, Rigs i pozostali chłopcy wrócili do domu. Brendan cudem przeżył nie tylko wojnę, ale także egzystencję w kieszeni Jacka i operowe popisy Rigsa. Thomas planował wrócić do Anglii z Valentiną i dzieckiem, zaraz po ślubie.

Przez ostatnich kilka miesięcy ciągle wyobrażał sobie tę chwilę. Wiedział od Valentiny, że szczęśliwie urodziła malutką dziewczynkę, nie znał tylko jej imienia. Uczcił narodziny córki razem z Jackiem. Przy drinku i papierosie z oczu Thomasa popłynęły łzy, których nie wstydził się przed przyjacielem. Natychmiast odpisał Valentinie, wyrażając swoją dumę i miłość w kulejącym włoskim, ze wzruszenia myląc czasowniki i czasy. Nawet jego charakter pisma, zwykle wyraźny i porządny, nagle zupełnie się zmienił.

Oczami wyobraźni widział maleńką córeczkę w ramionach matki i nie mógł się już doczekać, kiedy wreszcie przytuli je obie. W ręku ściskał kilka listów, które dostał od Valentiny – czytał je tak często, że krawędzie kartek były cieniutkie i pogniecione, zupełnie jak dziecięca ukochana chusteczka do nosa. Pachniały figami, niepowtarzalnym, słodkim aromatem skóry Valentiny, który odganiał kwaśny odór śmierci. Teraz Thomas oddychał przesyconym sosną i eukaliptusem powietrzem Incantellarii i ze wzruszeniem wspominał dawno miniony dzień, kiedy z Jackiem i Brendanem u boku pierwszy raz ujrzał czarujące miasteczko, nie wiedząc, że ten widok na zawsze zapadnie mu w serce. Ostatnie lata naprawdę go zmieniły i nie stało się tak tylko i wyłącznie z powodu wojny. To Valentina rozbudziła w nim głęboko ukryty instynkt opiekuńczy. Teraz miał dziecko i dźwigał na barkach dużo większą odpowiedzialność niż kiedykolwiek wcześniej.

Łódź przybiła do pomostu i Jack wyskoczył na pobielałe od słońca i morskiej wody deski z małą torbą w ręku, ubrany w mocno wypłowiały mundur. Spod daszka czapki popatrzył na uśpiony port, skąpany w ciepłych promieniach wiosennego słońca. Objął spojrzeniem rząd białych domków z balkonami ozdobionymi czerwonym geranium oraz budynek, w którym na parterze mieściła się Trattoria Fiorelli. Otrząsnął się ze wspomnień na widok składających sieci rybaków i grupy kobiet, które wyszły z domków, prowadząc trzymające się ich fartuchów dzieci. Wszyscy przyglądali mu się podejrzliwie, spod zmrużonych powiek, dopóki w końcu nie rozpoznał go staruszek z akordeonem. Wymierzył wykrzywiony artretyzmem palec w Thomasa, a jego usta rozdziawiły się w bezzębnym uśmiechu.

– *C'è L'inglese*! – wykrzyknął.

Serce Thomasa wezbrało radością. Pamiętali go, chociaż tak długo go tu nie było...

Słowa starca powtarzali sobie wkrótce z ust do ust wszyscy mieszkańcy.

– *È tornato, L'inglese*!

Minęło zaledwie parę minut, a już tłum wyległ na ulice. Ludzie klaskali i machali do Thomasa. Mały chłopiec, który za pierwszym razem powitał Anglików faszystowskim pozdrowieniem, teraz podniósł rączkę do czoła, powtarzając gest Lattarulla. Thomas uśmiechnął się do niego, a matka chłopca z dumą poklepała synka po głowie. Malec oblał się ciemnym rumieńcem i pośpiesznie ciasno skrzyżował nóżki, bo z podniecenia zachciało mu się siusiu.

Wzrok Thomasa znowu podążył w kierunku Trattorii Fiorelli. Kelnerzy wyszli na zewnątrz i stali uśmiechnięci, z otwartymi ustami i tacami w rękach, które jeszcze niedawno trzymały broń. Najstarsi, którzy podawali w restauracji od dawna, wspominali pewnie śpiewającego arie operowe Anglika i małą rudą wiewiórkę. Podekscytowany tłumek wezbrał wokół przybysza niczym morska fala. Thomas miał wrażenie, że niewielki budyneczek w rynku wstrzymał oddech w oczekiwaniu na jakieś magiczne wydarzenie. Właśnie wtedy z restauracji wyszła ona... Serce Thomasa wzbiło się pod niebo i zawisło tam w bezruchu, pełne obaw, że byle gest może zniweczyć zaklęcie i zabrać piękną dziewczynę do innego świata.

Kelnerzy się rozstąpili. Nie odrywając oczu od ukochanego mężczyzny, Valentina ruszyła w jego kierunku swoim charakterystycznym, energicznym krokiem. W ramionach niosła trzymiesięczne dziecko, owinięte w kawałek cienkiego płótna, mocno przytulone do piersi. Jej policzki płonęły z dumy, na wargach gościł lekki uśmiech. Dopiero kiedy podeszła bliżej, Thomas zobaczył, że jej oczy błyszczą od łez.

Zdjął czapkę i spojrzał na swoje drżące dłonie. Valentina przystanęła tuż przed nim, dziecko patrzyło na niego, mrużąc delikatne powieki. Thomasa ogarnęło uczucie ogromnej wdzięczności. Jak to możliwe, że w samym środku tego horroru i bezlitosnego rozlewu krwi pojawiła się ta czysta, niewinna dusza... Pomyślał, że to sam Bóg rozświetlił jasnym promieniem mroczne, ponure miejsce. Twarzyczka dziewczynki była miniaturowym odbiciem twarzy matki, inne miała tylko oczy, jasnoszare, dokładnie takie jak jego własne, wyraźnie kontrastujące z ciemnymi włosami i oliwkową cerą. Dziecko zamachało malutką rączką. Thomas ujął ciepłą łapkę i poczuł, jak palce zaciskają się wokół jednego z jego palców. Uśmiechnął się, podniósł wzrok i wreszcie spojrzał na Valentinę.

Mieszkańcy miasteczka wpatrywali się w nich jak zaczarowani, kiedy Thomas pochylił głowę i pocałował Valentinę w czoło. Długo wdychał niepowtarzalny aromat jej skóry i smakował słonawy pot.

Nagle ponad oklaski i radosne okrzyki wybił się donośny głos.

– Rozejść się, rozejść się, to nie widowisko! To intymna chwila, w której powinna uczestniczyć tylko rodzina! Rozejść się, no, dalej!

Lattarullo, pomyślał Thomas, nawet nie patrząc w tamtą stronę. Ludzie zaczęli się powoli rozchodzić. Wszyscy obserwowali z każdym miesiącem coraz bardziej zaokrąglający się brzuch Valentiny i byli świadkami jej tęsknoty i rozpaczy. Kiedy wrócili już do swoich popołudniowych drzemek, do sklepików, sieci i innych zajęć, przed restauracją pojawił się spocony Lattarullo, jak zwykle drapiąc się po kroczu.

– Signor Arbuckle! – odezwał się, gdy Thomas niechętnie oderwał wargi od czoła Valentiny. – Niektórzy wątpili w pana powrót, ale ja mogę śmiało powiedzieć, że od początku byłem innego zdania. Nie, nigdy w pana nie zwątpiłem, ani na chwilę. Oczywiście jest to zasługa nie tylko pańskiego charakteru, lecz także wielkiej urody signoriny. Helena Trojańska nie była tak piękna jak ona, a ileż zamieszania narobiła w świecie mężczyzn! Byłbym bardzo zdziwiony, nie mówiąc już o tym, że dużo uboższy, gdyby nie wrócił pan po signorinę Fiorelli...

Thomas bez trudu wyobraził sobie mieszkańców Incantellarii, siedzących w restauracji i robiących zakłady, czy on wróci po Valentinę, czy też nigdy więcej nie pokaże się w miasteczku.

Razem weszli do Trattorii Fiorelli. W mrocznej sali siedziała Immacolata, podobna do małego, pełnego powagi i dostojeństwa nietoperza. Ubrana była na czarno, od szala na głowie po pantofle, i powoli poruszała czarnym, haftowanym w białe kwiaty wachlarzem.

Na widok Thomasa odłożyła wachlarz i podeszła do niego z wyciągniętymi rękami, jak ślepa żebraczka.

– Wiedziałam, że Bóg ocali cię dla Valentiny... – powiedziała i jej małe oczy wezbrały łzami. – Dzięki Bogu za ten dzień, błogosławiony dzień...

Thomas nie protestował, gdy z czułością klepała go po policzkach, chociaż skóra piekła go i szczypała.

– Siadaj, Tommasino, na pewno jesteś zmęczony. Napij się i wszystko mi opowiedz. Trzech moich synów wróciło do domu, ale Bóg zabrał do siebie Ernesto, niech jego dusza spoczywa w spokoju... Teraz, skoro wróciłeś, wreszcie mogę być szczęśliwa.

Thomas usiadł. Przyszło mu do głowy, że nie ma chyba na świecie człowieka, który ważyłby się nie spełnić polecenia Immacolaty, kobiety o wielkiej sile woli, przyzwyczajonej do tego, że wszyscy jej słuchają. Thomas po prostu nie mógł sobie pozwolić na nieposłuszeństwo – Immacolata była osobą głęboko wierzącą, a on miał z jej córką nieślubne dziecko. Robiło mu się zimno na samą myśl, co powie matka Valentiny, ale ku jego zdziwieniu przywitała go bardzo ciepło, chociaż już jej pierwsze pytanie dało mu do zrozumienia, że chodzi jej przede wszystkim o dobro córki.

– A więc wróciłeś, żeby poślubić Valentinę, tak? – odezwała się, patrząc, jak kelner nalewa wino do dwóch szklanek.

Thomas z zażenowaniem spuścił wzrok.

– Najpierw miałem zamiar poprosić panią o jej rękę... – powiedział.

Immacolata uśmiechnęła się lekko.

– Kiedy Bóg objawił swoją wolę, nie trzeba nikogo prosić o pozwolenie – odparła miękkim głosem młodej dziewczyny.

Thomas ujął Valentinę za rękę.

– Od pierwszej chwili wiedziałem, że jesteśmy sobie przeznaczeni – wyznał.

– To prawda. – Immacolata z powagą pokiwała głową. – Moja córka jest bardzo piękna i dała ci także córkę. Mała ma na imię Alba.

– Alba? Jakie piękne imię! – pochwalił Thomas, starając się przynajmniej na razie nie myśleć o reakcji swoich rodziców.

Może uda się dać jej na drugie imię Lavender...

– Alba Immacolata – dodała Valentina.

Więc jednak nie Alba Lavender, pomyślał Thomas. Dobrze chociaż, że Jack nie jest świadkiem tej rozmowy...

– To dziecko jest dla mnie niezwykle ważne. – Immacolata przycisnęła dłoń do piersi. – Zajmuje wyjątkowe miejsce w moim sercu...

– Wygląda jak miniaturka matki – zauważył Thomas.

– Ale ma oczy ojca. – Immacolata pogładziła palcem policzek dziewczynki. – Nie wyparłbyś się jej, choćbyś nie wiem jak chciał... Są jasnoszare jak spokojne morze na płyciźnie... Musisz ją potrzymać. – Kiwnęła głową.

Valentina podała mu dziecko. Thomas nigdy wcześniej nie trzymał na rękach niemowlęcia i nie bardzo wiedział, co robić. Ku jego zdumieniu okazało się to zupełnie łatwe, a mała Alba nawet się nie rozpłakała.

– Sam widzisz... – ciągnęła Immacolata. – Ona wie, że jesteś jej ojcem.

Thomas zapatrzył się w twarzyczkę Alby. Trudno mu było pojąć, że to maleństwo nosi w sobie geny jego i całej jego rodziny, włącznie z Freddiem. Nie była do niego podobna, nie odziedziczyła po rodzinie Arbuckle chyba żadnych cech fizycznych z wyjątkiem oczu, które faktycznie były dokładnie takie jak jego. Wydawała się nieskończenie krucha i bezbronna, ale Thomas najbardziej pokochał ją za to, że tak bardzo przypominała matkę. Była cząstką Valentiny i dlatego wydawała mu się cenniejsza niż cały świat.

– Weźmiecie ślub w kaplicy San Pasquale – oznajmiła Immacolata. – Jutro zaproszę *padre* Dino na lunch, żebyś mógł go poznać. Nie jesteś katolikiem, prawda?

Thomas potrząsnął głową.

– Na szczęście to nie problem, zresztą nic nie jest problemem, jeżeli taka jest wola Boga. Połączyła was miłość i tylko to się liczy. Do dnia ślubu będziesz mieszkał tutaj, w trattorii. Na piętrze mam bardzo wygodny pokój.

Młody człowiek przeniósł spojrzenie z małej Alby na Valentinę, której łagodne brązowe oczy uśmiechnęły się do niego z czułością. W tej chwili milczącego porozumienia powiedzieli sobie wszystko, co chcieli.

Lattarullo siedział na zewnątrz, zupełnie jakby był pilnującym domu psem, gotowym ugryźć każdego, kto spróbowałby wejść do środka. Pomyślał, że już niedługo Trattorię Fiorelli wypełnią dźwięki radosnej muzyki. Całe miasteczko zostanie zaproszone na wesele i wszyscy będą tańczyć. Valentina uwielbiała taniec... Niewielka sala nie pomieści wszystkich gości, więc roztańczone pary wylegną na ulice i będą bawić się w świetle okrągłego jak abażur lampy księżyca. Immacolata na pewno wybierze korzystny dzień na ślub, uwzględniając pory przypływu i odpływu morza, które zbliżyło do siebie dwoje kochanków.

Valentina ułożyła Albę w koszyku, a Thomas umieścił go na wozie, który czekał w cieniu akacji, zaprzężony w dużego, łagodnego konia. Lattarullo chciał zawieźć ich sam, z dumą obwieszczając, że ma do dyspozycji należący do urzędu miasta samochód, lecz Thomas grzecznie odmówił. Nie chciał dzielić się obecnością Valentiny absolutnie z nikim, a już zwłaszcza z Lattarullem, który roztaczał wokół siebie specyficzną, ostrą woń potu.

– Możesz przyjechać po mnie wieczorem – powiedział do niezachwycającego czystością karabiniera.

Lattarullo skinął głową, zdziwiony, że młodzi nie skorzystali z jego propozycji. Pomachali mu i powoli odjechali. Nie musieli się nigdzie śpieszyć, mieli przed sobą cały dzień. Rytmiczny stukot końskich kopyt zakłócił bezruch ciepłego powietrza i oprzytomnił mieszkańców miasteczka, którzy dotąd bezwstydnie gapili się na młodą parę. Dzieci przerwały gry i zabawy, aby odprowadzić wzrokiem znikający wóz w wiodącej na wzgórze cienistej alei. Lattarullo wypchnął językiem dolną wargę i osuszył czoło wilgotną chustką do nosa. Nie mógł zrozumieć, dlaczego jego wspaniałomyślna oferta została bez wahania odrzucona i miał nadzieję, że nikt tego nie słyszał. *Che figura di merda!* Była to przecież kwestia dumy, sprawa *apparenza.*

Valentina ujęła dłoń Thomasa, przytuliła ją do policzka i z czułością pocałowała. – Wreszcie jesteśmy sami... – szepnęła.

Po długiej chwili w cudowną ciszę popołudnia wdarł się warkot silnika. Thomas natychmiast pomyślał o Lattarullu i przestraszył się, że policjant postanowił jednak im towarzyszyć, lecz zaraz uświadomił sobie, że dźwięk dobiega z góry. Valentina zjechała na bok i wóz się zatrzymał. Warkot nasilał się, aż w końcu zza zakrętu wyłoniła się należąca do *marchese* lśniąca biała lagonda. Metalowa krata błyszczała w słońcu, dwa okrągłe reflektory do złudzenia przypominały oczy olbrzymiej ropuchy. Elegancka sylwetka pojazdu nie mogła nie budzić zachwytu. Wspomnienie nieprzyjemnego incydentu sprzed roku zdążyło się już częściowo zatrzeć w pamięci Thomasa, który teraz z przyjemnością przyglądał się imponującej lagondzie. Silnik wibrował tak równo, że brzmiało to raczej jak melodia niż mechaniczny odgłos. Samochód zwolnił. Na siedzeniu kierowcy, z twarzą ocienioną rondem kapelusza, siedział podobny do szkieletu Alberto. Płócienny dach wozu był opuszczony, więc było go widać w całej jego chwale. Szary uniform był równie czysty jak lakier wozu, a osłonięte białymi rękawiczkami dłonie ściskały kierownicę tak mocno, jakby to były wodze olbrzymiej, potężnej bestii. Nos zadarł tak wysoko, że podbródek wydawał się prawie niewidoczny. Nie uśmiechnął się ani nie pomachał młodym, lecz zbladł gwałtownie, nie zdoławszy ukryć, że natychmiast poznał Thomasa, i tylko cudem nie stracił panowania nad samochodem. *L'inglese* wrócił.

Rozdział piętnasty

Thomas nie był jeszcze gotowy na spotkanie z resztą rodziny ukochanej, chciał najpierw zabrać ją na wzgórze, w to miejsce, gdzie kochali się pierwszy raz, skierowali więc konia zakurzoną dróżką prosto do gaju cytrynowego. Zwierzę, które przedrzemało połowę drogi, drepcząc machinalnie dobrze znanym szlakiem, teraz ocknęło się i rozejrzało dookoła z nietypowym ożywieniem. Zapachy cyprysu, rozmarynu i tymianku rozbudziły chyba jego zmysły, bo przyśpieszył kroku, parskając i z wyraźną przyjemnością wciągając w nozdrza aromatyczne powietrze. Thomas nie był w stanie opanować zapału. Całował szyję Valentiny i jej dekolt w miejscach, gdzie nisko wycięta suknia odsłaniała miodowobrązowe wzniesienia piersi. Przeczesywał palcami długie, wijące się włosy dziewczyny i wdychał ciepły, słodki zapach fig. Valentina śmiała się cicho i udawała, że odpycha go, oczywiście na wypadek, gdyby ktoś ich podglądał.

– Jedyną osobą, która może nas tutaj zobaczyć, jest stary *marchese* – mruknął Thomas, wtulając twarz w gorącą zatoczkę między jej szyją a barkiem.

Natychmiast wyobraził sobie zniewieściałego markiza z przylizanymi brylantyną włosami i wodnistymi oczami, obserwującego ich przez teleskop, ale zaraz odsunął od siebie tę nieprzyjemną wizję. Przed rokiem opuścił rozsypujący się w gruzy pałac z uczuciem dziwnego niepokoju i teraz wspomnienie twarzy starego człowieka wystarczyło, aby przywołać ten lęk. Valentina zesztywniała i przestała się śmiać.

– Nie chcę, aby ktokolwiek nas widział – powiedziała, zerkając przez ramię na śpiącą w cieniu córeczkę. – Zabierzesz mnie stąd, prawda? – W jej oczach nagle pojawił się strach.

Thomas pogładził ją po policzku i lekko ściągnął brwi.

– Oczywiście – odparł. – Zaraz po ślubie wyjedziemy do Anglii. Czego się boisz?

– Tylko tego, że znowu cię stracę – odparła zachrypniętym głosem.

– Nie opuszczę cię do końca życia – zapewnił ją z powagą. – Przetrwałem wojnę wyłącznie dlatego, że chciałem żyć dla ciebie. Potem dowiedziałem się, że mamy Albę i życie stało się dla mnie cenniejsze niż kiedykolwiek. Będę się wami opiekował, przyrzekam.

Uśmiechnęła się i jej oczy znowu zabłysły.

– Wiem – skinęła głową. – Nie masz pojęcia, jak mocno cię kocham. Czasami to aż boli...

– Znam to uczucie... – szepnął.

Dotarli do dawnego punktu obserwacyjnego, gdzie wszystko wyglądało dokładnie tak samo jak ubiegłej wiosny. Moje życie bardzo się zmieniło, pomyślał Thomas. I ja także. Jack miał rację, nie jestem już taki jak on. Mam teraz cel. Nigdy nie szukałem odpowiedzialności, lecz odpowiedzialność znalazła mnie i jestem za to wdzięczny losowi.

Zaniósł spokojnie śpiącą w koszyku Albę do stóp zburzonej wieży. Dziewczynka leżała z główką zwróconą na bok i uniesionymi rączkami, podobna do pogrążonych we śnie cherubinków Rafaela. Thomas wcale nie byłby zdziwiony, gdyby się okazało, że jego córeczka ma na plecach maleńkie pierzaste skrzydełka.

– Jest twoim odbiciem – powiedział, kiedy usiedli w cieniu.

Lekka bryza niosła cudowny zapach wzgórz i morza, i Thomas czuł, że jeszcze nigdy nie był tak szczęśliwy.

– Mam nadzieję, że nie będzie taka jak ja – odparła Valentina, lecz on potrząsnął głową.

– Oby była jak najbardziej podobna do ciebie.

– Nie chcę, żeby popełniła te same błędy, co ja...

– Jesteś jeszcze taka młoda. – Thomas uśmiechnął się z czułością. – Jakie błędy mogłaś popełnić, najdroższa...

– Dziewczyna odpowiedziała mu lekkim uśmiechem.

– Wszyscy popełniamy błędy, prawda?

– Tak, ale...

– Najlepszą rzeczą, jaka mi się przydarzyła, było spotkanie z tobą. – Zarzuciła mu ramiona na szyję.

Położyli się na trawie i zaczęli się całować. Thomas bardzo pragnął kochać się z Valentiną, ale czuł, że nie powinni robić tego w chwili, gdy tuż obok spało ich dziecko. Wiedział, że Valentina myśli o tym samym, na jej czole i nosie zebrały się krople potu i oddychała ciężko, ale nie zachęcała go do bardziej namiętnych pieszczot.

Nie śpieszyli się z powrotem do domu Immacolaty. Długo leżeli na trawie, czule objęci, patrząc, jak słońce powoli chyli się ku zachodowi. Alba obudziła się i Valentina przystawiła ją do piersi. Thomasa ogarnęło głębokie wzruszenie. Nigdy dotąd nie widział matki karmiącej dziecko piersią, Valentina wydała mu się dziwnie uduchowiona i daleka, prawie nieosiągalna. Miał wrażenie, że w tej chwili nie należy do niego, tylko do Alby. Znowu, podobnie jak przed rokiem, ogarnęło go uczucie, że Valentina znajduje się poza jego zasięgiem. Nagle jego serce ścisnęło się boleśnie, jakby jej zapewnienia o miłości nie miały żadnego znaczenia i jakby dziecko, które trzymała na ręku, jego dziecko, próbowało mu ją odebrać.

– Dobry Boże, co się ze mną dzieje, kiedy jestem blisko ciebie... – powiedział po angielsku.

Valentina przekrzywiła głowę i spojrzała na niego ze zdziwieniem.

– Jesteś taka piękna... – dodał, przechodząc na włoski. – Chciałbym nigdy nie wypuszczać cię z objęć...

Roześmiała się cicho.

– Nie znasz mnie, Tommy.

– Lubisz cytryny, ciemność, morze i fioletowy kolor. Kiedy byłaś mała, chciałaś zostać tancerką. Sama widzisz, że pamiętam wszystko, co mi o sobie powiedziałaś.

– Ale mnie nie znasz.

– Mamy całe życie, żeby dobrze się poznać. – Odgarnął jej włosy na jedno ramię, żeby nie zasłaniały twarzy, na którą wciąż pragnął patrzeć. – To jest mój najważniejszy plan...

– Będziemy mieli więcej dzieci – powiedziała, głaszcząc czoło ssącej jej pierś Alby. – Chcę, żeby nasza córka miała braci i siostry, żeby nigdy nie była sama... Ja czułam się strasznie osamotniona w czasie tej wojny. Mam nadzieję, że ona będzie dorastała w czasach pokoju... – nagle jej czy napełniły się łzami. – Wojna przeistacza mężczyzn w dzikie zwierzęta, a kobiety w istoty, które wstydzą się tego, że żyją... Chciałabym, żeby Alba zawsze widziała w ludziach tylko dobro i nigdy nie stała się cyniczna... Żeby ufała i nigdy nie zawiodła się na ludziach, których obdarzy zaufaniem... Żeby była pewna swojej wartości i nie musiała na nikim polegać, żeby była niezależna i wolna... Życie w Anglii da jej to wszystko, prawda?

Thomas spojrzał na nią ze zdziwieniem.

– Oczywiście – rzekł. – Przecież właśnie o to walczyliśmy! Stoczyliśmy wojnę o pokój, kochanie, o to, żeby dzieci takie jak Alba dorastały w wolnym, demokratycznym świecie, nie obawiając się jutra...

– Jesteś taki dzielny... – westchnęła Valentina. – Żałuję, że nie mam twojej odwagi...

– Nie musisz jej mieć, bo ja będę cię zawsze chronił i osłaniał. – Dotknął palcem jej policzka, na którym łzy pozostawiły wilgotne, lśniące ślady. – Alba nigdy nie pozna strasznego oblicza wojny, ale opowiemy jej o odważnych ludziach, którzy oddali życie, żeby ona mogła cieszyć się pokojem... – Nagle pomyślał o Freddiem i poczuł, że pragnie podzielić się z Valentiną wspomnieniami, którymi nie dzielił się nawet z Jackiem. – Mój brat zginął na początku wojny, wiesz? Był pilotem myśliwca. Nikomu nie przyszłoby do głowy, że Niemcy zestrzelą Freddiego. Był wspaniały – mądry, przystojny, po prostu niepokonany... Tymczasem na Malcie straciliśmy tylu ludzi, że Freddie stał się tylko jednym z wielu poległych. Nie zdążyłem się z nim pożegnać. Wszyscy umieramy w samotności... Tak już jest, chociaż trudno nam się z tym pogodzić. Chciałbym wierzyć w niebo, w to, że Freddie przebywa teraz blisko Boga, ale prawda jest inna – ciało mojego brata leży na dnie morza, a ja nie mogę nawet oddać mu czci...

Valentina objęła jego dłoń ciepłymi palcami.

Rozumiem cię, kochany. Mój ojciec i Ernesto, jeden z moich braci, także zginęli w tej wojnie. Poległo tylu dzielnych ludzi, ale świadomość, że było ich tak wielu, wcale nie daje nam pociechy, prawda? Mama zbudowała ołtarzyk ku czci ojca, a potem podobny dla Ernesto... Świece palą się przed nimi dzień i noc, nie gasną ani na chwilę, tak jak ich dusze. Zmarli żyją w naszej pamięci, nic więcej nie możemy zrobić. Oddajesz cześć swojemu bratu, gdy go wspominasz. Musisz mi o nim często opowiadać, bo wspominając, dajemy zmarłym życie...

Twarz Valentiny wydała się Thomasowi tak dojrzała i mądra jak nigdy dotąd. Jej słowa pocieszyły go i przyniosły ukojenie, co nigdy nie udało się Jackowi.

W końcu Thomas zgłodniał i Valentina uznała, że powinni już wracać do domu. Gdy znowu usadowili się na wozie, koń, który całe popołudnie przedrzemał w cieniu skarłowaciałego eukaliptusa, niechętnie ruszył dalej piaszczystą ścieżką.

Valentina uprzedziła Thomasa, że jej bracia wrócili już z wojny. Ludovico i Paolo, którzy spędzili ponad dwa lata w brytyjskiej niewoli, zawsze dobrze traktowani, byli dobrze nastawieni do Anglików, natomiast Falco, były partyzant, miewał zmienne nastroje i, o dziwo, nie zawsze pozytywny stosunek do zwycięzców, choć przecież sam także walczył z faszystami.

– Falco jest skomplikowanym człowiekiem – powiedziała. – Zawsze był trudny, od dziecka. *Mamma* uważa, że jako pierworodny od początku domagał się więcej miłości niż my, młodsi, i w rezultacie często bywał rozczarowany i zazdrosny. Ma żonę, Beatę, i małego synka, którego wszyscy nazywamy Toto. Można by pomyśleć, że miłość kobiety i dziecka zmiękczy jego serce, ale tak się nie stało. Nadal jest chłodny i podejrzliwy jak zwykle.

Thomas z niepokojem myślał o spotkaniu z Falkiem, który teraz, po śmierci ojca, był głową rodziny, doszedł jednak do wniosku, że na pewno nie będzie bardzo źle, skoro obaj walczyli po tej samej stronie. Jeśli ktoś mógł mieć do niego jakieś pretensje, to raczej dwaj młodsi bracia, którzy opowiedzieli się po stronie Niemców.

Kiedy zbliżyli się do domu, znowu otoczyła go chmura zapachu fig i przypomniał sobie swoją pierwszą wizytę u Immacolaty Fiorelli. Tym razem matka Valentiny wybiegła im na spotkanie, podobna do czarnego nietoperza, mrugając oczami i załamując ręce. Nie ulegało wątpliwości, że coś bardzo ją zdenerwowało.

– Gdzie byliście, na miłość boską?! Martwię się już od tylu godzin...

– Ależ, mamo! – skarciła ją łagodnie Valentina. – Pojechaliśmy tylko z Albą na wzgórze pod wieżą...

– Falco także bardzo się niepokoił i ciągle podsuwał mi różne straszne pomysły...

– Przepraszam panią, signora – wtrącił Thomas, pomagając Valentinie zsiąść z wozu. – Chcieliśmy spędzić to popołudnie tylko we dwoje.

W tym momencie z domu wyszedł Falco i stanął u boku matki. Miał surową, ponurą twarz, głęboko osadzone, ciemnobrązowe oczy i ogorzałą, pomarszczoną od słońca skórę. Był przystojnym mężczyzną, wysokim i szerokim w barach, miał długie, kręcone włosy i szerokie czoło, przecięte wyraźnie zarysowanymi brwiami. Utykał na lewą nogę, prawdopodobnie w wyniku odniesionej rany. Thomas nie mógł się oprzeć wrażeniu, że lata walki źle wpłynęły na psychikę Falca. Próbował się do niego uśmiechnąć, lecz brat Valentiny, który wyglądał znacznie starzej niż na swoje trzydzieści lat, w odpowiedzi tylko zmarszczył brwi.

– W tej okolicy trzeba bardzo uważać – odezwał się niskim, chropowatym jak gruboziarnisty piasek głosem. – Wojna już się skończyła, to prawda, ale wśród wzgórz kręci się mnóstwo bandytów, a wiele ludzi wciąż głoduje... Nie macie pojęcia, jakie to szczęście, że mieszkacie w Incantellarii, gdzie praktycznie niczego nie brak... Za granicami miasteczka czeka mroczny, niebezpieczny świat.

Thomasa zirytowała świadomość, że Falco *zarzuca* mu naiwność.

– Byliśmy całkowicie bezpieczni, możesz mi wierzyć – odparł zimno.

Falco się roześmiał.

– Nic nie wiesz o tych wzgórzach, lecz ja znam je jak własną kieszeń... Potrafię odszukać tu każde drzewo i każdą skałę, nawet z zamkniętymi oczami. Zdziwiłbyś się, gdybyś wiedział, ile czyha tu demonów, które czasami nakładają bardzo łagodne maski...

Valentina położyła dłoń na ramieniu Thomasa.

– Nie słuchaj go – powiedziała. – Tam, gdzie byliśmy, nie ma żadnych demonów, zresztą jedyne, jakie tu straszą, to te, które mieszkają w głowie Falca...

Thomas pochylił się i zdjął z wozu koszyk, w którym leżała Alba, natomiast Valentina bez słowa wyminęła matkę i brata i weszła do domu.

– Valentina wie, o czym mówię, chociaż zachowuje się jak uparty muł – dorzucił Falco.

Thomas chciał stanąć w obronie ukochanej, ale w porę zauważył wyraz bólu, malującego się na twarzy Immacolaty i postanowił zażegnać kłótnię. Wyciągnął rękę do Falca.

– Wojna już się skończyła – rzekł. – Nie zaczynajmy nowej...

Falco zacisnął wargi, lecz bez słowa ujął dłoń gościa. Skóra najstarszego Fiorellego pokryta była zgrubiałymi odciskami, ale Thomas wyczuł w uścisku jego ręki coś dziwnie krzepiącego. Falco nie uśmiechnął się, jego oczy pozostały mroczne i nieprzeniknione, więc Thomas nie był w stanie odczytać jego myśli, lecz z całej postaci Włocha emanowało zdecydowanie i spokój. Immacolata, chyba trochę przytłoczona obecnością syna, nie była już wszechmocną głową rodziny – tę rolę z całą pewnością przejął Falco, który wydawał się budzić w matce uczucie podziwu i chyba także lęku. Tak czy inaczej była wyraźnie zadowolona, że obaj mężczyźni zawarli pokój.

Wkrótce zjawili się pozostali członkowie rodziny. Ludovico i Paolo, którzy nadal mieszkali z matką, stanowili całkowite przeciwieństwo starszego brata. Zmęczony walką partyzant był mroczny i chłodny jak zimowa noc, podczas gdy dwaj młodsi bracia przywodzili na myśl ciepłe promienie letniego słońca. Trudno było ich odróżnić, ponieważ obaj byli niscy i atletycznie zbudowani, o brązowych oczach, identycznych jak u siostry, i twarzach rozjaśnionych chłopięcymi uśmiechami. Matka Natura poskąpiła im magnetyzmu i męskiej urody Falca, byli jednak bardzo pogodni i wesoły śmiech wyrzeźbił atrakcyjne zmarszczki na ich twarzach. W czasie wojny walczyli przeciwko aliantom, lecz teraz z entuzjazmem ściskali dłoń Thomasa i poklepywali go po plecach. Żartowali, że cieszą się, iż ktoś wreszcie wybawi ich od kłopotu szukania odpowiedniego męża dla siostry, a ją samą od tłumu nieciekawych zalotników.

Beata przyszła na kolację razem z Totem. Była spokojną, łagodną kobietą, prostą wieśniaczką, która najwyraźniej niewiele wiedziała o wojennej przeszłości męża, skoncentrowaną na dziecku i zajęciach domowych. Wyraźnie bała się przybysza, ponieważ nie uścisnęła mu nawet ręki i ze spuszczonymi oczami zajęła miejsce przy długim stole, pod zwieszającymi się pnączami winorośli, gdzie rok wcześniej rezydowała Immacolata. Synek usiadł obok niej i oparł głowę o bok matki, przytulony jej opiekuńczym ramieniem. Beata rozglądała się dookoła, podobna do czujnego, miłego zwierzęcia, i przysłuchiwała się rozmowie, chociaż sama nie zdradzała ochoty, by się do niej włączyć. Falco rzadko na nią spoglądał i w ogóle się do niej nie odzywał. Nie ulegało wątpliwości, że Beata pozostawała pod całkowitym wpływem dominującego, twardego mężczyzny. Thomas dziękował losowi, że zjawił się w odpowiednim momencie i uratował Valentinę przed podobną przyszłością.

Immacolata często robiła uwagi na temat Boga i religii. Można było odnieść wrażenie, że Bóg przemawia do niej bezpośrednio, ponieważ dokładnie wiedziała, jakie są Jego zamiary, dlaczego pozwolił na wybuch strasznej wojny, a nawet dlaczego zabrał jej męża i syna. Istnienie Boga stanowiło dla Immacolaty wyjaśnienie wszystkich tragedii i komplikacji. Być może łatwiej i lżej było jej wierzyć w Bożą wolę, lecz zdaniem Thomasa przypominało to zachowanie dziecka, które całkowicie ufa rodzicom i nie kwestionuje ich poczynań. Trudno było mu pogodzić wspomnienie kobiety, która wrzeszczała na swoich pracowników w Trattorii Fiorelli z obrazem tej łagodnej, ustępliwej matki, ledwo widocznej w cieniu najstarszego syna. Pomyślał z rozbawieniem, że gdyby Lattarullo zobaczył teraz Immacolatę, raz na zawsze przestałby się jej bać.

Było już ciemno. Ćmy fruwały wokół lamp, a chór cykad muzykował w gałęziach drzew i krzewów. Thomas zapalił papierosa i patrzył, jak cienka smużka dymu unosi się w chłodnym powietrzu, tworząc pętle i zawijasy pod wpływem wiatru od morza. Słuchał, jak Beata i Valentina śmieją się w kuchni. Przy stole nikt się nie śmiał, wszystko wskazywało na to, że Immacolata już dawno straciła poczucie humoru. Thomas z przyjemnością przysłuchiwał się wesołym głosom młodych kobiet. Wyobrażał sobie, że rozmawiają o dzieciach, opisują ich zachowanie w ciągu dnia i może nieszkodliwie żartują z mężczyzn. Zauważył, że Valentina z jakiegoś powodu budzi uczucie rozdrażnienia w Falcu, który obserwował ją spod zmrużonych powiek z malującą się na twarzy niechęcią, a chwilami wręcz nienawiścią. Valentina starała się ignorować zachowanie brata, co niewątpliwie było najlepszym rozwiązaniem. Kiedy Falco odzywał się do niej ostro i pogardliwie, odpowiadała z rozbawieniem i wznosiła oczy do nieba. Thomas był z niej dumny. Pamiętał, jak tańczyła w dniu święta *di Santa Benedetta* – już wtedy dostrzegł w niej zadziwiającą siłę ducha. Teraz patrzył na nią poprzez dym, zmęczonymi, sennymi oczami, i miał świadomość, że Valentina powiedziała mu prawdę – właściwie jej nie znał i nie mógł temu zaprzeczyć.

W końcu nadszedł czas udania się na spoczynek. Immacolata uklękła przed ołtarzykami poświęconymi mężowi i synowi i cicho wymamrotała modlitwę. Potem przeżegnała się energicznie i życzyła wszystkim dobrej nocy. Ujęła dłoń Thomasa w obie swoje i podziękowała mu, że wrócił do Incantellarii.

– Zabierzesz moją Valentinę w lepsze miejsce – powiedziała poważnie, poklepując jego rękę miękkimi jak ciasto palcami. – Jutro porozmawiacie z *padre* Dino. Im szybciej weźmiecie ślub, tym lepiej...

Valentina skromnie pocałowała narzeczonego w policzek, lecz jej błyszczące oczy mówiły Thomasowi, jak bardzo pragnęłaby spędzić z nim tę noc.

– Do jutra, kochany... – szepnęła, znikając w mroku.

Thomas podszedł do okna, ponieważ wydawało mu się, że słyszy warkot należącego do całego miasteczka samochodu, którym miał po niego przyjechać Lattarullo. Za jego plecami Falco wciąż siedział na tarasie i palił papierosa za papierosem. Przygarbiony, z łokciami opartymi o blat stołu, wyglądał na zmartwionego i zaniepokojonego. W najbliżej stojącej lampie dopalała się resztka oliwy. Beata poszła do domu pieszo, krótką, oświetloną blaskiem księżyca ścieżką przez gaj oliwny. Thomas zastanawiał się, dlaczego Falco nie zdecydował się towarzyszyć żonie i synkowi.

Lattarulla wciąż jeszcze nie było. Thomasa mógł zwieść dobiegający z oddali szum fal, a może to echo bomb, które wybuchły kilka miesięcy temu, nadal dzwoniło mu w uszach. Odsunął się od okna. Nie miał ochoty na towarzystwo Falca, więc usiadł w ciemności i zapalił papierosa.

Przyglądał się, jak migotliwe światło świec wydobywa z mroku ołtarzyki Immacolaty i połyskuje na złoconych ramkach zdjęć i świętych obrazków. Po jakimś czasie z tarasu dobiegły go przyciszone głosy dwojga ludzi, pogrążonych w zażartej dyskusji. Natychmiast poznał głos Valentiny. Ukryty w mroku, wychylił się do przodu i ujrzał ją, stojącą przed bratem z uniesionymi rękami, z twarzą wykrzywioną gniewem. Rozmawiali tak szybko i cicho, że nie rozumiał ani słowa. Bezskutecznie nadstawiał uszu. Nagle Falco zerwał się na równe nogi, oparł dłonie na stole i z wściekłością rzucił siostrze jakieś pytanie. Jego ręce przypominały potężne lwie łapy. Valentina odrzekła coś szybko, dumnie unosząc głowę i błyskając oczami. Thomas znowu przypomniał sobie jej taniec na ulicy po nabożeństwie w kaplicy – miała wtedy w oczach ten sam blask.

Zazwyczaj tak spokojna, miała w sobie gwałtowną namiętność, którą rzadko odsłaniała. Uniesiona gniewem, wyglądała jeszcze piękniej niż zwykle i Thomasowi krew zawrzała w żyłach na widok jej wyniosłego uśmiechu i pogardliwego spojrzenia. Wstrzymał oddech, bo nagle ogarnęło go uczucie, że jego miłość do niej staje się jeszcze silniejsza, że wzbiera niczym wody górskiego potoku. Zastanawiał się, czy brat i siostra kłócą się z jego powodu. Może Falco był na nią zły za to, że zakochała się w cudzoziemcu... Thomas powiedział sobie, że lepiej zrobi, jeżeli pozostanie w ukryciu, zwłaszcza że i tak wkrótce miał zabrać Valentinę z Incantellarii, uwalniając ją od towarzystwa ponurego, przepełnionego złością brata.

Wreszcie przed dom zajechał Lattarullo. Thomas wstał z krzesła i cicho wyszedł. Nie chciał, by Falco i Valentina wiedzieli, że był świadkiem ich kłótni.

W czasie podróży do miasteczka Lattarullo z przyjemnością opowiedział mu o swoim własnym ślubie i weselu.

– To smutne, że parę lat później moja żona mnie rzuciła – pokiwał głową, chociaż w jego głosie trudno by się doszukać smutku. – Dotknęła mnie osobista tragedia, której pełnego znaczenie nie rozumie nikt poza mną...

Thomas nie słuchał, ponieważ nie mógł przestać myśleć o kłótni Valentiny i Falca.

– Wojna nauczyła mnie jednak, że w życiu są rzeczy znacznie ważniejsze od kobiet – zakończył Lattarullo.

W pokoju nad trattorią Thomas rozebrał się i podszedł do emaliowanej miski, obok której Immacolata postawiła dzban z wodą. Wziął do ręki kostkę mydła i przypomniał sobie swoją kąpiel w strumieniu razem z Jackiem. Przywołał z pamięci obraz Valentiny, kiedy ujrzał ją pierwszy raz. Miała na sobie dziewiczo białą sukienkę, cudownie przylegającą do smukłego, młodego ciała. Pamiętał, jak słońce przeświecało przez lekką tkaninę, wyraźnie obrysowując kształt nóg dziewczyny...

Długo leżał z otwartymi oczami, wpatrując się w sufit i roztrząsając scenę, której był świadkiem. Za oknem wiatr tańczył pośród cyprysów, a co jakiś czas wpadał do środka i chłodził jego twarz słonawym tchnieniem. Thomasa dręczył dziwny niepokój, było mu gorąco i niewygodnie. Ze wszystkich sił pragnął chronić Valentinę i Albę przed wszelkimi możliwymi zagrożeniami. Zabiorę je obie do Anglii i nikt mnie nie powstrzyma, pomyślał gniewnie. Nawet gdybym miał wykraść je stąd w środku nocy i zniknąć jak złodziej...

Rozdział szesnasty

Padre Dino miał głęboki, chrypliwy głos, podobny do pomruku niedźwiedzia, wydobywający się z krągłego, dużego brzucha. Jego twarz była niemal zupełnie zasłonięta gęstymi, siwiejącymi włosami, które opadały aż na piersi poskręcanymi kosmykami, przypominającymi malutkie zwierzęce szponki. Kiedy się odzywał, broda drgała, zupełnie jakby kryło się w niej jakieś kudłate stworzenie. Nie wyglądała na zbyt czystą i Thomas miał wrażenie, że gdyby znalazł się zbyt blisko księdza, niewątpliwie poczułby wyjątkowo nieprzyjemny odór. Wyraźnie odcinające się od opalonej skóry oczy były duże i bystre, o dość niezwykłym i pięknym odcieniu zieleni, jasne i przejrzyste, jak skąpane w słońcu jeziorka o dnach zarośniętych wodorostami.

Ksiądz przyjechał na rowerze, co zdumiało Thomasa, bo sądził, że sutanna po prostu musi się wkręcić między szprychy i spowodować okropny w skutkach wypadek. Ksiądz wdrapał się na taras, dysząc i postękując po wysiłku, jakim było pedałowanie w górę wzgórza, lecz gdy Immacolata zaproponowała mu szklaneczkę wina, od razu się rozpogodził, a te części jego policzków, które były widoczne spod brody, zabarwił rumieniec koloru dojrzałej śliwki.

– Niech będzie pochwalona Niepokalana Dziewica Maryja i wszyscy święci – rzekł, kreśląc w powietrzu przed sobą znak krzyża.

Thomas pochwycił spojrzenie Valentiny, ale zauważył, że na jej twarzy maluje się wyraz szacunku i powagi. Spod oka zerknął na Falca, który poprzedniego wieczoru z taką wściekłością kłócił się z siostrą. Teraz, w obecności *padre* Dino, najstarszy Fiorelli zachowywał się spokojnie, chociaż jego brwi wciąż były ściągnięte, a oczy pochmurne. Toto stał u boku Beaty i Thomas natychmiast dostrzegł badawcze spojrzenie chłopca, utkwione w brodzie *padre* Dino. Dzieci zawsze dostrzegają groteskowe cechy u innych i chętnie je wyśmiewają, pomyślał Thomas, oczywiście zanim rodzice nie wpoją im, że w żadnym razie nie powinny gapić się na ludzi i wytykać ich palcami. Paolo i Ludovico byli nienaturalnie poważni. Przybycie *padre* Dina zmieniło ich wszystkich i Thomasa ogarnęły wyrzuty sumienia z powodu pozbawionych szacunku myśli pod adresem księdza, który miał przecież udzielić mu ślubu.

– Pamiętam pana z *festa di Santa Benedetta* – odezwał się *padre* Dino, wyciągając rękę do Thomasa.

– To było niezwykłe wydarzenie – Thomas starał się przybrać odpowiedni ton. – Czuję się zaszczycony, że mogłem w nim uczestniczyć...

– To był po prostu cud – rzekł kapłan. – A cuda zawsze przypominają nam o wszechmocy Boga. W czasach konfliktów między ludźmi warto pamiętać, że Bóg jest potężniejszy od nas, choćbyśmy dysponowali najnowocześniejszą bronią i silną armią. Tamtego dnia Bóg objawił nam się w krwawych Chrystusowych łzach i w tym roku, gdy znowu będziemy obchodzić to wielkie święto, uczyni to znowu.

– Kiedy przypada święto? – Thomas odwrócił się do Valentiny, lecz odpowiedzi udzielił mu *padre* Dino, który najwyraźniej uważał, że w Bożych sprawach przede wszystkim on powinien zabierać głos.

– W przyszły wtorek. Może Bóg zechce przy tej okazji pobłogosławić wasz związek i wspólną przyszłość... – Nagle lekko zmarszczył brwi. – Wydaliście na ten świat dziecko...

– Każde dziecko jest wielkim błogosławieństwem, *padre* – wtrąciła Immacolata, śmiało unosząc podbródek.

Z powodu jej pochodzenia, więzów krwi, łączących ją ze świętą Benedettą, która przed 254 laty jako pierwsza była świadkiem cudu, *padre* Dino darzył Immacolatę najwyższym szacunkiem.

– To prawda... – pokiwał głową i znowu zwrócił się do Thomasa. – Tak czy inaczej Bóg musi pobłogosławić wasz związek, aby dziecko można było uznać za owoc uświęconego małżeństwa, a nie godnej nagany beztroski. Na szczęście Bóg wybacza nam takie odstępstwa, zwłaszcza że w czasie wojny czasami bardzo trudno jest wypełniać Jego wolę w tej dziedzinie... – roześmiał się, wprawiając w wibracje cząsteczki powietrza wokół siebie. – Nie zawsze łatwo jest kroczyć Jego ścieżką. Gdyby było to takie proste, wszyscy od razu trafialiby do nieba, a ja nie miałbym tutaj nic do roboty.

– Tommasino jest honorowym młodzieńcem – oznajmiła Immacolata. – Już przed rokiem zrobił na mnie wrażenie uczciwego człowieka, w przeciwieństwie do swojego przyjaciela...

– Tego z wiewiórką? – zaśmiała się Valentina.

Padre Dino zmarszczył brwi.

– Tego z wiewiórką – potwierdziła Immacolata. – Siadajmy do stołu, wypijmy za przyszłość młodych i dziękujmy Bogu, że moja córka nie zakochała się w tamtym...

Kiedy ksiądz wygłosił niepotrzebnie długą modlitwę dziękczynną, Thomas usiadł naprzeciwko niego, u boku narzeczonej. Myślał o Jacku i miał nadzieję, że przyjaciel nie zapomniał wysłać listu do jego rodziców, listu, w którym zawiadamiał ich o swoim powrocie do Włoch i zamiarze powrotu do Beechfield Park z młodą żoną i dzieckiem. Nie czuł najmniejszego niepokoju, że rodzice mogą być niezadowoleni z jego wyboru. Fakt, że przetrwał wojnę, był chyba zupełnie wystarczającym powodem, aby mógł sobie pozwolić na ślub z choćby najbardziej nieodpowiednią młodą kobietą.

Ujął Valentinę za rękę. W pierwszej chwili próbowała mu ją wyrwać, rozdarta między szacunkiem do księdza i zupełnie świeżym pragnieniem opowiadania się we wszystkim po stronie narzeczonego, lecz w końcu dała spokój i pozwoliła Thomasowi pieścić dłoń pod stołem.

Nagle duchownemu głośno zaburczało w brzuchu. *Padre* Dino spokojnie mówił dalej, lecz twarz Immacolaty złagodził wyraz skrywanego rozbawienia. Po chwili burczenie rozległo się znowu, tym razem głośniej. Ksiądz poruszył się nerwowo. Immacolata poczęstowała go drugą szklaneczką wina. W normalnych okolicznościach *padre* Dino odmówiłby, świadomy, że upał i prażące słońce powoli osłabiają jego koncentrację, ale tym razem skwapliwie podsunął szklankę i kiedy dobiegające z jego żołądka odgłosy jeszcze się nasiliły, jednym haustem wypił wino. Na czole i nosie pojawiły się lśniące krople potu. Zaczął mówić głośniej, a jego broda poruszała się niespokojnie, drapiąc sutannę małymi pazurkami. *Padre* Dino przestał mówić o Bożej wszechmocy i skupił się na bardziej ziemskich sprawach, jak *prosciutto* i śliwki. Głębokie warczenie wciąż dobywało się z jego brzucha, aż w końcu mały Toto niewinnym głosem zadał pytanie, które od pewnego czasu dręczyło chyba wszystkich obecnych.

– *Padre* Dino? – zagadnął chłopiec z łobuzerskim uśmieszkiem.

– Tak, moje dziecko? – odparł duchowny przez zaciśnięte zęby.

– Czy ksiądz połknął psa?

Thomas drgnął ze zdumienia, kiedy Falco ryknął niepohamowanym śmiechem.

Padre Dino przeprosił obecnych i zniknął we wnętrzu domu, skąd długo nie wychodził. Immacolata westchnęła.

– Biedny *padre* Dino... – powiedziała. – Za dużo pracuje...

– I za dużo je – dorzucił Ludovico.

– Niepotrzebnie połknął psa, bo to niestrawne mięso – uzupełnił Paolo.

Bracia roześmiali się głośno. Falco wychylił swoją szklaneczkę wina, przełknął głośno i otarł usta wierzchem dłoni.

– Współczuję nieszczęśnikowi, który będzie musiał skorzystać z ubikacji po ojczulku – pokręcił głową.

Paolo i Ludovico znowu parsknęli śmiechem.

– Dosyć! – zawołała Immacolata i ton jej głosu natychmiast przypomniał Thomasowi tamtą twardą kobietę, jaką przed rokiem poznał w Trattorii Fiorelli. – *Padre* Dino jest Bożym sługą, powinniście traktować go z szacunkiem!

W innej sytuacji synowie z pewnością natychmiast by usłuchali jej napomnienia, ale teraz po prostu nie byli w stanie powstrzymać śmiechu.

Zaraz po lunchu ksiądz odjechał na rowerze do miasteczka, chociaż Immacolata taktownie zaproponowała mu ustawiony w cieniu fotel, w którym mógłby cieszyć się popołudniowym spokojem i patrzeć na morze, zanosząc dziękczynne modły do Boga. Miał pewne problemy z zachowaniem równowagi, więc Thomas i Valentina mogli tylko mieć nadzieję, że duchowny bezpiecznie dotrze do domu i w następnym tygodniu udzieli im ślubu zaraz po *festa di Santa Benedetta*.

Później, kiedy Valentina karmiła Albę, Thomas wyjął arkusz papieru oraz pastele i zaczął je szkicować. Popołudniowy upał zelżał trochę, a w miarę zbliżania się wieczoru światło stawało się coraz bardziej miękkie i łagodne. Lekki wiatr od morza niósł świeże aromaty wzgórz i obietnicę szczęśliwej przyszłości w odległym kraju. Ubrana w cienką białą sukieneczkę Alba leżała oparta o brzuch matki i ssała mleko z jej nabrzmiałych piersi. Valentina tuliła córeczkę do siebie i co jakiś czas pochylała głowę, aby popatrzeć na ukochane dziecko. Na jej twarzy malowała się miłość do maleńkiej istotki, którą wydała na świat, a w oczach błyszczała duma. Smutek, który Thomas uwiecznił na poprzednim portrecie, zniknął bez śladu. Uroda tryskającej optymizmem Valentiny wydała się Thomasowi zupełnie nieziemska – piedestał, na którym postawił ukochaną kobietę był tak wysoki, że jej głowa sięgała chmur.

Opowiadał Valentinie o czekającej ich przyszłości. Opisał dom, w którym niedługo zamieszka, oraz wioskę, w której życiu zacznie wkrótce odgrywać tak ważną rolę.

– Mieszkańcy Beechfield pokochają cię od pierwszej chwili. – Uśmiechnął się, wyobrażając sobie pełne podziwu i zazdrości spojrzenia krewnych i przyjaciół, kiedy przedstawi im młodą żonę. – Wydaje mi się, że nigdy nie mieli styczności z Włochami, więc na pewno pomyślą, że wszyscy twoi rodacy są równie piękni jak ty. Tylko ja będę wiedział, że moja żona jest wyjątkowa...

– Och, bardzo bym już chciała wyjechać... – westchnęła Valentina. – Zrobiło się tu dla mnie za ciasno, trudno mi oddychać czy choćby wyprostować nogi...

– Nie będziesz tęskniła za rodziną? – zapytał, szkicując linię jej dolnej szczęki, zaskakująco zdecydowaną i mocno zarysowaną w tak łagodnej twarzy.

– Na pewno nie będzie mi brakowało Falca! – zaśmiała się wesoło. – Głupi Falco... Ciekawa jestem, jak potoczą się jego losy... Widzę, że trudno mu się przystosować do życia po wojnie. Chyba czuł się szczęśliwszy, gdy walczył ze swoimi rodakami i ukrywał się w krzakach niż teraz, kiedy może spokojnie usiąść do stołu z rodziną...

– Może powinnaś postarać się go zrozumieć, bo na pewno nie jest mu łatwo – zasugerował Thomas dyplomatycznie, rysując plamę cienia, jaką podbródek Valentiny rzucał na jej szyję.

– Dlaczego? – rzuciła z rozdrażnieniem. – Falco wcale nie stara się mnie zrozumieć!

Jej twarz spochmurniała nagle. Thomas pomyślał, że przyczyną tej zmiany nastroju musi być wczorajsza kłótnia z bratem.

– Walczył dzielnie i o słuszną sprawę – powiedział. – Nie ma powodu wstydzić się tego, że wystąpił przeciwko swoim rodakom, bo przecież chodziło o pokój...

– Ale on wyobraża sobie, że jest lepszy od nas wszystkich! Uważa, że ma prawo wtrącać się w moje życie, chociaż nic już o mnie nie wie. Wojna zmienia ludzi i ja także jestem teraz inna. Nie byłam na froncie, lecz to nie znaczy, że wojenne przeżycia mnie ominęły. Ja również walczyłam o przetrwanie... Nie jestem z siebie dumna, ale przeżyłam i opiekowałam się *mammą*, najlepiej jak umiałam... Falco nie ma pojęcia o tym, co przeszłam. – Ściągnęła gniewnie brwi. – Przez całą wojnę chował się po krzakach, więc jak może teraz wyobrażać sobie, że tak po prostu zajmie miejsce ojca jako głowa rodziny? Nie było go w domu, kiedy go potrzebowałyśmy...

Thomas nie rozumiał, o czym Valentina mówi. Czuł się trochę tak, jakby wtrącił się w środek rozmowy, nie wiedząc, czego dotyczy.

– Nie przejmuj się – rzekł, skupiając się na ślicznej główce Alby. – Niedługo wyjedziesz stąd i nikt nie będzie ci mówił, co masz robić...

– Nawet ty? – zapytała z uśmiechem.

– Nigdy bym nie śmiał! – roześmiał się, zadowolony, że Valentina trochę się rozpogodziła.

Skończył pracę i podsunął arkusz narzeczonej. Pod portretem napisał: „Valentina i Alba, 1945. Thomas Arbuckle. Teraz moja miłość ma podwójny wymiar". Twarz Valentiny się rozjaśniła, dziewczyna z zachwytem poderwała dłoń do ust.

– Och, to piękne... – wyszeptała. – Jesteś taki zdolny...

– Najważniejsza jest inspiracja, czyli ty i Alba – rzekł. – Żaden portret Jacka czy Brendana nie udał mi się tak jak ten.

– Jest cudowny! Zatrzymam go na zawsze. Pastele chyba nie zblakną, prawda?

– Mam nadzieję, że nie.

– Pewnego dnia pokażę go Albie – powiedziała. – Powinna wiedzieć, jak bardzo jest kochana...

Oparła Albę o swoje ramię i delikatnie poklepała dziecko po pleckach. Thomas pochylił się, żeby ją pocałować, a ona uniosła głowę, podsuwając mu wargi. Całował ją długo, myśląc tylko o tym, jak bardzo pragnął się z nią kochać tego wieczoru. Dopiero po chwili oderwał się od niej z ciężkim westchnieniem.

– Za parę dni weźmiemy ślub – uśmiechnęła się Valentina, czytając w jego myślach. – I będziemy mieli całe życie na pieszczoty...

– Daj Boże... – mruknął Thomas, który mimo wszystko nie chciał kusić losu.

– Bóg nam pobłogosławi, zobaczysz. Chrystus zapłacze krwawymi łzami podczas święta i wreszcie będziemy mogli zacząć wspólne życie z dala od tego miejsca... – niechętnym wzrokiem ogarnęła swój dom. – Nie będę za nim tęsknić, ale może ono zatęskni za mną...

Tylko jeden raz dane im było posmakować swoich nagich ciał. Leżeli obok siebie w cytrynowym gaju, o świcie, kiedy miasteczko spało jeszcze u stóp wzgórza. Właśnie wtedy, w bladym świetle wschodzącego słońca, Thomas naszkicował trzeci i ostatni portret Valentiny. Był to portret tak intymny, że od razu zrozumiał, iż nigdy nie pokaże go nikomu poza nią. Gdy dał go dziewczynie, zarumieniła się gwałtownie, lecz błysk jej oczu powiedział mu, że rysunek bardzo jej się podobał.

– To jest moja Valentina – oświadczył z dumą. – Moja Valentina, której nikt inny nie zna...

A Valentina zwinęła arkusz w rulon, aby na zawsze pozostać jego Valentiną.

Thomas spędzał większość czasu z Valentiną i córeczką, musiał jednak wypełnić jakoś puste godziny, które ona poświęcała na mierzenie i poprawianie ślubnej sukni razem z matką i signorą Ciprezzo. Te upalne, długie godziny ciągnęły się bez końca. Siadywał wtedy przed trattorią i obserwował bawiące się na nabrzeżu dzieci i rybaków, naprawiających sieci lub wypływających w morze, aby je zarzucić. Mężczyźni wracali z beczkami pełnymi ryb, które sprzedawali w miejscowym sklepie albo dalej, w głębi lądu, gdzie nadal panował głód. Dzieciaki gromadziły się wokół przybijających do brzegu łodzi i przyglądały się, jak dorośli rozładowują beczki. Gdy co jakiś czas jakaś mała rybka wymknęła się komuś z rąk, dzieci chwytały ją i uciekały z krzykiem i śmiechem, zanim ktokolwiek zdążył wyrwać im zdobycz. Thomas codziennie wypijał też szklaneczkę wina z Lattarullem lub z *il sindacco*, który zakładał nogę na nogę, aby wystawić na lepszy widok starannie wypolerowane czarne buty i idealnie wyprasowane spodnie.

Kiedy Thomas był sam, z przyjemnością patrzył, jak przypływ i odpływ odbywają łagodny taniec na piasku i drobnych kamykach. Próbował sobie wyobrazić, jak wyglądał ten sam brzeg kilka tysięcy lat wcześniej i po raz pierwszy świadomie myślał o zmienności ludzkiej natury i własnej śmiertelności. Pewnego dnia ja także będę znaczył równie niewiele jak piasek na plaży, mówił sobie, lecz dzieje świata będą toczyć się dalej, i nie zaniknie taniec przypływów i odpływów.

W końcu nadszedł dzień *festa di Santa Benedetta*. Ranek zachwycał pięknem, niebo było bardziej błękitne niż kiedykolwiek i usiane drobnymi cząsteczkami złocistego pyłu, które lśniły w słońcu. Thomas stanął w oknie trattorii i podziwiał ten wspaniały widok, pewny, że jeżeli Bóg istnieje, to w tej chwili pochyla się nad Incantellarią. Świeże powietrze miało dziwnie słodki zapach goździków. Kiedy Thomas spojrzał w kierunku brzegu, znieruchomiał ze zdumienia. Fale cofnęły się, zostawiając szeroką plażę przykrytą lśniącą szatą z różowych goździków. Kwiaty mieniły się różnymi odcieniami różu, bo lekka bryza poruszała ich płatkami, które migotały jak malutkie skrzydła. Przycumowane łodzie tkwiły w samym środku niezwykłej, pachnącej łąki kwiatów.

Thomas ubrał się pośpiesznie i razem z mieszkańcami miasteczka wyszedł na brzeg. Wszyscy milczeli, porażeni pięknem niesamowitego zjawiska i chyba trochę przestraszeni, że słowa mogłyby je zniweczyć. Nikt nie miał pojęcia, skąd wzięła się ta masa kwiatów. Thomasowi przyszło nagle do głowy, że kiedy odpływ zabierze różowy płaszcz, wszyscy będą się zastanawiać, czy zdarzyło się to naprawdę, czy też może ulegli dziwacznej zbiorowej halucynacji.

Splótł dłonie na karku i uśmiechnął się szeroko. Jeżeli widzisz to, co ja, Freddie, to mam nadzieję, że także czerpiesz z tego mnóstwo radości, pomyślał pogodnie. Dziś przypada *festa di Santa Benedetta*, więc z pewnością jest to znak od Boga... Jutro Valentina i ja weźmiemy ślub. Po krwawej, strasznej wojnie wreszcie możemy zacząć budować trwały pokój. Symbolem naszej przyszłości są te piękne kwiaty...

Jednak stary Lorenzo, który stał obok Thomasa, podrapał się po brodzie i pokręcił głową.

– Goździk to symbol śmierci – wymamrotał ponuro. – Jeżeli każdy kwiat odpowiada jednemu ludzkiemu istnieniu, zginiemy wszyscy...

Thomas zignorował mroczną przepowiednię staruszka. Wkrótce całą okolicę obiegła wieść o najnowszym *miracolo*. Na miejsce przybył *padre* Dino, który miał ocenić zjawisko i zaliczyć je do odpowiedniej kategorii innych cudów, jakie wcześniej wydarzyły się w Incantellarii. Osłupiały Lattarullo drapał się po przyrodzeniu, natomiast burmistrz zastanawiał się, czy nie zanieść bukietu różowych kwiatów żonie. Immacolata wraz z całą rodziną zeszła do miasteczka zaraz po otrzymaniu niezwykłej wiadomości. Valentina i Thomas chwycili się za ręce i z sercami przepełnionymi radością patrzyli na zapowiedź swojej szczęśliwej przyszłości. W pewnej chwili Thomas kątem oka dostrzegł wyraźny błysk na szczycie odległego wzgórza. Dopiero po chwili zdał sobie sprawę, że to *marchese* obserwuje całe wydarzenie przez ustawiony na tarasie pałacu teleskop, nie potrafił jednak odpowiedzieć sobie na pytanie, czy markiz przygląda się mieszkańcom Incantellarii, czy też razem z nimi podziwia niewiarygodny dywan goździków.

Tego wieczoru, gdy usiadł obok Valentiny w małej kaplicy San Pasquale, ogarnęło go poczucie *déjà vu*. Wspólnie z rodziną Fiorelli czekał, aż krew zacznie sączyć się z oczu Chrystusa. Immacolata, odziana w tradycyjną czerń, którą nosiła od śmierci męża, stała tuż przy ołtarzu, dumna i poważna, lecz jednocześnie odizolowana od reszty mieszkańców Incantellarii. Wydawała się mniejsza i drobniejsza niż zwykle, zupełnie jakby ciężar nadziei przygniótł jej ciało ku ziemi. Thomas szczerze współczuł kobiecie, która straciła już męża i syna, a teraz miała rozstać się także z jedyną córką i wnuczką. Zawsze robiła na nim wrażenie silnej i imponującej, lecz nagle, osamotniona przed figurą Chrystusa, tylko z dwoma stojącymi za nią *parenti*, wydała mu się krucha i godna litości.

Thomasowi było wszystko jedno, czy Chrystus z Incantellarii zapłacze krwawymi łzami, czy też nie. Uważał, że ma do czynienia ze sprytną sztuczką, której inspiratorem jest *padre* Dino lub ktoś, kto działa w porozumieniu z księdzem. Chodziło mu tylko o Valentinę i jej matkę, które przywiązywały do domniemanego cudu zbyt wielką wagę, jakby coś takiego mogło decydować o ich przyszłości. Nie zdają sobie sprawy, myślał, że przyszłość spoczywa w ich własnych dłoniach, a „cud" nie ma z nią nic wspólnego. Oczywiście nie mógł im tego powiedzieć, mógł tylko mieć nadzieję, że krew będzie gęsta i intensywnie czerwona jak wiśniowy syrop.

Wszyscy czekali w skupieniu, a wnętrze kaplicy wypełniał gęsty dym kadzidła. Cisza stawała się wręcz porażająca i Thomas pomyślał, że teraz nawet najcichszy dźwięk mógłby porazić obecnych z taką samą siłą jak przenikliwy gwizd. Valentinie spociła się dłoń. Thomas ścisnął lekko wilgotne palce, aby dodać jej odwagi, ale dziewczyna nie zareagowała. Nieruchomym wzrokiem wpatrywała się w postać Chrystusa, modląc się całym sercem, aby łzy wreszcie popłynęły. Ponieważ zależało jej na tym aż tak bardzo, Thomasa ogarnął niepokój. Z nadzieją pomyślał, że przecież kwiaty na plaży musiały być dobrym znakiem, lecz ani koncentracja jego woli, ani cicho szeptane modlitwy zgromadzonych nie dokonały cudu. Zegar wybił pełną godzinę i Immacolata osunęła się na kolana.

Kiedy rozczarowani wierni opuszczali kaplicę, Valentina uśmiechnęła się do Thomasa.

– Nie martw się, kochany – powiedziała. – Jutro weźmiemy ślub i zostawimy za sobą pecha, jeżeli można tu mówić o pechu...

– Czy goździki na plaży nie są raczej symbolem szczęścia niż pecha? – zapytał szeptem.

– Oczywiście, ale potrzebne nam jest jeszcze błogosławieństwo Chrystusa. Dobrze, że wiem, jak je zdobyć. Wszystko będzie dobrze, zobaczysz.

Thomas uważał wiejskie przesądy narzeczonej za czarujące i całkowicie nieszkodliwe. Dopiero później miał szczerze żałować, że tak mało ją znał.

Rozdział siedemnasty

Londyn, 1971

Alba spakowała torbę, chociaż nie bardzo wiedziała, co ze sobą zabrać i w jaki sposób dotrzeć do Incantellarii. Od jej rozstania z Fitzem upłynął już ponad miesiąc, wypełniony żalem i milczeniem. Kiedy Fitz uparcie nie telefonował, Alba zaczęła liczyć na to, że może przypadkiem wpadnie na niego na nabrzeżu, ale nic takiego się nie stało. Jej sypialnia emanowała aurą nieukojonego osamotnienia. Mimo wizyt Ruperta, Tima, Jamesa oraz Trzcinki powietrze w mieszkaniu wciąż pachniało Fitzem i czasami, kiedy Alba dała się zaskoczyć tęsknocie, do oczu napływały piekące łzy. Tęskniła nawet za tym jego starym, głupim psem... W ich przyjaźni było coś naprawdę cudownego, więc dlaczego Fitz nie zdecydował się towarzyszyć jej w wyprawie do Włoch? Gdyby ją kochał, zgodziłby się bez wahania. Może stawiała mu zbyt wielkie wymagania, ale cóż, taką już miała naturę... Skoro nie potrafił dotrzymać jej kroku, to faktycznie dobrze się stało, że się wycofał z wyścigu. Tak czy inaczej, Alba wiedziała, że bardzo za nim tęskni. Teraz został jej już tylko seks, a tymczasem dusza bolała nad stratą tego, co łączyło ją z Fitzem.

Oczywiście Viv stanęła po jego stronie. Alba zawsze podejrzewała, że jej sąsiadka gotowa jest na wszystko dla mężczyzny, a teraz sądziła, że Viv pragnęła Fitza dla siebie, chociaż była dla niego zdecydowanie za stara. Początkowo dziewczyna czuła się opuszczona i samotna, ponieważ przywykła już do myśli, że może liczyć na Viv, Fitza zaś nauczyła się kochać, więc oboje stali się dla niej rodziną, której nigdy nie miała. Z nostalgią wspominała wieczór, kiedy leżeli pod ciemnym niebem i wpatrywali się w gwiazdy.

Od odejścia Fitza Viv starała się ją ignorować. Kiedy czasami spotykały się na trapie, wydymała wargi, prychała pogardliwie i odchodziła z wysoko uniesioną głową, zupełnie jakby winę za całą tę sytuację ponosiła wyłącznie Alba. Nie ulegało wątpliwości, że Fitz przedstawił Viv mocno okrojoną wersję prawdy... Cóż, jeżeli Viv była na tyle głupia, aby wierzyć tylko jego słowu, to oboje mogli się do woli dusić we własnym sosie. Alba wybierała się do Włoch na poszukiwanie swojej prawdziwej rodziny i wydawało jej się całkiem możliwe, że zostanie tam na zawsze, a wtedy ci dwoje pożałują, że potraktowali ją w tak niesprawiedliwy sposób, prawda? Ale na przeprosiny będzie już za późno...

Rupert, Tim i James bardzo chętnie wrócili do jej łóżka, zachwyceni, że Fitz nie wytrzymał długo.

– Żaden z niego długodystansowiec – oświadczył z zadowoleniem Rupert, który teraz zyskał pewność, że to on odegra rolę mężczyzny na stałe w życiu Alby.

Trzcinka znowu zaczął zaglądać do dziewczyny tak często jak poprzednio, a ona pozwoliła mu zaprosić się na wycieczkę do Wapping. Przed bystrym okiem sierżanta ukryła się na dnie motorówki. Bawiła się z kolegami Trzcinki w pubie Star & Garter, piła z nimi piwo i słuchała ich dowcipów, rozradowana, że koncentrują na niej całą uwagę.

Regularnie odwiedzał ją też Les Pringle z firmy zaopatrującej jachty i łodzie, dostarczając przesyłki i napełniając pojemnik na wodę. Chociaż był już za stary, żeby pójść z Albą do łóżka, chętnie zasiadał przy stole w kuchni, popijał kawę i plotkował o dziwnych ludziach, których spotykał w czasie wykonywania swoich zajęć. Ku wielkiemu rozbawieniu Alby któregoś dnia wyznał, że nie ma klientki bardziej ekscentrycznej niż Vivien Armitage.

– Ci pisarze to straszni dziwacy... – pokręcił głową. – Rzadko się zdarza, żeby jej pojemnik na nieczystości był pełny, wiesz? Myślę, że może namawia swoich przyjaciół, żeby sikali za burtę...

– Niezły pomysł – roześmiała się Alba. – Szkoda, że sama na to nie wpadłam... Cóż, Vivien może i jest bardzo sprytna, ale czy widziałeś ją kiedyś bez makijażu, Les? Bo dopóki ja nie zobaczyłam Viv o drugiej w nocy, z wałkami na włosach, myślałam, że tylko Frankenstein ma tak przerażającą gębę... – dorzuciła zjadliwie.

Jak mogła czuć się samotna, kiedy wokół niej kręciło się tylu przyjaciół? Przecież to po prostu niemożliwe, pomyślała, zapinając torbę i siadając na niej, żeby dociągnąć suwak. Był początek czerwca. W Londynie było ciepło, więc w Neapolu na pewno panowały już upały. Spakowała większość swoich letnich rzeczy, pewna, że w niewielkim, prowincjonalnym miasteczku nad morzem jej stroje wzbudzą szczery zachwyt. Miała przyjaciół, czekała ją wspaniała przygoda, więc niby dlaczego miałaby się czuć samotna?

Siedziała na pokładzie, z niechęcią obserwując wiewiórki i co jakiś czas rzucając kawałek chleba unoszącym się na wodzie kaczkom. Zerknęła na łódź Viv, jak zwykle idealnie czystą. Wzdłuż burty wisiały donice z geranium, a kwiaty na długich łodygach dotykały powierzchni wody. Tu i ówdzie przy burcie stały też duże czarne skrzynie, w których rosły cytrynowe drzewka i perfekcyjnie przystrzyżone w kształt kul tuje. Nawet okna lśniły czystością. Alba przeniosła spojrzenie na własny pokład. U niej również stały donice z kwiatami, lecz wszystkie rośliny wymagały przesadzenia, nie wspominając już o podlaniu – od ponad dwóch tygodni nie spadła ani kropla deszczu. Dziewczyna uświadomiła sobie, że minęło parę miesięcy odkąd zamiatała pokład. Wiewiórki uwielbiały bawić się na pokładzie i wszędzie zostawiały orzechy i odchody, które wiatr na szczęście zwiewał za burtę, lecz pod względem czystości „Valentinie" daleko było do łodzi Viv. Alba nie lubiła sprzątać i wszystkie naprawy zostawiała Fitzowi, ale ten najwyraźniej nie zamierzał wrócić i zająć się łataniem przeciekającego dachu, podobnie jak leczeniem jej pękniętego serca... Znowu popatrzyła na idealnie czysty dom Viv i nagle drgnęła, zaskoczona pomysłem, który właśnie wpadł jej do głowy.

Na szczycie kabiny Viv rosła trawa, którą pisarka kupiła w gotowych kwadratach w centrum ogrodniczym, równiutko przystrzyżona i zieloniutka, po prostu doskonała... Jakiś czas temu Viv założyła nawet na dachu specjalną instalację, dzięki której woda ściekała za burtę i nie zbierała się nad sufitem, co mogłoby doprowadzić do zawilgocenia desek i teraz wierzch kabiny wyglądał jak zielona czupryna, poddana strzyżeniu i modelowaniu w drogim salonie fryzjerskim. Pisarka szczyciła się swoim trawnikiem, posadziła na nim stokrotki i jaskry, a ostatnio eksperymentowała z makami. Alba utkwiła wzrok w sąsiedniej łodzi i uśmiechnęła się kpiąco. Założę się, że Viv nawet nie przypuszcza, jaka ze mnie dobra ogrodniczka, pomyślała. Chyba powinnam pokazać jej, że nie brak mi inwencji.

Alba kupiła sobie ładny różowy motocykl Vespa, którym poruszała się po mieście, o wiele łatwiejszy do zaparkowania niż samochód. Samolot do Włoch miała dopiero wieczorem, co dawało jej mnóstwo wolnego czasu. Umówiła się z Rupertem na lunch w Mayfair – powiedziała mu, że wyjeżdża do Włoch, ale nie dodała, że nie zamierza wrócić do Anglii... Postanowiła, że wcześniej zadzwoni do swojego starego kumpla, Lesa Pringle'a, który gotów był dla niej na wszelkie możliwe poświęcenia. Chciała poprosić go o coś, o co nikt nigdy dotąd na pewno go nie prosił...

Viv siedziała z Fitzem w ogródku małej kafejki, tuż za rogiem jego domu. Był to spokojny lokal w starym stylu, gdzie podawano znakomitą kawę. Sprout leżał na betonie i obojętnie obserwował buty przechodniów. Viv paliła, wypuszczając w powietrze obłoczki dymu. Jej oczy osłaniały duże czarne szkła, widoczne były tylko drobny nos i podbródek. Kiedy Fitz wyraził podziw dla kształtu i wielkości oprawek, twierdząc, że są modne, pisarka skrzywiła się lekko.

– Nie podążam za modą, mój drogi – rzuciła z irytacją. – Jestem ponad takimi rzeczami... Nie patrz tak na mnie, proszę! Mówiłam ci, że nie mam najmniejszej ochoty patrzeć na łzy w twoich pięknych brązowych oczach...

– Wyjeżdża dzisiaj wieczorem, prawda? – westchnął Fitz.

Viv wypuściła smużkę dymu kącikiem ust.

– Tak. Szkoda, że nie wcześniej.

– Powinienem się z nią pożegnać...

Spojrzała na niego z oburzeniem.

– Pożegnać się?! – warknęła. – Powinieneś cieszyć się, że wreszcie się jej pozbędziesz! Nie dała ci nic poza cierpieniem!

– I dwoma dość eleganckimi koszulami firmy Mr Fish...

– Nie wygłupiaj się, skarbie! Skoro zdecydowała się zerwać z tobą z tak trywialnego powodu, to najwyraźniej wcale cię nie kocha. Od początku przewidywałam, że cała ta historia zakończy się smętnie, i miałam rację. Zaraz po rozstaniu z tobą znowu zaprosiła do łóżka Ruperta, prawda? I dam głowę, że nie uroniła ani jednej łzy, głupia dziwka. Wiem, że jest ci smutno, ale czas przyjąć do wiadomości, że to już koniec i zacząć życie od nowa. W tym mieście i kraju dosłownie roi się od dziewczyn, które bardzo chętnie się tobą zaopiekują...

– Nie chcę nikogo innego – Fitz odwrócił wzrok. – Żałuję, że nie starczyło mi wytrwałości, by lepiej ją zrozumieć...

– Och, na miłość boską, przestań gadać bzdury! Ta dziewczyna to nie Sfinks, nie trzeba się specjalnie starać, żeby ją zrozumieć! Jest rozpieszczona, za ładna i zdecydowanie zbyt chętna, aby pójść do łóżka z każdym facetem, który powie jej coś miłego! W gruncie rzeczy sprawa jest prosta – Alba szuka kogoś, kto odegrałby w jej życiu rolę ojca. Nie trzeba mieć dyplomu z psychologii, żeby się tego domyślić. Sęk w tym, że ty chyba zanadto przypominałeś jej ojca...

– Przecież tylko grałem taką rolę! – przypomniał z naciskiem Fitz.

– Nieprawda... – Viv obdarzyła go domyślnym uśmiechem. – Skarbie, nie jesteś nudziarzem ani starym sztywniakiem, ale nie ulega wątpliwości, że jesteś konwencjonalnym, uczciwym, zabawnym i miłym człowiekiem, który nie zabiega o oklaski, gdy tymczasem Alba szuka imponującego, absolutnie fascynującego mężczyzny i znajdzie go we Włoszech. Gdzie jak gdzie, ale tam nie brak pełnych ognia przystojniaków, na których widok panienki padają na kolana.

– Nie masz racji, byliśmy razem naprawdę szczęśliwi. Dużo się śmialiśmy, było nam bardzo dobrze w łóżku, a ja dopiero zaczynałem rozkwitać w roli arbitra elegancji... – Fitz uśmiechnął się łobuzersko.

Viv zgniotła niedopałek w popielniczce i długo patrzyła na przyjaciela, nie zdając sobie sprawy, że jej twarz złagodniała. Czule poklepała go po ręce, zupełnie jak zatroskana matka.

– Doskonale, mój drogi, śmiej się z tego. Nie wątpię, że było ci z nią dobrze, ale to już się skończyło. Niech jedzie do Włoch, nie przejmuj się tym. Może prześpi się ze wszystkimi fascynującymi facetami, którzy staną na jej drodze i na koniec zda sobie sprawę, że żaden z nich nie uczynił ją szczęśliwą. Jeżeli tak będzie, to wróci do ciebie, a jeśli nie, po prostu będziesz musiał ożenić się ze mną...

– Mógłbym skończyć o wiele gorzej. – Fitz uśmiechnął się i wziął ją za rękę.

– Ja także... – Viv zdjęła okulary, odsłaniając załzawione oczy o mocno wytuszowanych rzęsach. – Wiesz, bardzo trudno mi było udawać, że jej nie zauważam...

– Nie powinnaś opowiadać się po mojej stronie.

– Zawsze stanę po twojej stronie, mój drogi. Nigdy nie przestanę o tobie dobrze myśleć, nawet gdybyś popełnił morderstwo.

– Nie tylko dlatego, że potrafię wynegocjować dla ciebie najkorzystniejsze warunki umów?

– Oczywiście, z tego powodu również! – uśmiechnęła się. – Ale nie mam cienia wątpliwości, że niewielu jest takich ludzi jak ty, a ona zwraca uwagę tylko na to, co z wierzchu, i właśnie dlatego nigdy nie byłaby zdolna cię docenić. Nie chcę, żebyś zmarnował życie u boku kobiety, która nawet nie zada sobie trudu, aby cię dobrze poznać. Im głębiej sięga się do twojego serca, tym wyżej ceni się twój charakter.

Fitz roześmiał się niewesoło.

– Jesteś bardzo miła, naprawdę, ale nie wiem, czy zasługuję na tyle pochwał. Tak czy inaczej, nie potrafię nagle przestać ją kochać...

– Ja też ją kocham, głuptasie. Alba posiada dar pozyskiwania ludzkich serc, to jasne.

Fitz spędził całe popołudnie w biurze. Odbył mnóstwo rozmów telefonicznych, uporządkował papiery, pobieżnie przejrzał kilka maszynopisów nowych powieści, ale pod koniec dnia nie potrafił sobie przypomnieć, z kim rozmawiał, jakie listy napisał i czy któraś z nowych powieści wydała mu się interesująca. Na siódmą umówił się na brydża u Viv. W ciągu kilku poprzednich tygodni rozmyślnie grywali u Wilfrida lub Georgii, aby Fitz nie musiał patrzeć na Albę i jej łódź, ale on nie umiał się skupić nawet w czasie ostatniej rozgrywki. Sprout wszędzie mu teraz towarzyszył, zachwycony, że pan nie zostawia go w kuchni albo w bagażniku. Pies awansował na miejsce pod przednim fotelem, a czasami, jeżeli Fitz akurat zrobił porządek w samochodzie, rozkładał się na tylnym siedzeniu w pozie rzymskiego cezara i z zainteresowaniem obserwował dachy przemykających za oknami budynków. Był doskonałym towarzyszem, ale i tak nie mógł oderwać pana od niewesołych myśli o Albie.

Fitz tęsknił za Albą. Brakowało mu wszystkiego, co miało z nią jakikolwiek związek i najlepiej czuł się w nocy, kiedy mógł leżeć w ciemności, wspominając dobre czasy. Kochanie się z Albą sprawiało mu ogromną przyjemność, ale najbardziej wzruszające były te noce, gdy ona po prostu leżała przytulona do niego. Zrozumiał, że takie przejawy intymności są dla niej całkowitą nowością. Alba nie miała pojęcia, jak to możliwe, że chce leżeć w łóżku z mężczyzną, nie uprawiając seksu. Kiedy w końcu dotarło do niej, że jednak doświadcza takich uczuć, szybko wymyśliła nazwę dla tych wieczorów. Nazwała je „strączkowymi wieczorami", ponieważ leżeli wtedy ciasno przytuleni do siebie, zupełnie jak ziarna zielonego groszku w strąku, tak blisko, że na dobrą sprawę stanowili jedność.

Sprout wyczuł, że przyjaciel nie jest w najlepszej formie i zamerdał ogonem, jakby chciał odgonić jego smutki. Fitz objął psa i ukrył twarz w rudawym futrze. Nie chciał, aby ktokolwiek widział jego łzy, nawet pies. Nie było to męskie i w pewnym sensie kłóciło się z jego poczuciem godności, jednak kilka razy, po paru kieliszkach wina, nie zdołał zapanować nad rozpaczą.

Po wyjściu z biura zabrał Sprouta na spacer po Serpentynie. Było jeszcze za wcześnie, by pojechać do Viv, która teraz pewnie piła drinka u Ritza ze swoim nowym wydawcą. Wieczór był przepiękny – jasnobłękitne niebo po zachodniej stronie znaczyły szerokie różowopomarańczowe pasy, balsamicznie ciepłe powietrze pachniało skoszoną trawą. Wiewiórki biegały po trawnikach w poszukiwaniu pozostawionych przez turystów resztek jedzenia. Fitz pomyślał o Albie, która nie znosiła tych małych zwierzątek i zawsze się bała, że wpadną do jej sypialni i ukryją pod kołdrą, aby w nocy gryźć ją w palce u nóg. Uwielbiał jej sposób myślenia, niepodobny do procesów myślowych innych ludzi. Alba żyła we własnym świecie. Problem polegał na tym, że Fitz, choć bardzo się starał, nie umiał do niego wejść.

Spojrzał na zegarek. Nie wiedział, o której odlatuje jej samolot, lecz nagle przyszło mu do głowy, że jeśli się pośpieszy, może zastanie ją jeszcze na „Valentinie". Powinien był pojechać tam wcześniej, a przynajmniej zadzwonić i zapytać, jak się czuje. Może cierpiała tak samo jak on i tylko czekała, by wyciągnął do niej rękę... Czy naprawdę był aż tak głęboko zraniony i wściekły, że nie mógł wyjrzeć ze swojej skorupy i sprawdzić, co się z nią dzieje? Viv radziła mu, żeby nie dzwonił do Alby, ale czy musiał korzystać z tej rady? Kochał Albę, więc powinien kierować się własnym instynktem...

Pośpiesznie wybiegł na ulicę i zatrzymał taksówkę.

– Cheyne Walk! – rzucił, zatrzaskując za sobą drzwi. – Jak najszybciej, bardzo proszę...

Kierowca ponuro pokiwał głową.

– Ciekawe, dlaczego żaden klient nie prosił mnie dotąd, żebym jechał jak najwolniej... – mruknął.

Zirytowany Fitz zmarszczył brwi.

– Nie wiem – warknął.

– Zawsze jadę tak szybko, jak pozwalają przepisy – ciągnął taksówkarz, nieśpiesznie jadąc w dół Queensgate.

– Większość kierowców, z którymi miałem do czynienia, z przyjemnością łamie przepisy – zauważył Fitz, modląc się w duchu, żeby zastał Albę w domu.

– Może i tak, ale ja uważam, że przepisy zostały ustalone w pewnym celu, i staram się ich przestrzegać.

– A co z jedenastym przykazaniem? – zagadnął Fitz.

– Wydaje mi się, że było ich tylko dziesięć. – Kierowca pociągnął nosem i otarł sączącą się z niego wilgoć wierzchem dłoni.

– Nie, jest jeszcze jedno, chociaż ludzie często o nim zapominają – nie daj się złapać...

Taksówkarz zaśmiał się, chyba wbrew sobie.

– W porządku, zrobię, co w mojej mocy.

Fitz w napięciu obserwował, jak strzałka szybkościomierza powoli przekracza punkt oznaczony cyfrą 50 kilometrów na godzinę.

Viv pożegnała się z przedstawicielką wydawnictwa, zadowolona, że dotychczasowy rozwój wątków jej najnowszej powieści spotkał się z samymi pochwałami. Zawsze uważała, że Ros Holmes jest wspaniałą kobietą, bezpośrednią, rozsądną, konkretną i ciepłą w prawdziwie brytyjski sposób.

Viv nie znosiła pochlebców. Ros nigdy nie prawiła jej pochlebstw i na pewno nie posunie się do tego także w przyszłości, nawet gdyby książka była wspaniała, a właśnie, zdaniem pisarki, jej najnowsza książka na taką się zanosi. Zatrzymała taksówkę na Piccadilly i zerknęła na zegarek. Za pięć siódma, co oznaczało, że trochę się spóźni. Trudno, goście zaczekają na tarasie, podziwiając nowy ogród na dachu i cytrynowe drzewka. Nagle pomyślała o Albie. Ogarnęły ją wyrzuty sumienia. Może jednak niepotrzebnie zerwała z nią stosunki, chyba należało okazać dziewczynie odrobinę wyrozumiałości... Ostatecznie Alba przesiedziała w jej kuchni wiele wieczorów, otwierając swe serce na oścież i popijając wino. Miała ostry język, ale mimo wszystko zasługiwała na sympatię. Viv doszła do wniosku, że jest już trochę za stara, żeby zachowywać się w tak dziecinny sposób. Alba nie mogła porozumieć się z rodzicami, a teraz na domiar złego nie miała oparcia w Fitzu. Powinnam się wstydzić, pomyślała Viv. Trzeba było inaczej ją potraktować...

– Niech pan trochę przyśpieszy, dobrze? – zawołała, usiłując przekrzyczeć włączone radio. – Nie jestem turystką, więc może pan jechać szybciej!

Taksówkarz był tak zaskoczony, że odruchowo nacisnął pedał gazu.

Viv uznała to za niezwykły zbieg okoliczności, że przyjechała na Cheyne Walk dokładnie w tym samym momencie co Fitz. Nie odezwali się do siebie ani słowem – oboje wiedzieli, że powinni jak najprędzej znaleźć się przy Albie, a nie wyjaśniać sobie, dlaczego biegną po pomoście na pokład „Valentiny". Fitz zapukał do drzwi. Łódź wyglądała na opuszczoną, tylko wiewiórki bawiły się na dachu kabiny.

– Cholera jasna! – zaklęła Viv. – Spóźniliśmy się?

– Chyba tak – odparł Fitz.

– Zapukaj jeszcze raz!

– A co robię, twoim zdaniem?! – wykrzyknął z irytacją, waląc w drzwi pięścią.

Słyszeli tylko stukot pazurków wiewiórek, uganiających się po dachu.

– No, trudno, już jej nie ma... – westchnęła Viv.

– Nie mogę uwierzyć, że zachowałem się w tak idiotyczny sposób!

Położyła mu rękę na ramieniu.

– Skąd mogłeś wiedzieć, skarbie...

– Mogłem przyjechać do niej, ale nie zrobiłem tego! Zostawiłem ją samą w chwili, gdy najbardziej mnie potrzebowała... I nawet nie zadzwoniłem, żeby życzyć jej szczęścia...

– Alba wróci... – mruknęła pocieszająco Viv.

Fitz utkwił wściekłe spojrzenie w jej twarzy.

– Naprawdę tak sądzisz?

– Niezależnie od tego, co sądzę, nie ma sensu, żebyśmy stali tutaj i dobijali się do drzwi – powiedziała, biorąc go za rękę. – Chodźmy się napić...

I właśnie w tej smutnej chwili ich oczy z niedowierzaniem zatrzymały się na wypielęgnowanym ogródku na dachu kabiny Viv. Pisarka poderwała dłoń do twarzy, z jej ust wyrwał się zdławiony jęk. Wargi Fitza rozciągnęły się w szerokim uśmiechu.

– Alba! – zawołali równocześnie.

– Jak, na miłość boską... – zaczęła Viv, zaraz jednak bezradnie rozłożyła ręce, bo chyba po raz pierwszy w życiu zabrakło jej słów.

– To dla niej typowe! – powiedział Fitz.

Wreszcie poczuł się trochę lepiej.

– Cóż, chyba na to zasłużyłam... – Viv z westchnieniem potrząsnęła głową.

Na jej starannie przystrzyżonym trawniku stała koza, spokojnie szczypiąc stokrotki i kaczeńce i najprawdopodobniej wyżerając z ziemi także nasiona maków.

Alba siedziała w taksówce, która wiozła ją na lotnisko Heathrow. Przed oczami wciąż miała kozę, pasącą się na dachu łodzi Viv. Uśmiechnęła się z nadzieją, że zwierzak wyskubał już całą trawę, a może nawet wpadł do sypialni i teraz ze smakiem zajada bieliznę. Dobry stary Les, pomyślała. Bardzo podobał jej się dowcip, jaki zrobiła sąsiadce, lecz w głębi serca nadal czuła się okropnie. Fitz nawet się nie pofatygował, żeby do niej zadzwonić i życzyć powodzenia, i teraz nie miała już szans z nim porozmawiać, bo przecież sama nie była pewna, dokąd jedzie. Wiedziała, że leci do Neapolu, gdzie ma wsiąść w pociąg do Sorrento, a stamtąd popłynąć łodzią do Incantellarii, ale nic poza tym. Pracownik agencji podróży uprzedził ją, że w tamtym regionie drogi są wąskie i kręte, a ona nie miała zamiaru ryzykować życiem, wynajmując samochód z jakimś nieobliczalnym Włochem za kierownicą, chociażby z tego powodu, że Włosi jeździli niewłaściwą stroną drogi. Nie, znacznie lepiej będzie popłynąć łodzią... Alba uświadomiła sobie nagle, że stoi na progu wielkiej przygody. Fitz powiedział, że musi odbyć tę wyprawę sama... Czuła, że pozna historię życia matki, i ta myśl dodawała jej skrzydeł. Trochę się bała, ale wreszcie była wolna jak ptak.

DRUGI PORTRET

Rozdział osiemnasty

W chwili gdy Alba opadła na swój fotel w samolocie, jej zapas energii całkowicie się wyczerpał. Ziewnęła. Była senna i zmęczona, zmęczona znajomym uczuciem pustki i nadzieją, że Fitz wypełni ją swoją miłością. Pomyślała, że dobrze będzie zostawić to wszystko za sobą i zacząć nowe życie w nowym miejscu, wśród nowych ludzi.

Celowo wybrała miejsce przy oknie, żeby mieć tylko jednego sąsiada. W autobusie zawsze mogła usiąść tam, gdzie chciała, i przesiąść się, gdyby obok niej usadowił się ktoś niesympatyczny, lecz w samolocie sytuacja wyglądała inaczej – była skazana na towarzystwo współpasażera, któremu los przydzielił miejsce 13B, a już sam numer „13" nie wróżył nic dobrego. U wejścia do kabiny pojawił się przystojny Włoch, najwyraźniej znudzony kolejką ludzi, powoli przesuwających się wzdłuż środkowego przejścia w poszukiwaniu swoich foteli. Natychmiast pochwycił spojrzenie Alby i nie odwrócił wzroku. Dziewczyna nie była tym zaskoczona, ponieważ mężczyźni prawie zawsze reagowali na nią w ten sposób. Wpatrywała się w nieznajomego tak długo i śmiało, aż wreszcie sam spuścił oczy na trzymany w ręku bilet. Alba miała nadzieję, że na kawałku papieru wydrukowano numer „13", który tym razem okaże się jednak szczęśliwy. To chyba był jedyny przystojny mężczyzna, jakiego widziała tego wieczoru. Z przyjemnością porozmawiałaby z nim w czasie lotu, zwłaszcza że myśl o podróży w nieznane budziła w niej spore zdenerwowanie.

Nie spuszczała wzroku z ciemnowłosego mężczyzny. Spojrzenie jej jasnych oczu wyraźnie go onieśmieliło. Z radością pomyślała, że na pewno nie należy do prymitywnych podrywaczy. Włoch zerknął na nią jeszcze raz i przeszedł do tylnej części kabiny. Prychnęła z niezadowoleniem i założyła ręce na piersi. Zanim zdążyła oszacować wzrokiem pozostałych pasażerów, na sąsiednie miejsce zwalił się potężnie zbudowany, tęgi mężczyzna.

– Proszę trochę uważać... – syknęła wyniośle.

Przeprosił ją cienkim, zdyszanym głosem i bezskutecznie spróbował zmieścić się na niezbyt obszernym siedzeniu.

Westchnęła ciężko.

– Dla takich jak pan powinni chyba produkować specjalne fotele – odezwała się bez cienia uśmiechu.

– Ma pani rację.

Z wysiłkiem wyjął z kieszeni spodni białą chusteczkę i otarł czoło. Poci się jak świnia, z niesmakiem pomyślała Alba. Mam pecha, i tyle. Że też musiałam trafić na takiego grubasa... Na pewno żre bez opamiętania... Tłuścioch zapiął pasy, co Albie wydało się prawdziwym cudem, bo nie przypuszczała, że go obejmą, i złośliwie się zastanawiała, jak poradzi sobie z tą sytuacją obsługa lotu. Była ciekawa, czy przystojny Włoch jeszcze o niej myśli i bardzo żałowała, że to nie on został jej sąsiadem. Każdy byłby lepszy od tego wieprza, myślała ze złością. Odwróciła się do okna, chcąc dać mu do zrozumienia, że nie ma najmniejszej ochoty na rozmowę, a gdy mężczyzna otworzył książkę, z westchnieniem ulgi sięgnęła po magazyn „Vogue".

Zajęta oglądaniem zdjęć modelek w opiętych spodniach, szortach i długich butach, na chwilę zapomniała o Fitzu i Włoszech. Zapaliła papierosa, zupełnie nie zwracając uwagi, że grubas zaczął oddychać ciężko, z poświstem, zupełnie jak stara lokomotywa. Kiedy stewardesa rozdała tace z posiłkiem, Alba z oburzeniem popatrzyła na sąsiada, który nie tylko przyjął poczęstunek, ale jeszcze beztrosko posmarował bułkę grubą warstwą masła i ugryzł spory kawałek.

– Nie powinien pan tyle jeść – skarciła go Alba. – Utyje pan jeszcze bardziej, a wtedy wielkość foteli w samolotach będzie najmniejszym z pana zmartwień...

Mężczyzna utkwił pełne rozpaczy spojrzenie w bułce z masłem, którą wciąż trzymał w palcach, natomiast Alba spokojnie wróciła do posiłku i lektury. Grubas dopiero po paru chwilach odłożył bułkę na tacę i przełknął gorzką ślinę, która zebrała się w jego ustach.

W końcu wylądowali w Neapolu. Lotnisko sprawiało wrażenie niewielkiego, ale na zewnątrz było już zbyt ciemno, aby je obejrzeć. Agencja podróży, z której usług korzystała Alba, zarezerwowała dla niej pokój w hotelu w centrum miasta. Następnego dnia rano dziewczyna miała wsiąść do pociągu do Sorrento i stamtąd wyprawić się do Incantellarii. Teraz z ulgą podniosła się z fotela i rozprostowała nogi. Grubas odsunął się, żeby mogła przejść, ale ona, pochłonięta rozglądaniem się za przystojnym Włochem, nawet mu nie podziękowała.

Ostatecznie odnalazła przystojniaka w hali przylotów, gdy oboje czekali na bagaż. Kilka razy pochwyciła jego spojrzenie i postanowiła trochę go zachęcić. Posłała mu miły uśmiech, a potem nieśmiało spuściła wzrok. Włoch szybko zrozumiał, o co chodzi pięknej dziewczynie, i podszedł bliżej, żeby z nią porozmawiać. Alba ukradkiem oszacowała go spojrzeniem. Był wysoki, szeroki w ramionach, miał brązowe włosy, opadające na szeroką twarz o wyrazistych rysach i jasnozielone, głęboko osadzone oczy. Gdy się uśmiechał, na skroniach rysowała się sieć drobnych zmarszczek, co nadawało mu wygląd łobuziaka z poczuciem humoru.

– Widzę, że jest pani sama... – odezwał się po angielsku.

Albie natychmiast spodobał się jego akcent, tak cudownie egzotyczny po wielu latach słuchania typowo brytyjskich głosów.

– Tak, jestem sama – uśmiechnęła się. – To moja pierwsza wizyta we Włoszech...

– W takim razie serdecznie witam panią w moim kraju.
– Bardzo dziękuję... – Lekko przechyliła głowę na bok. – Mieszka pan w Neapolu?
– Nie, przyjechałem tu w interesach. – Popatrzył na nią z nieskrywanym podziwem. – Mieszkam w Mediolanie. Zamierza pani zatrzymać się w hotelu?
– Tak, w Miramare.
– Co za zbieg okoliczności! Ja także!
– Naprawdę? – Błysnęła olśniewająco białymi zębami.
– Zawsze się tam zatrzymuję. To jeden z najładniejszych hoteli w mieście. Możemy razem wziąć taksówkę, jeżeli nie ma pani nic przeciwko temu, a ponieważ nigdy dotąd nie była pani w moim kraju, pozwolę sobie odegrać rolę gospodarza i zaprosić panią na kolację...
Alba nie mogła uwierzyć we własne szczęście.
– Z przyjemnością skorzystam z zaproszenia – powiedziała. – Ostatecznie, co samotna dziewczyna ma zrobić z wolnym czasem w Neapolu...
– Nazywam się Alessandro Favioli – wyciągnął do niej rękę.
– Alma Arbuckle... Nie brzmi to tak dobrze jak twoje imię i nazwisko, pewnie dlatego, że moi rodzice nie mieli zbyt dużo czasu, żeby wybrać dla mnie bardziej odpowiednie imię. Moja matka była Włoszką.
– Na pewno wyjątkowo piękną.
Alma uśmiechnęła się, przywołując z pamięci portret Valentiny.
– Tak, rzeczywiście była piękna...
– Dlaczego przyjechałaś do Włoch? Nie wyglądasz na turystkę.
– Bo nie jestem nią! Wybieram się do Incantellarii.
– Ach tak?
– Tylko nie mów mi, że też tam jedziesz!
Alessandro roześmiał się głośno.
– Nie, nie jadę do Incantellarii, ale słyszałem o tej miejscowości. Podobno jest to magiczne miejsce, gdzie zdarzają się zabawne cuda i inne dziwne nadprzyrodzone zjawiska...

– Naprawdę? – Alba uniosła brwi. – Jakie na przykład?

– Opowiadano mi, że pewnego dnia niedługo po zakończeniu wojny mieszkańcy odkryli rano, że cała plaża pokryta jest różowymi goździkami, które później zabrał przypływ.

– Wierzysz w to?

– Och, wierzę, że coś takiego rzeczywiście miało miejsce, lecz nie sądzę, by kwiaty przyniosło morze. Moim zdaniem, musiała to być robota jakiegoś żartownisia. Najzabawniejsze, że miejscowy ksiądz uznał całe zdarzenie za cud. Tak to już jest we Włoszech, zwłaszcza w rejonie Neapolu, gdzie nigdy nie brakowało krwawiących figur lub obrazów świętych... Jeśli chodzi o sprawy religii, trudno uznać nas za ludzi nowoczesnych.

– Nie jestem religijna, więc całkiem możliwe, że wrzucą mnie do morza...

Alessandro znowu zmierzył ją leniwym spojrzeniem.

– Raczej nie... Postawiłbym raczej na to, że kanonizują cię na własną rękę i uwiecznią w marmurze...

Pojechali taksówką do hotelu, dzieląc się kosztami. Albie bardzo przypadły do gustu maniery Alessandra, który przytrzymywał dla niej drzwi i pomógł wsiąść do samochodu, a następnie z niego wysiąść. Wzięła szybki prysznic, przebrała się w prostą czarną sukienkę i zeszła do holu, gdzie już na nią czekał. Roześmiała się, kiedy pocałował ją w rękę. Pachniał cytrynową wodą kolońską, a jego włosy były jeszcze wilgotne.

– Pięknie wyglądasz – powiedział.

– Dziękuję... – odparła z wdziękiem, nagle uświadamiając sobie, że od chwili opuszczenia Anglii ani razu nie pomyślała o Fitzu. Nie ulegało wątpliwości, że Włochy podbiły jej serce. – Czy wszyscy Włosi są równie czarujący jak ty? – zapytała.

– Nie, skądże znowu! Gdyby tak było, wszystkie Europejki na stałe przeniosłyby się do naszego kraju!

– Całe szczęście... Lubię wierzyć, że dostało mi się coś wyjątkowego, niepowtarzalnego...

– Ja również. Właśnie dlatego od razu zwróciłem na ciebie uwagę w samolocie.

– Szkoda, że nie siedzieliśmy obok siebie... – westchnęła Alba. – Ponad dwie godziny tkwiłam ściśnięta między oknem i okropnym grubym żarłokiem.

– Trzynaście to nieszczęśliwa liczba.

– To fakt, ale poza tym szczęście raczej mi sprzyja, nie sądzisz? – Uśmiechnęła się do niego z charakterystyczną arogancją.

Nie miała cienia wątpliwości, że i on, podobnie jak wszyscy inni mężczyźni, bez reszty utonął w jej niezwykłych, jasnych oczach.

Zjedli kolację w małej restauracji na nabrzeżu, z widokiem na morze i zamek Sant' Elmo. Alessandro nie chciał mówić o sobie, natomiast wyraźnie ciekawiło go życie Alby w Anglii.

– Mój ojciec jest bogaty i potwornie mnie rozpieszcza – opowiadała. – Trafiła mi się jednak koszmarna macocha, która hoduje świnie i uwielbia jeździć konno. Ma wielki tyłek, donośny głos i ciągle wszystkich strofuje. Moje przyrodnie rodzeństwo, brat i dwie siostry, jest bardzo konwencjonalne i przyziemne, efekt średnio inspirującego związku...

Młody Włoch nie krył, że paplanina Alby szczerze go bawi, i śmiał się z większości rzeczy, jakie mówiła. Kiedy przy kawie zapalił papierosa, dziewczyna zauważyła, że na trzecim palcu lewej ręki nosi prostą złotą obrączkę. Nie zdenerwowało ją to, wręcz przeciwnie – fakt, że jest w stanie odciągnąć mężczyznę od żony, sprawił jej sporą przyjemność.

Postanowili wrócić do hotelu pieszo, żeby Alba mogła zobaczyć choć niewielką część Neapolu. Noc była gorąca i parna, powietrze duszne i ciężkie. Alba podziwiała wąskie uliczki, ładne jasne domy z żelaznymi balustradami na balkonach i prześliczne okiennice, którym bogate zdobienia nadawały szczególny charakter i urok. Miasto pulsowało życiem, rozbrzmiewało muzyką, śmiechem i klaksonami, pachniało kawą i pysznymi włoskimi daniami. Ponad warkot samochodowych silników wybił się nagle ostry głos matki, karcącej dziecko za jakieś przewinienie, podobny do krzyku ptaka na tle głośnego szumu morza. Mężczyźni o śniadej cerze stali przed domami, z wyraźną przyjemnością obserwując przechodzące kobiety. Chociaż nie pogwizdywali z podziwu, Alba czuła, jak wzrokiem rozbierają ją do naga. Wiedziała, że towarzystwo Alessandra chroni ją przed zaczepkami, i była mu wdzięczna, że nie musi iść przez miasto sama. Londyn zawsze wydawał jej się spokojny, bezpieczny i łagodny jak dobrze wychowany kucyk – w porównaniu ze stolicą Anglii Neapol przypominał rozhukanego dzikiego konia.

Kiedy dotarli do hotelu, Alessandro nie czekał na zaproszenie, tylko wsiadł z Albą do windy i odprowadził aż do drzwi.

– Nie brak ci pewności siebie – zauważyła, lecz jej uśmiech powiedział mu, że nie ma mu za złe śmiałości.

– Chcę się z tobą kochać... – zamruczał. – Ostatecznie jestem tylko mężczyzną, prawda?

– Na to wygląda... – Alba westchnęła współczująco i przekręciła klucz w zamku.

Nim zdążyła zapalić światło, Alessandro chwycił ją w ramiona i zaczął namiętnie całować jej otwarte ze zdziwienia usta. Alba po raz pierwszy od zerwania z Fitzem nie miała siły ani ochoty porównywać obsypującego ją pieszczotami mężczyzny do tego, którego obdarzyła głębszym uczuciem. Szczerze mówiąc, w ogóle nie myślała o Fitzu. Ogarnięty pożądaniem Alessandro przycisnął ją do ściany i wtulił twarz w jej szyję. Czuła zapach wody kolońskiej o cytrynowej nucie, teraz złagodzonej naturalnym aromatem jego skóry, i dotyk ostrego zarostu.

Przesunął dłońmi w górę jej nóg, aż do bioder. Mocne, władcze muśnięcia zapierały jej dech w piersiach. Alessandro osunął się na kolana, podwinął sukienkę do pasa i zaczął całować jej obnażony brzuch. Alba nie miała szans odzyskać kontroli nad sytuacją. Gdy próbowała to robić, Alessandro odsuwał jej ręce i głębiej zanurzał usta w jej ciele, przyprawiając ją o tak silne dreszcze rozkoszy, że szybko zrezygnowała i poddała się pieszczotom.

Kochali się pięć razy, aż w końcu, całkowicie wyczerpani, padli na łóżko. Zasnęli spleceni ze sobą, chociaż atmosfera intymnej bliskości rozwiała się bez śladu. Podniecenie wywołane tym szczególnym rodzajem polowania zniknęło i Alba nawet przez sen zdawała sobie sprawę, że rano będzie musiała chłodno odprawić kochanka.

Nie śniła o Fitzu, nie miała w ogóle żadnych snów, ale po przebudzeniu nie mogła oprzeć się wrażeniu, że nadal śpi, ponieważ nie poznała pokoju, w którym leżała. Pasma światła przedostawały się przez otwory w żaluzjach, do środka przenikały charakterystyczne odgłosy wielkiego miasta. Alba zamrugała i z pewnym trudem uświadomiła sobie, gdzie jest. Jak zwykle za dużo wypiła. Głowa ją bolała, a całe ciało wydawało się tak ociężałe i sztywne, jak po intensywnych zajęciach na siłowni. W końcu przypomniała sobie Alessandra i uśmiechnęła się na myśl o szatańskim Włochu, którego poznała na lotnisku. Odwróciła się, przekonana, że mężczyzna nadal śpi obok niej, ale druga połowa łóżka była pusta. Przyszło jej do głowy, że może Alessandro bierze prysznic, lecz drzwi do łazienki były otwarte i ze środka nie dobiegały żadne odgłosy. Świetnie, pomyślała. Nie znosiła, kiedy mężczyźni starali się zająć ją sobą dłużej, niż było to możliwe, a na razie miała dosyć pieszczot. Była potwornie zmęczona.

Spojrzała na stojący przy łóżku zegar. Było jeszcze wcześnie, jej pociąg odjeżdżał dopiero o dziesiątej. Miała dosyć czasu, żeby spokojnie wziąć prysznic i zjeść śniadanie. Po chwili zastanowienia doszła do wniosku, że zamówi posiłek do pokoju. Nie miała ochoty wpaść na Alessandra w jadalni.

Zmyła z siebie wciąż mocny zapach cytrynowej wody toaletowej, ubrała się i spakowała torbę. Patrząc w lustro, wróciła myślami do podniecającej nocy. Spotkanie z Alessandrem naprawdę dobrze jej zrobiło. Włoch przykleił plaster na jej złamane serce i uleczył je, przynajmniej na pewien czas. Dzięki niemu przestała myśleć o Fitzu i przeniosła się w egzotyczny świat przygody, gdzie mogła być, kim chciała, w miejscu, gdzie nikt jej nie znał. Postanowiła, że zadzwoni do jego pokoju i podziękuje mu za to, że dał jej tyle rozkoszy. Może zjedliby razem śniadanie? W gruncie rzeczy wcale nie chciała siadać do stołu sama...

Zadzwoniła do recepcji.

– Proszę mnie połączyć z Alessandrem Faviolim – powiedziała wyniosłym tonem.

W słuchawce zapadła cisza. Recepcjonistka szukała numeru pokoju w książce meldunkowej.

– Alessandro Favioli... – powtórzyła Alba.

Dobry Boże, nie rozumieją nawet własnego języka, pomyślała z irytacją. Co za ludzie...

– Obawiam się, że w hotelu nie ma nikogo o tym nazwisku – odezwała się recepcjonistka.

– To niemożliwe. Jadłam z nim wczoraj kolację.

– Nie ma tu żadnego signore Favioli...

– Proszę sprawdzić jeszcze raz. Wczoraj wieczorem wróciliśmy razem do hotelu po kolacji. Na pewno go pani widziała...

– Nie pracowałam wczoraj wieczorem – odparła chłodno kobieta.

– Więc proszę zapytać koleżankę albo kolegę! Nie wymyśliłam sobie tego człowieka!

– Zna pani numer jego pokoju? – W głosie recepcjonistki pojawił się ton zniecierpliwienia.

– Oczywiście, że nie, dlatego do pani dzwonię! Może już się wymeldował...

– W naszym hotelu nie ma nikogo o nazwisku Favioli – powtórzyła kobieta z wymuszoną uprzejmością. – Przykro mi...

Albie nagle zrobiło się słabo. Dotarło do niej, jak dziwne było to, że Alessandro miał zarezerwowany pokój w tym samym hotelu co ona, ale nie zaprosił jej do siebie. Zbieg okoliczności? Poprzedniego wieczoru nie widziała w tym nic niezwykłego, lecz teraz poczuła wyraźne ukłucie niepokoju. Z mocno bijącym sercem otworzyła torbę i zaczęła szukać portfela. To chyba jakiś potworny żart, pomyślała, nie mogąc oprzeć się wrażeniu, że ktoś rzucił ją w rwący nurt lodowatej rzeki i kazał jej płynąć pod prąd. Portfela nie było w torbie. Alba z trudem przełknęła ślinę i wysypała zawartość na łóżko. Z westchnieniem ulgi chwyciła paszport, lecz pieniądze znikły. Włoch zabrał jej portfel ze wszystkimi czekami podróżnymi i lirami. Jak teraz miała zapłacić za hotel i pociąg, nie mówiąc już o łodzi, którą miała dostać się do Incantellarii, do diabła?

Bezwładnie osunęła się na łóżko. A to drań, pomyślała. Wykorzystał mnie i obrabował. Wszystko starannie zaplanował, skurwysyn. Wpadłam w pułapkę, zachowałam się jak ostatnia idiotka...

Była zbyt wściekła, żeby płakać, i zbyt zażenowana, by zadzwonić do Anglii i przyznać się komukolwiek do własnej głupoty. Wiedziała, że będzie musiała sama wybrnąć jakoś z tej sytuacji.

Ponieważ nie zamierzała płacić za hotel, pomyślała, że równie dobrze może zejść do jadalni i zjeść porządne śniadanie. Powinna się wzmocnić, bo przecież nie miała przy sobie złamanego grosza. Może uda jej się ukraść parę bułek z bufetu...

Na dole przywitała się z recepcjonistką najbardziej przyjaznym tonem, na jaki mogła się zdobyć, i swobodnym krokiem weszła do jadalni. Usiadła przy małym stoliku na środku sali i zamówiła kawę, sok pomarańczowy, francuskie rogaliki, grzanki i sałatkę owocową. Patrząc na innych gości, poczuła się nagle przerażająco samotna. Nie miała we Włoszech żadnych przyjaciół, nikogo tu nie znała... Co zrobi, jeśli się dowie, że jej rodzina wyprowadziła się z Incantellarii? Że odbyła tę długą podróż w pogoni za złudzeniem? Była kompletnie bez pieniędzy – zanim jej bank przekaże pieniądze do banku w Incantellarii, minie parę dni. Wolała nie zatrzymywać się na dłużej w Neapolu. Doskonale pamiętała pożądliwe spojrzenia mężczyzn, którzy poprzedniego wieczoru przyglądali się jej na ulicy. Ogarnęło ją poczucie zupełnej bezradności. Czuła się odarta ze złudzeń i zagubiona – Alessandro równie dobrze mógł zabrać jej wszystko, co posiadała, łącznie z ubraniem.

I właśnie wtedy dostrzegła siedzącego w przeciwległym kącie sali grubasa. Odetchnęła z ulgą i bez wahania podeszła do stolika swojego sąsiada z samolotu, chociaż jeszcze poprzedniego dnia uważała go za kogoś znacznie gorszego od siebie. Nie zwróciła uwagi na wyraz przerażenia, który na jej widok przemknął mu po twarzy. Grubas zerknął na trzymaną w ręku bułkę, grubo posmarowaną masłem i dżemem truskawkowym, i pośpiesznie spróbował ją ukryć. Alba usiadła naprzeciwko niego i oparła łokcie na blacie stołu.

– Mam nadzieję, że nie ma pan nic przeciwko temu, żebym zajęła panu parę chwil... – zaczęła słodkim głosem, obdarzając grubasa łagodnym spojrzeniem dużych oczu. – Zostałam okradziona. Jakiś Włoch zabrał mi dosłownie wszystko – pieniądze, ubranie, paszport i bilet powrotny do Anglii. Naprawdę wszystko... Jest pan jedynym człowiekiem, którego znam w tym okropnym kraju, chyba nawet w całej Europie... Chciałabym poprosić pana o ogromną przysługę... Czy mógłby pan pożyczyć mi trochę pieniędzy? Niedużo, tyle, żeby udało mi się dotrzeć do Incantellarii. Zapiszę sobie pański adres i oddam wszystko, co do grosza, nawet z procentem... Byłabym panu bardzo wdzięczna... – uśmiechnęła się rozbrajająco. – Proszę nie przerywać sobie jedzenia, w żadnym razie...

Grubas długą chwilę rozważał sytuację, w jakiej niespodziewanie się znalazł, następnie gestem, który przeraził Albę swą gwałtownością, wepchnął sobie całą bułkę do ust. Dziewczyna wciągnęła powietrze, starając się nie okazać obrzydzenia. Tłuścioch powoli przeżuwał bułkę, a masło ściekało z jego warg na schodki złożone z wielu wałkowatych podbródków. W końcu otarł usta serwetką.

– Pyszne! – wykrzyknął. – Muszę zamówić jeszcze parę takich bułeczek!

Nadzieje Alby ulotniły się w jednej chwili niczym powietrze z nakłutego balonu. Z zawstydzeniem przypomniała sobie, jak bardzo nieuprzejmie, wręcz niewybaczalnie obraźliwie, zachowywała się w stosunku do grubasa w samolocie. Dlaczego teraz miałby przyjść jej z pomocą?

– Niech pan sobie nie przeszkadza... – wykrztusiła, czując, jak łzy napływają jej do oczu. – Przepraszam, że zawracałam panu głowę...

– Nie powinna pani podrywać nieznajomych na lotniskach – rzucił grubas ze świeżą pewnością siebie. – Fakt, że panią okradziono, to najmniejsze z pani zmartwień...

Alba otworzyła usta ze zdziwienia.

– Słucham?

– Słyszała pani, co powiedziałem. Czego się pani spodziewała? Nie ma pani żadnego poczucia godności czy zachowuje się pani tak swobodnie w stosunku do każdego mężczyzny, który zaprosi panią na kolację? Mam dla pani propozycję – dodał, wyraźnie delektując się świadomością, że może upokorzyć dziewczynę. – Jeżeli obciągnie mi pani fiuta, dam pani pieniądze na bilet powrotny do domu!

Alba drgnęła, zerwała się z krzesła i wybiegła z jadalni tak szybko, jak pozwoliły jej na to drżące kolana.

W swoim pokoju wybuchnęła wściekłością. Kopnęła łóżko, szafkę i kilka innych sprzętów, które znalazły się w zasięgu jej nogi. Co za cham! Jak śmiał?!

Nie umiała zbyt długo użalać się nad sobą, więc szybko wyprostowała się i strzepnęła spódniczkę. Złość i zemsta pasowały do niej znaczenie lepiej niż świadomość porażki. Nie była w stanie zapłacić za hotel i nie miała nikogo, od kogo mogłaby pożyczyć pieniądze na ten cel, nie widziała więc innego rozwiązania poza ucieczką. Kiedy miała wątpliwości, zawsze uciekała.

Zaniosła torbę do windy, zjechała na pierwsze piętro i poszukała odpowiedniego wyjścia. Znalazła niewielkie okno w ciemnym kącie, gdzie żarówka właśnie się przepaliła, wyrzuciła bagaż na znajdującą się na tyłach hotelu uliczkę i sama wyskoczyła na chodnik. Potem rzuciła się przed siebie biegiem i zatrzymała dopiero na dworcu kolejowym.

Rozdział dziewiętnasty

Przybiegła na dworzec zdyszana, lecz nieoczekiwanie triumfująca. Czuła się tak, jakby popełniła morderstwo i uniknęła przewidzianej przez prawo kary. Zastanawiała się, co zrobi dyrektor hotelu, kiedy znajdzie niezapłacony rachunek. Tak czy inaczej, zanim odkryją jej wykroczenie, ona będzie już daleko, zupełnie anonimowa wśród tysięcy Włochów. Rozejrzała się dookoła. Włoszki miały oliwkową cerę i czarne lub brązowe włosy, tak samo jak ona. Idealnie pasowała do nowego otoczenia, nikt nie przyglądał się jej jak obcej, szczerze mówiąc, w ogóle nikt się jej nie przyglądał. Lęk przed prześladującymi atrakcyjne kobiety mężczyznami, wystającymi na ulicach i pod barami, rozwiał się jak mgła. Jeden, może dwóch, uśmiechnęło się do niej ciepło, pełnymi podziwu spojrzeniami ogarniając jej długie brązowe nogi i żółtą letnią sukienkę, lecz Alba już dawno przywykła do tego rodzaju łagodnego zainteresowania i zawsze sprawiało jej ono przyjemność. Tyle że teraz stała przed poważnym wyzwaniem – zamierzała odbyć pociągiem podróż do Sorrento, a stamtąd do Incantellarii, ale nie miała pieniędzy. Już chciała odwzajemnić uśmiech jednego z mężczyzn z nadzieją, że może uda jej się pożyczyć od niego jakąś sumę, lecz w uszach wciąż brzmiały jej drwiące słowa grubasa. „Jeżeli obciągniesz mi fiuta, dam ci pieniądze na bilet do domu"... Zaczerwieniła się ze wstydu i odwróciła wzrok.

Pociąg do Sorrento odchodził za czternaście minut. Bez trudu znalazła właściwy peron i przystanęła, wpatrując się w bramkę jak rabuś w wejście do banku. Sprawdzający bilety strażnik był drobnym, chudym młodym człowiekiem z nerwowym tikiem. Co parę sekund cała jego twarz marszczyła się w dziwacznym spazmie. Alba poczuła nagle szczere współczucie, a ponieważ takie emocje były jej zazwyczaj najzupełniej obce, jej ciało najeżyło się i zesztywniało, jakby próbowała ubrać je w nową skórę. Podobnie jak grubas, młody kontroler wydał jej się zbyt łatwą ofiarą. Pożałowała, że nie jest wysoki, silny i sprawny, bo wtedy nie miałaby wyrzutów sumienia, robiąc z niego głupca. Pasażerowie podchodzili do strażnika i rozmawiali między sobą, czekając, aż przedziurkuje ich bilety, ale na widok jego tiku krzywili się z przerażeniem lub chichotali, zasłaniając usta dłońmi. Nie odpowiadali na uprzejme powitanie, niektórzy nie fatygowali się nawet, żeby mu podziękować. Alba zapaliła papierosa i przysiadła na walizce. Wiedziała, co powinna zrobić. Zwykle tego rodzaju dowcip naprawdę by ją rozbawił, lecz nie teraz. Oczami wyobraźni ujrzała kpiące twarze Alessandra Faviolego i grubasa i skuliła się, pełna niechęci do siebie.

Oto twoja szansa, Albo, pomyślała. Powstrzymaj na chwilę te łezki i zrób z nich dobry użytek! Szybko zgasiła papierosa i ruszyła w stronę kontrolera.

Kiedy podeszła bliżej, twarz młodego człowieka skurczyła się w niemożliwym do opanowania grymasie. Uderzyła go nie tyle uroda Alby, co jej nieskrywana rozpacz. Piękna twarz dziewczyny była zaczerwieniona i obrzmiała, ramiona przygarbione, rozdygotane od płaczu.

– Przepraszam bardzo, ale... – pociągnęła nosem, ocierając policzki wilgotną ligninową chusteczką.

Podniosła oczy i mężczyzna cofnął się o krok. Jej jasnoszare oczy przypominały rzadko spotykane, fascynujące kryształy, tak piękne, że do szczętu stracił przytomność umysłu.

– Mój ukochany mnie zostawił... – jęknęła boleśnie.

Strażnik spojrzał na nią z przerażeniem i mięśnie jego twarzy nagle przestały drgać.

– Przestał mnie kochać, więc wyjeżdżam z Neapolu. Nie mogę żyć w tym mieście ze świadomością, że człowiek, który zdeptał moje serce, oddycha tym samym powietrzem i spaceruje tymi samymi ulicami... Rozumie mnie pan, prawda?

Wyciągnęła rękę i położyła ją na jego ramieniu. Jej plan okazał się doskonały pod każdym względem. Twarz młodego mężczyzny zamarła w wyrazie najgłębszego współczucia. Alba zapomniała się na moment, przestała płakać i uśmiechnęła się.

– Ma pan piękną twarz – powiedziała szczerze.

Teraz, kiedy mogła spokojnie ocenić jego rysy, zorientowała się, że stojący przed nią młodzieniec, właściwie jeszcze chłopiec, jest zaskakująco przystojny. Zaczerwienił się, ale nie odwrócił głowy.

– *Grazie, signora* – odezwał się w końcu miękkim, nieśmiałym głosem.

Alba zacisnęła palce na jego ramieniu.

– To ja panu dziękuję – rzekła z naciskiem.

Weszła na peron lekkim krokiem, świadoma nie tylko tego, że udało jej się uniknąć kontroli biletu, którego przecież nie miała, ale także tego, że wcale nie upokorzyła strażnika, wręcz przeciwnie, uszczęśliwiła go. Najbardziej zdumiewające było zaś to, że jego radość odezwała się czystym echem w jej sercu.

Tego dnia Alba nauczyła się czegoś naprawdę ważnego – odkryła, że ludzie noszą ciała jak wierzchnie okrycia. Niezależnie od tego, czy byli brzydcy, czy urodziwi, grubi czy chudzi, spokojni czy nadmiernie nerwowi, w głębi zawsze kryła się godna szacunku ludzka istota. Przypomniała sobie też słowa Fitza, który kiedyś powiedział jej, że jeśli naprawdę się postara, odnajdzie piękno i blask nawet w najpaskudniejszych, najmroczniejszych miejscach. Dopiero teraz uświadomiła sobie, że nigdy się o to nie starała.

Wrzuciła bagaż na półkę na końcu wagonu i zajęła miejsce przy oknie. Postanowiła, że kiedy zjawi się konduktor, wyjaśni mu, iż zgubiła bilet. Gdyby nie miała biletu, nie udałoby się jej przecież wejść na peron, prawda?

Naprzeciwko niej usiadło dwóch przystojnych młodych mężczyzn, którzy położyli na stoliku kanapki i butelki z napojami. Pomyślała, że powinna była wziąć ze sobą jakąś książkę. Ostatni raz przeczytała powieść w szkole średniej – była to *Emma* Jane Austen. Lektura sprawiła jej wtedy tyle trudności, że jeszcze po dziesięciu latach wspominała to z drżeniem. Niechętnie wyjęła z torby magazyn „Vogue", który przeczytała w samolocie, i zaczęła nieuważnie przerzucać kartki.

Po paru chwilach młodzi mężczyźni spróbowali nawiązać rozmowę. Normalnie Alba zareagowałaby na to z entuzjazmem, lecz teraz względy, które starali się jej okazać, uraziły jej świeżo przebudzone poczucie przyzwoitości. Czy naprawdę wyglądała na tak łatwą dziewczynę?

– Może poczęstuje się pani herbatnikiem? – zaproponował pierwszy.

– Nie, dziękuję – odparła bez uśmiechu.

Mężczyzna zerknął na kolegę, szukając wsparcia.

– Skąd pani pochodzi? – zagadnął, kiedy drugi zachęcająco kiwnął głową.

Alba zdawała sobie sprawę, że zdradził ją akcent. Nagle wpadła na pewien pomysł i uśmiechnęła się szeroko.

– Jestem Angielką, ale wyszłam za Włocha – powiedziała, pochylając się do przodu i mierząc sąsiadów nieśmiałym spojrzeniem spod rzęs. – Bardzo się cieszę, że mogę porozmawiać z dwoma przystojnymi młodymi mężczyznami... Mam starego męża. Och, jest bogaty i wpływowy, i daje mi wszystko, czego zapragnę – mieszkam w ogromnym *palazzo*, mam wille w wielu krajach, tyle służby, że wszyscy razem nie pomieściliby się na transatlantyku, i tony biżuterii, ale jeśli chodzi o miłość, to... Cóż, mój mąż jest starym człowiekiem, jak już mówiłam...

Śmielszy z dwóch mężczyzn z podnieceniem trącił łokciem sąsiada. Obaj kręcili się niecierpliwie, ledwo panując nad pożądaniem, jakie wzbudziła w nich ta fertyczna młoda kobieta, której mąż był za stary, żeby się z nią kochać.

Alba przypomniała sobie nagle, że siedzi w przedziale drugiej klasy.

– Czasami lubię podróżować anonimowo, ze zwyczajnymi ludźmi – dorzuciła. – Wtedy zostawiam samochód z szoferem na stacji i wsiadam do pociągu. W takich warunkach często można poznać fascynujących ludzi, a na dodatek wymykam się mężowi, przynajmniej na krótko...

– Potrzeba pani dwóch młodych mężczyzn, którzy dadzą pani to, czego nie może dać jej mąż – odezwał się śmielszy.

Mówił przyciszonym głosem, a jego oczy błyszczały jak w gorączce. Alba zmierzyła obu leniwym spojrzeniem spod przymrużonych powiek, wyjęła papierosa, wsunęła go między wargi i zapaliła. Wydmuchała obłoczek dymu i pochyliła się do przodu, opierając łokcie na stoliku.

– Ostatnio jestem trochę ostrożniejsza – oznajmiła niedbale. – Mojemu ostatniemu kochankowi odrąbano jądra...

Jej sąsiedzi nagle zbledli.

– Jak już mówiłam, mąż jest wpływowym człowiekiem, bardzo wpływowym i zaborczym. Lubi mieć ścisłą kontrolę nad wszystkim, co do niego należy, lecz ja kocham ryzyko. Uwielbiam wyzwania i z przyjemnością sprzeciwiam się mężowi... Rozumiecie mnie, prawda?

Obaj skinęli głowami, zbyt przerażeni, żeby zamknąć usta. Odetchnęła z ulgą, kiedy wysiedli na pierwszej stacji, nawet się z nią nie żegnając.

Kiedy do wagonu wszedł konduktor, uśmiechnęła się nieśmiało i czarująco.

– Muszę się przyznać, że zgubiłam bilet – powiedziała. – Strasznie mi przykro, że okazałam się taką gapą, ale ten chłopak z nerwowym tikiem... – Gwałtownie skurczyła mięśnie twarzy, a konduktor kiwnął głową, dając do zrozumienia, że wie, o kogo chodzi. – Zaczęłam z nim rozmawiać, bo jest naprawdę uprzedzająco grzeczny, i zrobiło mi się tak strasznie żal, że kiedy oddał mi bilet, musiałam upuścić go na peronie... Oczywiście, chętnie zapłacę za przejazd... – Sięgnęła po torbę z nadzieją, że mężczyzna powstrzyma ją i uwolni od konieczności wymyślenia kolejnej historyjki o tym, jak zgubiła także i portfel.

– Nie trzeba, signora – rzekł uprzejmie. – Michele to dobry chłopak, ale trochę prostoduszny, myślę, że po prostu zapomniał zwrócić pani bilet po kontroli... – A potem, jak większość mężczyzn, którzy stawali na jej drodze, wykazał się chęcią pomocy. – Jeżeli ma pani ciężką walizkę, proszę pozwolić, że pomogę wynieść ją z pociągu...

– Dziękuję – odparła Alba, świadoma, że odmowa uraziłaby dumę mężczyzny. – Bardzo to miło z pana strony... Rzeczywiście mam ciężką walizkę, a jak pan widzi, nie jestem zbyt silna...

Konduktor stał obok niej dłużej, niż było to konieczne, a odchodząc, zapewnił ją, że wróci tuż przed końcową stacją, by pomóc jej wysiąść. Gdy w końcu Alba została sama, utkwiła wzrok w oknie.

Myślała o Fitzu. Zarumieniła się na wspomnienie jego pocałunków i intymnej atmosfery, jaka towarzyszyła ich wzajemnym pieszczotom. Pocałunki Fitza przypominały powolny, namiętny taniec po gorączkowym twiście. W jego ramionach Alba naprawdę coś czuła, nie udawała. Okazywanie czułości przychodziło Fitzowi w sposób zupełnie naturalny, podczas gdy ją najpierw zawstydzało, później bawiło, a wreszcie niepokoiło aż do bólu.

Krajobraz za oknem migotał w promieniach przedpołudniowego słońca. Wysokie cyprysy kołysały się, poruszane gorącym wiatrem, domy koloru piasku drzemały w cieniu sosen i cedrów. Alba miała ochotę wystawić głowę przez okno i powęszyć jak zaciekawiony nowym zapachem Sprout. Prawie przez całe życie próbowała wyobrazić sobie, jak pachną Włochy. Często oglądała włoskie filmy, ale nic nie mogło przygotować jej na porażające piękno tego kraju. Uznała za całkowicie oczywiste, że matka przyszła na świat w tym raju na ziemi, ponieważ, jej zdaniem, Valentina stanowiła ucieleśnienie wszystkich zalet Włoch, a jej duch poruszał się wśród pięknych liści bugenwilli, wśród oliwnych gajów i winnic.

Pociąg ze zgrzytem zatrzymał się w Sorrento. Zgodnie z obietnicą konduktor wrócił, aby pomóc Albie. Pragnąc zadowolić piękną pasażerkę, przeciągnął jej walizkę na kółkach przez cały peron aż na ulicę i dopiero tam się z nią pożegnał.

Miasto wydało się Albie gwarne i bardzo ruchliwe. Ludzie śpieszyli się, zajęci własnymi myślami, nie zwracając uwagi na młodą kobietę, która stała niepewnie na chodniku. Żołądek skręcał się jej z głodu. Białe, żółte i czerwonawe budynki miały okiennice, zapewniające wnętrzom przyjemny chłód, na parterze kraty i duże, niewyglądające zbyt gościnnie drzwi. Sorrento było ładne, ale nie sprawiało przytulnego wrażenia.

Alba długo szła ulicą, zanim w końcu dotarła na nabrzeże. Łodzie i żaglówki kołysały się na falach albo leżały na wilgotnym piasku, brunatnym i gruboziarnistym jak żwir. Na molo nie brakowało spacerowiczów, którzy wystawiali twarze na działanie słońca. Kilka restauracji i sklepów otworzyło ogródki na ulicy i w powietrzu roznosił się zapach pieczonych pomidorów i cebuli. Albie zaburczało w brzuchu, ślina napłynęła do ust. Chciało jej się pić, chętnie wypiłaby choćby szklankę wody. Była na siebie zła, że nie pomyślała o tym, aby ukraść z hotelowego bufetu trochę zapasów. Im więcej myślała o jedzeniu i piciu, tym dotkliwiej odczuwała głód i pragnienie.

Nie zaczęła jednak rozczulać się nad sobą, świadoma, że nic jej to nie da. Zawsze podziwiała zdecydowane, silne bohaterki w filmach, a szczerze gardziła słabymi. Pokonała już większą część drogi – jeszcze trochę wysiłku i uroku osobistego, i na pewno dotrze do Incantellarii. Zostawiła walizkę przy wejściu na molo, zmobilizowała odwagę i podeszła do wysuszonego starego rybaka, zajętego naprawą sieci. Ostry zapach ryb uderzył ją prosto w twarz, przyprawiając o mdłości.

– Przepraszam bardzo... – zaczęła ze słodkim uśmiechem.

Staruszek podniósł głowę, ale się nie uśmiechnął. Wyglądał nawet na trochę zirytowanego, że ktoś mu przeszkadza.

– Muszę dostać się do Incantellarii – ciągnęła Alba.

Popatrzył na nią obojętnie.

– Nie mogę pani zabrać – potrząsnął głową, zupełnie jakby była uprzykrzoną muchą, którą należy odegnać.

– A zna pan może kogoś, kto by to zrobił?

Rybak wzruszył ramionami i rozłożył ręce.

– Nanni Baroni mógłby panią tam zawieźć – powiedział po chwili namysłu.

– Gdzie go znajdę?

– Nanni nie wróci przed zachodem słońca.

– Ale przecież Incantellaria leży po drugiej stronie zatoki, to bardzo blisko! Na pewno pływa tam mnóstwo łodzi z Sorrento...

– Po co ktoś miałby wybierać się do Incantellarii?

Rzuciła rozmówcy zdumione spojrzenie.

– Myślałam, że to duże miasto, takie jak to...

Staruszek zaśmiał się cynicznie.

– Incantellaria to małe, zapomniane miasteczko, wiecznie pogrążone we śnie. Po co ktoś miałby wybierać się do Incantellarii? – powtórzył.

Pracownica agencji turystycznej, która zajmowała się organizacją podróży Alby, poinformowała ją, że do Incantellarii bez trudu dostanie się łodzią. Powiedziała jej nawet, że łodzie kursują między Sorrento i Incantellarią bardzo często, podobnie jak pociągi między Basingstoke i Londynem. Teraz Alba przeklinała ją w duchu, nie mając pojęcia, jak wybrnąć z tej sytuacji. Nieprzytomnym wzrokiem rozejrzała się dookoła, pewna, że zostawiła walizkę obok słupa u wejścia na molo, ale walizki nie było. I znowu, drugi raz w ciągu dwudziestu czterech godzin, poczuła, jak krew napływa jej do głowy, a żołądek kurczy się z przerażenia. Z niedowierzaniem uświadomiła sobie, że znowu została okradziona. Teraz miała już tylko torbę na ramię, a w niej szminkę, notatnik z telefonami, pognieciony egzemplarz magazynu „Vogue" i, dzięki Bogu, paszport.

– Ktoś mnie okradł, do cholery! – krzyknęła po angielsku, tupiąc nogami i wymachując rękami nad głową. – Och, kurwa mać! Nienawidzę tego cholernego kraju, nienawidzę cholernych Włochów! Co za złodziejski naród, do diabła! Wszyscy jesteście tacy sami! Po co tu przyjechałam?! Marnuję tylko czas i tracę pieniądze, kurwa!

Nagle usłyszała łagodny, spokojny męski głos i poczuła ciepłą dłoń na ramieniu.

– Dobrze, że klnie pani po angielsku – powiedział nieznajomy z uśmiechem. – W przeciwnym razie zamknęliby panią w areszcie na parę godzin...

Alba obrzuciła go gniewnym spojrzeniem.

– Przed chwilą zostałam obrabowana! – wybuchnęła, z trudem powstrzymując łzy. – Ktoś ukradł mi walizkę! W Neapolu skradziono mi pieniądze, a w tym przeklętym prowincjonalnym mieście straciłam wszystkie rzeczy, jakie zabrałam w podróż!

– Najwyraźniej nigdy nie była pani we Włoszech – rzekł uprzejmie, z powagą, żeby nie urazić rozwścieczonej cudzoziemki. – Tutaj nie wolno spuszczać z oka bagażu, może mi pani wierzyć. Jest pani Angielką?

– Tak. W Londynie można zostawić klejnoty koronne na środku Piccadilly Circus, pójść na lunch, zrobić zakupy na Bond Street, przespacerować się po Hyde Parku, wstąpić na herbatę do Ritza, na drinka do pieprzonego Connaught i spokojnie wrócić, nie trzęsąc się ze strachu, że znikną! – Nie była to szczera prawda, lecz Alba uwielbiała przesadzać. – Teraz nie mam ani pieniędzy, ani ubrań! – Serce ścisnęło się jej z bólu na myśl o wszystkich pięknych strojach, teraz straconych na zawsze. – Muszę dostać się do Incantellarii i nie mogę znaleźć nikogo, kto by mnie tam zawiózł! Jakiś przeklęty Nanni Baroni siedzi w domu, gdzie posuwa swoją kochankę i nie wróci do szóstej, w najlepszym razie! Co ja mam robić do szóstej, pytam? No, co?! Nie mogę nawet kupić sobie kanapki, do cholery!

– Po co wybiera się pani do Incantellarii, na miłość boską?

Zmroziła go lodowatym spojrzeniem jasnoszarych oczu, twardym jak kamień.

– Jeżeli jeszcze ktoś zada mi to pytanie, chyba go pobiję!

– Proszę posłuchać... – uśmiechnął się lekko. – Może pozwoli pani, żebym zaprosił ją na lunch, a później odwiózł do Incantellarii? Mam łódź, więc to żaden kłopot.

– Niby dlaczego miałabym panu zaufać?

– Ponieważ nie ma pani nic do stracenia – wzruszył lekko ramionami.

Położył dłoń na jej plecach i delikatnie skierował ją w stronę wejścia do restauracji.

Przy kieliszku różowego wina Gabriele Ricci powiedział Albie, że mieszka w Neapolu, ale spędza lato na wybrzeżu razem z krewnymi, którzy mają tu dom.

– Od dawna przyjeżdżam tu każdego lata, ale nigdy jeszcze nie spotkałem kobiety tak pięknej jak ty...

Alba przewróciła oczami.

– Nie mam ochoty słuchać komplementów! Mam was, Włochów, powyżej uszu! – Wymownym gestem machnęła ręką nad głową.

– Czy Anglicy nie cenią pięknych kobiet?

– Cenią, ale dają temu wyraz w dużo spokojniejszy sposób.

– A może w tych waszych szkołach z internatami uczy się ich lubić bardziej chłopców niż dziewczęta?

– W żadnym razie! Anglicy są bardzo atrakcyjni, lecz pełni szacunku dla kobiet...

Natychmiast pomyślała o Fitzu. Gdyby wbrew swoim głupim oporom zdecydował się przyjechać tu razem z nią, na pewno nie wpakowałaby się w takie kłopoty.

– Pierwszy raz przyjechałaś do mojego kraju, a już jesteś tak cyniczna – uśmiechnął się Gabriele.

– Może dlatego, że zostałam okradziona przez Włocha równie przystojnego jak ty! I wszędzie, gdzie się pojawię, mężczyźni próbują mnie oszukać! Mam już dosyć odgrywania roli przedmiotu pożądania i tego, że ciągle ktoś usiłuje mnie obrabować!

– Dobrze chociaż, że wciąż jesteś zdrowa i cała – powiedział uspokajająco.

– Nie zdajesz sobie sprawy, co przeżyłam!

– Więc jak dotarłaś tutaj bez pieniędzy?

– To długa historia.

– Mamy przed sobą całe popołudnie.

– Dobrze, opowiem ci, jak to było, ale pod warunkiem, że nalejesz mi jeszcze jedną szklaneczkę wina, przestaniesz powtarzać, że jestem piękna, i obiecasz, że nie będziesz mnie podrywał, nie obrabujesz ani nie zamordujesz w drodze do Incantellarii...

Gabriele z namysłem potarł podbródek, udając, że się zastanawia.

– Nie da się nie zauważyć twojej urody, chociaż niewątpliwie jesteś okropnie nieuprzejma... Jak na damę zdecydowanie za dużo klniesz. Nie obrabuję cię, bo nie masz nic, co warto byłoby ukraść. Nie jestem mordercą, nie mogę jednak obiecać, że nie będę cię podrywał, bo przecież jestem Włochem...

– O, Boże! – westchnęła melodramatycznie Alba. – Daj mi odzyskać siły, abym mogła odrzucić zaloty tego faceta...

W innych okolicznościach na pewno spodobałby jej się pociągający uśmiech Gabriele, rysujące się wokół jego ust linie, jasnozielone, pełne łobuzerskich ogników oczy i miły sposób bycia, lecz w tej chwili była zupełnie nieczuła na jego urok.

Gdy zjedli prosty posiłek na nasłonecznionym tarasie, wino złagodziło gniew Alby i natchnęło ją fałszywym optymizmem. Zrelacjonowała nowemu znajomemu swoje przygody, pomijając grubasa i jego obrzydliwą propozycję oraz namiętną noc, spędzoną z mężczyzną z lotniska, noc, której teraz bardzo się wstydziła. Pogodna reakcja Gabriele sprawiła, że mówiła z coraz większą swadą, wciąż wzbogacając historię podróży, aż wreszcie stała się ona tak interesująca, że przypadłaby do gustu nawet samej Vivien Armitage.

W końcu, kiedy powoli sączyli wspaniałe limoncello, Gabriele jeszcze raz zapytał dziewczynę, po co wybiera się do Incantellarii.

– Mieszkała tam i umarła moja matka – odparła Alba. – Nie znałam jej, bo umarła zaraz po moim przyjściu na świat, więc teraz chciałabym odnaleźć jej rodzinę.

– Nie powinno to nastręczyć zbyt wielu trudności, ponieważ Incantellaria to maleńka mieścina. Żyje tam parę tysięcy ludzi, na pewno nie więcej.

– Dlaczego nikt tam nie jeździ?

– Bo to potwornie senna miejscowość i nie ma tam co robić. Taki zapomniany zakątek Włoch, chociaż bardzo piękny, zupełnie niepodobny do reszty wybrzeża. Podobno zaczarowany...

– Goździki... – uśmiechnęła się Alba. – Słyszałam tę historię.

– I płaczące rzeźby. Byłem tam wiele razy. Kiedy chcę być sam, płynę do Incantellarii. To miejsce koi duszę, naprawdę. Gdybym miał ochotę zniknąć, też bym tam się wybrał. Mam nadzieję, że ty nie znikniesz...

– Nie zapominaj o swojej obietnicy – rzuciła chłodno.

– Posłuchaj, gdyby okazało się, że jednak nie uda ci się podjąć tam pieniędzy, pożyczę ci tyle, ile będziesz potrzebowała. Prosiłbym, żebyś przyjęła to jako prezent, ale wiem, że się nie zgodzisz. Myśl o mnie jako o przyjacielu, na którego możesz liczyć w obcym miejscu, dobrze? Obiecuję, że nie zawiodę twojego zaufania...

Lekko dotknął jej ramienia. Dotyk jego ręki był ciepły i nieoczekiwanie kojący.

– Zabierz mnie do Incantellarii, to wystarczy. – Podniosła się z krzesła.

Dłoń Gabriele opadła na stół. Dziewczyna odwróciła się i posłała mu miękki uśmiech.

– Zabierz mnie tam, przyjacielu – dodała.

Rozdział dwudziesty

Podróż na pokładzie szybkiej motorówki okazała się nieoczekiwanie przyjemna. Wiatr rozgarniał włosy Alby chłodnymi, szorstkimi palcami, uwalniając ją od poczucia beznadziejności. Łódź podskakiwała na falach i Alba musiała trzymać się drążka obok steru, by nie wypaść za burtę. Słońce świeciło jej prosto w twarz, serce przepełniał wszechogarniający optymizm. Dziewczyna czuła, że nie ma takiej rzeczy, która mogłaby ją przygnębić.

Gabriele uśmiechał się do niej, zadowolony z towarzystwa pięknej nieznajomej, która straciła wszystko w jego kraju. Wskazywał wznoszące się wprost z morza ostre skały, przypominające mury niezdobytej warowni, i próbował wyjaśnić, że Incantellaria jest naprawdę wyjątkowym miejscem, małym kawałkiem raju, który Bóg umieścił w samym środku nieprzyjaznej okolicy.

– Sama zobaczysz, jakie to zaskakująco urokliwe miasteczko – powiedział, kiedy łódź przemykała obok wydrążonych w twardej, grafitowej skale jaskiń.

Do Incantellarii było dalej, niż przypuszczała – wcześniej sądziła, że rodzinne miasteczko matki dzieli od Sorrento najwyżej parę minut podróży.

– Jeżeli nie znajdziesz nikogo z rodziny matki, co przecież może się zdarzyć, przypłynę po ciebie! – zawołał Gabriele, starając się przekrzyczeć ryk wiatru. – Wystarczy, że zatelefonujesz!

Odetchnęła z ulgą. Gabriele najwyraźniej czytał w jej myślach.

– Dziękuję – odparła z wdzięcznością.

Znowu ogarnął ją niepokój. Coraz dokładniej zdawała sobie sprawę, że Incantellaria jest odcięta nie tylko od reszty Włoch, ale także od świata. Słońce ukryło się za samotną chmurą i morze pociemniało złowrogo, jakby chciało przystosować się do jej nastroju. Co będzie, jeżeli wszyscy krewni matki wymarli albo się wyprowadzili? Czyżby jednak goniła za złudzeniami? Nie mogła znieść myśli, że może będzie musiała wrócić do domu, nie dowiedziawszy się niczego o Valentinie.

Chmura odpłynęła i słońce znowu zaświeciło. Motorówka wyminęła szeroką ścianę z czarnej skały, za którą nieoczekiwanie otworzyło się wybrzeże, odsłaniając, niczym uniesiona pokrywa szkatuły na skarby, lśniącą zielenią zatokę.

Alba zakochała się w niej od pierwszego wejrzenia. Piękno Incantellarii chwyciło ją za serce i natychmiast podniosło na duchu. Już sam zarys linii brzegowej był tak harmonijny jak łagodny kształt wiolonczeli. Białe domy połyskiwały w oślepiających promieniach słońca, metalowe balustrady balkoników ociekały czerwonymi i różowymi kwiatami geranium. Kopuła kaplicy górowała nad szarymi dachami, na ich krawędziach przysiadały synogarlice, aby obserwować przybijające do brzegu i wychodzące w morze łodzie rybackie. Wszystkie mięśnie Alby drżały z podniecenia. Była pewna, że właśnie tam, w tej małej kapliczce, wzięli ślub jej rodzice. Jeszcze nie zdążyła stanąć na brzegu, a już czuła, że historia ich miłości jest blisko, tuż obok niej, dosłownie na wyciągnięcie ręki.

Osłoniła oczy dłonią i popatrzyła na wznoszące się za miasteczkiem szmaragdowe wzgórza, gdzie sosny lekko potrząsały iglastymi zielonymi palcami, a ruiny starej wieży obserwacyjnej, zniszczonej i opuszczonej wiele wieków wcześniej, dumnie czuwały nad zatoczką. Wzięła głęboki oddech, wciągając w nozdrza niesiony przez wiatr aromat rozmarynu i tymianku, zwiastujący tajemnicę i przygodę.

– Pięknie tu, prawda? – odezwał się Gabriele, zwalniając obroty silnika i powoli wpływając do portu.

– Masz rację! To miejsce bardzo różni się od reszty wybrzeża, jest takie zielone i żyzne...

– Dopiero kiedy je widzisz, uświadamiasz sobie, że dla mieszkańców cud z goździkami prawdopodobnie nie był niczym szczególnie niezwykłym. Wydałby się naprawdę niesamowity w każdym innym miejscu na Ziemi, ale nie tutaj, gdzie takie rzeczy są chyba na porządku dziennym.

– Już teraz czuję się tu jak w domu – powiedziała cicho. – Serce szybciej mi bije, kiedy patrzę na tę zatokę...

– Zawsze się dziwię, że Incantellaria nie stała się mekką turystów, pełną restauracji, barów i klubów. Oczywiście jest tu kilka lokali, ale i tak w niczym nie przypomina to Saint Tropez.

– Cieszę się, że tak jest, bo chcę, żeby było to moje własne, prywatne miejsce... – W jej oczach błysnęły łzy.

Nic dziwnego, że ojciec i Bawolica nigdy tu z nią nie przyjechali – musieli wiedzieć, że straciliby ją na zawsze.

Gdy motorówka dotknęła krawędzi pomostu, mały chłopiec podbiegł do nich, żeby przywiązać cumę do słupka. Jego okrągła buzia była zarumieniona z podniecenia. Gabriele rzucił linę, a mały chwycił ją z triumfalnym okrzykiem i zawołał kolegów, aby przyłączyli się do zabawy.

– Najwyraźniej nie mają tu wielu gości – zauważył Gabriele. – Byłem przekonany, że nasze przybycie wywoła spore poruszenie...

Alba wysiadła z łodzi i stanęła na pomoście, opierając dłonie na biodrach i rozglądając się dookoła z przyjemnością. Z bliska miasteczko było jeszcze bardziej czarujące, zupełnie jak przeniesione z innej, spokojniejszej epoki. Rybacy siedzieli w łodziach, zajęci rozmową, naprawianiem sieci i przekładaniem dziennego połowu do beczułek. Rzucali w stronę Alby ostrożne, czujne spojrzenia. Dziewczynę otoczyła gromada chłopaków, którzy znacząco trącali się łokciami i chichotali, zasłaniając usta brudnymi dłońmi. Rozplotkowane kobiety stały pod sklepikami, kilka osób popijało kawę w cieniu pasiastych markiz. Wszyscy z nieskrywanym zaciekawieniem przyglądali się młodej parze.

Gabriele wskoczył na pomost i położył rękę na plecach Alby.

– Chodźmy się czegoś napić – zaproponował. – Potem poszukamy jakiegoś miejsca, gdzie mogłabyś zatrzymać się na noc. Nie mogę przecież pozwolić, byś spała na plaży.

– Na pewno jest tu jakiś hotel – Alba obrzuciła port uważnym spojrzeniem.

– Jest tu niewielki pensjonat, nie hotel.

Twarze rybaków nieruchomiały na widok dziwnie znajomej, pięknej twarzy młodej kobiety. Podobni do starych żółwi, wystawiali szyje i, jeden po drugim, otwierali ze zdumienia usta, odsłaniając poczerniałe pieńki zębów. Alba szybko zauważyła, że dzieje się coś niezwykłego, Gabriele także poczuł się trochę nieswojo. Można było odnieść wrażenie, że całym miasteczkiem wstrząsa silny dreszcz.

Nagle z mrocznego wnętrza Trattorii Fiorelli wyłonił się stary mężczyzna, przysadzisty i gruby jak ropucha, i przystanął przed wejściem, drapiąc się w kroczu. Osłonięte ciężkimi powiekami oczy spoczęły na Albie i zaciągnięte kataraktami źrenice zabłysły jak w gorączce. Stary z astmatycznym świstem wciągnął powietrze i przestał się drapać. Alba, przestraszona niepokojącą ciszą, która nagle spadła na miasteczko, chwyciła Gabriele za rękę.

– Valentina! – wykrzyknął mężczyzna, usiłując odetchnąć pełną piersią.

Alba odwróciła się i zamarła, wpatrzona w starca takim wzrokiem, jakby przywołał ducha. Wtedy zza jego pleców wyszedł drugi mężczyzna, mniej więcej sześćdziesięcioletni, o ponurej twarzy i imponującej posturze. Powoli ruszył w kierunku Alby, pod którą zadygotały kolana. Utykał na jedną nogę, ale ta niesprawność bynajmniej nie ujmowała mu dostojeństwa. Oczy miał ciemne i mroczne, podobne do przesłoniętego chmurą nieba.

Mężczyzna zatrzymał się przed Albą w milczeniu, jakby nie bardzo wiedział, co powiedzieć.

– Gdzie można się tu czegoś napić? – odezwał się Gabriele.

Przeniósł spojrzenie z mężczyzny na rybaków, którzy porzucili swoje łodzie i utworzyli krąg wokół przybyłych.

– Nazywam się Falco Fiorelli – cicho powiedział mężczyzna. – Wy... – zająknął się i zamilkł. – Gdzie moglibyście się czegoś napić? Zaraz, oczywiście... – Potrząsnął głową, chyba z nadzieją, że pozbędzie się jakiejś wizji, którą najwyraźniej przywołał jego umysł.

– Mam na imię Alba – rzekła dziewczyna, której twarz była biała jak pióra gołębi, siedzących na szarym dachu najbliższego domu. – Alba Arbuckle. Moją matką była Valentina...

Szorstkie od wiatru policzki Falca pokrył rumieniec, z piersi mężczyzny wyrwało się prawie bolesne westchnienie ulgi i radości.

– W takim razie ja jestem twoim wujem – powiedział. – Myśleliśmy, że już nigdy cię nie zobaczymy...

– A ja myślałam, że nigdy was nie odnajdę... – rzekła dziewczyna.

Wśród stojących kołem rybaków przebiegł szmer.

– Sądzili, że widzą ducha twojej matki – wyjaśnił Falco. – Stawiam wszystkim drinka! – zawołał radośnie, podnosząc rękę w odpowiedzi na głośne okrzyki. – Alba wróciła do domu!

Ignorując Gabriele, Falco z dumą ujął siostrzenicę za rękę i poprowadził do restauracji.

– Chodź, musisz poznać swoją babkę – uśmiechnął się.

Alba nawet nie próbowała ukryć wzruszenia. Wuj przypominał potężnego lwa, jego dłoń była tak wielka, że jej własna po prostu w niej ginęła. Gabriele bezradnie wzruszył ramionami i ruszył za nimi.

Immacolata Fiorelli była już stara. Bardzo stara. Koło dziewięćdziesiątki straciła rachubę i sama nie wiedziała, ile właściwie ma lat. Dziewięćdziesiąt jeden? Dziewięćdziesiąt dwa, a może trzy? Równie dobrze mogła też przekroczyć setkę.

Nie przejmowała się swoim wiekiem, ponieważ jej serce i tak umarło po stracie ukochanej Valentiny. Nie miała serca, które pozwoliłoby jej zachować młodość, więc powoli więdła i kurczyła się, lecz nadal żyła, chociaż codziennie modliła się o śmierć i ponowne spotkanie z córką.

Wyszła z kuchni wsparta na lasce, podobna do małego, nieprzywykłego do światła nietoperza. Siwe włosy upięte na czubku głowy, twarz prawie zupełnie przesłonięta czarną chustką.

Alba stanęła przed nią. Była łudząco podobna do Valentiny – od matki różniły ją tylko nienaturalnie jasne, obce oczy. Oczy starej kobiety napełniły się łzami. Uniosła dłoń, drżącą ze starości i wzruszenia, i delikatnie dotknęła miękkiej, mlecznobrązowej skóry dziewczyny. Bez słowa gładziła żywą cząstkę swojej córki, cząstkę, którą Valentina pozostawiła po sobie na świecie. Wreszcie mogła patrzeć na wnuczkę, która została wywieziona za morze i zniknęła na zawsze. Thomas nigdy nie przywiózł jej do Incantellarii, chociaż obiecał Immacolacie, że to zrobi. Rodzina Valentiny żyła nadzieją i o mało nie umarła ze smutku i tęsknoty.

Na widok łez staruszki oczy Alby zamgliły się gwałtownie. Miłość, malująca się na twarzy jej babki, była tak wyrazista i bolesna, że dziewczyna zapragnęła otoczyć starą kobietę ramionami, ale Immacolata była zbyt krucha i drobna.

– Bóg pobłogosławił ten dzień – przemówiła Immacolata cichym, dziecinnym głosem. – Valentina wróciła do nas pod postacią swojej córki... Nie jestem już sama, moje serce budzi się do życia... Kiedy umrę, Bóg przyjmie na swoje łono szczęśliwą, pełną wdzięczności duszę i niebiosa staną się jeszcze cudowniejszym miejscem...

– Wejdźmy do trattorii, w środku jest chłodniej – rzekł Falco. Nagle przypomniał sobie o towarzyszu Alby i odwrócił się ku niemu z uśmiechem. – Proszę nam wybaczyć...

– Nazywam się Gabriele Ricci – przedstawił się młody człowiek. – Alba przebyła długą drogę, żeby was odnaleźć. Nie będę wam teraz przeszkadzał, proszę tylko dać jej to... – wyjął z kieszeni białą wizytówkę i podał ją Falcowi. – Może do mnie zadzwonić, jeśli będzie czegoś potrzebowała, ale pewnie nie będzie takiej konieczności...

Gabriele był bardzo zaciekawiony rozwijającą się na jego oczach sytuacją, lecz zdawał sobie sprawę, że powinien usunąć się ze sceny rodzinnego spotkania. Odszedł niepostrzeżenie, chociaż z całego serca pragnął pocałować Albę na pożegnanie i zachęcić ją, by pozostała z nim w kontakcie. Obejrzał się z nadzieją, że Alba pobiegnie za nim, aby mu podziękować, ale w restauracji kłębił się już tłum ludzi, a na pomoście nie było żywej duszy. Tylko mały chłopiec podbiegł i pomógł mu zwolnić cumę.

W restauracji kelnerzy nalewali wino. Lattarullo siedział obok Immacolaty niczym karykatura damy dworu, szczęśliwy, że to on, a nie *il sindacco* przywitał Albę w domu. Burmistrz pojawił się dopiero po paru minutach. Wciąż wyglądał na niewiele ponad pięćdziesiąt lat. Jego rozdzielone idealnie prostym przedziałkiem włosy były starannie wyszczotkowane i nadal czarne jak krucze skrzydło, tylko z kilkoma siwymi nitkami na skroniach. Wyglądał bardzo elegancko w oliwkowych spodniach i perfekcyjnie wyprasowanej jasnobłękitnej koszuli. Gdy wszedł do restauracji, zapach jego wody kolońskiej natychmiast przesycił powietrze, dzięki czemu wszyscy od razu się zorientowali, że przybył najważniejszy człowiek w miasteczku, i rozstąpili się, aby go przepuścić.

Na widok Alby, siedzącej z Immacolatą, Lattarullem i Falkiem, usta rozchyliły mu się ze zdziwienia.

– *Madonna*! – wykrzyknął. – Zmarli naprawdę powstają z martwych!

W mieście przywykłym do rozmaitych cudownych zdarzeń zmartwychwstanie Valentiny wcale nie wydawało się niemożliwe. Burmistrz przysunął sobie krzesło do stołu, a Falco przedstawił go siostrzenicy.

– Czy to zbieg okoliczności? – zapytał *il sindacco*. – Przypadek sprawił, że trafiła pani do Incantellarii?

– To Bóg przyprowadził ją do mnie – wyznała Immacolata.

– Przyjechała, żeby nas odszukać – dorzucił Falco.

– Od dziecka pragnęłam was znaleźć – powiedziała Alba, zachwycona, że znowu znalazła się w centrum zainteresowania.

Zdążyła już zapomnieć o upokorzeniu, jakie przeżyła w Neapolu, o skradzionej torbie, nawet o Gabriele.

– Sam pan widzi, że wcale o nas nie zapomniała – odezwała się Immacolata słodkim, pełnym radości głosem, tak podobnym do głosu córki, gdy ta witała powracającego z wojny Tommy'ego. – I nawet mówi po włosku! – zwróciła się z uśmiechem do syna. – Ma Włochy we krwi, prawda?

– Zamieszkasz u nas – rzekł Falco.

Po śmierci Valentiny przeprowadził się z powrotem do domu matki razem z żoną i synem. Teraz Toto mieszkał tam ze swoją sześcioletnią córeczką Cosimą – wolał być blisko rodziny po tym, jak matka Cosimy uciekła z pewnym Argentyńczykiem, zawodowym tancerzem.

– Może wprowadzić się do dawnego pokoju Valentiny – oznajmiła z powagą Immacolata.

Przy stole zapadła kompletna cisza. Wszyscy doskonale wiedzieli, że starsza pani traktuje pokój Valentiny jak świątynię. Przez dwadzieścia sześć lat utrzymywała go w idealnym porządku i nikomu nie pozwoliła tam zamieszkać. Nikomu, nawet małej Cosimie.

Alba wyczuła znaczenie tego wspaniałego gestu i serdecznie podziękowała babce.

– To dla mnie wielkie szczęście i zaszczyt, że będę mogła zająć pokój matki – powiedziała szczerze. – Wydaje mi się, że dzięki wam już zaczęłam ją poznawać... Marzyłam o tym przez całe życie.

Wyczerpana wzruszeniem Immacolata nakazała, by Lattarullo odwiózł ją do domu.

– Zafundowałam mieszkańcom Incantellarii publiczne święto, ale teraz chciałabym zostać sama z rodziną – oświadczyła.

Albę ogarnęło ogromne podniecenie na myśl, że zaraz znajdzie się w domu, gdzie mieszkała matka i zaśnie w jej łóżku. Gdybym wiedziała, że wszystko będzie tu tak niezwykłe i cudowne, przyjechałabym do Włoch wiele lat temu, pomyślała.

– Gdzie twoja walizka? – zapytał Falco, kiedy wyszli na oświetlony promieniami zachodzącego słońca placyk.

– Bezpowrotnie stracona – odparła pogodnie. – Ukradli mi ją, ale to bez znaczenia.

– Okradli cię?

– Dobry Boże, gdzie jest Gabriele? – Dziewczyna rozejrzała się dookoła, zawstydzona, że zupełnie zapomniała o nowym przyjacielu.

– Odpłynął.

– Odpłynął? A ja nawet mu nie podziękowałam! – zawołała z rozczarowaniem. – Nie pożegnał się ze mną...

Odwróciła się w stronę portu, jakby istniała szansa, że Gabriele wciąż jeszcze czeka obok swojej łodzi.

– Prosił, żebym ci to przekazał. – Falco podał siostrzenicy małą białą wizytówkę Gabriele z numerem telefonu.

– Och, wspaniale! – Pośpiesznie wsunęła karteczkę do torby.

– Więc nie masz żadnego bagażu? – Falco popatrzył na nią z niedowierzaniem.

– Żadnego. Gdyby nie wielkoduszność Gabriele oraz urzędników włoskich kolei, w ogóle bym tu nie dotarła...

Dziewczyna usadowiła się na obitym rozgrzaną od słońca skórą tylnym siedzeniu samochodu. Falco zajął miejsce obok niej, Immacolata usiadła z przodu. Starsza pani chciała jak najszybciej wrócić do domu i pamiątek po zmarłej córce. Lattarullo prowadził.

Droga w górę zbocza była wyboista, koła samochodu wzbijały tumany kurzu.

– Jakieś dziesięć lat temu próbowali położyć tu asfalt, ale pieniądze na ten cel szybko się skończyły, więc mamy teraz mniej więcej półtora kilometra drogi od miasta pod górę, a dalej znajome wyboje – wyjaśnił Falco.

– To urocze! – zachwyciła się Alba.

Podobało jej się wszystko, co miało jakikolwiek związek z Incantellarią.

– Zmieniłabyś zdanie, gdybyś musiała jeździć tędy codziennie!

Alba wcześniej opuściła okno, aby pomachać świętującym jej powrót mieszkańcom Incantellarii, teraz zaś wystawiła twarz na powiew wiatru i wdychała mocny zapach lasu. Z tej wysokości widać było morze, lśniące błękitem w wieczornym świetle. Dziewczyna zastanawiała się, jak często matka patrzyła na morze ze wzgórza. Może właśnie stąd dostrzegła Thomasa Arbuckle'a, wpływającego do portu na pokładzie łodzi torpedowej, kto wie...

Wysiedli z samochodu i zarośniętą ścieżką ruszyli w kierunku domu. W ostatnich latach droga została przedłużona i teraz docierała prawie do samych frontowych drzwi. Nagle Alba zatrzymała się, czując słodki, soczysty aromat.

– Co to takiego? – zapytała, węsząc jak pies. – Jaki cudowny zapach!

Lattarullo obrzucił ją uważnym spojrzeniem.

– Twój ojciec zadał mi to samo pytanie, kiedy przyjechał tu pierwszy raz!

– Naprawdę?

– To figi – odparła z powagą Immacolata. – Naprawdę figi, chociaż nie znajdziesz tu ani jednego figowego drzewka...

Alba pytająco popatrzyła na Falca, który bezradnie wzruszył ramionami.

– To prawda – rzekł. – Powietrze zawsze pachnie tu figami.

– Niezwykły zapach... – westchnęła dziewczyna. – Po prostu magiczny...

Weszła za babką i wujem do beżowego domu, prawie całkowicie zasłoniętego krzewami wisterii. Immacolata poprowadziła ich przez wyłożony kafelkami hol do salonu, gdzie na stojącej w rogu komodzie pyszniły się trzy ołtarzyki – jeden poświęcony pamięci męża gospodyni, drugi syna, który także zginął w czasie wojny, i trzeci, oświetlony jaśniej niż tamte dwa, pamięci Valentiny. Kiedy Alba podeszła bliżej, zobaczyła czarno-białą fotografię dumnie wyprostowanego dziadka w mundurze. Jego oczy lśniły zapałem i pragnieniem walki za sprawę, którą naturalnie uważał za słuszną, a mocno zarysowana linia ust natychmiast skojarzyła się Albie ze zdecydowanym wyrazem twarzy Falca. Także czarno-białe zdjęcie poległego wuja ukazywało przystojnego młodego człowieka w mundurze, łobuzersko zerkającego spod daszka czapki.

Nagle Alba wstrzymała oddech. Tuż obok Immacolata ustawiła nie zdjęcie, lecz portret Valentiny, wykonany tą samą ręką co szkic, który Alba znalazła pod łóżkiem na swojej łodzi. *Valentina i Alba, 1945*, przeczytała podpis. Thomas Arbuckle. *Teraz moja miłość ma dwie twarze.*

Wzięła portret do ręki i zbliżyła się do okna, aby dokładniej mu się przyjrzeć. Był jeszcze bardziej niezwykły niż pierwszy, ponieważ przedstawiał jej matkę, z miłością wpatrzoną w karmione piersią dziecko. Tym dzieckiem była ona, Alba, wtedy zaledwie kilkumiesięczna. Na twarzy Valentiny malowała się niewypowiedziana, macierzyńska czułość, wyraźnie emanująca z rysunku nawet teraz, po dwudziestu sześciu latach.

– Kochała cię całym sercem – powiedziała Immacolata, siadając obok wnuczki. – Byłaś dla niej symbolem nowego życia, początku szczęśliwej egzystencji. Wojna dobiegła końca i Valentina pragnęła zacząć wszystko od nowa, stać się nową istotą. Ty byłaś kotwicą, której tak potrzebowała, kochanie...

Alba nie rozumiała, co babka ma na myśli, lecz jej słowa brzmiały naprawdę pięknie.

– Zawsze zastanawiałam się, jaką była matką... – wyznała cicho.

– Bardzo dobrą. Bóg obdarzył ją dzieckiem, aby nauczyła się prawdziwej, bezinteresownej miłości, czułości i dumy. Valentina stawiała cię na pierwszym miejscu, byłaś dla niej ważniejsza od niej samej. Może Bóg zabrał ją do siebie, bo uznał, że poznała już szczerą miłość i odmieniła swoje serce...

– To piękny portret.

– Poproszę Falca, aby go skopiował – uśmiechnęła się staruszka. – Ludzie potrafią teraz robić takie cudowne rzeczy...

– Bardzo chciałabym mieć kopię, dziękuję. Mój ojciec ma tylko ten pierwszy portret, a ja nie mam nic, żadnego zdjęcia...

Immacolata mocno chwyciła dłoń wnuczki.

– Teraz masz już nas, skarbie. Podzielę się z tobą wspomnieniami, wiem, że Valetnina byłaby zawiedziona, gdybym tego nie zrobiła. Jesteś do niej taka podobna, taka podobna... – Jej głos załamał się i ucichł.

– Nie, wcale nie jestem do niej podobna – westchnęła Alba, z goryczą wspominając swoje rozwiązłe, puste życie. – Mam tylko nadzieję, że mogę stać się taka jak ona. Postaram się zmienić i zostać taką córką, jaką chciałaby mieć...

– Już taka jesteś, moje dziecko!

Przez otwarte okno wpadł do środka pachnący figami wiatr. Aromat soczystych owoców wydał się Albie jeszcze silniejszy niż przed chwilą. Immacolata wyjęła portret z jej dłoni i ostrożnie ustawiła na poprzednim miejscu, tak aby roztańczony płomyk świecy wydobywał z półmroku twarz Valentiny.

– Chodź, zaprowadzę cię do twojego pokoju – powiedziała do wnuczki.

Rozdział dwudziesty pierwszy

Immacolata poprowadziła Albę na górę wąskimi kamiennymi schodkami. Dom był stary, dużo starszy niż sama Immacolata, i wydzielał charakterystyczny zapach starości, czasu wtopionego w każdą jego tkankę. Staruszka powoli wspinała się po stopniach, więc Alba z trudem powstrzymywała zniecierpliwienie, bo każdy krok coraz bardziej zbliżał ją do matki.

Wreszcie przebyły korytarzyk i zatrzymały się przed drzwiami z bielonego dębu. Immacolata sięgnęła pod czarny szal, którym była okryta i wyciągnęła zawieszone na masywnym kółku ciężkie klucze. Metalowy łańcuszek wokół jej talii zagrzechotał głucho, zupełnie jakby była strażnikiem średniowiecznego więzienia.

– Wejdź, proszę – odezwała się miękko.

Pokój był mały, o białych ścianach i zasuniętych drewnianych żaluzjach. Łagodne promienie bursztynowego światła przedostawały się do środka przez szpary między deszczułkami, spowijając wnętrze dziwną mgiełką. Powietrze wibrowało życiem i można by pomyśleć, że duch Valentiny nadal tu mieszka, zaborczo uczepiony resztek znanego zmarłej i na zawsze utraconego świata. Immacolata zapaliła stojącą na sosnowej toaletce świecę, której blask wydobył z półmroku haftowaną lnianą serwetę, szczotkę i grzebień, buteleczki perfum, słoiczki z kremami, kryształowy pojemniczek na puder do twarzy i duże lustro w stylu królowej Anny. Alba zauważyła, że na szczotce nadal były włosy jej matki. Immacolata pokuśtykała w kierunku szafy z jasnego drewna, ozdobionej rzeźbionymi winogronami, i otworzyła ją, odsłaniając rząd porządnie wiszących sukienek.

– Valentina miała prosty gust – powiedziała z dumą. – Nie posiadaliśmy wiele, była wojna... – wyjęła białą sukienkę i uniosła ją do góry. – Włożyła ją w dniu, kiedy poznała twojego ojca.

Alba ostrożnie pogładziła czubkami palców miękką bawełnę.

– Twój ojciec zakochał się w niej od pierwszego wejrzenia. Valentina wyglądała jak anioł, śliczna i niewinna... Kazałam jej, by zaprowadziła go nad rzekę, żeby mógł się wykąpać, bo dzień był wyjątkowo upalny. Nie trzeba ich było zachęcać. Wiedziałam, że szybko odnajdą drogę do swoich serc, i rozumiałam, że chcą być sami... – Staruszka przeżegnała się pośpiesznie. – Niech Bóg mi wybaczy...

– Ta sukienka jest strasznie mała – szepnęła Alba. – Zawsze wyobrażałam sobie, że mama była wysoka...

Immacolata potrząsnęła głową.

– Valentina była Włoszką, więc nie mogła być wysoka... – powykrzywianymi przez artretyzm palcami rozgarnęła sukienki, aż w końcu natrafiła na czarną, haftowaną w białe kwiaty. – Ach, tę nosiła w wieczór *festa di Santa Benedetta*... Twój ojciec był tam razem z nią. Pomogłam jej wpleść stokrotki we włosy i namaścić skórę olejkiem. Promieniała wewnętrznym światłem, była zakochana. Skąd mogła wiedzieć, jak to się wszystko skończy... Wydawało się, że jej przyszłość rozkwita wspaniałymi obietnicami...

– Co to takiego *festa di Santa Benedetta*? – zapytała Alba, patrząc, jak babka starannie wiesza suknię na poprzednim miejscu.

– Pochodzisz z rodu świętej Benedetty, prostej wieśniaczki, która była świadkiem cudu. Marmurowa rzeźba Chrystusa z kapliczki San Pasquale roni krwawe łzy – poprzez ten cud Bóg okazuje mieszkańcom Incantellarii swoją wszechmoc. Marmurowy Chrystus płakał rok w rok. Czasami była to tylko jedna krwawa łza i wtedy rybacy łowili mało ryb, woda gorzkniała lub zbiór winogron okazywał się bardzo ubogi. Kiedy łzy spływały obficie, następny rok był żyzny, zbieraliśmy soczyste winogrona, produkowaliśmy dużo baryłek oliwy, drzewa cytrynowe uginały się pod owocami, a kwiaty kwitły piękniej niż zwykle. To były urodzajne lata. Wreszcie przyszedł rok, kiedy Chrystus nie uronił ani jednej łzy, ani jednej... Czekaliśmy, wpatrzeni w Jego twarz, ale Bóg już zaplanował przyszłość i ukarał nas, zabierając naszą ukochaną Valentinę... – Znowu przeżegnała się szybko. – Chrystus z naszej kaplicy ostatni raz zapłakał dwadzieścia sześć lat temu...

Albę trochę przestraszyła żarliwa religijność babki. Sama rzadko przywoływała Boga, najczęściej wtedy, gdy przeklinała, więc prosta, chłopska wiara Immacolaty wydała jej się absurdalna. Przeniosła wzrok na łóżko, w którego nogach stał duży, płaski wiklinowy kosz. Podeszła bliżej i zajrzała do środka. Kosz wysłany był białym płótnem, na którym leżał starannie złożony wełniany kocyk.

– To moje? – zapytała ze zdziwieniem, podnosząc kocyk i przytykając go do nosa.

Immacolata skinęła głową.

– Zachowałam wszystko – powiedziała. – Po jej odejściu bardzo potrzebowałam rzeczy, które by mi ją przypominały...

Obie kobiety, stara i młoda, popatrzyły na siebie z powagą.

– Dzięki tobie jestem szczęśliwa, moja mała Albo... – Immacolata pogładziła kciukiem policzek wnuczki. – Pokażę ci, gdzie możesz się wykąpać. Na tę noc weź sobie koszulę nocną Valentiny, a jutro kupimy ci potrzebne rzeczy, *va bene*?

Alba uśmiechnęła się w odpowiedzi.

– A teraz chodź, czas coś zjeść.

Kiedy wyszły na taras, brzmiący w tle chór cykad zagłuszył wysoki dziecięcy głosik.

– Ach, Cosima... – Twarz Immacolaty rozjaśniła się jak zachmurzone niebo rozświetlone słońcem.

Zza krzaków wybiegła mała dziewczynka, a za nią śmieszny rudy psiak. W podskokach dopadła do prababki, rozchichotana i radosna, z lokami koloru ciemnego miodu podrygującymi wokół okrągłej, zaróżowionej buzi, ubrana w roztańczoną tuż nad kolankami biało-niebieską sukienkę.

– *Nonnina! Nonnina!*

Zanim wpadła w objęcia staruszki, zatrzymała się instynktownie, świadoma, że jej entuzjazm może zaszkodzić prababce. Immacolata położyła dłoń na główce dziecka i pochyliła się, żeby ją pocałować.

– Bóg zabrał moją Valentinę, ale pobłogosławił mi, dając Cosimę – rzekła, odwracając się do Alby.

Dziewczynka utkwiła w gościu zaciekawione spojrzenie szeroko otwartych oczu.

– Cosimo, to jest Alba, twoja... – Immacolata przerwała, szukając odpowiedniego słowa. – Twoja kuzynka. Tak, Alba jest twoją kuzynką...

Alba nigdy nie przepadała za dziećmi, które w pełni odwzajemniały jej umiarkowaną antypatię, lecz wrażliwość malująca się w oczach Cosimy i otwarte, nieskrywane pragnienie miłości i aprobaty zupełnie ją zaskoczyły. Dziewczynka miała łobuzerski uśmiech i ładne, wygięte w łuk wargi, przy czym górna była zdecydowanie pełniejsza od dolnej, oraz lekko zadarty nosek. Była urocza, podobnie jak Alba, lecz w przeciwieństwie do starszej kuzynki, wydawała się całkowicie nieświadoma tego faktu. Pod spojrzeniem Alby zarumieniła się i uśmiechnęła nieśmiało.

– Kto to jest? – spytała Alba, schylając się i poklepując psiaka po łebku.

– To Cucciolo – odparła dziewczynka, przytulając się do babki. – On jest smokiem.

– Wygląda naprawdę przerażająco. – Alba lekko uniosła brwi.

Cosima zachichotała i rzuciła jej rozbawione spojrzenie spod gęstych czarnych rzęs.

– Nie bój się, nic ci nie zrobi – zapewniła. – Cucciolo jest przyjacielskim smokiem.

– Bardzo mnie to cieszy, bo czułam się troszkę niepewnie. Nigdy dotąd nie widziałam prawdziwego smoka...

– Cucciolo straszy tylko kury, no i Bruna.

– A kto to jest Bruno? – zapytała Alba.

– Osioł.

– Ach, tak... Masz dużo zwierząt.

– Kocham zwierzęta – rozpromieniła się mała.

Gdy Cosima ruszyła w stronę przywiązanego do pnia drzewa osiołka, Alba zauważyła, że mała lekko podskakuje, jak pogodne, pozbawione trosk dziecko.

Wkrótce dołączył do nich Falco z Beatą i synem Toto, którego żona uciekła z argentyńskim tancerzem. Starszy o pięć lat od Alby Toto był przystojnym młodym mężczyzną o kręconych, ciemnobrązowych włosach i krągłej, otwartej twarzy, której kształt najwyraźniej odziedziczyła Cosima. Dziewczynka podbiegła do ojca i mocno objęła go w pasie.

– Alba boi się smoka! – pisnęła, kryjąc buzię w koszuli na jego brzuchu i zanosząc się śmiechem.

Toto wziął ją na ręce.

– Musisz przykazać mu, żeby się dobrze zachowywał, bo inaczej Alba ucieknie... – powiedział z ciepłym uśmiechem.

– Nie ucieknie. – Immacolata usiadła u szczytu stołu, na miejscu, które zajmowała przez blisko dziewięćdziesiąt parę lat swojego życia. – Wróciła do domu, tu jest jej rodzina...

– Słabo pamiętam twoją matkę, ale wydaje mi się, że jesteś do niej bardzo podobna – rzekł Toto.

Alba ze zdumieniem odkryła, że w głosie Tota nie ma nuty goryczy i bólu, jaką tak wyraźnie słyszała u ojca i babki, kiedy mówili o Valentinie.

– Dziękuję... – odparła.

– Pamiętam też twojego ojca, oczywiście z powodu jego munduru. Był najbardziej imponującym mężczyzną, jakiego wtedy widziałem, po prostu nie mogłem przestać się na niego gapić... Zapamiętałem też, że miał duże poczucie humoru, bo jako jedyny uśmiechał się, kiedy stary *padre* Dino puszczał bąki przez cały obiad...

– Dajże spokój, Toto! – skarciła syna Beata.

Alba była zachwycona starszym kuzynem. Jego spokój i poczucie humoru odmieniły nieco ciężką atmosferę, której źródłem była niewątpliwie obecność ducha Valentiny w domu.

Immacolata chętnie rozmawiała o córce. Nagle zyskała pretekst do snucia wspomnień o zmarłej, chociaż sam dźwięk jej imienia powodował ból tak silny, jakby ktoś polewał słoną wodą niezabliźnione wciąż rany. Przybycie Alby zmusiło jednak staruszkę do otwarcia drzwi prowadzących prosto w przeszłość i Immacolata bez wahania poddała się temu impulsowi. Przez cały czas, gdy opowiadała historie o wszelkich cnotach i zaletach córki, jej mądrości i niezrównanej dobroci, Falco siedział przy stole z pociemniałą twarzą i zaciśniętymi w wąską linijkę ustami.

Kiedy kobiety udały się na spoczynek, Falco pozostał na tarasie, przygarbiony nad szklaneczką limoncella. Palił papierosa i nieobecnym wzrokiem wpatrywał się w przygasający płomień lampy. Powrót Alby okazał się nieoczekiwanym błogosławieństwem – dziewczyna przywiozła ze sobą radość, której sama nie była w stanie zrozumieć, ale dla Falca była także wspomnieniem strasznej, zasługującej na zapomnienie części życia.

Alba wykąpała się, zmywając z siebie zmęczenie i emocje chyba najdłuższego dnia, jaki dotąd przeżyła. Wrażenia uderzyły jej do głowy, były fascynujące, ale i przerażające. Wcześniej sądziła, że duch jej matki zamieszkuje łódź, teraz uświadomiła sobie, że jego prawdziwym domem jest ten dom. Immacolata dała jej zapałki, żeby mogła zapalić świeczkę na toaletce i drugą na stoliku przy łóżku, wyjaśniając, że w czasie wojny nie mieli elektryczności, a później nie chciała nic zmieniać w pokoju córki. Kiedy więc Alba usiadła przed lustrem, ubrana w białą koszulę nocną matki, z opadającymi na ramiona włosami i twarzą przejrzyście białą w migotliwym blasku świec, ogarnął ją strach na widok własnego odbicia i nieodpartego poczucia, że śmierć otacza ją chłodnymi ramionami.

Sięgnęła po srebrną, ciężką szczotkę i powolnymi, zdecydowanymi pociągnięciami zaczęła czesać włosy, nie odrywając wzroku od mglistej tafli lustra. Wiedziała, że patrzy na najdokładniejszą podobiznę matki, jaką kiedykolwiek będzie jej dane zobaczyć, prawdopodobnie bardziej zaskakującą niż portrety i zdjęcia, bo żywą i oddychającą. Gdy tak wpatrywała się w swoją twarz, jej oczy przyćmił smutek, ponieważ nie miała cienia wątpliwości, że Valentinę cechowała niewinność i dobroć, czyli to, co dla niej jest zupełnie nieosiągalne. Gdyby matka żyła, z pewnością byłaby nią głęboko rozczarowana. Valentina pozostawiła po sobie wspomnienie uroku, jaki za życia roztaczała. Alba zadała sobie pytanie, jak inni zapamiętaliby ją, gdyby nagle umarła.

Nie zdawała sobie sprawy, że wyprawa na poszukiwanie matki zmusi ją do podróży w głąb własnej duszy, miała nadzieję, że po prostu dowie się o niej wszystkiego, co chciała wiedzieć, a tymczasem duch Valentiny zawładnął nią z wielką siłą.

Gdy wreszcie zasnęła, nękały ją dziwne, niezrozumiałe i niepokojące sny. Po przebudzeniu odetchnęła z ulgą, że to już dzień, niebo jest bezchmurne i błękitne, a jasne słońce rozgania zalegające w pokoju cienie.

Zeszła na taras w żółtej sukience, którą miała na sobie poprzedniego dnia. Przy stole siedzieli tylko Toto i Cosima. Buzię dziewczynki natychmiast rozjaśnił szeroki, radosny uśmiech, a jej śliczne wargi odsłoniły perłowe ząbki.

– Alba! – wykrzyknęła, zeskakując z krzesła, żeby uściskać gościa. – Mam nadzieję, że nie śniły ci się smoki, co? – Otoczyła ramionami talię Alby.

– Nie, nie, skądże znowu...

– Wyglądasz na zmęczoną – zauważył Toto, przeżuwając kawałek słodkiej drożdżowej bułeczki.

– Marnie spałam. Chyba byłam zbyt zmęczona, żeby spokojnie zasnąć.

– W takim razie zjedz śniadanie i jedź ze mną i z Cosimą

do miasta, oczywiście, jeśli chcesz. Babcia mówiła, że skradziono ci walizkę...

– Muszę pójść do banku. – Alba usiadła obok Cosimy, która skwapliwie podsunęła jej krzesło.

– Jasne. Możesz kupić, co zechcesz, a zapłacisz później, gdy już dostaniesz pieniądze, wiesz? W Incantellarii wystarczy twoje słowo...

Alba z przyjemnością odetchnęła przesyconym zapachem eukaliptusa powietrzem, napływającym od strony morza.

– Jak tu pięknie... – odezwała się. – Aż serce boli, prawda?

– Ja nigdy nie mógłbym mieszkać w żadnym innym miejscu – uśmiechnął się Toto. – Życie biegnie tu cicho i spokojnie, ale w gruncie rzeczy nic więcej nie trzeba mi do szczęścia... – Spojrzał na córkę. – I z pewnością jest to dobre miejsce do wychowywania dzieci. Masz tu mnóstwo przyjaciół, prawda, skarbie?

– Moją najlepszą przyjaciółką jest Costanza – obwieściła Cosima poważnym tonem. – Eugenia też chce, żebym się z nią przyjaźniła, ale powiedziałam jej, że moją najlepszą przyjaciółką i tak nigdy nie będzie, bo jest nią Costanza... – Dziewczynka westchnęła ciężko. – Costanza nie lubi Eugenii.

Zmarszczyła nos, lecz zaraz zapomniała, z czego jeszcze chciała zwierzyć się dorosłym, ponieważ z domu wybiegł Cucciolo, poprzedzając Falca. Falco uśmiechnął się, ale jego oczy pozostały zimne jak lód; było w nich coś, co przypominało Albie ojca.

– Wybieram się do miasta z Cosimą i Totem – powiedziała, kiedy wuj usiadł i nalał sobie filiżankę kawy. – Pomyślałam, że może zechciałbyś pokazać mi kaplicę San Pasquale... Z radością zobaczę, gdzie wzięli ślub moi rodzice...

Falco odstawił dzbanek z kawą i znieruchomiał, zupełnie jakby Alba uderzyła go w twarz.

– Immacolata opowiadała mi o *festa di Santa Benedetta* – ciągnęła dziewczyna, nie zauważając reakcji Falca. – To wszystko działo się właśnie tam, prawda?

– Cud przestał się powtarzać wiele lat temu – rzucił z uśmiechem Toto.

Nie ulegało wątpliwości, że nie ma wielkiego przekonania do średniowiecznego rytuału.

– Czy moja matka jest tam pochowana? – Alba odwróciła się do bladego jak ściana Falca.

– Nie – odparł sucho. – Jej grób znajduje się na wzgórzu, z którego widać morze. To ustronne miejsce, gdzie spoczywa w pokoju... Nie ma tam żadnego nagrobka, więc...

– Nie ma nagrobka? – powtórzyła Alba ze zdziwieniem.

– Nie chcieliśmy zakłócać jej spokoju – rzekł Falco. – Zaprowadzę cię tam dziś po południu.

Gdy Alba wraz z Totem i jego córeczkę jechała krętą drogą do miasta, nie przestawała myśleć o tajemnicy, która w tak wyraźny sposób otaczała śmierć Valentiny. Miała ochotę zapytać Tota, co wie na ten temat, ale czuła, że nie powinna robić tego w obecności Cosimy, rozmawiała więc z małą o jej ulubionych zwierzątkach, prawdziwych i wymyślonych. Cosima przechylała się ku niej między siedzeniami i ćwierkała z entuzjazmem budzącego się o świcie ptaka.

W mieście Toto zaprowadził Albę do banku i pomógł jej założyć konto u dyrektora, którego znał od dziecka. Po rozmowie telefonicznej z londyńskim bankiem Albie natychmiast przyznano kredyt i Cosima z rozkoszą wyruszyła z kuzynką na wyprawę do butiku. Ponieważ nie miała matki, widok kobiety przymierzającej kolorowe sukienki i buty był dla niej kompletną nowością – Immacolata zawsze ubierała się w te same czarne stroje. Alba, zachęcona zachwytem dziewczynki, przymierzyła prawie wszystko, co znajdowało się w sklepie, pytając małą o opinię i wystawienie oceny w skali od jeden do dziesięć. Cosima piszczała z radości, chichotała, gdy coś jej się zdecydowanie podobało i wydawała przeraźliwe okrzyki, kiedy sukienka czy bluzka zasługiwały nawet nie na jedynkę, ale na zero. Toto zostawił je same i poszedł na kawę do trattorii. W miasteczku wszyscy znali Cosimę i nie było chyba nikogo, kto nie słyszałby o dramatycznym przybyciu Alby poprzedniego dnia. Razem wyszły ze sklepu i ruszyły przed siebie, zatrzymując się przed wystawami i śmiejąc się do własnych odbić. Alba uważała, że Cosimę można by wziąć za jej córkę, bo łączyło je prawdziwie rodzinne podobieństwo.

– Teraz przedstawię cię krasnoludkom – oznajmiła wesoło dziewczynka.

– Krasnoludkom? – zdziwiła się Alba.

– *Si, i nani!* – Cosima kiwnęła głową, jakby to było coś najbardziej naturalnego pod słońcem.

Wprowadziła kuzynkę do przypominającego jaskinię ciemnego wnętrza sklepu ze wszystkimi możliwymi towarami, od środków czystości po jedzenie, ubrania i zabawki. Stojąca za ladą kobieta przywitała Cosimę serdecznym uśmiechem. Wcale nie wyglądała na karlicę i dopiero gdy wyszła zza lady, Alba zorientowała się, że wcześniej musiała stać na specjalnie skonstruowanej skrzynce. Bez tego podwyższenia miała najwyżej metr czterdzieści wzrostu.

– Nazywam się Maria, a pani na pewno jest córką Valentiny – odezwała się miłym głosem. – Podobno jest pani do niej bardzo podobna...

Zanim Alba zdążyła odpowiedzieć, zza przesłoniętych rozmaitymi artykułami drzwi wysypała się reszta rodziny Marii, w sumie chyba sześć osób. Wszyscy byli tego samego wzrostu, o wesoło uśmiechniętych, błyszczących rumianych twarzach. Albie natychmiast przyszło do głowy, że wyglądaliby cudownie w jakimś ogródku, z wędkami i w zabawnych kapeluszach, ale szybko odepchnęła tę myśl, ponieważ przypomniała sobie, że stara się być dobrą osobą.

– Sprzedajecie ubrania dla dzieci? – zapytała.

– Och, tak! – wykrzyknęła Cosima.

Dziewczynka znikła w jednej z alejek między półkami, a jej lśniące loki podskakiwały wokół głowy niczym sprężynki. Alba w asyście całego klanu krasnoludków ruszyła za nią. Mała wyciągała ładne sukienki i podnosiła je, pokazując Albie. W jej brązowych oczach płonęła nadzieja.

– W porządku, oceniamy w skali od jeden do dziesięć –

powiedziała Alba, zakładając ręce na piersi i przybierając poważny wyraz twarzy. – Które ci się podobają?

Cosima nie wiedziała, co zrobić. Nigdy dotąd nikt nie zaproponował jej kupna więcej niż jednej sukienki. Rozgorączkowana podnieceniem, pośpiesznie zdjęła własną sukieneczkę i została w białych figach, z trzema sukienkami w ręku. Z pomocą Marii i jej córek przymierzyła wszystkie, paradując między półkami jak księżniczka i okręcając się wokół własnej osi, aby spódnice wzbijały się w górę niczym śliczne kwiaty. Żadna nie otrzymała najniższej noty – Cosima była tak podekscytowana, że nie potrafiła podjąć decyzji.

– Nie wiem... – jęknęła łzawo, na granicy rozpaczy. – Nie wiem, którą wybrać!

– W takim razie nie pozostaje nam nic innego, jak kupić trzy – rzekła spokojnie Alba.

Dziewczynka popatrzyła na nią oczami wielkimi jak spodki i nagle zalała się łzami. Maria objęła ją, lecz Cosima odsunęła się i przywarła do Alby.

– O co chodzi? – zapytała dziewczyna.

– Nikt nigdy nie kupił mi tylu sukienek... – Cosima z trudem przełknęła ślinę.

Alba pomyślała o matce małej, która zostawiła dziecko dla argentyńskiego tancerza, i serce ścisnęło jej się ze smutku.

– Zaczekaj, aż tata cię zobaczy – powiedziała pośpiesznie. – Wieczorem możemy urządzić prawdziwy pokaz mody, co ty na to? Na razie zatrzymamy to w tajemnicy, żeby miał miłą niespodziankę...

Cosima otarła oczy wierzchem dłoni.

– Och, tak, tak, zróbmy mu niespodziankę!

– Pomyśli, że teraz ma w domu małą księżniczkę, zobaczysz – uśmiechnęła się Alba.

– Też tak myślę!

– Zrobisz coś dla mnie, Cosimo?

– Tak.

– Chciałabym, żebyś pozwoliła mi się narysować... – Alba nie rysowała od czasu dzieciństwa i nie była nawet pewna, czy nadal umie szkicować. – Kupimy papier i ołówki, i będziesz mi pozować, chcesz?

Mała z zachwytem skinęła głową.

– Może zaprowadzisz mnie w jakieś przyjemne miejsce, co? – ciągnęła Alba. – Urządzimy sobie piknik i opowiesz mi wszystko o Costanzy, Eugenii i innych swoich koleżankach ze szkoły...

Gdy zjawiły się w trattorii obładowane torbami, Toto otworzył usta ze zdziwienia.

– Widzę, że nasze sklepy w jeden dzień osiągnęły swój przeciętny miesięczny utarg – zauważył.

Cosima uśmiechnęła się i z dumą wypięła pierś. Ojciec popatrzył na nią spod zmrużonych powiek.

– Co to za mina? – Przyciągnął dziewczynkę i wziął ją na kolana.

– Mamy dla ciebie niespodziankę! – zachichotała Cosima.

Toto zerknął na Albę i leżące u jej stóp torby.

– Ach, rozumiem...

– Straciłam całą garderobę – wyjaśniła Alba. – Dziewczyna musi mieć co na siebie włożyć...

– Tak jest! – przytaknęła Cosima, uśmiechając się jak szczęśliwy cherubinek.

Przed powrotem do domu na lunch Toto i Cosima zaprowadzili Albę do kaplicy San Pasquale, która stała w centrum miasta, na końcu wąskiej uliczki, otwierającej się na mały dziedziniec. Budyneczek pomalowany był na biało i niebiesko, a jego symetria i przysadzistość nadawały mu swoisty urok. Pokryta mozaiką kopuła wznosiła się wysoko w świeżym morskim powietrzu, pełniąc rolę punktu obserwacyjnego dla synogarlic i mew. Alba pchnęła ciężkie drewniane drzwi i weszła do środka, do świątyni, w której prawie trzydzieści lat wcześniej Valentina, ubrana w białą koronkową suknię ozdobioną stokrotkami, poślubiła jej ojca. Dziewczyna przystanęła na chwilę, sycąc wzrok widokiem wnętrza i wyobrażając sobie, jak wyglądało przystrojone kwiatami i kolorowymi wstęgami, uważnie przyjrzała się błyszczącym ikonom, malowidłom ściennym i złotym kandelabrom, w których odbijało się światło świec. Pod zawieszonym na szczytowej ścianie obrazem przedstawiającym scenę Ukrzyżowania stał przykryty wykrochmalonym białym obrusem ołtarz ze złotymi świecznikami i przyborami mszalnymi. Po prostocie czy nawet wręcz ubóstwie miasteczka panujący w kaplicy przepych dosłownie zapierał dech w piersiach, ale uwagę Alby od razu przykuła przede wszystkim wyrzeźbiona w białym marmurze figura Chrystusa, ta, która podobno płakała krwawymi łzami. Dziewczyna podeszła bliżej, cicho szurając espadrylami po posadzce.

Rzeźba była mniejsza, niż przypuszczała, i nie nosiła śladów łez, ani krwawych, ani innych. Alba zajrzała za marmurowy krucyfiks, szukając jakiegoś wyjaśnienia niezwykłego zjawiska, dowodu, że ktoś nieźle się bawił kosztem mieszkańców Incantellarii.

– Nic tam nie ma – odezwał się Toto, stając u boku kuzynki.

Cosima usiadła w ostatniej ławce i pilnowała toreb, które skrywały jej sukienki, gotowa oddać za nie własne życie.

– Czy to naprawdę się zdarzyło? – zapytała Alba.

– Och, nie wątpię, że coś się zdarzyło, męczy mnie tylko pytanie, czy inspiracją tego domniemanego cudu rzeczywiście była Boska moc...

– I później już się nie powtórzyło?

– Nigdy więcej, od czasu śmierci Valentiny – odparł spokojnie.

– Immacolata mówi, że cuda skończyły się właśnie z powodu mojej mamy... – Alba leciutko przesunęła palcami po zimnej, kamiennej twarzy Chrystusa.

– Immacolata jest osobą głęboko religijną. Straciła męża, syna, a potem córkę – nic dziwnego, że stara się znaleźć wyjaśnienie tych zdarzeń w religii. W jej oczach Valentina jest świętą, ale ona była normalnym człowiekiem, istotą ludzką, która popełniała błędy i grzeszyła, podobnie jak my wszyscy...

– Nie miałam pojęcia, że Immacolata aż tak bardzo ją kochała...

– Valentina była piękna, tajemnicza i umarła młodo, a żyła w małym, pełnym przesądów miasteczku. Ludzie uwielbiają połączenie romansu i tragedii, pomyśl tylko o historii Romea i Julii... Później twój ojciec zabrał cię za morze, do swojej ojczyzny i nigdy tu nie wrócił. Takie historie zdarzają się głównie w książkach...

Alba pomyślała, z jakim zachwytem opowieść tę wzięłaby na warsztat jej sąsiadka, Viv.

– Ale po dwudziestu sześciu latach córka Valentiny wróciła – dodała.

Toto pokiwał głową.

– I znowu będziemy rozgrzebywać tę przeklętą przeszłość... – mruknął.

– Twój ojciec jest bardzo smutny, prawda?

– Nigdy nie pogodził się z jej śmiercią. Immacolata także, ale jej rozpacz jest naturalną rozpaczą matki po stracie dziecka, natomiast w przypadku mojego ojca przypomina to raczej tortury.

– Dlaczego? – Albę nagle ogarnęło uczucie *déjà vu*.

Zmieszaną ze smutkiem gorycz, tę samą, jaką emanował Falco, dostrzegła na twarzy ojca w dniu, kiedy przywiozła mu portret matki.

Toto wzruszył ramionami.

– Nie wiem – odparł.

Rozdział dwudziesty drugi

W domu zapanowała atmosfera przyjemnego podniecenia, a Alba pomogła Cosimie włożyć pierwszą z trzech nowych sukienek. Immacolata siedziała u szczytu stołu i razem z resztą rodziny zastanawiała się, co za niespodzianka czeka ich wszystkich.

– Będą kompletnie zaskoczeni – powiedziała Alba, wiążąc kokardę z tyłu sukienki. – Wyglądasz jak aniołek...

Miała wielką ochotę wspomnieć o matce dziewczynki, lecz nikt nawet nie wymieniał tu jej imienia. Cosima zachowywała się tak, jakby matka nie istniała, jednak Alba znała prawdę, bo w uporczywym milczeniu dziecka z łatwością rozpoznawała własne przeżycia. W sercu i głowie Cosimy na pewno kłębiły się pytania, które pewnego dnia wybuchną z siłą wulkanu i przyczynią wiele cierpienia dziewczynce i wszystkim jej bliskim. Alba uważała, że trzeba odpowiedzieć na nie już, teraz, szczerze, serdecznie i ostrożnie.

– A teraz idź i pokaż im, jaka jesteś śliczna – uśmiechnęła się.

Cosima wybiegła prosto w słońce, podskakując z gracją. Jej pojawienie się zostało powitane gromkimi oklaskami i okrzykami zachwytu.

– To jeszcze nie wszystko! – zawołała Cosima i pędem wróciła do domu, żeby przebrać się w następną kreację.

Alba w pełni podzielała radość dziewczynki. Uważnie obserwując twarze członków rodziny, dostrzegła, że na żadnej nie maluje się tyle czułości i dumy, ile na twarzy ojca Cosimy. Westchnęła ciężko i wróciła myślami do własnego ojca. Rzadko przywoływała wspomnienia, ponieważ zawsze uważała, że rzeczywistość jest o wiele bardziej przyjemna i ciekawa, lecz teraz z pewnym zaskoczeniem przypomniała sobie, jak kiedyś ojciec zabrał ją na polowanie na króliki do lasu za domem w Beechfield Park. Trzymając się za ręce, powoli wspinali się na wzgórze. Ojciec niósł przewieszoną przez ramię wiatrówkę, a kiedy dotarli na miejsce, położyli się na brzuch w wilgotnej trawie, której źdźbła łaskotały ich w szyje. Zapach świeżo zżętego zboża przypłynął ku Albie z mglistej przeszłości i sprawił, że serce ścisnęło jej się z żalu za czymś, co przeoczyła. Ojciec zastrzelił królika, obdarł go ze skóry, wypatroszył i rozpalił ognisko. Upiekli królika i zjedli delikatne mięso, patrząc, jak słońce zalewa krajobraz różowawym blaskiem. Tylko we dwoje, ona i ojciec... Tak, teraz dokładnie pamiętała, jak to było.

Cosima wpadła do pokoju, żeby przebrać się po raz trzeci i Alba otrząsnęła się z zamyślenia. Pomogła małej włożyć ostatnią sukienkę i po chwili przyłapała się na tym, że podnosi z podłogi zostawione przez dziewczynkę rzeczy i porządnie wiesza je na oparciu krzesła. Natychmiast zwróciła uwagę na tę nietypową dla siebie chęć zaprowadzenia ładu, na prawie macierzyńską troskę, i ze zdumieniem odkryła, że czuje się z tym zupełnie normalnie. Pod koniec pokazu wyszła na taras i przyłączyła się do ogólnego aplauzu. Kiedy Toto podziękował jej, bez trudu zrozumiała, co kryje się w pauzach między jego słowami – teraz, z powodu jej obecności, jeszcze boleśniej odczuwał brak żony.

Po lunchu Immacolata udała się na krótką drzemkę, a Falco zaproponował, że zaprowadzi Albę na grób Valentiny. Cosima natychmiast zeskoczyła z krzesełka, gotowa towarzyszyć kuzynce, lecz Alba chciała porozmawiać z Falkiem w cztery oczy, zaproponowała więc dziewczynce, że trochę później wybiorą się gdzieś na piknik, tylko we dwie. Uspokoiło to trochę Cosimę, która odprowadziła ich na skraj gaju oliwnego i zawróciła, aby pobawić się z osiołkiem.

– Jest cudowna – odezwała się Alba, pragnąc oderwać wuja od myśli o zmarłej siostrze.

Falco skinął głową.

– To prawda, mam uroczą wnuczkę. Mój syn jest dobrym ojcem, chociaż nie było mu łatwo...

– Jest wspaniałym ojcem. Daje Cosimie wszystko, czego mała potrzebuje.

– Nie może dać jej wszystkiego – mruknął Falco. – Powinien się ożenić i dać dziecku matkę.

– Przecież nikt nie może zastąpić rodzonej matki Cosimy – rzuciła Alba, trochę za szybko, myśląc o własnych przeżyciach.

– Oczywiście, że nie – odparł Falco, patrząc na nią długo i uważnie. – Sama jednak widzisz, jak rozkwitła od twojego przyjazdu...

– Kupiłam jej tylko kilka sukienek, nic więcej... – Alba lekko wzruszyła ramionami.

– Tu chodzi o coś więcej. Jesteś młoda, a ona potrzebuje opiekuńczej ręki młodej kobiety, kogoś, kto stałby się dla niej wzorem.

– Ma Beatę, swoją babcię – podsunęła Alba, chociaż świetnie zdawała sobie sprawę, że cicha, spokojna osobowość żony Falca nie może dość silnie wpłynąć na Cosimę.

Falco milczał chwilę.

– Mam nadzieję, że wiesz, iż w każdej chwili możesz zaprosić tu Gabriele, twojego przyjaciela – odezwał się wreszcie.

Alba się uśmiechnęła. Jej krewni mieli szczerą nadzieję, że uda im się zatrzymać ją w Incantellarii.

– Dziękuję, może rzeczywiście go zaproszę – odparła, przypominając sobie przystojną twarz Gabriele.

Poszli w dół wzgórza biegnącą przez las piaszczystą ścieżką. Cykady grały, nieruchome nagrzane powietrze miło pachniało rozmarynem i sosną. Alba czuła się trochę nieswojo w towarzystwie Falca. Nie chodziło o to, że był niesympatyczny, chociaż jego sposób bycia wydawał jej się trochę szorstki, ale otaczająca go aura była mroczna i przygnębiająca, zupełnie jakby żył w wiecznym cieniu. Nie mogła oprzeć się wrażeniu, że przy nim ten cień ją także zagarnia. Jej serce stało się ociężałe i smutne, z trudem prowadziła rozmowę. Z początku Falco szczerze ucieszył się z jej przyjazdu – najpierw były to łzy wzruszenia, a zaraz potem gromki śmiech. Potrafił płakać i w chwilę potem śmiać się na całe gardło, był całkowicie nieprzewidywalny. Teraz Alba podejrzewała, że jej widok aż za bardzo przypomina mu Valentinę. Jednak ona nie była Valentiną i jej obecność nie mogła przywrócić życia tamtej młodej kobiecie. Alba mimo wszystko nie była aż tak bardzo do niej podobna i może właśnie to rozczarowało Falca, kto wie... Może miał nadzieję odnaleźć w niej nie tylko fizyczne podobieństwo do Valentiny, ale także podobieństwo charakteru. Słuchając historii, które opowiadała o Valentinie Immacolata, Alba doszła do wniosku, że jest tylko bladym cieniem matki. Dobrze chociaż, że jej krewni nic o niej nie wiedzieli...

Falco był w wieku jej ojca, miał dopiero pięćdziesiąt parę lat, a jednak obaj wydawali się znacznie starsi. Garbili się w identyczny sposób, przygięci do ziemi niewidzialną siłą. Obaj się uśmiechali, lecz w ich oczach krył się trudny do zrozumienia niepokój.

Ścieżka wybiegła poza las, teraz szli przez gaj cytrynowy. Wysoko po lewej stronie, gdzie wzgórze wznosiło się ostro ku górze, z siłami przyrody walczyła o przetrwanie stara, zrujnowana strażnica, którą Alba wcześniej widziała od strony morza.

– Uwielbiała to miejsce – rzekł Falco, wsuwając ręce do kieszeni. – Kochała zapach cytryn, no i oczywiście ten wspaniały widok na morze... – Poprowadził Albę aż nad urwisko, gdzie rosło samotne, poskręcane drzewko oliwne. – Tu ją pochowaliśmy.

Pod drzewem stał prosty drewniany krzyż z wyrytym imieniem. Falco długą chwilę w milczeniu wpatrywał się w ocean, płaski i lśniący jak szklana tafla.

– Właśnie stąd zobaczyła wpływającą do portu łódź twojego ojca, zanim dojrzał ją ktokolwiek inny, i od razu pobiegła na dół. Na skos po skałach można dotrzeć tam zaskakująco szybko, a kiedy Valentina czegoś naprawdę pragnęła, nie pozwalała, aby cokolwiek stanęło jej na drodze...

– Na pewno była szczęśliwa – powiedziała Alba. – Panuje tu taki spokój...

– Bardzo lubiła też przesiadywać pod tą zrujnowaną wieżą – ciągnął Falco. – Spędzała tam wiele godzin, czekając na koniec wojny i powrót twojego ojca...

– Bardzo romantyczne... – Alba całym sercem pragnęła poczuć w cieniu drzewa obecność matki, ale czuła tylko ciężar mrocznej chmury, jaka otaczała Falca. – Pokażesz mi wieżę? – zapytała, zawracając w kierunku szczytu wzgórza.

Falco ruszył za nią bez słowa.

– Och, widać stąd całe kilometry wybrzeża! – zawołała Alba, napełniając płuca czystym, morskim powietrzem.

Odwróciła się i spojrzała prosto w udręczoną, pełną niepokoju twarz wuja.

– Przypominam ci ją? – spytała śmiało.

Falco drgnął, wyraźnie zaskoczony, ale nie odwrócił wzroku.

– Widzisz ją za każdym razem, kiedy spoglądasz na mnie? – ciągnęła Alba. – Czy dlatego jesteś taki nieszczęśliwy?

Mężczyzna potrząsnął głową i wzruszył ramionami, bezradnym gestem rozkładając ręce.

– Oczywiście, że mi ją przypominasz, jesteś przecież jej córką...

– Ale ja chcę wiedzieć, czy sprawia ci to ból! Czy moja obecność przywołuje przeszłość?

Usta Falca lekko zadrżały.

– Chyba tak... – odparł cicho.

Albę ogarnęło nagle wielkie współczucie dla wuja i zapragnęła go pocieszyć.

– Valentina odpoczywa teraz u Boga... – zaczęła nieporadnie.

– To prawda, ale my pozostaliśmy tutaj, w piekle.

Te słowa, w których była tłumiona siła, podziałały na nią jak cios. Ze zdumieniem zamrugała powiekami. Nie ulegało wątpliwości, że Falco coś przed nią ukrywa. Może pokłócił się z siostrą w dniu jej śmierci? Może Valentina umarła, zanim zdążył ją przeprosić? Przecież właśnie z takimi problemami często zmagają się ci, którzy zostają przy życiu...

Rozejrzała się dookoła. Nad nimi, częściowo przesłonięte gęstym lasem, wznosiły się wieże i wieżyczki pałacu.

– Kto tam mieszka? – zmieniła temat.

– Nikt. To ruiny.

– Kiedyś pałac musiał robić imponujące wrażenie...

– Tak, lecz później nienawiść rozdzieliła rodzinę i pałac obrócił się w kupę gruzów – wyjaśnił sucho Falco.

– I nie ma tam żadnych ukrytych skarbów?

– Nie udałoby ci się wejść do środka, nawet gdybyś bardzo chciała. Las już dawno przywłaszczył sobie cały ten teren.

– To smutne...

Falco pokręcił głową.

– Chodź – powiedział. – Cosima na pewno już na ciebie czeka.

– Dziękuję, że mnie tu przyprowadziłeś – uśmiechnęła się. – Rozumiem, jak ci jest ciężko... Kiedy straci się kogoś kochanego, ból nigdy nas do końca nie opuszcza, prawda?

– Tak...

Szybkim krokiem ruszyli w dół. Zgodnie z przewidywaniami Falca Cosima czekała już na nich w oliwnym gaju, z pełnym koszyczkiem w ręku. Albie zrobiło się lżej na sercu na widok drobnej figurki, cierpliwie stojącej w słońcu. Dziewczynka z podnieceniem pomachała do niej wolną ręką, a Alba odwzajemniła ten gest i pobiegła przodem, zadowolona, że ma pretekst, by uwolnić się od towarzystwa ponurego Falca.

Alba zaproponowała, aby poszły na wzgórze, pod wieżę obserwacyjną. Nie chodziło jej tylko o roztaczający się stamtąd wspaniały widok, chciała także znaleźć się jak najbliżej skarlałego oliwkowego drzewka, pod którym pochowano jej matkę. Cosima zaczekała, aż Alba weźmie z domu papier, ołówki i kredki, potem mocno ujęła ją za rękę.

– Co masz w koszyku? – Alba z zaciekawieniem zajrzała do środka.

– Jabłka, mozzarellę, pomidorowe bułeczki i herbatniki.

– Cudownie! – westchnęła Alba. – Prawdziwa uczta!

– Czy w Anglii nie jadacie takich dobrych rzeczy? – dopytywała się Cosima.

– Jasne, że nie. Włochy słyną ze wspaniałej kuchni, podobnie jak z krajobrazów, architektury i języka.

– Naprawdę? – Dziewczynka zmarszczyła nosek. – Z języka?

– Oczywiście. Gdybyś posłuchała ludzi z innych krajów, od razu byś się zorientowała, że ich mowa przypomina dźwięki, jakie wydobywają się z rozstrojonych instrumentów, tymczasem włoski kojarzy się z piękną, harmonijną muzyką.

– Nie lubię słuchać, kiedy Eugenia włącza swój magnetofon. Uszy mnie od tego bolą.

– Więc powinnaś być wdzięczna losowi, że Eugenia przynajmniej mówi po włosku...

Usiadły pod strażnicą i Cosima wbiła zęby w jabłko. Alba otworzyła szkicownik i ujęła kredkę. Nie miała pojęcia od czego zacząć – od głowy, włosów czy uszu. Długą chwilę siedziała w milczeniu i uważnie przyglądała się dziecku. Wiedziała, że ważne jest nie tyle wierne oddanie rysów twarzy, ile wyrazu, w jaki się układały. Cosima wyglądała jak rozbawiony aniołek, lecz głowę trzymała wysoko, nieco wyniośle. W pewnym momencie, z policzkami wypchanymi jabłkiem, bardzo przypominała wiewiórkę.

– Dobrze rysujesz? – wymamrotała Cosima, z apetytem przełykając kolejny kęs owocu.

– Nie wiem. Właściwie nigdy dotąd nie rysowałam na poważnie...

– Dasz mi ten portret, jeżeli dobrze wypadnie?

– Tylko pod tym warunkiem. Jeśli będzie do niczego, wyląduje na dnie morza.

– Jak ten ogryzek! – Cosima wzięła zamach i rzuciła ogryzek daleko przed siebie. Wylądował na skałach.

– Nieźle...

– Nie lubię stać blisko krawędzi skały – wyznała dziewczynka. – Mogłabym spaść...

– Nie możemy do tego dopuścić.

– Dlaczego mówisz po włosku? – Cosima wyjęła z koszyczka pomidorową bułkę.

– Ponieważ moja mama była Włoszką.

– Była siostrą dziadka, więc moją cioteczną babcią. Tata mi powiedział.

– Wszystko się zgadza.

– Ona zginęła... – zamruczała Cosima.

– Tak, niestety, umarła, zanim zdążyłam ją poznać. Mój ojciec ożenił się drugi raz.

– Lubisz swoją nową mamę?

– Nie bardzo... Nikt nie może się równać z rodzoną matką. Macocha zawsze była dla mnie dobra, ale ja chyba chciałam mieć ojca tylko dla siebie.

– Ja mam tatę tylko dla siebie – oświadczyła dumnie Cosima i wygładziła fałdy nowej różowej sukienki.

– Szczęściara z ciebie... Twój tata to dobry człowiek i bardzo cię kocha.

Rozmawiając, niemal bezwiednie Alba zaczęła szkicować. Jej palce prawie automatycznie przesuwały kredkę po papierze.

– Na pewno tęsknisz za mamą – odezwała się.

Cosima natychmiast spoważniała.

– Ona chyba już nigdy nie wróci... – westchnęła ciężko, lecz zaraz odrobinę się rozpogodziła. – Ale tak naprawdę to nie ma znaczenia, prawda?

– Wiesz, kiedy byłam mała, nikt nie opowiadał mi o mamie. Bardzo mnie to smuciło, bo wydawało mi się, że nie chcą, bym o niej pamiętała. Świat dorosłych często zdumiewa dzieci, w każdym razie ja zupełnie nie rozumiałam, o co chodzi. Pragnęłam tylko mieć pewność, że mama mnie kochała i że jej śmierć nie miała nic wspólnego ze mną. Nie chciałam czuć, że mnie opuściła. Twoja mama miała ważny powód, aby stąd wyjechać, ale możesz być pewna, że nie chciała cię zostawić. Musiała mieć świadomość, że nie może zabrać cię ze sobą, że dla ciebie będzie lepiej, jeżeli zostaniesz z rodziną. Na pewno okropnie za tobą tęskni...

Cosima się zamyśliła, jej buzia znowu spoważniała. Alba nie chciała uwieczniać tego na papierze i przestała rysować.

– Jaka była twoja mama? – zagadnęła.

Twarzyczka dziecka znowu rozkwitła uśmiechem.

– Była bardzo ładna. Lubiła wysoko upinać włosy, miała takie długie i lśniące loki... Ja też lubię taką fryzurę. Myślę, że jestem do niej podobna, zresztą inni też tak mówią. Kiedy układała mnie do snu, opowiadała mi różne historyjki, żebym się nie bała ciemności. Nie podobało mi się, że często krzyczała na tatę, tacie też nie, ale na mnie nigdy nie krzyczała...

– Oczywiście, że nie... Dorośli krzyczą na siebie z najgłupszych powodów, zwłaszcza Włosi. – Alba uśmiechnęła się, pracując nad oczami.

Cosima miała szeroko rozstawione oczy, podobnie jak Toto, koloru jasnobrązowego miodu.

– Była dobrą kucharką – ciągnęła dziewczynka i nagle parsknęła śmiechem. – Tata mówił, że robiła najlepsze grzybowe risotto w całych Włoszech... – przerwała na chwilę. – Nigdy nie kupiła mi trzech sukienek...

Alba szybko podniosła wzrok znad szkicu.

– Podobałyby się jej, prawda?

– Zanim pozwoliłaby mi którąś włożyć, wyszczotkowałaby mi włosy i umyła buzię.

– Jasne. Po co wkładać ładne rzeczy, jeśli wygląda się jak czupiradło...

– Masz dzieci?

Alba z uśmiechem potrząsnęła głową.

– Nie jestem mężatką, skarbie.

– Ale mogłabyś wyjść za Gabriele... – zachichotała łobuzersko.

Alba rzuciła jej zaskoczone spojrzenie.

– Skąd wiesz o Gabriele?
– Słyszałam, jak dziadek rozmawiał z tatą.
– Prawie nie znam Gabriele. Spotkałam go w Sorrento i zaraz potem przywiózł mnie tutaj swoją łodzią...
– Tatuś mówił, że mogłabyś zadzwonić i zaprosić go...
– Tak mówił, naprawdę? – Alba lekko uniosła brwi.
– Czy Gabriele jest przystojny?
– Bardzo.
– Kochasz go?
Alba roześmiała się, rozbawiona niewinnymi pytaniami dziewczynki.
– Nie, nie kocham go...
Cosima popatrzyła na nią z wyrzutem.
– Kocham pewnego pana, który ma na imię Fitz – wyjaśniła Alba. – Ale on mnie nie kocha...
– Na twoim miejscu postarałabym się o nim zapomnieć. Założę się, że Gabriele cię kocha.
– Miłość to uczucie, które rośnie, trzeba dać mu czas, kochanie. Gabriele też prawie mnie nie zna.
– Gdybyś chciała, mogłabyś go zaprosić na jeden z naszych pikników, a później wyjść za niego...
– Gdyby życie było takie proste... – westchnęła Alba, czując, jak ogarnia ją tęsknota za Fitzem.
– Niedługo skończę siedem lat, wiesz? – zaświergotała Cosima, której już trochę znudziło się pozowanie.
– Więc jesteś prawie dorosła!
– Na urodziny włożę jedną z nowych sukienek – oznajmiła radośnie. – I upnę włosy tak jak mama...
Kiedy Alba skończyła, uniosła szkicownik, aby z pewnej odległości popatrzeć na swoje dzieło. Portret był naprawdę niezły, co bardzo ją zaskoczyło, bo zawsze sądziła, że dobrze wychodzą jej wyłącznie zakupy. Cosima stanęła za jej plecami.
– Jaki piękny! – wykrzyknęła z podziwem.
– Piękny, prawda?
– Nie wrzucisz go do morza, co?
– Nie, raczej nie.

– Dasz mi go?

Alba wcale nie miała ochoty rozstawać się z portrecikiem.

– No, dobrze... – zgodziła się w końcu. – Ale przynieś mi bułeczkę, dobrze?

Potem razem zeszły po zboczu aż do drzewka oliwkowego.

– Tu jest pochowana moja mama – wyjaśniła Alba małej. Dziwnie się czuła ze świadomością, że ciało matki spoczywa pod jej stopami, i że po raz pierwszy od dwudziestu sześciu lat znajduje się tak blisko najważniejszej osoby w swoim życiu.

– Ale przecież nie ma jej tutaj! – zawołała Cosima. – Twoja mama jest w niebie!

– Ja też lubię tak myśleć – przyznała Alba, chociaż w głębi duszy była przekonana, że duch Valentiny pozostał w domu, wśród świeczek, ołtarzyków oraz sprzętów i strojów, które Immacolata pieczołowicie przechowywała w pokoju zmarłej córki.

Alba zostawiła Cosimę w domu razem z ulubionymi zwierzętami i portretem, którym mała koniecznie chciała pochwalić się rodzinie, po czym zeszła ścieżką do miasta. Jej myśli wciąż kłębiły się wokół Fitza, zastanawiała się, czy do niego zadzwonić. Była w dobrym nastroju po pikniku z Cosimą, z którą czuła się coraz bardziej związana. Piękno przyrody zapierało jej dech w piersiach. Różowawy blask zachodzącego słońca oświetlał morze i miasteczko. Alba poczuła tęsknotę za miłością. Wiele by dała, żeby wtulić się w ramiona Fitza i odwzajemnić jego czułe pocałunki. Pomyślała, że teraz nie czułaby się już tak zażenowana jego dążeniem do prawdziwej bliskości. Może powinna zadzwonić do niego wieczorem? Dlaczego nie, co to szkodzi?

W trattorii przywitał ją Lattarullo, który samotnie siedział przy stoliku, popijając mocną kawę. Koszulę miał poplamioną tłuszczem, włosy zaniedbane, sterczące pozlepianymi kępkami we wszystkich kierunkach. Natychmiast zaprosił ją, by usiadła obok niego.

– Pozwoli pani, że postawię jej drinka dla uczczenia powrotu do Incantellarii – rzekł, przywołując kelnera. – Czego się pani napije?

Alba miała ochotę pospacerować po miasteczku, w którym dorastała matka, ale w tej sytuacji nie mogła odmówić.

– Poproszę filiżankę herbaty.

– Bardzo po angielsku – zaśmiał się Lattarullo, pociągając nosem i ocierając go wierzchem dłoni.

– Koniec końców jestem Angielką – odparła chłodno.

– Ale nie wygląda pani na Angielkę, tylko oczy ma pani mało włoskie, bardzo dziwne...

Alba nie wiedziała, czy uważać to za komplement, lecz Lattarullo, który uwielbiał dźwięk swojego głosu, niezrażony mówił dalej.

– Są takie jasne, w dziwnym odcieniu szarości, prawie niebieskie... – Pochylił się w stronę dziewczyny, owiewając jej twarz kwaśnym zapachem kawy. – Może są fioletowe, sam już nie wiem... Pani matka miała brązowe oczy. Jest pani do niej bardzo podobna.

– Dobrze ją pan znał? – spytała Alba.

Doszła do wniosku, że skoro ma znosić cuchnący oddech Lattarulla i słuchać jego wnikliwych obserwacji, to przynajmniej coś z niego wyciągnie.

– Znałem ją od dziecka – odrzekł z dumą.

– I jaka była?

– Jak promyk słońca...

Cudownie, pomyślała Alba, dużo mi to mówi. Wyglądało na to, że i Lattarullo, i Immacolata mieli skłonność do opisywania Valentiny banalnymi, nic niewnoszącymi zwrotami.

– Jaki był jej ślub?

Tego pytania jeszcze nikomu dotąd nie zadała... Spodziewała się konkretnej odpowiedzi, ale Lattarullo lekko zmarszczył brwi.

– Ślub? – powtórzył, patrząc na nią ze zdumieniem.

– Tak, ślub. – Nagle przyszło jej do głowy, że może użyła niewłaściwego słowa. – No, wie pan, ceremonia, w czasie której została żoną mojego ojca...

– Nie było żadnego ślubu – wyszeptał Lattarullo.
Serce Alby na moment przestało bić.
– Nie było ślubu? Dlaczego?
Lattarullo wpatrywał się w nią w milczeniu, a jego twarz do złudzenia przypomniała pysk wypchanej ryby, jednej z tych, jakimi uwielbiają ozdabiać ściany właściciele angielskich pubów.
– Bo ona zginęła... – wykrztusił w końcu.
Krew odpłynęła z policzków i szyi Alby. Valentina nie wyszła za jej ojca?
– Wypadek samochodowy zdarzył się *przed* ślubem? – zapytała powoli.
Nic dziwnego, że ojciec nie chciał, żeby pojechała do Włoch...
– Nie było żadnego wypadku – rzekł cicho Lattarullo. – Valentina została zamordowana.

Rozdział dwudziesty trzeci

Beechfield Park, 1971

Po śmierci Valentiny Thomas przysiągł sobie, że zamknie wspomnienia tamtych strasznych dni w szczelnym kufrze i zatopi go na dnie morza, zupełnie jakby zatapiał łódź, której jedynym balastem są ciała zabitych. Przez wiele lat opierał się makabrycznej pokusie, by odnaleźć ten symboliczny kufer, wyłamać zamek i przejrzeć zbutwiałą zawartość. Margo uratowała go, wyciągnęła spośród koszmarnych cieni, z którymi obcował, i wyprowadziła na świat pełen światła i miłości, chociaż ta miłość miała inne oblicze... Thomas nigdy nie zapomniał o zamkniętym kufrze, ale jego wspomnienie prześladowało go tylko w snach, a wtedy Margo była tuż obok, kojącą ręką ocierała mu pot z czoła i szeptała pocieszające słowa. I Thomas znowu zostawiał kufer na dnie oceanu. Miał nadzieję, że kiedy w końcu umrze, kufer na zawsze pogrąży się w mule i nigdy więcej nie wychynie na światło dzienne.

Nie przewidział jednak determinacji, z jaką Alba zapragnęła zanurkować w tych jakże groźnych wodach... Przez długi czas udawało mu się trzymać ją na suchym, bezpiecznym lądzie, ale odkąd znalazła portret, klucz do kufra, nie miała już wątpliwości, że gdzieś istnieje zamek do tego klucza. Thomas był dumny z jej inteligencji, uporu i zdecydowania – Alba pierwszy raz w życiu pokazała, że potrafi nieugięcie dążyć do celu – ale jednocześnie bardzo się o nią obawiał. Córka nie miała pojęcia, co spoczywa w kufrze. Nie wiedziała, że kiedy raz go otworzy, już nigdy nie zdoła zamknąć. Pozna prawdę i będzie musiała z nią żyć, może zostanie zmuszona do odtworzenia swojej przeszłości...

Teraz Thomasowi pozostało już tylko wyciągnąć kufer z wody, oczyścić go z mułu i skorupiaków, które zdążyły go obsiąść, no i otworzyć. Na samą myśl o tym robiło mu się zimno z przerażenia. Zapalił cygaro i nalał sobie kieliszek brandy. Zastanawiał się, czy Alba odszukała Immacolatę. Czy matka Valentiny jeszcze żyje? Może Lattarullo także jeszcze przechadza się uliczkami Incantellarii... Na pewno jest już na emeryturze, ale jak zwykle gada bez umiaru, nie zwracając najmniejszej uwagi, czy ktoś w ogóle go słucha... A Falco i Beata? Toto jest już dorosłym mężczyzną, może ma dzieci... Niewykluczone też, że po śmierci Valentiny wszyscy Fiorelli doszli do wniosku, że dalsze życie w Incantellarii nie przyniesie im nic dobrego i wyprowadzili się gdzieś. Może Albie nie uda się ich odnaleźć... Dla jej dobra Thomas miał nadzieję, że wróci z Włoch z nietkniętymi, świeżymi i niewinnymi wyobrażeniami o przeszłości. On sam nigdy jej nie okłamał, ale nigdy nie korygował jej dziecinnej wersji prawdy. Nie powiedział Albie, że nie poślubił jej matki, że w noc przed ślubem Valentina została zamordowana. Zrobił to dla niej, pragnąc chronić bezpieczny świat, którym ją otoczył. Czy córka zrozumie jego intencje, kiedy odkryje prawdę? Czy kiedykolwiek mu wybaczy?

Zapalił cygaro i usiadł w skórzanym fotelu. Margo poszła do koni, a on był sam, z kufrem u stóp i kluczem w ręku... Musiał tylko przekręcić klucz w zamku i podnieść wieko. Nie czuł potrzeby, aby popatrzeć na portret, bo jej twarz była w jego pamięci tak żywa, jakby znajdowała się tuż przed nim, na wyciągnięcie dłoni... Otoczony ciepłym zapachem fig, znowu przeniósł się do Incantellarii. Był wieczór, rano miał wziąć ślub z Valentiną. Jego serce przepełnione było miłością i szczęściem. Zupełnie zapomniał o *festa di Santa Benedetta* i tej fatalnej chwili, kiedy to krwawe łzy nie popłynęły po twarzy marmurowego Chrystusa. Zignorował dziwne słowa Valentiny. Teraz wsunął klucz do zamka, podniósł wieko i przywołał słowa, których znaczenia wtedy nie pojął.

Potrzebujemy błogosławieństwa Chrystusa i wiem, jak je zdobyć. Postaram się, żeby wszystko było dobrze, zobaczysz...

Włochy, 1945

Tamtej nocy Thomas nie mógł zasnąć z podniecenia. Na pięterku nad trattorią było gorąco i duszno mimo lekkiej bryzy od morza. W końcu włożył spodnie i koszulę, i poszedł pospacerować po plaży. Wsunął ręce w kieszenie i zastanawiał się nad przyszłością. Miasteczko spało, tylko tu i ówdzie kot przemykał wśród nocnych cieni, zajęty polowaniem na myszy, z brzuchem tuż przy ziemi. Wyciągnięte na piasek błękitne łódki w mroku wydawały się atramentowe. Księżyc był w pełni, niebo lśniło gwiazdami, które odbijały się w łagodnych falach, podobne do drogich kamieni. Thomas wspominał przez chwilę swoje wojenne przygody, które teraz wydawały się tak odległe w czasie, i z żalem myślał o tym, że jego najbliżsi nie wezmą udziału w ceremonii, wiedział jednak, że zaraz potem zabierze Valentinę i Albę do domu, sprawiając wszystkim ogromną niespodziankę. Był pewny, że jego rodzina pokocha je równie mocno jak on.

Uśmiechnął się na myśl o Valentinie. Nie mógł się już doczekać, kiedy pochwali się nią w rodzinnym miasteczku i zgodnie z tradycją zawiezie na niedzielne nabożeństwo, aby wszyscy mogli podziwiać jej urodę i styl bycia. Wyobrażał sobie, jak będą obserwować ją, kroczącą nieśpiesznie środkową nawą w ten niepowtarzalny sposób, zupełnie jakby nigdy nie brakowało jej czasu. Postanowił, że zaprosi Jacka na weekend i po kolacji z przyjemnością wypalą cygaro w gabinecie, oczywiście przy szklaneczce whisky. I będą ze śmiechem wspominać przygody, które im się przydarzyły, a przede wszystkim ten dzień, kiedy los skierował ich ku brzegom Incantellarii... Będą śmiać się z operowych popisów Rigsa, z kobiet lekkich obyczajów, które otwarcie im się narzucały. Przywołają też tamten obraz Valentiny w białej, prześwietlonej słońcem sukience, stojącej w progu domu Immacolaty... Jack będzie mu zazdrościł i podziwiał go. Och, Jack, pomyślał Thomas, idąc dalej plażą, jaka szkoda, że nie ma cię tutaj i nie możesz przeżywać mojej wielkiej radości...

Thomas pozostawił plany związane z uroczystością ślubną i weselem w rękach Immacolaty i Valentiny. Nie miał cienia wątpliwości, że mała kaplica San Pasquale przybrana będzie dużymi liliami, ulubionymi kwiatami Valentiny. Wiedział, że jej piękną suknię zaprojektowała i uszyła stara, lecz słynąca w całej okolicy ze znajomości rzeczy signora o paznokciach długich i żółtych jak zleżały ser. Po ślubie przyjdzie czas na tańce w trattorii. Immacolata na pewno zaprosiła całe miasteczko. Lorenzo będzie grał na akordeonie, rodzice pozwolą dzieciom popijać wino z wodą i wszyscy będą śmiać się i cieszyć, bo przecież czas już przynajmniej na krótko zapomnieć o wojnie i spojrzeć w jasną, osiągalną dla wszystkich przyszłość. Immacolata, Beata i Valentina już od kilku dni przygotowywały weselną ucztę. Marynowały, piekły, lukrowały, dekorowały – przygotowaniom nie było końca, więc Thomas prawie nie widywał narzeczonej. Valentina zostawiała Albę pod jego opieką i biegła do miasta po zakupy albo na przymiarkę sukni, skacząc radośnie po skałach, machając mu na pożegnanie i wykrzykując ostatnie zalecenia na temat córeczki, która była dość rozpieszczona.

Thomas niecierpliwie wyczekiwał nocy, które będzie mógł spędzać sam na sam z żoną, nocy, podczas których nikt nie przeszkodzi mu znowu delektować się słonawym smakiem jej skóry i bez pośpiechu całować jej usta. Pragnął się z nią kochać, trzymać w ramionach jako swoją żonę. Za parę godzin będą należeli na zawsze do siebie, w obliczu Boga i prawa.

Ciekawe, co powiedziałby o niej Freddie, gdyby żył... Na pewno nie ufałby jej urodzie i promiennemu uśmiechowi. Freddie nigdy nie był romantykiem, był realistą. Sam najprawdopodobniej ożeniłby się z kobietą, którą znał od dziecięcych lat, pogodną, przyziemną dziewczyną, dobrą przyszłą żoną i matką. Freddie nie wierzył w ten rodzaj miłości, jaki połączył Thomasa i Valentinę. Uważał, że takie gwałtowne uczucie może być bardzo niebezpieczne. Teraz, myśląc o Freddiem, Thomas nie krzywił się już z bólu. Dorósł, zaakceptował śmierć brata i chociaż nikt nie mógł zastąpić Freddiego, miłość do Valentiny wypełniała jego serce. Nie potrafił jednak oprzeć się wrażeniu, że Freddie w końcu pokochałby Valentinę jak siostrę. Niemożliwe, aby stało się inaczej... Poklepałby młodszego brata po plecach i przyznał, że naprawdę spotkało go wielkie szczęście, szczęście wykraczające poza oczekiwania przeciętnego człowieka.

Dochodziła trzecia nad ranem. Thomas nie chciał być zmęczony w dzień ślubu. We Włoszech uroczystości weselne trwały czasem i kilka dni, więc musiał zmobilizować całą energię. Zawrócił plażą w kierunku szeregu budynków tuż nad morzem. Niedługo miał nadejść świt i mieszkańcy Incantellarii szeroko otworzą niebieskie okiennice, aby wpuścić do domów słońce. Podleją zdobiące balkony doniczki z geranium, usuną suche kwiaty, koty wrócą z nocnych polowań i zapadną w głęboki sen w słonecznym cieple. Idąc w kierunku trattorii, usłyszał przytłumione, lecz mimo wszystko wyraźne dźwięki akordeonu. Niski, smętny głos Lorenza wzniósł się w powietrze w pieśni o rozpaczy i stracie. Słowa o śmierci zagubiły się w echu i Thomas nie odgadł, o czym tak naprawdę śpiewa stary Włoch.

Dzisiaj ostatni raz kładę się spać jako kawaler, pomyślał z radością. Jutro będę już żonaty. Oparł głowę na poduszce i zapadł w spokojny, pełen zadowolenia sen.

Parę godzin później obudziło go gwałtowne pukanie do drzwi.

– Tommy, Tommy! – wołał Lattarullo.

Thomas usiadł na łóżku, ogarnięty lodowatym lękiem.

Otworzył drzwi i ujrzał stojącego na progu karabiniera o twarzy poszarzałej ze smutku.

– Chodzi o Valentinę... – wydyszał policjant. – Ona nie żyje...

Thomas wpatrywał się w niego jak skamieniały, usiłując zrozumieć to, co przed sekundą usłyszał. Może to koszmar senny, może jeszcze się nie obudził... Powoli zmrużył oczy i potrząsnął głową.

– Co takiego?

Lattarullo powtórzył wiadomość.

– Musisz ze mną jechać – dodał.

– Nie żyje? Valentina nie żyje? Jak to?

Thomas poczuł, jak cały jego świat obraca się w gruzy, serce biło mu coraz szybciej i szybciej. Przytrzymał się drzwi, żeby nie upaść.

– To niemożliwe... – jęknął.

– Jest w samochodzie na drodze z Neapolu. Musimy tam dotrzeć, zanim... – Lattarullo zaniósł się kaszlem.

– Zanim co?!

– Zanim zacznie się cyrk.

– Co ty gadasz?!

– Najlepiej po prostu chodź ze mną – powiedział Lattarullo błagalnym tonem. – Wtedy wszystko zrozumiesz...

Thomas pośpiesznie wciągnął spodnie i koszulę, wsunął stopy w mokasyny i wybiegł za Lattarullem na zewnątrz, gdzie czekał na nich w samochodzie Falco. Twarz brata Valentiny była biała i napięta. Oczy miał czerwone, niespokojne, rozbiegane. Thomas nie ufał mu. Wymienili spojrzenia, lecz nie odezwali się do siebie ani słowem. Falco pierwszy odwrócił wzrok, jakby spojrzenie Thomasa było zbyt ciężkie od podejrzeń. Thomas usiadł na tylnym siedzeniu i Lattarullo przekręcił kluczyk w stacyjce. Samochód zakrztusił się, zachrypiał i ruszył. Świtało. Blade, niewinne słońce z pewnością nic nie wiedziało o brutalnym morderstwie, o którym wiadomość przed chwilą ujrzała światło dzienne.

W głowie Thomasa kłębiły się dziesiątki pytań, wiedział jednak, że musi poczekać. Miał wrażenie, że kości jego czaszki ściska zimne metalowe imadło. Pragnął poddać się łzom, tak jak wtedy, gdy dowiedział się o śmierci brata, ale nie mógł sobie na to pozwolić w obecności Lattarulla i Falca, zacisnął więc zęby i starał się regularnie oddychać. Co robiła Valentina na drodze z Neapolu, i to w środku nocy, nocy tuż przed ślubem? Przypomniał sobie jej słowa – powiedziała mu, że potrzebują błogosławieństwa Chrystusa i że ona się o nie postara. Co właściwie miała na myśli? Dokąd pojechała? Serce podeszło Thomasowi do gardła z żalu i rozpaczy. Powinien był ją zapytać... Powinien uważniej słuchać...

W końcu nie wytrzymał straszliwego napięcia.

– Jak to się stało? – zapytał.

Falco jęknął i potarł czoło otwartą dłonią.

– Nie wiem...

– Na miłość boską, rozmawiamy o mojej narzeczonej! – krzyknął Thomas. – Musicie coś wiedzieć! Czy samochód wypadł z szosy? Nie było tam żadnych płotków, które mogłyby zapobiec wypadkowi?

– To nie był wypadek – odparł cicho Falco. – To było morderstwo.

Kiedy przyjechali na miejsce, uwagę Thomasa przykuł przede wszystkim samochód, bordowy alfa romeo ze składanym dachem, ze wspaniałą skórzaną tapicerką i deską rozdzielczą wykładaną orzechem. Zaparkowany był na szerokim poboczu, z którego roztaczał się cudowny widok na morze. Potem ujrzał kobietę, skuloną na miejscu pasażera i jego serce na moment zabiło wielką radością. To nie była Valentina, skądże znowu! Zamordowana miała włosy upięte wysoko, na czubku głowy, przeguby dłoni, palce i uszy obwieszone brylantami, twarz umalowaną, powieki podkreślone czarnym ołówkiem, a usta szkarłatną szminką, jak dziwka. Ktoś poderżnął jej gardło nożem i krew zalała przód naszywanej cekinami wieczorowej sukni oraz narzutki z białego futra, która zwisała z jej ramion niczym zabite zwierzę. Policzki były białe jak pelerynka. Obok niej siedział nieznany Thomasowi mężczyzna, elegant o szpakowatych włosach i wąsach. Z kącików jego ust sączyła się krew. Zdążyła już zaschnąć na kremowym jedwabnym szalu, jaki miał na szyi. Thomas spojrzał na Falca i zmarszczył brwi.

– To nie Valentina... – zaczął, lecz nagle jego serce boleśnie skurczyło się z przerażenia.

Falco bez słowa odwzajemnił jego spojrzenie. Thomas znowu popatrzył na kobietę. Nie miał racji – to była Valentina, tyle że nie ta, którą znał.

Moim ulubionym klejnotem jest brylant. Chciałabym nosić naszyjnik z najczystszych brylantów tylko po to, aby zabłysnąć na jedną noc, aby wiedzieć, jak to jest być damą...

Otworzył drzwiczki samochodu i runął na kolana obok jej ciała, szlochając z rozpaczy i niedowierzania, opłakując swoją Valentinę i siebie, tak bezwzględnie zdradzonego. Przywarł do niej, wciąż jeszcze ciepłej i miękkiej, pachnącej perfumami, których przy nim nigdy nie używała. Jak mogła się tak ubrać? Co robiła w tym samochodzie, z obcym mężczyzną, w noc przed ślubem? Wszystko to było bez sensu... Thomas potrząsnął ciałem zabitej, jakby chciał ją obudzić. Czy miłość jej nie wystarczała?

Silne, szorstkie ręce odciągnęły go do tyłu. Nagle samochód otoczyli mężczyźni w niebieskich mundurach i czapkach, przy drodze zatrzymywały się policyjne samochody z wyjącymi syrenami. Z Neapolu przyjechali też dziennikarze – zapalały się lampy błyskowe, dookoła rozbrzmiewał gwar rozmów prowadzonych podniesionymi głosami. W środku całego tego chaosu z nieba lunął gwałtowny deszcz i detektywi pośpiesznie osłaniali scenę zbrodni, by woda nie zniszczyła dowodów.

Thomas został odsunięty niczym nikomu niepotrzebny filmowy statysta. Nieprzytomnym wzrokiem patrzył, jak policjanci kręcą się wokół zabitego mężczyzny. Nikt nie zwracał uwagi na Valentinę. Potem Thomas zobaczył, jak kilku mężczyzn wskazuje ją palcami, wykonuje nieprzyzwoite gesty i zanosi się gromkim śmiechem. Uświadomił się, że gdy on kona na dnie piekła cierpienia i żalu, tamci wyraźnie się z czegoś cieszą, czegoś sobie gratulują. Uśmiechali się, poklepywali po plecach, przerzucali żartami... Gruby detektyw w długim płaszczu z zadowoleniem zacierał ręce i zapalał papierosa pod osłoną ronda kapelusza, zupełnie jakby chciał powiedzieć: „W porządku, sprawa załatwiona, koniec".

Thomas ruszył ku niemu, zataczając się i chwiejąc.

– Zróbcie coś! – ryknął.

Oczy wychodziły mu z orbit z wściekłości.

– Z kim mam przyjemność? – zapytał chłodno grubas, mierząc go bystrym spojrzeniem inteligentnych oczu.

– Valentina jest moją narzeczoną! – wykrztusił Thomas.

– Była pańską narzeczoną. Ta kobieta nikogo już nie poślubi.

Thomas bezradnie otwierał i zamykał usta, nie mógł jednak wydobyć z nich żadnego dźwięku, zupełnie jakby tonął.

– Jest pan obcokrajowcem, prawda? – ciągnął detektyw. – Ona nie jest dla nas obiektem zainteresowania...

– Dlaczego?! Przecież została zamordowana, na miłość boską!

Policjant wzruszył ramionami.

– Znalazła się w niewłaściwym miejscu i w złej chwili – rzucił. – Ładna dziewczyna. *Che peccato!*

Deszcz moczył włosy Thomasa i spływał mu do oczu. Zatoczył się w stronę Falca i chwycił go za kołnierzyk koszuli.

– Ty wiesz, kto to zrobił! – syknął.

Szerokie ramiona Falca zadygotały. Żelazny kościec, który podtrzymywał go tak długo, teraz rozsypał się w proch i brat Valentiny zgiął się w pół. Thomas ze zdumieniem spostrzegł, że ten potężnie zbudowany mężczyzna szlocha. Poczuł dziwną ulgę i sam wybuchnął płaczem. Objęli się ciasno, zlewani coraz obfitszymi strugami deszczu.

– Próbowałem jej powiedzieć, żeby nie jechała! – zawył Falco. – Nie chciała słuchać...

Thomas nie był w stanie wydobyć z siebie ani słowa. Rozpacz i poczucie straty pozbawiły go sił. Kobieta, którą pragnął poślubić, kochała innego i zapłaciła za to własnym życiem. Wyrwał się z ramion Falca i zwymiotował. Ktoś poderżnął nożem miękkie, delikatne gardło Valentiny... Brutalność tego zabójstwa, dokonanego z zimną krwią, całkowicie go oszołomiła. Ten, kto obrabował Valentinę z jej przyszłości, ukradł także i jego przyszłość.

Usiłował przywołać w pamięci jej łagodną twarz, ale wciąż widział tylko maskę kobiety, leżącej niczym szmaciana lalka na przednim siedzeniu alfa romeo, maskę obcej, która prowadziła podwójne, równoległe życie. Kiedy tak stał z dłońmi opartymi na kolanach, wpatrzony w mokrą od deszczu i jego wymiocin ziemię, spowijająca jego umysł mgła zaczęła się rozwiewać.

Usłyszał głos Valentiny, mówiący, że wojna czyni z mężczyzn zwierzęta, a z kobiet istoty godne pogardy. Nie chcę, aby nasza córka powtórzyła błędy, jakie ja popełniłam, powiedziała. Nie znasz mnie, Tommy...

Za wszelką cenę pragnęła, żeby zabrał ją z Incantellarii. Czy był dla niej tylko biletem do nowego życia w nowym miejscu, gdzie mogłaby zacząć wszystko od początku, zostawiając za sobą wstydliwą, brudną przeszłość?

Poczuł czyjąś dłoń na ramieniu i odwrócił się. Obok niego stał Lattarullo.

– Nic o niej nie wiedziałem, prawda? – odezwał się Thomas, z rozpaczą patrząc na karabiniera.

Lattarullo wzruszył ramionami.

– Nie pan jeden, signor Arbuckle. Nikt z nas jej nie znał.

– Dlaczego tamci zachowują się tak, jakby ona naprawdę w ogóle nie miała dla nich najmniejszego znaczenia?!

Policjanci wciąż kręcili się wokół zabitego mężczyzny jak osy przy dzbanku miodu.

– Nie poznaje go pan, co?

– Kto to taki? Kto to jest, do diabła?

– To, mój przyjacielu, diabeł we własnej osobie... Lupo Bianco.

* * *

Później Thomas niczym lunatyk wrócił do trattorii i pozbierał wszystkie portrety Valentiny, jakie naszkicował. Pierwszy przedstawiał jej cnotę i otaczającą ją tajemniczą aurę. Został narysowany rankiem po *festa di Santa Benedetta* na skałach pod zrujnowaną wieżą – Valentina była na nim piękniejsza od świtu, za to równie ulotna. Drugi przedstawiał macierzyństwo. Thomasowi udało się znakomicie uchwycić wyraz niezmierzonej czułości, z jaką wpatrywała się w ssące jej pierś dziecko. Jej miłość do ich córeczki była szczera, prawdziwa, czysta, nieskażona zdradą, może nawet zaskoczyła ją swoją intensywnością. Thomas chwilę szukał trzeciego portretu, zanim przypomniał sobie, że Valentina zabrała go do domu.

Dom Immacolaty był cichy jak grobowiec. A ona siedziała w półmroku, budując ołtarzyk dla córki obok tych, które poświęciła pamięci męża i syna. W jej oczach malowała się tępa rezygnacja.

– Nazywają mnie wdową, bo straciłam męża, ale kim jestem teraz, kiedy straciłam dwoje dzieci? – odezwała się cicho, kiedy Thomas podszedł bliżej. – Nie ma określenia tego stanu, bo jest zbyt straszny, żeby go nazwać... – Szybko wykonała znak krzyża. – Oni troje są teraz u Boga...

Thomas chciał zapytać, czy wiedziała o podwójnym życiu Valentiny, ale staruszka wyglądała na tak kruchą i nieszczęśliwą, pogrążoną na dnie własnego piekła, że nie mógł się na to zdobyć.

– Chciałbym pójść do pokoju Valentiny – powiedział.

Immacolata z powagą skinęła głową.

– Po lewej od schodów – rzekła cicho.

Thomas zostawił ją ze świecami i modlitwami i powoli poszedł na piętro, do pokoju, który Valentina zajmowała jeszcze poprzedniego wieczoru.

Okiennice były zamknięte, zasłony zaciągnięte, a na łóżku leżała przygotowana na noc biała nocna koszula. Na toaletce Thomas zobaczył grzebienie, szczotki, buteleczki i słoiczki. Gardło ścisnęła mu rozpacz. Z trudem łapał powietrze, które wydawało się pachnieć figami. Osunął się na łóżko i ukrył twarz w koszuli nocnej, wciągając w nozdrza aromat ukochanej.

Za wszelką cenę chciał znaleźć ostatni portret. Przeszukał wszystkie szuflady, szafę z ubraniami, zajrzał pod łóżko, pod prześcieradło i dywan, po prostu wszędzie. Ale portretu nigdzie nie było.

Rozdział dwudziesty czwarty

Włochy, 1971

Alba pośpiesznie wymyśliła jakąś wymówkę, przeprosiła Lattarulla i zerwała się od stolika, prawie nie tknąwszy herbaty. Emerytowany karabinier patrzył za nią chwilę zaskoczony, że dziewczyna nie znała strasznych okoliczności śmierci matki. Jeszcze dziś czuł przerażenie, które spętało go tamtego dnia i często wracał do niego myślami. Valentina była uosobieniem urody i wdzięku mimo sekretnego świata, który zamieszkiwała. Minęło zaledwie parę tygodni od jej śmierci, a już jakiś ciekawski pismak odsłonił szczegóły życia i śmierci młodej kobiety w artykule dla „Il Mezzogiorno", Lorenzo zaś dodał kilka nowych wersów do skomponowanej przez siebie ballady o przeczuciach, morderstwie i mrocznym światku kobiety tak pięknej jak pole dzikich fiołków. Śpiewał ją co noc, a jego smutny głos niósł się po całym miasteczku, nic więc dziwnego, że wkrótce balladę znali wszyscy mieszkańcy Incantellarii. Z czasem Valentina przekroczyła granice zwyczajnych wspomnień i zaczęła żyć w legendzie. Odciski jej delikatnych stóp można było znaleźć w całym mieście, gdzie w latach po jej śmierci niewiele się zmieniło. Wszystko przypominało Valentinę staremu policjantowi i czasami miał wrażenie, że widzi ją w srebrzystym blasku księżyca w pełni, jak znika za rogiem uliczki, powiewając białym rąbkiem sukienki. Valentina była jak tęcza, która z oddali wydaje się trwała i namacalna, lecz znika, gdy człowiek się do niej zbliża. Piękna sylfida, cudowna tęcza – jej tragiczna śmierć uczyniła ją jeszcze bardziej tajemniczą...

Alba z bijącym sercem pobiegła po skałach do domu Immacolaty. Ojciec ją okłamał, macocha na pewno przyłożyła do tego ręki, nawet Falco i Immacolata zataili przed nią prawdę. Czy uważali ją za idiotkę? Miała przecież prawo wiedzieć, jakie było życie i śmierć jej matki! Pomyślała o Fitzu i Viv – nawet oni, w najśmielszych snach, nie wpadliby na coś takiego...

Poślizgnęła się na kamieniu i otarła kolano do krwi. Zaklęła głośno, ale zaraz ruszyła dalej, zdecydowana wyciągnąć prawdę z Falca. Kiedy dobiegła na miejsce, Beata czytała Cosimie książeczkę w cieniu drzew. Dziewczynka zwinęła się w kłębek na kolanach babci i leniwie ssała kciuk.

– Gdzie Falco? – rzuciła Alba.

Beata podniosła wzrok znad książki. Na widok zaczerwienionej twarzy i szklistych oczu dziewczyny zesztywniała jak zwierzę, które wyczuwa zagrożenie. Cosima przyglądała się kuzynce z poważnym wyrazem buzi.

– W gaju cytrynowym – odparła Beata.

Alba szybko zniknęła wśród drzew.

– Czy Alba jest rozgniewana? – spytała Cosima.

Beata pocałowała małą w skroń.

– Chyba tak, *carina*, ale nie martw się, niedługo znowu zacznie się uśmiechać, obiecuję ci...

Alba znalazła Falca na samym końcu gaju. Na jej widok wypuścił z rąk taczki i wyprostował się. Od chwili przybycia siostrzenicy żył w strachu przed tą chwilą.

– Dlaczego nie powiedziałeś mi, że moja matka została zamordowana, do diabła?! – krzyknęła Alba, opierając dłonie na biodrach. – Kiedy zamierzałeś to zrobić?! A może postanowiłeś w ogóle nic nie mówić, zupełnie jak mój ojciec, co?!

– Twój ojciec pragnie cię chronić, nic więcej – powiedział Falco sztywno, ruszając przez sad w kierunku skał.

Pobiegła za nim.

– Więc kto ją zamordował?!

– To długa historia.

– Świetnie, bo akurat czasu mam pod dostatkiem!

– Usiądźmy w jakimś spokojnym miejscu, dobrze?

– Chcę usłyszeć prawdę, Falco. Mam prawo wiedzieć.

Falco ukrył dłonie w kieszeniach.

– Masz prawo wiedzieć, to fakt, ale prawda nie jest przyjemna, przekonasz się. I nie chodzi tylko o to, że twoja matka nie dożyła ślubu i że ktoś brutalnie pozbawił ją życia. To dopiero czubek góry lodowej. Chodź, usiądźmy tutaj...

Usiadł pod drzewem. Alba usiadła obok ze skrzyżowanymi nogami i wyczekująco spojrzała w twarz wuja.

– Więc dlaczego ją zamordowano? – powtórzyła.

Mówiła lekkim tonem, jakby chodziło o postać z książki, a nie o rzeczywistą osobę, a już na pewno nie matkę. Głębokie rany w sercu Falca otworzyły się od nowa.

– Poderżnięto jej gardło nożem. – Wymownie pociągnął palcem wokół szyi.

Mocno zarumienione policzki Alby poszarzały w jednej chwili.

– Pojechała do Neapolu ze swoim kochankiem, osławionym szefem lokalnej mafii Lupem Bianco... – dorzucił.

– Lupem Bianco? – przerwała mu Alba. – Kto to taki? Nie mogę uwierzyć, że spotkała się z kochankiem w noc przed ślubem...

– Była kochanką Lupa Bianco od dłuższego czasu.

– Więc kto to był?

– Prawdopodobnie najpotężniejszy człowiek na południu. Znałem go, kiedy byłem chłopcem, łowiliśmy razem ryby. Już wtedy lubił patrzeć na cierpienie i zadawać ból, najpierw rybom, potem ludziom. Życie znaczyło dla niego tyle co nic. Policja poszukiwała go za straszliwe zbrodnie. Wyślizgiwał im się jak węgorz, niczego nie mogli mu dowieść... Zbił majątek w czasie wojny, wymuszał na ludziach pieniądze za ochronę, rabował, handlował na czarnym rynku, dopuszczał się morderstw. Swoją fortunę przechowywał na kontach bankowych, których później nigdy nie odnaleziono. Ten, kto go zabił, bardzo przysłużył się policji, chociaż doprowadziło to do otwartej wojny między następcą Lupa, Antoniem Il Morocco i neapolitańską kamorrą. Spory o ceny tuńczyków, które zaczęły się w tamtym okresie, trwają do dziś.

– Czy mój ojciec wiedział?

– Dowiedział się wczesnym rankiem, tuż po jej śmierci.

– Biedny tata! – westchnęła Alba. – Nigdy nie przypuszczałam...

– Leżała martwa w samochodzie Lupa Bianco, ubrana w drogie futra i brylanty. Twój ojciec przeżył straszny szok, ale mnie to nie zaskoczyło. Rozumiałem Valentinę lepiej niż ktokolwiek inny. Nie była złą osobą, tylko słabą, to wszystko. Była piękna i uwielbiała piękne rzeczy. Uwielbiała znajdować się w centrum uwagi, kochała intrygi i przygody. Chciała wyjechać z Incantellarii, była zbyt inteligentna i bystra na życie w takim miejscu. Przypominała ptaka, któremu nigdy nie dano w pełni rozwinąć skrzydeł, dusiła się tu. W Rzymie, Mediolanie, Paryżu czy Ameryce zabłysłaby jak klejnot. Była wyjątkowa, a ci prości ludzie zwyczajnie jej nie rozumieli. Jednak przede wszystkim pragnęła miłości. Była samotna. Jak pusty dzbanek na miód, zawsze czekała, aż inni napełnią ją uczuciami, ale potrafiła też walczyć o swoje i była przebiegła jak lisica. Nie zapominaj, że wtedy toczyła się wojna... – Falco potrząsnął głową i gęste kręcone włosy opadły mu na oczy. – Może powinienem bardziej się starać, by ją powstrzymać, lecz miałem także własne sprawy, własne bitwy do stoczenia...

– W ogóle nie kochała mojego ojca? – zapytała cicho Alba.

Falco łagodnie pogłaskał ją po ramieniu.

– Myślę, że dopiero po jego wyjeździe uświadomiła sobie, że go kocha. Później odkryła, że jest w ciąży i ty stałaś się jej największą radością...

Alba spuściła wzrok i zapatrzyła się w trawę pod swoimi stopami.

– Dbała, żebyś dużo i zdrowo jadła, o tyle, o ile było to możliwe w czasie wojny. Dzięki swoim koneksjom z Lupem Bianco i innymi ludźmi zdobywała żywność na czarnym rynku, a pewien Amerykanin dostarczał jej wszelkie potrzebne leki...

– Czy kiedy dowiedziała się, że jest w ciąży, mimo wszystko ciągnęła ten romans?

Falco nie odpowiedział. Alba w zamyśleniu przygryzła skórkę wokół kciuka.

– Urodziłaś się w domu – ciągnął Falco. – Poród odebrała *mamma* i położna. Od tej chwili Valentina myślała tylko o twoim ojcu, oszczędzała się dla niego. Miała plany – postanowiła zamieszkać w Anglii i założyć tam rodzinę, zostać godną szacunku damą. Thomas opowiedział jej o wspaniałym domu, w którym zamieszkają, i była tym bardzo podekscytowana. Po twoich narodzinach naprawdę liczyliście się dla niej tylko ty i twój ojciec. Po jego powrocie całymi godzinami przesiadywali wśród drzew w ogrodzie i przyglądali się, jak śpisz. Byli tobą bez reszty pochłonięci. Thomas szkicował Valentinę, dużo rozmawiali, ale ona nie dzieliła się z nim swoimi sekretami, nie chciała zepsuć sielanki. Próbowałem ją przekonać, żeby powiedziała mu prawdę. Byłem pewny, że jeśli naprawdę ją kocha, tym mocniej zapragnie zabrać ją z Incantellarii i zadbać o jej bezpieczeństwo...

– Dlaczego została zamordowana?

Falco utkwił wzrok w morzu i zamilkł. Jego twarz skamieniała, oczy pociemniały i zmatowiały.

– W ostatnich dniach życia Valentiny ciągle się z nią kłóciłem. Powtarzałem jej, że musi powiedzieć prawdę Thomasowi, ale nie chciała słuchać... Czasami była uparta jak osioł, miała w sobie mnóstwo siły i determinacji. Wyglądała jak istota niewinna, która nawet muchy nie skrzywdzi, lecz pod tą anielską powłoką kryła się skomplikowana kobieta, twarda i samolubna. W końcu wpadła na idiotyczny pomysł, aby wyznać wszystko kochankowi, zupełnie jakby mówiąc mu o swoich planach, mogła odkupić swoje grzechy przed Bogiem... Figura Chrystusa nie zapłakała krwawymi łzami i to nie dawało jej spokoju.

– *Festa di Santa Benedetta*, wiem... – Alba pokiwała głową. – Czy moja matka uznała to za zły omen?

– Była bardzo przesądna. Wierzyła, że to fatalna wróżba na przyszłość, więc pojechała do Neapolu, żeby powiedzieć Lupowi Bianco, że zamierza opuścić Włochy.

– Wystrojona w futra i brylanty?

– Ubrała się stosownie do okazji, tak to ujmijmy. Była aktorką, kochanie... – Falco skrzywił się z goryczą. – Czasami się zastanawiam, czy przypadkiem nie miała ochoty wejść na scenę ten ostatni raz... Może zresztą w pewien sposób kochała także i Lupa Bianco, kto wie... Może ta ostatnia przygoda w gruncie rzeczy nie miała nic wspólnego z przesądami...

– Czy zaryzykowałaby wszystko po prostu dla przygody? – zapytała Alba ze zdumieniem.

– Valentina? Oczywiście! Dla niej była to po prostu jedna z wielu ról do zagrania, może najbardziej fascynująca. Zamierzała wyjechać do Anglii, żeby zostać damą, więc może wypad do Neapolu miał być czymś w rodzaju próby generalnej, nie wiem... Albo po prostu nie mogła oprzeć się pokusie...

– Więc zamordowano ją, bo znalazła się w niewłaściwym miejscu o niewłaściwym czasie?

– Tak twierdziła policja. Została zabita, bo widziała, kto zabił Lupa Bianco. Za dużo wiedziała, to proste.

Alba z niedowierzaniem potrząsnęła głową.

– Gdyby tamtego wieczoru nie pojechała do Neapolu, dziś byłaby z nami... – szepnęła.

– Teraz, kiedy już znasz prawdę, rozumiesz chyba, dlaczego ojciec trzymał to przed tobą w tajemnicy, prawda? W dniu jej śmierci przysiągł, że będzie cię chronił przed potwornymi wspomnieniami... – Falco lekko ścisnął rękę dziewczyny. – Zrobił to, co powinien.

* * *

Alba usiadła przed lustrem w małej sypialni Valentiny i utkwiła wzrok w swoim odbiciu, w twarzy swojej matki. Odkąd poznała prawdę, zrozumiała, że jest dokładnie taka jak Valentina, nie tylko fizycznie, ale także emocjonalnie. Obie popełniały podobne grzechy. A ona wierzyła, że matka była wzorem wszelkich cnót, prawdziwym aniołem, samą siebie natomiast miała za niegodną grzesznicę. Gardziła swoim pustym, płytkim życiem i niemoralnością. Im dłużej rozważała zalety matki, tym bardziej wydawała się sobie niedoskonała i nabierała przekonania, że nigdy jej nie dorówna. Tymczasem ojciec przez cały czas wiedział, jakie życie prowadzi jego córka i na pewno myślał, że staje się coraz bardziej podobna do Valentiny... Musiał przeżywać prawdziwe katusze.

A Margo? Alba zagryzła wargi, głęboko zawstydzona. Margo znała prawdę i pragnęła chronić ją przed wulgarnymi szczegółami przeszłości Valentiny, starała się zapewnić Albie dobry dom i kochającą rodzinę. Dziewczyna ukryła twarz w dłoniach na myśl o tym, jakim brakiem taktu wykazała się, wręczając ojcu portret Valentiny i oczekując, że Thomas zasiądzie z nią przy kominku i zacznie snuć urocze opowieści o kobiecie, w której podwójnym życiu było tak mało uroku. Rozpłakała się gorzko, dopiero teraz świadoma, jak często raniła ojca, rozdrapując blizny, pod którymi kryły się wspomnienia o Valentinie.

I co teraz pomyśli o niej Fitz? W niczym nie była lepsza od matki. Fitz zasługiwał na kogoś lepszego, szlachetniejszego, mniej samolubnego, nie na taką kobietę jak ona. Kierowana impulsem, chwyciła nożyczki i zaczęła obcinać sobie włosy.

Jak zaczarowana patrzyła na pierzaste kosmyki, powoli opadające na toaletkę, najpierw niewielkie, potem coraz większe. Miała mnóstwo włosów. Kiedy skróciła je do pożądanej długości, zajęła się wyrównywaniem końców. Nic ją nie obchodziło, jak wygląda, nie chciała już być piękna. Nie chciała manipulować, czarować, trzymać mężczyzn w szachu. Zapragnęła, aby ludzie oceniali ją, a nie jej urodę, na którą niczym nie zasłużyła. Podobnie jak Valentina, chciała zacząć wszystko od początku, lecz w przeciwieństwie do Valentiny miała szansę osiągnąć ten cel.

Pamięć podsunęła jej przerażające słowa grubasa: „Jeśli obciągniesz mi fiuta, dam ci pieniądze na bilet do domu"... Zaczerwieniła się gwałtownie, jakby padły przed chwilą. W ciągu kilku dni całe jej życie stanęło na głowie. To, w co wierzyła, okazało się kłamstwem. Spojrzała na siebie uważniej, przekrzywiła głowę i przyjrzała się swojemu nowemu wizerunkowi. Zrzuciła starą skórę jak wąż i poczuła się odnowiona, wyzwolona. Teraz nikt by już nie powiedział, że jest podobna do matki, nikt nie zachwyciłby się jej urodą. Uśmiechnęła się do swego odbicia, przetarła twarz wilgotnym ręcznikiem i zeszła na dół, do Immacolaty.

Na jej widok Cosima pisnęła ze zdziwienia.

– Alba obcięła włosy, *nonna!*

Beata przybiegła z ogrodu, a Immacolata z salonu. Alba przystanęła u stóp schodów, z krótkimi, nierówno obciętymi włosami, lecz z głową podniesioną wysoko, jak nigdy dotąd.

– Coś ty zrobiła ze swoimi pięknymi włosami, dziecko? – Immacolata szybko przykuśtykała bliżej.

– Moim zdaniem, wygląda pięknie – powiedziała z uśmiechem Cosima. – Jak laleczka...

Immacolata podeszła do ołtarzyka Valentiny i ujęła portret w dłonie. Usiadła na kanapie i poklepała poduszkę obok siebie, zachęcając Albę, żeby zajęła miejsce przy niej.

– Rozmawiałaś z Falkiem – rzekła poważnie. – Posłuchaj, Albo, twoja matka była zlepkiem przeciwności. Mimo wszystko miała wielkie serce i bardzo kochała ciebie i twojego ojca...

– Ale oszukiwała go! Miała kochanka.

Immacolata łagodnie wzięła wnuczkę za rękę.

– Moje dziecko, nie możesz zrozumieć, jak wyglądało życie w czasie wojny... Wszystko wyglądało wtedy inaczej.

Szerzył się głód, śmierć, barbarzyństwo, beznadzieja, bezbożność i wszelkie zło. Valentina była krucha, słaba. To jej uroda czyniła ją wrażliwą na pokusy. Nie byłam w stanie ukryć ją przed żołnierzami. Musisz przyjąć do wiadomości, że pozycja kochanki potężnego, wpływowego człowieka była wtedy jedyną osłoną, jedyną gwarancją bezpieczeństwa. Spróbuj pomyśleć o niej jako o bardzo młodej dziewczynie, której dane było żyć w wyjątkowo ciężkich czasach...

Alba popatrzyła na twarz, którą narysował jej ojciec, zaślepiony miłością i ufnością.

– Falco mówi, że kochała ojca – mruknęła.

– I tak było, skarbie. Nie od początku, ale ja zachęcałam ją, żeby do niego przylgnęła, powtarzałam, że łatwo o znacznie gorszy los niż małżeństwo z uczciwym, przystojnym angielskim oficerem. Okazało się jednak, że moja zachęta nie była potrzebna, bo Valentina sama się w nim zakochała...

– Więc wiedziałaś przez cały czas?

– Oczywiście. Znałam Valentinę lepiej niż siebie samą. Miłość matki jest bezwarunkowa, kochanie. Valentina kochała cię tak samo jak ja ją. Gdyby widziała, jak dorastałaś, kochałaby cię mimo twoich wad, a może z ich powodu, jeszcze mocniej. Nie była aniołem ani świętą, tylko zwykłą, skłonną do upadków ludzką istotą. Ale jeżeli którykolwiek z mężczyzn poznał prawdziwą kobietę, ukrytą za jedną z masek, był nim właśnie twój ojciec, gdyż dzięki niemu została matką. To pozbawiło ją chęci do udawania. Jej miłość do ciebie była czysta i wolna od choćby cienia premedytacji.

– Nie jestem lepsza od niej, *nonna* – wyznała Alba. – Dlatego obcięłam włosy. Nie chcę być nią, nie chcę być taka piękna... Chcę być sobą.

Immacolata drżącą dłonią pogładziła młody, gładki policzek Alby, załzawionymi oczami wpatrując się w jej twarz.

– Nadal wyglądasz pięknie, bo twoja uroda bierze się stąd... – przycisnęła pięść do piersi. – Tak samo jak uroda Valentiny...

– Mój biedny ojciec... Próbował mnie chronić, nic więcej...

– Wszyscy próbowaliśmy cię osłaniać. Thomas dobrze zrobił, zabierając cię do Anglii. Cierpieliśmy z tego powodu, ale wiedzieliśmy, że ma słuszność. Byłoby źle, gdybyś dorastała wśród ponurych cieni... Tutaj wszyscy wiedzieli o morderstwie i ciągle o tym mówili. Gazety rozpisywały się o sprawie Valentiny, dziennikarze przedstawiali ją jako dziwkę. Nikt nie napisał, że miała wspaniałe, wielkie serce, serce pełne miłości. Wszyscy widzieli tylko to, że brała, nie wspominali, że potrafiła też dawać. Nie chciałam, byś z tym żyła. Rosłaś w niewiedzy, wolna, a teraz, gdy wróciłaś, jesteś już dość dojrzała, żeby spojrzeć prawdzie w oczy. Straciłam pierwsze dwadzieścia sześć lat twojego życia, lecz poświęciłam je chętnie, bez wahania, ponieważ wiedziałam, że jesteś bezpieczna.

Teraz Alba ujęła kruche dłonie babki.

– Czas pozwolić jej odejść – odezwała się, nie kryjąc łez. – Trzeba przywrócić jej wolność. Czuję, że jej duch wciąż żyje w tym domu i rzuca mroczny cień na nas wszystkich...

Immacolata się zamyśliła.

– Nie mogę pozbyć się ołtarzyka... – zaprotestowała.

– Możesz. Możesz i musisz. Zdmuchniemy świece, otworzymy okna i zaczniemy wspominać ją z radością. Dobrze byłoby odprawić za nią mszę w kaplicy San Pasquale... Potem urządzimy przyjęcie i pozwolimy jej odejść spokojnie i z godnością...

Immacolata rozpłakała się, ale jej twarz stała się dziwnie pogodna.

– Falco podzieli się z nami swoimi wspomnieniami, tymi dobrymi – powiedziała z entuzjazmem. – Zaprosimy Ludovica i Paola razem z rodzinami, przygotujemy bankiet w ogrodzie...

– Zamówimy dla niej piękny nagrobek i posadzimy kwiaty... – zaproponowała Alba.

– Najbardziej lubiła lilie.

– I fiołki, te leśne, zasadzimy mnóstwo fiołków! Postaramy się, żeby miała piękny grób!

Immacolata uśmiechnęła się i pogładziła wnuczkę po policzku.

– Jesteś bardzo mądra, kochanie. Nigdy bym nie przypuszczała, że twój przyjazd tyle tu zmieni.

Tego wieczoru rodzina zebrała się w *salotto* na parterze. Cosima trzymała Albę za rękę, Beata mocno ściskała dłoń syna i tylko Falco stał odrobinę z boku, pogrążony we własnych myślach. Immacolata wzięła świecę Valentiny w drżące dłonie. Płomyk palił się bez przerwy od dnia śmierci przed dwudziestu sześciu laty. Kiedy wosk jednej świecy topniał, od jej płomienia zapalano następną – Immacolata nigdy nie pozwoliła, by świeca zgasła.

Teraz staruszka wymamrotała długą modlitwę i przeżegnała się z zapałem. Potoczyła wzrokiem po twarzach najbliższych, zatrzymując się na najstarszym synu.

– Czas pożegnać się z przeszłością – rzekła, patrząc mu prosto w oczy. – Czas pozwolić Valentinie odejść...

I zdmuchnęła świecę.

Wszyscy stali w milczeniu, wpatrzeni w dymiący knot. Nagle powiew chłodnego wiatru otworzył okno, zerwał ze ściany portret Valentiny, uniósł go aż pod sufit i rzucił na podłogę, twarzą do ziemi. Powietrze wypełnił ciężki, wyraźny zapach fig. Kobiety uśmiechnęły się. Potem aromat rozwiał się i powietrze w salonie znowu zapachniało morską świeżością.

– Odeszła w stronę światła – oznajmiła Immacolata. – Teraz wreszcie zazna spokoju.

Kiedy Alba położyła się spać, od razu zauważyła, że atmosfera w sypialni nie jest już naznaczona niespokojną obecnością ducha Valentiny i jej zapachem. Przez szeroko otwarte okno do pokoju napływało chłodne nocne powietrze i odległy szum morza. Pokój wydawał się pusty, niczym nieróżniący się od wielu innych i wszystko wskazywało na to, że nawet wspomnienia odpłynęły gdzieś daleko. Alba odetchnęła z ulgą. Usiadła na brzegu łóżka, wyjęła z szuflady kartkę papieru i długopis i zaczęła pisać list do ojca.

Właśnie podpisywała się na dole, gdy drzwi uchyliły się z cichutkim skrzypnięciem. W progu ze starą szmacianą lalką w ręku stała Cosima ubrana w białą nocną koszulkę.

– Wszystko w porządku? – zapytała Alba, widząc niepokój na małej buzi.

– Mogę dziś z tobą spać?

Alba uświadomiła sobie, że ceremonia w salonie musiała wystraszyć dziewczynkę. Ułożyła Cosimę na poduszce i rozebrała się do snu.

– Czasami przychodziłam tu, żeby popatrzeć na stroje Valentiny – wyznała Cosima, zadowolona, że nie będzie musiała spać sama.

– Naprawdę? – zdziwiła się Alba.

Nie przyszło jej do głowy, że dziewczynka może coś wiedzieć o Valentinie.

– Robiłam to wbrew zakazom. *Nonnina* mówiła, że ten pokój jest święty, ale ja tak lubiłam dotykać jej sukienki... Są śliczne, nie sądzisz?

– Masz rację. Musiała w nich pięknie wyglądać.

– Przeglądałam też listy z pudełka, lecz są po angielsku, więc i tak nic nie rozumiałam...

Alba ze zdumieniem spojrzała na małą kuzynkę.

– Jakie listy? – Serce zabiło jej szybciej na myśl, że może odkryje listy ojca do matki.

– Tam, w szafie...

Alba zmarszczyła brwi. Poprzedniego dnia dokładnie przeszukała wszystkie szafy.

– Zaglądałam do szafy – mruknęła.

Cosima z nieskrywaną przyjemnością podzieliła się z nią swoim sekretem. Otworzyła drzwi szafy, odsunęła stojące na dole pantofle i wyjęła jedną z deszczułek. Alba uklękła i z niedowierzaniem patrzyła, jak Cosima spod dna szafy wyjmuje małe tekturowe pudełko. Razem przeniosły je na łóżko i uniosły wieczko.

– Jesteś strasznie niegrzeczna, skarbie! – zawołała Alba, całując dziewczynkę w policzek. – Ale kocham cię za to...

Cosima zaróżowiła się z radości.

– *Nonnina* gniewałaby się na mnie! – zachichotała.

– Więc najlepiej będzie, jeśli nic jej nie powiemy.

Albę ogarnęło podobne podniecenie, z jakim przed paroma tygodniami znalazła portret pod łóżkiem na łodzi. Wzięła pierwszą kartkę do ręki. Papier był sztywny i biały, u góry strony widniał wydrukowany czarną czcionką adres. Ani adres, ani list nie zostały napisane po angielsku. Alba poczuła, jak krew odpływa jej z twarzy.

– I co, i co? – dopytywała się Cosima.

– To po niemiecku – odparła Alba, siląc się na spokój.

– Valentina lubiła niemieckie mundury – oświadczyła pogodnie dziewczynka.

– Skąd wiesz?

– Tata mi powiedział. – Dziewczynka wzruszyła ramionami.

Alba spojrzała na kartkę. Była dość inteligentna, by się zorientować, że ma przed sobą list miłosny. Sądząc po dacie, napisany został tuż przed pierwszym przybyciem jej ojca do Incantellarii. Odwróciła kartkę i przeczytała podpis – *ewige Liebe*, z wieczną miłością, Oberst Heinz Wiermann...

Valentina miała nie jednego kochanka, lecz dwóch, a może nawet więcej. Kiedy alianci dokonali inwazji, Niemcy wycofali się na północ. Stracili władzę, a pułkownik Heinz Wiermann wszelką wartość w oczach kochanki...

Alba pośpiesznie odłożyła listy na miejsce. Nie mogła na nie patrzeć.

– Nie powinnyśmy czytać prywatnych listów, zresztą ja nie znam niemieckiego...

Cosima spojrzała na nią z rozczarowaniem.

– Jestem zmęczona, chodźmy spać – dodała Alba. – Masz dla mnie jeszcze jakieś niespodzianki?

– Nie – odparła Cosima. – Raz pomalowałam sobie twarz jej kosmetykami, to wszystko...

Alba włożyła nocną koszulę i umościła się obok dziewczynki. Zamknęła oczy. Próbowała zasnąć, ale myśl, że dotknęła tylko powierzchni znacznie głębszej tajemnicy nie dawała jej spokoju. Czy jej matka naprawdę była niewinną ofiarą zamachu w mafijnej wojnie o ceny tuńczyków? Cóż, w miejscu, gdzie marmurowe figury płakały krwawymi łzami, a na plaży pojawiały się dywany goździków, wszystko było możliwe...

A jeżeli Valentina nie była niewinną ofiarą? Kto w takim razie ją zabił i dlaczego?

Rozdział dwudziesty piąty

Londyn, 1971

Początek lata zawsze był ulubioną porą roku Fitza. Jeszcze świeże i cudownie zielone liście na drzewach, białe płatki jaśminu w porannym słońcu, kwietniki i klomby wybuchające feerią kolorów. Ciepło, ale nie gorąco, ptasie śpiewy w parku. Powietrze wibrujące życiem, odzyskanym po śmiertelnym zimnie. Fitz oddychał głęboko i był tak pełen energii, że nie tyle chodził, co prawie skakał. Jedyną chmurą na pogodnym horyzoncie była nieobecność Alby. Tego roku Fitz spacerował po Hyde Parku i nawet kwiaty i zielone drzewa nie były w stanie poprawić mu nastroju. Zima wciąż trwała w jego sercu.

Często myślał, co robi Alba wśród cyprysów i krzewów laurowych, wyobrażał sobie jej twarz, oświetloną promieniami zachodzącego włoskiego słońca, bursztynoworóżową. Widział ją, otoczoną włoską rodziną, zasiadającą do długich posiłków, złożonych z makaronu z mozzarellą i pomidorami oraz z wielu innych przysmaków, spędzającą upalne, rozleniwiające popołudnia wśród drzew oliwnych, coraz mocniej opaloną i coraz bardziej włoską, z wyjątkiem jasnych, świetlistych oczu, które zdradzały, że mimo wszystko jest tam obca. Fitz nie miał cienia wątpliwości, że

Alba z radością mówi po włosku, smakuje jedzenie, wdycha aromaty eukaliptusa i sosny, słucha gry cykad i wygrzewa się w gorącym, śródziemnomorskim słońcu. Mógł mieć tylko nadzieję, że po pewnym czasie jej dusza zatęskni za domem, za Anglią, może nawet za nim, kto wie...

Usiłował skoncentrować się na pracy. Przygotował promocyjną podróż Viv po Francji i w czasie jej dwutygodniowej nieobecności siadywał na murze nad Tamizą w pobliżu łodzi Alby razem ze Sproutem, patrząc na rzekę, wspominając i tęskniąc, wdzięczny losowi, że Viv nie widzi go i nie może zbesztać. Pisarka utrzymywała, że Alba jest rozkapryszona, skupiona na sobie, rozwiązła i zarozumiała – czasami Fitz odnosił wrażenie, że Viv komponuje tę listę wad, aby popisać się swoją znajomością słownictwa.

Może zresztą Alba naprawdę taka była... Fitz nie był zaślepiony, ale po prostu kochał dziewczynę mimo niedostatków jej charakteru. Jej śmiech był dźwięczny i lekki jak piana, wyraz oczu kpiący, jak u dziecka, które stara się sprawdzić, jak daleko może się posunąć. Alba ukrywała się pod maską pewności siebie, lecz w gruncie rzeczy wcale nie była zarozumiała. Gdy wyobrażał sobie, jak się z nią kocha, serce ściskało mu się z tęsknoty. Pamiętał cudowne, dzikie chwile na „Valentinie", pieszczoty w lesie w Beechfield, czułość, jaka w niej tkwi, ale nie potrafi jej wyzwolić... Alba nie bała się krzyczeć z rozkoszy, bała się szeptać, podświadomie przekonana, że w intymnej chwili bliskości usłyszy echo samotnych uderzeń swojego serca. Viv nie miała pojęcia, że Fitz naprawdę doskonale rozumie Albę.

Viv wróciła z promocyjnej podróży ożywiona, odnowiona, w znakomitym humorze i wyraźnie odmłodniała. Lśniła jak miedziany czajnik, który ktoś starannie oczyścił z nagromadzonego kamienia – jej oczy błyszczały, policzki były zarumienione, twarz i cała postać tryskały mało eleganckim zdrowiem. Fitz od lat nie widział jej w tak dobrej formie. Kiedy jej to powiedział, rzuciła mu tajemniczy uśmiech, wyznała, że kupiła sobie w Paryżu nowy krem i znikła. Nie dzwoniła, nie zapraszała Fitza na brydżowe wieczorki przy tanim francuskim winie, po prostu milczała. Wszystko to razem mogło mieć tylko jedno wyjaśnienie – Viv znalazła sobie we Francji kochanka. Fitza ogarnęła zazdrość, nie żeby pragnął mieć Viv dla siebie, lecz dlatego, że ona znalazła miłość w chwili, gdy on ją stracił. Czuł się teraz bardziej samotny niż kiedykolwiek.

Pewnej upalnej nocy pod koniec sierpnia Fitz powoli upijał się do nieprzytomności w pubie w Bayswater na ławce pod fontanną czerwonego geranium, kiedy podeszła do niego atrakcyjna młoda kobieta.

– Nie ma pan nic przeciwko temu, żebym się przysiadła? – zapytała. – Czekam na przyjaciółkę, a wszystkie stoliki są zajęte...

– Oczywiście, bardzo proszę. – Z pewnym trudem oderwał usta od szklanki z piwem.

– To pański pies? – Kobieta zauważyła siedzącego pod stołem Sprouta.

– Tak. Ma na imię Sprout.

W brązowych, migdałowych oczach nowej znajomej Fitza błysnął uśmiech.

– Jakie zabawne imię! Ja nazywam się Louise.

– Fitz... – mocno potrząsnął jej ręką.

Oboje się roześmiali, rozbawieni własną oficjalnością. Louise usiadła, postawiła swój kieliszek wina na blacie i zanurkowała pod stół, aby poklepać Sprouta, który z wyraźnym zadowoleniem rytmicznie uderzał ogonem o chodnik, wzbijając małe chmurki kurzu.

– Och, jest słodki! – oświadczyła z entuzjazmem.

Miała długie kasztanowe włosy, które podtrzymywała żółta opaska. Fitz przyjrzał jej się uważniej i uznał, że jest bardzo ładna, o dużym biuście i białej, delikatnej skórze.

– To staruszek – rzekł z pełnym czułości uśmiechem. – Przeliczając jego wiek na ludzkie lata, ma koło sześćdziesiątki...

– Ale nadal jest bardzo przystojny – odparła.

Sprout, który doskonale wiedział, że o nim mowa, nadstawił uszu.

– Psy ładnie się starzeją, podobnie jak mężczyźni – dodała Louise.

– Kobiety także – uśmiechnął się Fitz.

Nagle uświadomił sobie, że właśnie flirtuje. Dobrze, że nie zapomniał, jak się to robi...

Louise zarumieniła się i obdarzyła Fitza szerokim uśmiechem. Rozejrzała się dookoła, może w poszukiwaniu przyjaciółki, i znowu skupiła wzrok na Fitzu.

– Jesteś sam?

– No, niezupełnie...

– Och, tak, oczywiście, masz przecież Sprouta...

– Jestem sam i czasami tu zaglądam, bo mieszkam w pobliżu. – Nie chciał, żeby wzięła go za jednego z tych smętnych pijaków, którzy przesiadują w pubach i później, zataczając się, wracają do zaniedbanych, brudnych mieszkań oraz przegranych spraw.

– To miłe miejsce, tuż obok parku...

– Sprout bardzo je lubi, właśnie z tego powodu.

– Ja mieszkam w Chelsea. Czekam na dziewczynę, z którą wynajmuję mieszkanie... – Louise zerknęła na zegarek. – Zawsze się spóźnia, taka już się urodziła... – zaśmiała się cicho i spuściła wzrok.

Fitz uznał, że jej onieśmielenie świadczy o tym, iż przypadł jej do gustu.

– Miałem dziewczynę, ale złamała mi serce – westchnął, świadomy, że rozpoczyna podstępną grę.

Louise skrzywiała się ze współczuciem.

– Bardzo mi przykro...

– Nie szkodzi. Jakoś to przeżyję.

Wiedział, że kobiety w rodzaju Louise zawsze reagują wzruszeniem na widok mężczyzny ze złamanym sercem, dziecka i psa. Mógł liczyć na dwa z trzech plusów. Nie pomylił się – Louise natychmiast przestała rozglądać się za przyjaciółką.

Fitz otworzył przed nią serce. Znalazł pewną pociechę w tym, że rozmawia z obcą osobą, która nic nie wie o jego życiu. Louise słuchała uważnie, bardzo zaintrygowana, i z każdą chwilą czuła, że ciągnie ją do Fitza zupełnie jak człowieka, który stoi blisko krawędzi wulkanu i nie może się oprzeć pokusie, aby zajrzeć do krateru, pełnego czerwonozłocistej, bulgoczącej lawy. Fitz zamówił drinki i kolację. Koleżanka Louise nie pojawiła się, co Fitz powitał z ulgą, ponieważ po każdym kolejnym piwie nowa znajoma wydawała mu się coraz bardziej atrakcyjna. Był zadowolony, że powierzył jej swoje problemy. Teraz, kiedy opowiedział komuś o Albie, czuł się znacznie lepiej.

O dziesiątej było już niemal zupełnie ciemno.

– Czym się zajmujesz, Louise? – zapytał, świadomy, że przez cały wieczór rozmawiali wyłącznie o nim.

– Pracuję w agencji reklamowej.

– O, to ciekawa praca! – udał zainteresowanie.

– Nie bardzo. Jestem sekretarką, ale mam nadzieję, że wkrótce dostanę awans. Mam sprawny mózg i chciałabym go używać...

– Jasne, jasne... Gdzie pracujesz?

– Na Oxford Street, więc można powiedzieć, że to także mój pub!

– Zostaniesz ze mną na noc? – spytał poważnie. – Rano mogłabyś pieszo pójść do pracy, to znacznie lepsze rozwiązanie niż tłoczenie się w autobusie...

– Z przyjemnością – odparła.

Fitz pośpiesznie ukrył zdziwienie, że tak szybko się poddała. Najwyraźniej nie stracił jednak dawnych umiejętności...

– Sprout będzie zachwycony – uśmiechnął się. – Już dawno nie przebywał w towarzystwie takiej ładnej dziewczyny...

Niebawem poszli do niego. Powietrze było duszne i ciężkie, zanosiło się na deszcz. Fitz wziął Louise za rękę i odkrył, że sprawiło mu to prawdziwą przyjemność. Dziewczyna zachichotała nerwowo i odrzuciła opadające na ramię włosy.

– Nie mam takich zwyczajów – powiedziała. – Nieczęsto pozwalam się zapraszać do domu przez obcych mężczyzn...

– Nie jestem obcy, przecież już się znamy. Poza tym zawsze możesz zaufać mężczyźnie z psem, chyba o tym wiesz?

– Nie chcę, żebyś wziął mnie za dziewczynę lekkich obyczajów. Spałam z niewieloma mężczyznami, nie jestem jedną z tych, które zmieniają facetów jak rękawiczki...

Fitz pomyślał o Albie i nagle serce znowu zaciążyło mu jak kamień. Kiedy poznał Albę, miała całą armię kochanków, kładka prowadząca na jej łódź codziennie dygotała pod ich krokami. Odciski jego stóp już dawno zatarły ślady ich butów.

– Nie uważam cię za dziewczynę lekkich obyczajów, zresztą nawet gdyby tak było, wcale nie myślałbym o tobie źle.

– Wszyscy tak mówią.

– Może, ale ja naprawdę tak myślę. – Wzruszył lekko ramionami. – Dlaczego kobiety nie miałyby zmieniać partnerów tak jak mężczyźni?

– Bo nie jesteśmy takie jak mężczyźni. Mamy być wzorem cnót, związać się z jednym mężczyzną i urodzić mu dzieci. Czy jakikolwiek mężczyzna chce poślubić kobietę, która miała wielu kochanków?

– Dlaczego nie? Gdybym kochał taką dziewczynę, nie miałoby dla mnie znaczenia, ilu miała wcześniej partnerów.

– Jesteś bardzo tolerancyjny – Louise spojrzała na niego z podziwem. – Większość znanych mi mężczyzn pragnie ożenić się z dziewicami...

– Straszne z nich samoluby! Sami chyba niespecjalnie zabiegają, aby utrzymać swoje znajome w stanie dziewictwa, prawda?

W domu napełnił winem dwa kieliszki i zaprowadził Louise na górę, do salonu. Niewielki, utrzymany w męskim stylu pokój miał białe ściany, podłogę z desek i meble w tonacji beżowo-czarnej. Nastawił płytę i usiadł obok dziewczyny na kanapie. Spacer do domu wprawił go w dziwne przygnębienie, teraz szczerze żałował, że zaprosił Louise. Nawet Sprout wiedział, że to marny pomysł.

Tak czy inaczej, nie miał już wyjścia. Szybko wypił wino i pocałował ją. Dziewczyna zareagowała entuzjastycznie. Smak warg kogoś innego niż Alba na chwilę podniecił Fitza. Rozpiął jej bluzkę i zsunął ją niżej, odsłaniając uwięzione w dużym białym biustonoszu piersi. Poczuł jej dłoń na zapięciu spodni, potem głębiej, jeszcze głębiej... Pieściła go ciepłymi palcami, a on, zapamiętując się w przyjemności, jaką dawał jej dotyk, usiłował nie zwracać uwagi na jej zbyt obfite piersi.

Położyli się na miękkiej, wygodnej kanapie. Louise cofnęła rękę i zsunęła się niżej, aby wziąć go do ust. Fitz zamknął oczy i pozwolił, żeby cudowne, pulsujące uczucie podniecenia obmyło go całego i uwolniło umysł od myśli o Albie. Może Louise rzeczywiście nie spała z wieloma mężczyznami, ale z pewnością miała spore doświadczenie. Fitz znalazł w szafce w łazience starą paczkę prezerwatyw – były okropne, bo prawie zupełnie pozbawiały go doznań, wiedział jednak, że w tym wypadku powinien ich użyć. Louise otworzyła paczuszkę zębami, patrząc na niego zalotnie spod brązowych rzęs, a następnie naciągnęła kondom na penisa z taką wprawą, jakby wkładała skarpetkę.

Dosiadła go, wysoko unosząc spódnicę. Jej nagie piersi wydawały się białe i jakby ciastowate w przyćmionym świetle. Fitz zamknął oczy, żeby nie patrzeć na brązowe sutki, które chybotały tuż nad nim, co jakiś czas muskając jego nos lub wargi, i usiłował skoncentrować się na utrzymaniu erekcji. Chyba wypiłem za dużo, pomyślał, czując, jak jego członek kurczy się powoli. Louise starała się ze wszystkich sił, ale nie zdołała go ożywić. W końcu zakasłała z zażenowaniem i pozwoliła mu wyślizgnąć się z siebie jak robakowi.

– To bez znaczenia – powiedziała, siadając na łóżku.

– Przepraszam, wszystko przez piwo – wyjaśnił zawstydzony Fitz.

Coś takiego nigdy dotąd mu się nie zdarzyło.

– Jasne, nie przejmuj się. Wspaniale całujesz.

Fitz zmusił się do uśmiechu, patrząc, jak dziewczyna z powrotem pakuje piersi do biustonosza.

– Zamówić ci taksówkę? – zapytał, świadomy, że powinien odwieźć ją do Chelsea.

Nagle poczuł, że nie zniesie jej obecności, musiał pozbyć się jej jak najszybciej i zapomnieć, że w ogóle ją poznał. Po co w ogóle próbowałem, pomyślał ze smutkiem, gdy Louise wkładała pantofle. Nikt nie może równać się z Albą...

Piętnaście minut później przyjechała taksówka i kierowca zadzwonił do drzwi. Przez kwadrans oboje czuli się bardzo niezręcznie. Louise próbowała wygłaszać komentarze na temat stojących na półkach książek, a Fitz nie miał nawet dość energii, aby powiedzieć, że zawodowo zajmuje się ich wydawaniem. Po co miałby się fatygować, skoro ich znajomość zakończyła się, nim zdążyła się rozpocząć... Odprowadził Louise na dół i schylił się, żeby pocałować ją w policzek. W tej samej chwili dziewczyna odwróciła głowę w kierunku drzwi i wargi Fitza musnęły jej ucho. Zaraz potem wyszła. Fitz przekręcił klucz w zamku i wrócił na górę, aby wyłączyć światło w salonie i muzykę. Co za niesmaczna historia, pomyślał.

Sprout spokojnie spał na dywanie. Jego siwiejący pysk był pomarszczony i ciepły. Fitz przykucnął i przytulił czoło do psiego łba, który pachniał znajomo i pocieszająco.

– Brakuje nam Alby, co? – szepnął. Sprout ani drgnął. – Ale jakoś musimy sobie poradzić, nie mamy wyboru. Musimy o niej zapomnieć. Za jakiś czas poznamy kogoś innego...

Sprout poruszył nosem przez sen. Na pewno wydawało mu się, że goni po polu królika. Fitz z czułością poklepał go po karku i poszedł spać.

Kiedy obudził się rano, z ulgą skonstatował, że jego penis stoi na baczność, dumny i majestatyczny.

Ledwo wszedł do biura, a już zadzwonił telefon. Fitz zdawał sobie sprawę, że zaczyna mieć problemy z koncentracją. Na biurku piętrzyły się dokumenty, wymagające natychmiastowego załatwienia – kontrakty do przejrzenia, manuskrypty od jego autorów i tych, którzy mieli nadzieję, że będzie ich reprezentował, listy do napisania, umowy oraz potwornie długa lista telefonów, które powinien wykonać. Obojętnie przyglądał się, jak stos rośnie i rośnie, błądząc myślami daleko, gdzieś wśród cyprysów na wybrzeżu Amalfi. Odłożył długopis i podniósł słuchawkę.

– Fitzroy Davenport.

– Kochany, tu Viv... – Głos pisarki był jeszcze mocno zaspany.

– Witaj, nieznajoma.

– Nie złość się, Fitzroy. Wybaczysz starej kobiecie?

– Tylko pod warunkiem, że się spotkamy.

– Dlatego dzwonię. Przyjedziesz dziś do mnie na kolację?

– Dobrze.

– Cudownie, skarbie. Nie kupuj wina, właśnie dostałam skrzynkę najdroższego bordo. Wczoraj wieczorem sama wypiłam pół butelki – jest rzeczywiście pyszne. Pod jego wpływem napisałam zupełnie niezwykłą scenę erotyczną, która ciągnie się i ciągnie... Coś wspaniałego.

Fitz zmarszczył brwi. To była Viv bardziej jak „Viv, słynna pisarka" niż jak jego przyjaciółka.

– W takim razie do zobaczenia – zakończył rozmowę.

Dopiero po paru chwilach poczuł, że jest mu trochę lepiej. Dobrze, że Viv wróciła, bo trochę już za nią tęsknił. Z odnowioną energią chwycił pierwszy dokument z brzegu i położył go przed sobą.

Fitz i Sprout zjawili się na łodzi Viv kilka minut przed ósmą. Dach łodzi pokryty był trawą i kwiatami – ponownie posiane maki zachwycały dziką czerwienią, a stokrotki i bratki kiwały małymi główkami, poruszane bryzą znad Tamizy. Fitz z rozbawieniem przypomniał sobie kozę pożerającą posianą przez Viv trawę i rośliny. Alba była wyjątkowo pomysłowa, nawet Viv nie mogła zaprzeczyć. „Valentina" przypominała teraz smutną, pustą skorupę. Kwiaty uschły, pokład domagał się dokładnego umycia, tu i ówdzie zaczynała się łuszczyć farba. Łódź sprawiała wrażenie zmarniałej i pozbawionej wszelkiego uroku. Alba wyjechała i jesień wcześnie wkroczyła na pokład jej domu.

Viv otworzyła drzwi i ujrzała smętnie wpatrzonego w „Valentinę" Fitza.

– Och, kochany... – westchnęła, machając trzymanym w ręku papierosem. – Nadal żadnej poprawy?

– Jak się masz? – spytał. – Nie odpowiedział na jej pytanie, bo poczuł, że byłoby to zbyt bolesne.

– Mam ci mnóstwo do opowiedzenia, wchodź, proszę!

Poszedł za nią na pokład, usadowił się na leżaku i założył ramiona pod głowę.

– No więc? Gdzie byłaś i o co chodzi z tą erotyką? – cieszył się, że ją widzi.

Wyglądała świetnie, niczym dojrzała brzoskwinia, i sprawiała wrażenie bezwstydnie z siebie zadowolonej.

– Zakochałam się, skarbie! Tak, właśnie ja, wyobrażasz sobie? Straciłam serce, ot, tak! – machnęła ręką. – Jestem zauroczona, zafascynowana, zupełnie jak jedna z moich bohaterek!

– Właśnie sobie myślałem, że wyglądasz aż za dobrze. Kto to taki? Sympatyczny człowiek?

– Na pewno go polubisz, kochany. To Francuz.

– Stąd wino...

– Właśnie!

– Bogu niech będą dzięki... Teraz mogę ci powiedzieć, że wino u ciebie zawsze było ohydne.

– Wiem, zawsze byłam zbyt skąpa, żeby kupić coś dobrego. Wydawało mi się, że wino to wino, ale oczywiście bardzo się myliłam. Wybaczysz mi, że zmuszałam cię do picia takiego paskudztwa? – Viv napełniła kieliszek aromatycznym bordo i z dumą podała Fitzowi. – Pierre ma zamek w Prowansji. Zamierzam napisać tam mnóstwo książek, nie wyobrażasz sobie nawet, jakie to spokojne miejsce... Na lunch zwykle objadamy się foie gras i świeżutkimi brioszkami...

– Świetne wino. Brawo! Twój ukochany ma doskonały gust...

– Jeśli chodzi o wino i kobiety – dorzuciła żartobliwie Viv.
– Z pewnością. Czym się zajmuje?
– Jest dżentelmenem, skarbie. Nic nie robi. Zajmuje się nicnierobieniem...
– Ile ma lat?
– Jest w moim wieku, czyli w twoich oczach stary jak świat. Na szczęście serce ma młode, podobnie jak ja, i kocha się jak młodzieniec z ogromnym doświadczeniem...
Fitz uśmiechnął się do niej serdecznie. Viv miała teraz w sobie dziewczęcy urok, wcześniej był zupełnie niewidoczny.
– Jestem bardzo szczęśliwa – wyznała trochę nieśmiało. – I chcę, żebyś ty też był szczęśliwy.
Fitz głęboko odetchnął ciepłym letnim powietrzem i odwrócił wzrok.
– Pracuję nad tym.
– Dużo myślałam o twojej sytuacji... Może spróbowałbyś poddać się impulsowi, bo niby czemu nie... Jedź do Incantellarii i przywieź Albę do Londynu.
– Ale przecież wcześniej byłaś temu przeciwna. Mówiłaś...
– Nieważne, co mówiłam, skarbie – przerwała mu. – Popatrz na siebie, tracisz blask, a oczy masz całkiem martwe, aż serce się ściska...
– Martwe? – uśmiechnął się.
– Tak, martwe, smutne, pełne rozpaczy, jak u zagonionego królika! – wyjaśniła Viv.
– Och, na miłość boską...
– Co masz do stracenia?
– Nic – odparł powoli.
– Otóż to, nic. Bóg pomaga tylko tym, którzy sami sobie pomagają. Skąd wiesz, czy ona nie siedzi teraz gdzieś na plaży i nie umiera z tęsknoty za tobą? Może żałuje zerwania, którego powodem była jakaś idiotyczna kłótnia, jeśli dobrze pamiętam. Gdyby to była moja książka, natychmiast wysłałabym bohatera do Incantellarii. Kto wie, może jeszcze ją napiszę... Przybyłby pełen niepokoju, z sercem w gardle,

modląc się, by jego ukochana nie poślubiła jakiegoś włoskiego księcia. Znalazłby ją samą, siedzącą na skałach nad morzem i z tęsknotą wypatrującą mężczyzny, którego nigdy nie przestała kochać. Na jego widok bohaterka zapomina o dumie, rzuca mu się w ramiona i całuje go. Scena pocałunku trwa bardzo długo, bo w takim momencie słowa nie są w stanie wyrazić uczuć obojga... – Viv zaciągnęła się papierosem. – Potwornie romantyczne, nie sądzisz?

– Chciałbym, żeby tak było naprawdę...

– Ależ może być!

Fitz się uśmiechnął.

– Tak czy inaczej, warto spróbować – powiedział. – W gruncie rzeczy faktycznie nie mam nic do stracenia...

Viv uniosła kieliszek w geście toastu.

– Wiesz, że bardzo lubię Albę. Potrafi być nieznośna, lecz nie znam drugiej tak zabawnej i pełnej uroku dziewczyny. Może uda ci się stępić te jej ostre kolce, kto wie... Będzie miała szczęście, jeśli zdecydujesz się po nią pojechać. Jest tylko jedna Alba, ale i tylko jeden Fitz... Jako kobieta zakochana jestem wyrozumiała i dobrze nastawiona do ludzkości. Na twoim miejscu zadbałabym, by ta powieść miała szczęśliwe zakończenie.

TRZECI PORTRET

Rozdział dwudziesty szósty

Włochy, 1971

Kiedy duch Valentiny w końcu odszedł, dom bardzo się zmienił, lecz jeszcze bardziej wyraźna zmiana zaszła w Immacolacie. Starsza kobieta wyjęła z szaf suknie ze swojej przeszłości, różowe, niebieskie i czerwone, w rozmaite wzory i kwiaty. Chociaż panowała już zupełnie inna moda, Immacolata nie przywiązywała do tego najmniejszej wagi. Nadal nosiła pantofle, które wkładała, kiedy mąż zabierał ją na tańce do Sorrento, czarne, z paskami wokół kostek. Utyła w talii, ale jej stopy pozostały małe i szczupłe. Powrót do dawnego wyglądu wywołał łagodnie kpiące uwagi pod adresem matki ze strony Ludovica i Paola, którzy razem z rodzinami przyjechali z północy na nabożeństwo za Valentinę i postawienie nagrobka. W odpowiedzi Immacolata uśmiechała się szczerze i szeroko, jak kobieta, która po raz pierwszy od lat doświadcza radości i jest zdumiona, że umiejętności uśmiechania się, podobnie jak jazdy na rowerze, nie sposób zapomnieć.

Alba także cieszyła się swoim nowym wizerunkiem, który wciąż wywoływał liczne komentarze. Obcięcie włosów było wyrazem nienawiści do samej siebie, lecz koniec końców okazało się zewnętrznym symbolem emocjonalnej przemiany. Teraz musiała ocenić swoje dotychczasowe życie i jego bezcelowość. Pragnęła stać się cząstką społeczności, chciała być użyteczna.

Kiedy uroczystości dobiegły końca i goście rozjechali się do domów, Alba zapytała Falca, czy mogłaby pomagać w trattorii.

– Chcę pracować – wyjaśniła mu w czasie lunchu na tarasie, obserwując wpływające do portu i wychodzące w morze małe błękitne łodzie rybackie.

Falco pociągnął łyk limoncella i zmierzył Albę badawczym spojrzeniem.

– Przydałaby mi się pomoc, oczywiście, jeśli mówisz poważnie – odparł.

– Najzupełniej poważnie. Chciałabym zostać tu z wami wszystkimi. Nie chcę wracać do swojej przeszłości i dawnego życia.

– Przed kim uciekasz?

Alba drgnęła nerwowo.

– Przed nikim... Po prostu podoba mi się wszystko, co tutaj robię. Czuję, że to moje miejsce...

– A co z Anglią?

Spuściła wzrok.

– Nie mogę spojrzeć w twarz tacie po tym, czego się dowiedziałam, a już z pewnością nie śmiałabym podnieść oczu na Margo, którą przez cały czas oskarżałam o zazdrość o Valentinę... I jeszcze Fitz...

– Fitz?

– Mężczyzna, który mnie kocha albo kochał. Fitz zasługuje na kogoś lepszego niż ja. Nie jestem bardzo dobrą osobą, wiesz?

– Ja także, więc nie jesteś sama.

– Valentina także nie była bardzo dobra – mruknęła Alba.

Pomyślała o pułkowniku Heinzu Wiermannie, ale postanowiła o nim nie wspominać.

– Valentina była jak huragan, kochanie, jak burza, lecz ty jesteś jeszcze dość młoda, aby się zmienić.

– A ty?

– Ja jestem już za stary na zmianę.

– Mogłabym cię kiedyś naszkicować? – zapytała impulsywnie.

– Nie.

– Dlaczego nie?

Falco poruszył się niespokojnie, jakby krzesło było dla niego za małe.

– Twój ojciec był artystą, i to bardzo utalentowanym...

– Wiem. Znalazłam na łodzi narysowany przez niego portret matki, musiał ukryć go tam dawno temu. Widziałam też ten, który ma Immacolata, przedstawiający Valentinę ze mną w ramionach...

– Był chyba jeszcze jeden – rzekł Falco, zapatrzony na morze. – Pamiętam, że Thomas rozpaczliwie szukał go w pokoju Valentiny już po jej śmierci...

– I nie znalazł?

Pokręcił głową.

– Wydaje mi się, że nie. Kiedy wyjeżdżał z tobą, dał jeden portret mojej mamie, żeby miała po tobie jakąś pamiątkę.

– Dlaczego ojciec nigdy nie przywiózł mnie na spotkanie z babcią? Musiał wiedzieć, że będzie tęskniła za wnuczką...

– To pytanie powinnaś zadać ojcu, nie mnie. – Bez pośpiechu dopił limoncello.

– Pewnego dnia na pewno to zrobię, ale na razie chcę zostać tutaj, z wami. Więc jak, mogę liczyć na pracę?

Falco uśmiechnął się trochę wbrew sobie. Wdzięk Alby był naprawdę rozbrajający.

– Masz pracę, i to na tak długo, jak zechcesz – powiedział.

I tak w życiu Alby rozpoczął się nowy rozdział. W ciągu dnia pracowała w trattorii, a w wolnych chwilach szkicowała. Cosima, do której bardzo się przywiązała, zawsze chętnie jej pozowała. Siadywały w promieniach zachodzącego słońca pod zrujnowaną wieżą lub na kamienistej plaży, w pobliżu wielu jaskiń, które z zapałem badały, i dużo rozmawiały.

Miesiące mijały i Cosima zaczęła traktować Albę jak matkę. Kiedy wracały do domu, zawsze wsuwała rączkę w jej dłoń, rano przychodziła do niej do łóżka i tuliła się kędzierzawą główką. Alba opowiadała jej różne historie, a potem spisywała je i ilustrowała. Odkryła w sobie talent, którego istnienia nawet nie podejrzewała, oraz ogromną gotowość obdarzania innych miłością.

– Chcę ci podziękować za miłość, jaką dajesz Cosimie – powiedział pewnego wieczoru Toto.

– To ja powinnam ci podziękować – odparła Alba, dostrzegając niezwykle poważny wyraz jego twarzy.

– Każde dziecko potrzebuje matki. Cosima nigdy nie mówi, że tęskni za mamą, bo w ogóle o tym nie rozmawiamy, ale ja wiem, że tak jest. Twoja obecność sprawiła, że mała przeżywa to wszystko o wiele mniej boleśnie...

– To oczywiste, że tęskni za matką. – Alba pokiwała głową. – Najprawdopodobniej nie chce o tym mówić, bo boi się zranić twoje uczucia, a może jest zbyt zajęta, żeby się zastanawiać nad sytuacją w domu, nie wiadomo. Tak czy inaczej wydaje mi się, że od czasu do czasu powinieneś rozmawiać z nią o matce. Sama wiem, jak mnie bolało to, że nikt nigdy nie wspominał przy mnie o Valentinie. Cosima potrzebuje pewności, że matka jej nie odrzuciła, że nie ona ponosi winę za jej odejście. Musi czuć się kochana, to wszystko.

– Masz rację – westchnął Toto. – Czasami trudno się zorientować, ile rozumie takie małe dziecko...

– O wiele więcej, niż przypuszczasz.

– Tak... Zostaniesz z nami jeszcze trochę, prawda?

Teraz Alba zmierzyła kuzyna poważnym spojrzeniem.

– Nie mam zamiaru stąd wyjeżdżać – powiedziała. – Nigdy.

W Incantellarii czuła się naprawdę szczęśliwa. Nie przeszkadzało jej, że noce spędza sama, słuchając sennych głosów ptaków i grania cykad, nie bała się już ciemności i samotności. Zyskała poczucie bezpieczeństwa, ale jej myśli często krążyły wokół Fitza. Zastanawiała się, co Fitz porabia i z gorzko-słodką nostalgią wspominała cudowne chwile, które spędzili razem, ale też czasami, niemal jednocześnie, sięgała po wizytówkę Gabriele i przywoływała z pamięci twarz nowego znajomego. Nie była pewna, czy nadszedł już czas, aby nieodwołalnie zostawić za sobą przeszłość i ruszyć dalej, odkrywać nowe krainy. Gabriele był taki przystojny i miły... Udało mu się rozśmieszyć ją mimo niepowodzeń, jakie ją spotkały tuż po przyjeździe do Włoch, i niewątpliwie coś między nimi zaiskrzyło. Pasowali do siebie, zupełnie jakby byli wyrzeźbieni z tego samego kawałka drewna. Alba tak długo już była samotna, że czuła ogromną gotowość do miłości.

I wtedy los podjął za nią decyzję. Pierwszy tydzień października był bardzo ciepły, chociaż wieczorami od morza ciągnął chłodny wiatr. W trattorii roiło się od klientów, głównie turystów, którzy zaczęli pojawiać się w Incantellarii po serii artykułów o tajemniczym uroku malutkiej mieściny. Obcokrajowcy coraz częściej zatrzymywali się tutaj po drodze do dużo bardziej znanych miejsc, na przykład Positano czy Capri. Alba ledwo nadążała z przyjmowaniem zamówień i roznoszeniem tac z parującymi daniami. Z przyjemnością gawędziła z miejscowymi i gośćmi, którzy zawsze chętnie zagadywali do pięknej młodej kobiety o krótkich, interesująco wystrzępionych włosach i dziwnych jasnych oczach. Kiedy podawała drinki, usłyszała warkot motorówki i podniosła wzrok. Zanim rozpoznała pasażera łodzi, serce zaczęło jej bić jak szalone. Postawiła tacę na stole i wyjrzała spod płóciennej markizy. Oparła dłoń na biodrze, a drugą osłoniła oczy przed słońcem. Kiedy motorówka zwolniła przy pomoście, Alba w jednej chwili zapomniała o klientach i swoich obowiązkach i pędem ruszyła w stronę plaży, czując, jak oczy pieką ją z podniecenia.

– Fitz! Fitz! – wołała radośnie.

Fitz wyszedł na pomost z walizką w jednej ręce i kapeluszem panama w drugiej. W pierwszej chwili nie poznał dziewczyny, która biegła ku niemu, wykrzykując jego imię.

– Fitz, to ja, Alba!

Na jego twarzy pojawił się wyraz ogromnego zdumienia.

– Obcięłaś włosy! – powiedział, marszcząc brwi. – I opaliłaś się na brązowo...

Szybko ogarnął wzrokiem cienką sukienkę Alby i proste czarne espadryle, które miała na nogach. Bardzo się zmieniła. Nagle ogarnęła go niepewność, czy mądrze zrobił, decydując się na przyjazd do Incantellarii, lecz kiedy z bliska ujrzał roześmianą twarz dziewczyny i jej błyszczące ze szczęścia oczy, bez trudu poznał Albę, która jednym słowem mogła odmienić jego życie.

– Tęskniłam za tobą – szepnęła, dotykając jego ramienia. – Bardzo za tobą tęskniłam...

Fitz postawił walizkę na ziemi i chwycił Albę w objęcia.

– Ja też za tobą tęskniłem, kochanie... – Z czułością pocałował ją w skroń.

– Przepraszam, że nie zadzwoniłam...

– Nie, to ja powinienem przeprosić, że nawet się z tobą nie pożegnałem... Nie zdążyłem, gdy przyjechałem, nie było cię już na łodzi – roześmiał się głośno. – A ta twoja zwariowana koza właśnie kończyła pożerać trawę i kwiatki na dachu Viv!

Alba także parsknęła cudownie spontanicznym śmiechem, podobnym do eksplozji bąbelków w butelce szampana.

– Była na mnie wściekła?

– Tylko przez chwilę. Ona również tęskni za tobą.

– Tyle mam ci do powiedzenia!

– A ja tobie...

– Musisz zatrzymać się u babci, na piętrze jest tam gościnny pokój. Ja mieszkam w pokoju mojej mamy... – Alba wzięła Fitza pod ramię, a on włożył kapelusz i podniósł walizkę. – Na razie chodź się czegoś napić, dobrze? Poproszę Tota, żeby zajął się moimi klientami. Mam teraz pracę, wiesz? Pracuję w rodzinnej firmie razem z wujem i kuzynem, o, tam... – Dumnym ruchem głowy wskazała trattorię.

Znalazła stolik dla Fitza i przyniosła mu szklaneczkę wina i butelkę wody.

– Musisz spróbować wspaniałych potraw Immacolaty. – Z uśmiechem usiadła obok niego. – Oczywiście babcia już nie gotuje, jest za stara, ale my korzystamy z jej przepisów. Proszę, wybierz coś sobie, na koszt firmy... – podsunęła mu menu.

– Wybierz za mnie, kochanie. Nie chcę marnować czasu na przeglądanie listy dań, skoro mogę rozmawiać z tobą...

Alba oparła łokcie na stoliku i uśmiechnęła się szeroko.

– Przyjechałeś... – zamruczała miękko.

– Martwiłem się, że nigdy nie wrócisz do Anglii.

– Wydawało mi się, że nie znajdę w sobie dość odwagi, aby spojrzeć ci w oczy...

– Dlaczego, na miłość boską? – Fitz zmarszczył brwi.

– Zdałam sobie sprawę, jak wielką byłam egoistką.

– Och, skarbie!

– Naprawdę. Miałam tu mnóstwo czasu na myślenie, poza tym tyle się w moim życiu zdarzyło... Zrozumiałam, że nie byłam dobrą osobą.

– Nie powinienem był puścić cię samej. To moja wina.

– Miło, że tak mówisz, kochany, ale zasługujesz na coś więcej... Prawda jest taka, że zawsze myślałam wyłącznie o sobie. Teraz bardzo się tego wstydzę. Istnieją zdarzenia, które w ogóle najchętniej wymazałabym ze swojej historii... – Pamięć znowu podsunęła jej lubieżnie uśmiechniętą twarz grubasa. – Cieszę się, że tu jesteś...

– Ja też... – Fitz ujął dłoń Alby i kciukiem pieszczotliwie pogładził brązową skórę. – Podobasz mi się w krótkich włosach, do twarzy ci w tej fryzurze...

– Pasuje do mojej nowej osobowości – przytaknęła z dumą. – Nie chciałam dłużej wyglądać jak matka...

– Dowiedziałaś się wszystkiego, co chciałaś wiedzieć?

– Żyłam marzeniem, snem, nie rzeczywistością. Teraz znam już kobietę, która mnie urodziła. Była skomplikowana i w gruncie rzeczy chyba niezbyt pozytywna, ale kocham ją tym mocniej, ze wszystkimi jej wadami.

– To dobrze. Opowiesz mi o tym później? Może moglibyśmy wybrać się na jakiś spacer? Wybrzeże Amalfi słynie z pięknych widoków...

– A Incantellaria to najpiękniejszy punkt tego wybrzeża – uśmiechnęła się. – Kiedy zjesz, pokażę ci miasteczko. Później poznasz Immacolatę, moją babcię, i Cosimę, córeczkę mojego kuzyna. Cosima ma siedem lat i jest po prostu urocza...

– Wydawało mi się, że nie lubisz dzieci...

– Cosima to wyjątkowe dziecko, niepodobne do innych, poza tym to moja krewna.

– Dobry Boże, mówisz jak prawdziwa Włoszka!

– Bo jestem Włoszką i czuję, że tu jest moje miejsce.

– Ale ja przyjechałem zabrać cię do domu!

Alba potrząsnęła głową.

– Nie wiem, czy chcę wrócić do Anglii. Nie po tym, czego się dowiedziałam.

Fitz mocno ścisnął jej dłoń.

– Wszystko jedno, z czym będziesz musiała się zmierzyć, kochanie. Nie zostaniesz sama, nie powtórzę już tamtego błędu...

Oczy Alby, jeszcze przed chwilą tak poważne, teraz zabłysły iskierkami na widok dania, które kelner postawił przed Fitzem.

– Ach, *fritelle*! – zawołała z zachwytem.

Po lunchu poprowadziła Fitza ścieżką między skałami na grób matki pod drzewem oliwnym.

– Miesiąc temu odprawiono nabożeństwo za jej duszę – powiedziała. – Wcześniej nie było tu nagrobka... Ładny, prawda? Wybraliśmy go wszyscy razem.

Fitz schylił się, żeby odczytać napis.

– Przetłumacz mi to... – poprosił.

– Valentina Fiorelli, światło Incantellarii, kochana przez bliskich, teraz spoczywa w Panu.

– Dlaczego nie miała nagrobka?

Alba przysiadła na trawie, podwijając nogi.

– Ponieważ została zamordowana w noc przed swoim ślubem. Nie zdążyła wyjść za mojego ojca.

– Dobry Boże!
– To świetny materiał na książkę, więc lepiej nic nie mów Viv...
– Nie powiem, ale ty opowiedz mi wszystko od początku. Jaka ona była?
Alba spokojnie opowiedziała mu całą historię.

Kiedy skończyła, słońce zanurzało się już w morzu, zmieniając błękitnawą zieleń w barwę płomiennej miedzi. Wieczorne powietrze było rześkie, pachnące suchymi liśćmi. Jesień zbliżała się wielkimi krokami. Fitz był poruszony życiem Valentiny, lecz jeszcze głębsze refleksje wzbudził w nim los Thomasa Arbuckle'a. Nic dziwnego, że Thomas nie chciał rozmawiać o Valentinie, a już zwłaszcza dzielić się swoimi przeżyciami z córką...
– Sam więc widzisz, że nie mogę wrócić – oznajmiła Alba.
– Dlaczego?
– Bo nie potrafię spojrzeć w twarz ojcu i Margo. Za bardzo się wstydzę.
– Co za bzdury! I ty mówisz, że teraz kochasz Valentinę bardziej niż kiedyś, teraz, gdy znasz i rozumiesz jej wady?
– Tak, ale to zupełnie co innego.
– Nieprawda! Ja nie kocham cię mimo twoich wad, lecz właśnie z ich powodu! To one sprawiają, że jesteś inna, wyjątkowa! Miłość nie polega na tym, że ogarniasz uczuciem tylko dobre części, a złe odrzucasz! Kochasz całego człowieka, bez wyjątków, albo nie kochasz wcale...
Alba westchnęła.
– Dobrze się tu czuję, bo nikt w Incantellarii nie wie, jaka byłam wcześniej. Osądzają mnie według tego, co widzą...
– Przecież to znaczy, że twój ojciec, Margo i ja kochamy cię mocniej, bo znamy cię znacznie dłużej!
– Och, nie wygłupiaj się! – Roześmiała się cicho.
– Nie wygłupiam się. Pragnę, żebyś za mnie wyszła...
Fitz zamierzał powiedzieć to Albie w zupełnie innych, ro-

mantycznych okolicznościach, ale słowa same wyrwały mu się z ust.

– Co powiedziałeś?

Sięgnął do kieszeni i wydobył starannie zawinięty w bibułkę mały przedmiot. Drżącymi palcami rozwinął cienki papier i odsłonił prosty pierścionek z brylantem. Ujął lewą dłoń Alby, wsunął pierścionek na trzeci palec i głęboko spojrzał jej w oczy.

– Albo Arbuckle, czy przyjmiesz jako męża ubogiego agenta literackiego, który może ci zaoferować tylko miłość i starego, cuchnącego psa? – zapytał.

Dawna Alba wybuchnęłaby śmiechem i kazała mu natychmiast przestać gadać bzdury. Dawna Alba postarałaby się, żeby poczuł się jak ostatni głupiec, albo może nawet przyjęła oświadczyny, ale tylko po to, by nacieszyć się pięknym pierścionkiem. Alba, którą Fitz odnalazł w Incantellarii, długo wpatrywała się w lśniący brylant.

– Należał do mojej babki – powiedział Fitz. – Chcę, żebyś teraz ty go nosiła.

– Jeżeli naprawdę tego chcesz, z radością wyjdę za takiego dobrego, uczciwego człowieka, kochany – odparła.

Rozdział dwudziesty siódmy

Postanowili spędzić dwa tygodnie w Incantellarii, żeby Alba mogła spokojnie pożegnać się z rodziną, a potem wrócić do Anglii, do Viv, łodzi na Tamizie, Beechfield Park, Thomasa, Margo i nowego, wspólnego życia.

– Będziemy tu często przyjeżdżać, prawda? – spytała Alba, myśląc o Cosimie. – Będę za nimi wszystkimi strasznie tęskniła...

– Jeżeli chcesz, możesz tu spędzać każde lato.

– Co mam powiedzieć tej małej dziewczynce?

– Że to nie pożegnanie.

– Raz została już opuszczona, w dodatku przez matkę, a teraz ja zamierzam ją zostawić... Nie mogę znieść myśli, że ją zranię.

– Kochanie, nie jesteś jej matką.

Alba pokręciła głową.

– Cosima uważa mnie za kogoś w rodzaju matki, nie ma kobiety, która byłaby jej bliższa. To takie okropne...

Fitz pocałował ją i pogładził po włosach.

– Za jakiś czas może sami będziemy mieli dzieci... – powiedział.

– Nie wyobrażam sobie tego.

Nie mogę sobie wyobrazić, abym mogła pokochać inne dziecko tak mocno jak Cosimę, pomyślała ponuro.

– Zaufaj mi.
Alba westchnęła z rezygnacją.
– Bardzo się do niej przywiązałam... – szepnęła.
– Świat każdego dnia staje się coraz mniejszy. Włochy i Anglię dzieli coraz mniejsza odległość, wiesz?
Jednak Alba nie miała cienia wątpliwości, że Fitz nie potrafi zrozumieć jej miłości do Cosimy. Była dla dziewczynki prawie matką i czuła, że rozstanie złamie jej serce.

Alba zaprowadziła Fitza na kolację do domu Immacolaty. Dla niego był to tylko ładny budynek, typowo włoski, przytulny dom, wibrujący śmiechem dużej rodziny. Immacolata pobłogosławiła go z uśmiechem. W oczach Fitza uśmiech staruszki był zwyczajnym uśmiechem – nie mógł przecież wiedzieć, że kiedyś był zjawiskiem rzadszym niż tęcza. Beata i Falco przywitali go łamanym angielskim, a Toto rzucił kilka żartów na temat różnic między miejskim życiem Fitza i prowincjonalnym spokojem Incantellarii. Toto mówił po angielsku zadziwiająco dobrze i Fitz od razu go polubił, miał podobne, nieco sarkastyczne poczucie humoru. Kiedy do pokoju wbiegła Cosima, Fitz natychmiast zrozumiał, dlaczego Alba pokochała dziewczynkę. Mała objęła Albę szczuplutkimi ramionkami, a jej loki podskakiwały dookoła twarzy jak ciemne, błyszczące sprężynki.
Gdy usiedli do kolacji, Alba ogłosiła swoje zaręczyny. Toto wzniósł toast, wszyscy podnieśli szklaneczki z winem i z entuzjazmem podziwiali pierścionek, lecz pod cienką warstwą ogólnej radości i ekscytacji pulsował wyraźny niepokój – wszyscy poza Cosimą wiedzieli, że teraz Alba ich opuści.
Dziewczyna szybko wyczuła zmianę atmosfery, ale nie chciała mówić o wyjeździe w obecności Cosimy. Patrzyła, jak mała z apetytem zajada *prosciutto*, rozprawiając bez przerwy o szkole, nowych zabawach, pełna nadziei na zakupy z Albą, jako że letnie sukienki były już trochę za cienkie. Alba pochwyciła spojrzenie Beaty. Ta uśmiechnęła się

do niej ze współczuciem i zrozumieniem. Alba miała poważne trudności z określeniem swoich uczuć. Z jednej strony bardzo cieszyła ją myśl o ślubie z Fitzem, z drugiej zaś konieczność wyjazdu z Incantellarii i opuszczenia Cosimy gasiła jej szczęście jak ciemna chmura słońce. Miała wrażenie, że nagle zawisł nad nią ponury cień.

Po kolacji Cosima poszła spać, zostawiając dorosłych na oświetlonym promieniami księżyca tarasie, pod splotami winorośli.

– Kiedy zamierzasz nas opuścić? – zapytała Immacolata.

W głosie staruszki zabrzmiała ostra nuta. Alba rozumiała rozżalenie babki – ostatecznie dopiero niedawno się odnalazły.

– Nie wiem, *nonna*. Niedługo.

– Alba będzie tu często przyjeżdżać – odezwał się Fitz, usiłując poprawić atmosferę.

Immacolata wyniosłym ruchem uniosła podbródek.

– Tommy mówił to samo, kiedy zabierał ją stąd dwadzieścia sześć lat temu. Nigdy jej nie przywiózł, nigdy...

– Ale teraz ja sama decyduję o sobie – wtrąciła Alba. – Nie będzie mi łatwo was zostawić. Zrobię to tylko wtedy, gdy będę miała absolutną pewność, że wkrótce znowu przyjadę.

Falco przykrył drobną rękę matki dużą, szorstką dłonią.

– Mamo, Alba ma własne życie – rzekł błagalnie. – Powinniśmy być wdzięczni, że podzieliła się z nami pewną jego częścią...

Stara kobieta prychnęła wzgardliwie.

– A co powiecie dziecku? – zapytała. – To wszystko złamie jej serce!

– Mnie także – szepnęła Alba.

– Cosimie nic nie będzie. – Toto zapalił papierosa i rzucił zapałkę za siebie. – Ma nas wszystkich, jakoś sobie z tym poradzi.

– To część dorastania – Falco z powagą pokiwał głową. – Życie się zmienia i ludzie także...

– Jutro powiem jej o wyjeździe – odezwała się Alba. – Wyjaśnię, że wcale się nie żegnamy...

– Dlaczego Fitz nie może zostać z nami? – Immacolata spojrzała na narzeczonego wnuczki z milczącym wyzwaniem w oczach.

Fitz nie zrozumiał jej słów, ale bez trudu pojął, o co chodzi i odchrząknął, wyraźnie zażenowany.

– Ponieważ pracuję w Londynie – odparł.

Immacolata doszła do wniosku, że nie lubi Fitza. Brakowało mu pasji, namiętności.

– Dokonałaś wyboru – powiedziała do Alby, wstając od stołu. – Ale mnie nie musi się to podobać.

– Jutro zabiorę Fitza na wycieczkę do tego zburzonego pałacu – rzuciła Alba lekkim tonem z nadzieją, że uda jej się zmienić temat rozmowy.

Immacolata odwróciła się gwałtownie. Jej twarz była biała jak płótno.

– Do *palazzo* Montelimone? – wychrypiała, zaciskając palce na oparciu krzesła.

– Nie ma tam nic do oglądania – zaprotestował Falco. Spojrzał na matkę niespokojnie, co natychmiast rozpaliło ciekawość Alby.

– Od początku zamierzałam się tam wybrać – powiedziała. – To tylko ruiny, prawda?

Daremnie starała się zrozumieć to, co bez słów przekazali sobie babka i wuj.

– Tylko ruiny, ale bardzo niebezpieczne – ostrzegła z naciskiem Immacolata. – Mury się osypują, nie chodź tam...

– Lepiej pojedź z Fitzem do Neapolu – podsunął Falco.

Alba poddała się, gotowa zrobić wszystko, byle tylko uspokoić babkę. Uważała, że w tej sytuacji jest jej to winna.

– W porządku, pojedziemy do Neapolu – powiedziała po angielsku.

– Jedźmy do Neapolu – zgodził się Fitz, który chętnie wybrałby się dokądkolwiek, byle jak najdalej od tego domu.

Następnego dnia rano Alba pożyczyła małego fiata Tota i razem z Fitzem wyruszyła w kierunku Neapolu. Była rozczarowana, ponieważ miała wielką ochotę zwiedzić ruiny pałacu, których widok kusił ją od przyjazdu do Incantellarii. Pomyślała, że nie powinna była mówić rodzinie o swoich zamiarach, ale po prostu się tam wybrać.

– Jesteś bardzo milcząca – odezwał się Fitz, uważnie patrząc w jej napiętą twarz.

– Nie marzy mi się wycieczka do Neapolu – mruknęła Alba. – Nie mam szczególnie miłych wspomnień z włoskich miast...

– Możemy zjeść lunch w jakiejś dobrej restauracji i pochodzić trochę po mieście. Nie będzie tak źle...

– Nie! – Twarz dziewczyny rozpogodziła się nagle, zupełnie jakby wiszący nad nią cień rozwiał się niepostrzeżenie. – Zawracamy. Czuję, że coś tam jest, po prostu to czuję! Dlaczego nie chcą, żebym obejrzała ruiny, co? Coś przede mną ukrywają, to oczywiste!

Opony zapiszczały na gorącym asfalcie, kiedy Alba zahamowała i zawróciła w stronę wybrzeża. Oboje poczuli się nagle zjednoczeni wspólnym celem, pełni entuzjazmu, gotowi popełnić jakiś śmiały czyn, choćby nawet przestępstwo.

Po paru chwilach zjechali z biegnącej wzdłuż wybrzeża drogi w kierunku *palazzo*. Wąski trakt piął się stromo w górę. Gdy zatrzymali się przed czarną żelazną bramą, wysoką i imponującą, choć zardzewiałą, okazało się, że oba skrzydła przytrzymuje potężna kłódka. Wysiedli z samochodu, żeby przez metalowe pręty popatrzeć na zarośnięty, zdziczały ogród i dom.

Boczna ściana leżała w gruzach, nawet pojedyncze kamienie powoli pokrywała winorośl i chwasty. Ten widok pobudził wyobraźnię Alby i Fitza. Zdecydowali, że skoro dotarli aż tutaj, pójdą dalej. Alba rozejrzała się i uznała, że przecisną się między krzewami i przeskoczą mur. Fitz pokonał przeszkody jako pierwszy, nie zwracając uwagi na ostre kolce, czepiające się dżinsów, i odwrócił się, aby pomóc Albie, której krótka, cienka sukienka nie bardzo nadawała się na taką wyprawę. Ale dziewczyna z uczuciem triumfu przeskoczyła mur, otrzepała spódnicę i zlizała krew z zadrapania na dłoni.

– Wszystko w porządku? – spytał Fitz.

Skinęła głową.

– Niepokoi mnie tylko, co tutaj znajdziemy...

– Może po prostu nic...

Dziewczyna zmrużyła oczy.

– Wolałabym jednak coś odkryć... Nie chcę wracać do Anglii z tyloma pytaniami, na które wciąż nie znam odpowiedzi.

– W porządku, Sherlocku, w takim razie chodźmy dalej.

Kiedy szli podjazdem, Alba zadrżała. W pałacowym ogrodzie panował dziwny chłód, zupełnie jakby ruiny znajdowały się na wysokim szczycie, w innej strefie klimatycznej. Dzień był dość parny i Alba spociła się, idąc pod górę, ale tutaj wciąż owiewał ją ostry wiatr i musiała rozcierać ramiona, aby pozbyć się gęsiej skórki. Słońce stało wysoko na niebie, lecz dom otaczał cień, podkreślając jego szarość i opuszczenie. Śladów życia było tu niewiele, tylko zdziczałe pnącza wiły się po ziemi niczym groźne węże, dławiąc drzewa i krzewy w śmiertelnym uścisku.

Jedna z wież runęła na ziemię razem ze ścianą i teraz leżała w poprzek ogrodu, podobna do powalonego w boju strażnika. Odsłonięte pokoje były zasypane liśćmi, a po podłogach i ścianach pełzała winorośl i powoje. Wszystko, co mogło mieć jakąkolwiek wartość, zostało niewątpliwie zrabowane. Fitz i Alba przedarli się przez ruiny do wejścia i rozejrzeli się ze zdumieniem. Między liśćmi i mchami widać było jasnobłękitną farbę, jaką kiedyś pomalowano ściany, sufity były bogato zdobione, chociaż płaskorzeźby miejscami popękały i straciły pierwotny kształt. Alba odgarnęła stopą warstwy pyłu, igliwia i liści, odsłaniając nietknięty marmur posadzki. Potężne dębowe drzwi wciąż tkwiły w zawiasach.

– Wejdźmy do środka – zaproponowała.

Fitz jednym krokiem pokonał leżące na ziemi kamienie i nacisnął klamkę. Drzwi się otworzyły i znaleźli się w holu, w głównej części domu, gdzie las jeszcze nie zdążył się wedrzeć.

Wewnątrz panował mrok i dziwna, niepokojąca cisza. Alba bała się odezwać, pewna, że każdy dźwięk może obudzić drzemiące wśród cieni demony. Posuwając się do przodu, odkryli, że wszystkie pomieszczenia są do siebie podobne – puste, zaniedbane i martwe. Mieli już zawrócić, kiedy Fitz pchnął podwójne, sięgające sufitu drzwi i weszli do salonu, w którym panowała zupełnie odmienna atmosfera. Poprzednie pokoje były zimne i wilgotne, gdy tymczasem ten wibrował żywym ciepłem. Był mniejszy od pozostałych, kwadratowy, z kominkiem, w którym wciąż leżał popiół. Sprawiał wrażenie używanego, i to stosunkowo niedawno. Przed kominkiem stał duży, obity skórą fotel, tu i ówdzie ponadgryzany przez myszy. W salonie nie było innych mebli, lecz oboje, i Alba, i Fitz czuli, że nie są sami.

Fitz obrzucił pokój podejrzliwym spojrzeniem.

– Ktoś tu mieszka – powiedział.

Alba przyłożyła palec do ust.

– Ciii... – szepnęła. – Może mu się nie spodobać, że weszliśmy bez pozwolenia...

– Przecież powiedzieli ci, że ruiny są opuszczone...

– To prawda...

Nasłuchiwała uważnie, ale w *palazzo* panowała kompletna cisza; słyszała tylko ciężkie, głośne uderzenia swojego serca. Spojrzała na wychodzące na ogród francuskie okno i otworzyła je. Metalowa rama zgrzytnęła o posadzkę. Wyszli na taras, którego balustrada w dużej części już się osypała. Alba odsunęła grubą warstwę liści, spod której wyjrzały niewielkie, ciemnoczerwone płytki. Nagle kątem oka dostrzegła w zaroślach coś czarnego. Podeszła do zniszczonej balustrady i rozgarnęła pnącza, natrafiając dłonią na twardy przedmiot

– Co znalazłaś? – szepnął Fitz.

– To metal... – Alba przysunęła bliżej ukryty wśród liści podłużny kształt. – Chyba teleskop...

Omiotła metalowy przyrząd i zajrzała w soczewkę.

– Widzisz coś ciekawego?

– Zupełnie nic. Jest zepsuty.

W tej samej chwili oboje wyczuli czyjąś obecność. Odwrócili się i ujrzeli niskiego, drobnego mężczyznę, który właśnie wychodził na taras.

– Mam nadzieję, że nie przeszkadzamy – odezwała się Alba. – Wybraliśmy się na spacer i zgubiliśmy drogę... – wyjaśniła z czarującym uśmiechem.

Mężczyzna podniósł na nią przekrwione oczy i ostro wciągnął powietrze, zupełnie jakby ktoś wymierzył mu cios w brzuch. Stał bez ruchu, wpatrzony w twarz dziewczyny.

– *Madonna!* – wykrzyknął wysokim głosem i uśmiechnął się, odsłaniając dużą lukę w miejscu, gdzie powinny znajdować się przednie zęby. – Wiedziałem, że żyję wśród zmarłych, ale żeby coś takiego... – Wyciągnął rękę, którą Alba niechętnie uścisnęła. Z trudem powstrzymała grymas obrzydzenia, które ogarnęło ją, gdy dotknęła wilgotnej skóry nieznajomego. – Nazywam się Nero Bonomi... Kim jesteście?

– Przyjechaliśmy z Anglii – odparła Alba. – Mój przyjaciel nie zna włoskiego...

– Za to ty, moja droga, mówisz po włosku bez cienia obcego akcentu. – Mężczyzna natychmiast przeszedł na angielski. – Z tymi krótkimi włosami wyglądasz na ślicznego chłopca... Przypominasz mi kogoś z odległej przeszłości... Jeśli mam być szczery, to nieźle mnie wystraszyłaś... – Kościstymi palcami przeczesał białe włosy. – Sam byłem kiedyś ślicznym chłopcem... Co powiedziałby Ovidio, gdyby mnie teraz zobaczył?

– Mieszka pan tutaj? W tych ruinach?

– Pałac był zrujnowany już wtedy, gdy mieszkał tu Ovidio, albo raczej markiz Ovidio di Montelimone. Wielki pan... Zostawił mi posiadłość w testamencie, nie żeby miała jakąś wartość... Można znaleźć tu tylko wspomnienia, cenne wyłącznie w moich oczach...

Alba zauważyła, że skóra na twarzy mężczyzny była zgrubiała i zaczerwieniona. Wyglądało to tak, jakby zbyt mocno się opalił, lecz po chwili zorientowała się, że jest to efekt nieumiarkowanego spożywania alkoholu, którego opary unosiły się wokół gospodarza. Zauważyła też, że Nero Bonomi nosi lniane spodnie ściągnięte paskiem bardzo wysoko, tak że krawędzie nogawek odsłaniają chude kostki nóg. Bonomi nie był stary, miał jednak w sobie kruchość typową dla ludzi w zaawansowanym wieku.

– Jaki był markiz? – zapytał Fitz.

Nero przysiadł na balustradzie i założył nogę na nogę. Najwyraźniej nie przeszkadzało mu, że nieproszeni goście znaleźli drogę do jego domu, wydawał się nawet zadowolony z towarzystwa. Z westchnieniem wsparł podbródek na dłoni.

– Był wielkim estetą. Uwielbiał piękne rzeczy.

– Byliście spokrewnieni? – spytała Alba, chociaż przeczuwała, jaką usłyszy odpowiedź.

– Nie. Kochałem go. Widzicie, Ovidio lubił chłopców. Nie miałem wykształcenia ani obycia, ale on mnie kochał. Byłem prostym łobuziakiem z Neapolu. Znalazł mnie na ulicy i wykształcił, lecz spójrzcie tylko, co zrobiłem z otrzymanym spadkiem... Do niczego się już nie nadaję... – Wyjął z kieszeni papierosa. – Gdybyś była chłopcem, bez wahania oddałbym ci serce... – Roześmiał się, ale Alba nie uznała tej uwagi za zabawną. Nero błysnął płomykiem zapalniczki i zaciągnął się dymem. – Z markizem nic nie było proste, ten człowiek składał się z samych sprzeczności... Był bogaty, lecz mieszkał w domu, który obracał się w ruinę na jego oczach. Kochał mężczyzn, ale największy kawałek serca oddał kobiecie. Zwariował dla niej, o mało go wtedy nie straciłem...

Alba wymieniła spojrzenia z Fitzem. Żadne nie odezwało się ani słowem, przeczuwali jednak, co usłyszą.

– Była piękniejsza, niż można to sobie wyobrazić – ciągnął Nero.

– Była moją matką – powiedziała Alba.

Nero popatrzył na nią przez smugę dymu, która unosiła się z koniuszka papierosa.

– Valentina była moją matką...

Nagle mężczyzna przygarbił się, oczy wezbrały mu łzami. Przygryzł dolną wargę, jego dłonie zadygotały nerwowo.

– Oczywiście, dlatego tu jesteś... Dlatego rozpoznałem w tobie cień przeszłości...

– Czy Valentina była kochanką markiza? – zapytał Fitz.

Nero skinął głową, zbyt dużą i ciężką w stosunku do wychudzonego ciała.

– Była zdumiewającą kobietą, nawet ja ją podziwiałem. Nie można jej było nie podziwiać. Miała niezwykły, magiczny urok. Byłem prostym chłopakiem, ale musiałem docenić jej wdzięk... Wybaczcie mi...

– Niech pan da spokój... – odezwał się Fitz pocieszającym tonem. – Co mielibyśmy panu wybaczyć?

Starszy mężczyzna podniósł się powoli.

– Zapuściłem pałac. Kilka lat temu w jednym skrzydle wybuchł pożar, z mojej winy. Piłem tam z kilkoma przyjaciółmi i zaprószyliśmy ogień. Pozwoliłem, żeby wszystko niszczało powoli, nie zrobiłem żadnej z rzeczy, o które prosił mnie Ovidio. Cóż, nie miałem pieniędzy... Jest jednak coś, co zachowałem dokładnie tak, jak to zostawił...

Poszli za nim wąziutką ścieżką w dół wzgórza, pod gałęziami cyprysów. Na jej końcu stał mały domek z szarego kamienia, którego okna wychodziły na morze. W przeciwieństwie do pałacu, dom stawił czoło napierającemu ze wszystkich stron lasowi. Na ścianach i kolumienkach ganku widać było tylko kilka wątłych pnączy. Budyneczek sprawiał wrażenie domku krasnoludków lub innych bajkowych istot. Fitz i Alba przyglądali mu się z zaciekawieniem. Gdy Nero wprowadził ich do środka, natychmiast się zorientowali, że wszystko tu pozostało tak, jak przed laty.

Wnętrze składało się z jednego pomieszczenia, kwadratowego pokoju o pięknych proporcjach, zwieńczonego kopułą ozdobioną błękitnoszarymi chmurami i nagimi cherubinkami. Ściany pomalowano na ciepły, pomarańczoworudy kolor, podłogi przykryto chodnikami, zakurzonymi, lecz nie poprzecieranymi. W pokoju dominowało wielkie łoże z draperiami z wyblakłego, jasnozielonego jedwabiu; wykonana z tego samego materiału kołdra zachowała oryginalną, głęboką barwę. Kołdrę przykrywała wspaniale haftowana aksamitna narzuta o lekko postrzępionych brzegach. Pod ścianą stał szezlong, przy oknie inkrustowane biureczko z orzecha, z kałamarzem i piórem ułożonym na bibule oraz papeterią z wydrukowanym nazwiskiem markiza Ovidia di Montelimone. Okna osłaniały aksamitne kotary, okiennice były zamknięte, na półce stał rząd oprawionych w skórę książek. Kiedy Alba podeszła bliżej, zorientowała się, że wszystkie są o historii lub erotyce. Przesunęła dłonią po ich grzbietach, ścierając kurz i odsłaniając złote litery tytułów.

– Ovidio uwielbiał seks – rzekł Nero, wygodnie sadowiąc się na szezlongu. – To było jego sanktuarium, tu uciekał z gnijącego *palazzo*, pełnego ech wspaniałej przeszłości, której pozwolił przeciec między palcami... – Spojrzał na sufit i zaciągnął się papierosem, teraz już tak krótkim, że Alba patrzyła z niepokojem, kiedy się sparzy. – Ach, ileż cudownych godzin spędziłem w tej rozkosznej grocie...

Mężczyzna westchnął teatralnie i utkwił wzrok w Albie, która przyglądała się wiszącym na ścianach obrazom i sztychom. Wszystkie przedstawiały mitologiczne sceny z udziałem nagich młodych mężczyzn lub chłopców. Pięknie oprawione, tworzyły specyficzny kolaż na pomarańczowym tle. Wnękę po prawej stronie zdobiła rzeźba na złoconym czarnym piedestale, marmurowa kopia Dawida dłuta Donatella.

– Wspaniały, prawda? – uśmiechnął się Nero. – Przypomina wygrzewającą się w słońcu panterę... Ovidio zachwycał się kształtem jego rozluźnionych mięśni, zamówił rzeźbę specjalnie do tego domku... Często gładził marmur, pieścił go... Lubił dotykać, był bardzo zmysłowym człowiekiem. No i jak już mówiłem, kochał piękne rzeczy.

– Zupełnie jak moja matka – powiedziała Alba.

Wyobraziła sobie Valentinę, siedzącą przy malutkiej toaletce i szczotkującą włosy przed lustrem w stylu królowej Anny. Także i tutaj na biureczku stały buteleczki i słoiczki z kremami oraz pudrami... Czy one także należały do matki?

– Jak Valentina – przytaknął Nero i jego oczy znowu wypełniły się łzami.

Alba podeszła do kominka, który ogrzewał markiza i jego kochanków, dotknęła wysokiej szafki z pustymi szufladami i usiadła na łóżku. Czuła się nieswojo. Nie chciała patrzeć na Nera, instynktownie wyczuwając, że mężczyzna zamierza zdradzić im jakiś przerażający sekret. Odwróciła się i nagle wstrzymała oddech. Jej wzrok spoczął na szkicu przedstawiającym piękną nagą młodą kobietę, leżącą na trawie. Piersi miała pełne i jędrne, biodra krągłe i łagodnie zarysowane, ciemna kępka włosów łonowych wyraźnie odcinała się od bieli ud. Alba drgnęła. Długie ciemne włosy, roześmiane oczy i tajemniczy uśmiech, czający się w kącikach ust – jakże mogłaby jej nie poznać... I rzeczywiście, u dołu rysunku widniał napis: *Valentina odpoczywająca nago. Thomas Arbuckle, 1945.*

– O, mój Boże!

– Co się stało? – Fitz szybko podszedł do narzeczonej.

– To Valentina!

– Co takiego?

– To ostatni portret mojej matki, naszkicowany przez ojca. Szukał go po jej śmierci, ale nie znalazł, bo podarowała go markizowi...

Dopiero teraz Alba zdała sobie sprawę, dlaczego Thomasowi tak zależało na odnalezieniu tego rysunku. Ostatni szkic był najintymniejszy ze wszystkich, przeznaczony tylko dla oczu ich obojga, nieprzytomnie zakochanego artysty i jego modelki. A jednak Valentina dała go innemu... Alba zdjęła szkic ze ściany i zdmuchnęła kurz z ramy. Fitz usiadł na łóżku obok niej. Żadne z nich nie zauważyło, że ramiona Nera zaczęły się trząść.

– Jak on śmiał! – krzyknęła Alba. – Jak ona śmiała!

Przed oczami stanęła jej szara, udręczona twarz ojca w chwili, gdy dała mu pierwszy portret. Nie rozumiała wtedy, jak głęboko go zraniła...

– Serce mi pęka na myśl o tacie... Szukał szkicu, który był tutaj, w rękach tej świni... Pluję na jego grób, gdziekolwiek jest...

Nero się odwrócił. Jego twarz przypominała maskę pełną boleści.

– Teraz już wiecie, dlaczego ten dom jest przeklęty, dlaczego obrócił się w ruinę... I dlaczego Ovidio został zamordowany... – W jego głosie brzmiała nuta wielkiego cierpienia.

Fitz i Alba spojrzeli na niego ze zdziwieniem.

– Markiz także został zabity? – zapytał Fitz.

– Mojego Ovidia zamordowano... – Nero osunął się na podłogę i zwinął w kłębek.

– Dlaczego? – Alba bezradnie pokręciła głową. – Nie rozumiem...

– Ponieważ zabił Valentinę! – jęknął Nero. – Zabił ją!

Rozdział dwudziesty ósmy

Fitz i Alba znaleźli Lattarulla popijającego limoncello w trattorii, w towarzystwie emerytowanego burmistrza. Twarz żandarma przybrała poważny wyraz, ponieważ oboje młodzi ludzie byli bladzi, zupełnie jakby chwilę wcześniej zobaczyli ducha. Burmistrz pośpiesznie wstał od stolika. Dobrze wiedział, o czym przyszli porozmawiać z Lattarullem, który dobrze znał ojca dziewczyny i jako pierwszy znalazł się na miejscu zbrodni. Oby tylko nie chcieli zbyt głęboko grzebać w przeszłości, bo przecież o niektórych wydarzeniach lepiej zapomnieć...

– Siadajcie – zachęcił Lattarullo z nieco wymuszonym uśmiechem.

– Musimy porozmawiać – odezwała się Alba, biorąc Fitza za rękę. – Byliśmy w *palazzo* i...

Ramiona Lattarulla opadły.

– Spotkaliście Nera – przerwał. – To pijak. Nie ma grosza przy duszy, roztrwonił wszystko na alkohol i hazard. Jest tak samo zrujnowany jak pałac...

– Markiz zabił Valentinę – podjęła Alba stanowczym tonem. – Dlaczego?

Policjant usiadł wygodniej i przygryzł wnętrze policzka.

– Rozwiązaliście zagadkę, której nie sprostali najlepsi detektywi...

– Bo nawet nie próbowali.
– Dostali Lupa Bianco, więc dlaczego mieliby przejmować się jakimiś drobnymi, prywatnymi sprawami...
– Dlaczego zabił Valentinę? Przecież ją kochał!
– Nie chciał, aby odeszła z twoim ojcem.
– Był zazdrosny?
– Doszedł do wniosku, że skoro sam nie może jej mieć, nie odda jej nikomu innemu. Valentina doprowadziła go do szaleństwa, zresztą nie jego jednego, ale markiz był bardziej szalony niż inni mężczyźni, których serca deptała...
– Wiem, że miała niemieckiego kochanka – powiedziała Alba. – Widziałam jego listy.
– Tak, miała niemieckiego protektora. Miała wielu kochanków i wszyscy oni wariowali na jej punkcie, nawet ci, których nie chciała.
– To takie bezsensowne... – westchnęła.
– Wielka strata. – Lattarullo odwrócił się i zamówił trzy kieliszki limoncella.
Cała prawda wyszła na jaw dopiero później tego samego wieczoru, kiedy Alba siedziała z Fitzem i Falkiem na tarasie. Immacolata i Beata poszły już do siebie, Toto pojechał do miasta na spotkanie z przyjaciółmi, a Cosima powoli zasypiała w swoim łóżeczku, wtulona w szmacianą lalkę i miłe wspomnienia. Zachodzące słońce lśniło ciemnym złotem na bladym, wodnistym niebie, barwiąc obłoki na lekki róż. Alba myślała o zbliżającym się rozstaniu z rodziną i jej serce wypełniał nieznośny smutek.
Kiedy pokazała wujowi ostatni portret Valentiny, ten ze zdumieniem potarł podbródek.
– O, *Madonna*! – westchnął, pochylając się nad szkicem. – Gdzie go znalazłaś?
– W pałacu – odparła buntowniczym tonem.
Falco zmarszczył brwi.
– Więc jednak tam poszliście?
– Znasz mnie, Falco. Nigdy nie rezygnuję.
– Nero pokazał nam domek – odezwał się Fitz. – Właśnie tam Alba znalazła portret.

– I odkryłam prawdę. To markiz zabił moją matkę...
Falco nalał sobie szklankę wody i pociągnął duży łyk.
– Więc szkic był tam przez cały czas... – wymamrotał.
– Nie miała prawa dawać go markizowi. Portret należał do mojego ojca.
– Musisz mu go zwrócić – westchnął Falco.
– Nie mogę... – Pokręciła głową, przypominając sobie reakcję ojca, gdy przed kilkoma miesiącami oddała mu pierwszy szkic.
– Wydaje mi się, że nie masz racji. Powinnaś mu powiedzieć.
– Posłuchaj Falca – poradził Fitz. – Najwyższy czas, aby twój ojciec poznał prawdę.
Alba spojrzała na nich z rezygnacją.
– Nie potrafię uwierzyć, że ten drań zabił moją matkę z zazdrości... To takie absurdalne...
Falco lekko uniósł brwi.
– Kto ci o tym powiedział?
– Lattarullo.
– To nie jest cała historia – rzekł Falco po chwili milczenia.
Serce Alby zadrżało rozpaczliwie.
– Wiesz coś jeszcze?
– Markiz zabił Valentinę z twojego powodu.
– Z mojego powodu?!
– Myślał, że jesteś jego córką.
Dziewczyna chwyciła się za gardło, z trudem chwytając powietrze.
– Skąd wiesz, że jest inaczej? – wykrztusiła, nagle przerażona, że może to nie Thomas jest jej ojcem. – Może naprawdę jestem jego dzieckiem?
– Valentina wiedziała, jak było naprawdę, i markiz też to wiedział, w głębi serca.
– Zabił ją z pragnienia zemsty... – Fitz potrząsnął głową. – Co za tchórz...
– Stracił ją i wkrótce miał stracić także ciebie – rzekł Falco. – Markiz nie miał spadkobiercy, był stary i zgorzkniały.

Valentina i ty byłyście jego przyszłością, jego życiem. Bez was nie miał nic. Chciał pozbawić Tommy'ego przyszłości, bo wcześniej Valentina zrobiła to samo jemu...

– Nero powiedział, że markiz został zamordowany... – Alba spojrzała wujowi prosto w oczy.

Falco nie odwrócił wzroku.

– Ujmijmy to tak – tu, na południu, rodziny często mszczą się za pokrzywdzonych krewnych...

– Zrobiłeś to? – wyszeptała.

– Poderżnąłem mu gardło tak jak on Valentinie i patrzyłem, jak kona, dławiąc się własną krwią – odparł. Wreszcie uwolnił się od strasznej tajemnicy i mroczne cienie zniknęły z jego oczu. – To była sprawa honoru.

Kilka dni później Alba powiedziała Cosimie o swoim wyjeździe. Celowo zabrała dziewczynkę do miasteczka, żeby kupić jej nowe sukienki w sklepie karłów, miała bowiem nadzieję, że podniecenie zakupami złagodzi smutek i rozczarowanie. Cosima przymierzyła parę sukienek, wirując w nich jak tancerka, i podobnie jak za pierwszym razem długo zastanawiała się nad wyborem. Alba dręczona poczuciem winy kupiła jej pięć sukienek, pasujące do nich sweterki, rajstopy i jasnoniebieski płaszczyk na zimne dni. Chciała, żeby mała zapamiętała tę okazję. Cosima nie kryła zachwytu, chociaż tym razem nie rozpłakała się ze wzruszenia. Podziękowała kuzynce i z czułością pocałowała ją w policzek. Alba musiała mocno przygryźć wargę, żeby powstrzymać łzy. Jeszcze nie wyjechała, a już serce pękało jej z tęsknoty...

Ścieżką między skałami poszły na urwiste zbocze, w miejsce, gdzie Alba pierwszy raz szkicowała Cosimę. Teraz miała wrażenie, że wydarzyło się to w innym życiu. Spędziła tu tylko kilka miesięcy i doświadczyła tyle dobrego...

– Zrobić wieczorem pokaz mody? – spytała Cosima.

– Oczywiście, wszyscy powinni zobaczyć twoją jesienną kolekcję – odparła Alba, siląc się na wesołość.

– Kupiłaś mi tyle rzeczy... – Cosima położyła nacisk na słowo „tyle". – Pięć sukienek, i to takich pięknych... Lubię ładne ubrania.

– To dlatego, że sama jesteś ładna. Ładna i słodka jak miód, skarbie.

– Powinnyśmy urządzić tu sobie piknik. Jestem głodna.

– Kobiety zawsze są głodne po zakupach, bo to bardzo wyczerpujące zajęcie. Zobaczysz, co będzie, kiedy przyjedziesz do Londynu i wybierzemy się na naprawdę wielkie zakupy...

Cosima kiwnęła głową, nie była jednak w stanie wyobrazić sobie, co może oznaczać pomysł wyjazdu do Londynu.

– Kochanie, mam ci coś ważnego do powiedzenia... – Alba odchrząknęła.

Dziewczynka podniosła oczy i uśmiechnęła się pogodnie.

– Niedługo wyjadę... – Alba zamrugała, szybko przełykając łzy.

Mała zbladła.

– Wyjedziesz?

– Tak. Fitz poprosił mnie, żebym za niego wyszła.

– Dokąd pojedziesz?

– Do Anglii.

– Nie mogłabym pojechać z tobą?

Alba chwyciła małą w ramiona i pocałowała ją w czubek głowy.

– Obawiam się, że nie... Co zrobiłby bez ciebie twój tata? A *nonna* i *nonnina*? Wszyscy byliby bardzo smutni, gdybyś ich zostawiła...

– Ale ja będę bardzo smutna bez ciebie...

– Wrócę tu, na pewno, możesz mi wierzyć – obiecała łamiącym się głosem.

– Nie kochasz mnie już? – spytała Cosima cicho.

Alba poczuła, jak jej serce pęka na drobne kawałki.

– Och, skarbie, kocham cię! Kocham cię tak bardzo, że to aż boli! Nie chcę cię zostawiać, chcę wyjść za Fitza i zamieszkać tutaj, ale on pracuje w Londynie. Nie jest Włochem. Trudno jest opuścić rodzinę, lecz najtrudniej będzie mi zostawić ciebie... Kochanie, proszę, spójrzmy na to z jaśniejszej strony... Będę pisać do ciebie, telefonować i przysyłać ci sukienki z Londynu... Mają tam znacznie ładniejsze ubrania niż te, które dzisiaj kupiłyśmy, dużo, dużo ładniejsze... I oczywiście będę do ciebie przyjeżdżać, a pewnego dnia, kiedy trochę podrośniesz, ty przyjedziesz do mnie...

Długo siedziały w milczeniu, przytulone do siebie, nieświadome, że dzień powoli mija, chwila po chwili.

Alba spędziła z rodziną jeszcze dziesięć dni. Cosima zapomniała o jej wyjeździe, ponieważ jak wszystkie dzieci żyła teraźniejszością. Obecność Alby napełniała ją radością. Urządziła pokaz jesiennej mody i zebrała więcej oklasków niż za pierwszym razem. Nie rozumiała, że dorośli starają się złagodzić smutek, który wkrótce miał ją dotknąć. Alba pokazała Fitzowi wszystkie drogie jej miejsca – starą strażnicę, gaj cytrynowy i strumień. Pokazała mu wszystkie rysunki, jakie naszkicowała w czasie pobytu w Incantellarii, a które Immacolata postarała się jak najlepiej wyeksponować. Fitz był pod dużym wrażeniem. Uważnie obejrzał szkice i szczerze jej pogratulował.

Immacolata chodziła po domu smutna i niezadowolona. Zdjęła żałobne suknie, ale jej twarz wciąż była szara i pełna niepokoju. Dopiero w porcie, tuż przed rozstaniem z Albą, zdjęła wreszcie tę maskę.

– Denerwuję się, bo cię kocham... – wyznała staruszka, ujmując twarz wnuczki w dłonie i całując ją w czoło.

– Będę dzwonić, pisać i przyjeżdżać – powiedziała Alba drżącym z przerażenia głosem. – Obiecuję ci, że niedługo wrócę...

– Wiem, że dotrzymasz słowa, dziecko. Jedź z Bogiem, niech On cię chroni i prowadzi.

Immacolata szybko nakreśliła znak krzyża nad głową Alby i wypuściła ją z objęć. Alba uściskała Beatę i Tota, lecz najserdeczniej przytuliła się do Falca. Długą chwilę stali nieruchomo, mocno objęci.

Cosima pozwoliła Albie porwać się w ramiona i unieść w górę. Obie płakały gorzko. Fitz wziął Albę za rękę i pomógł jej usadowić się w łodzi. Rodzina Fiorelli została na pomoście. Było to smutne rozstanie. Kiedy łódź wypływała w morze, Cosima podniosła małą rączkę i pomachała kuzynce.

Rozdział dwudziesty dziewiąty

Kucharka przygotowała na podwieczorek ciasteczka i domowe dżemy. Ciasteczka smakowały wszystkim niezależnie od pory roku, ale chyba jednak najbardziej zimą, kiedy panujące na dworze ziąb i wilgoć wymagały przyjemnej rekompensaty w postaci czegoś ciepłego i słodkiego. Verity Forthright włożyła do ust ciasteczko, na które miała wielką ochotę już na długo przed przybyciem do domku kucharki, stojącego na terenie posiadłości rodziny Arbuckle. Ciasteczka były malutkie i dosłownie rozpływały się w ustach. Verity sięgnęła po lnianą serwetkę, jedną z sześciu podarowanych kucharce przez starą panią Arbuckle na Gwiazdkę parę lat wcześniej, i delikatnie osuszyła kącik warg.

– Edith, moja droga, w kuchni naprawdę nikt nie może ci dorównać – oświadczyła. – Ciasteczka są po prostu cudowne...

Edith posmarowała masłem ciastko i zjadła je z nieukrywaną przyjemnością.

– Chyba zrobię je na podwieczorek na przywitanie Alby – rzekła z namysłem. – Oczywiście na lunch podam pieczone ziemniaki, bo wiem, że Fitzroy je uwielbia...

Ślina znowu napłynęła do ust Verity.

– Podjęli tę decyzję dość nagle, prawda? – Spojrzała na

przyjaciółkę spod zmrużonych powiek i ozdobiła kolejne ciasteczko sporą porcją dżemu.

– Alba nigdy nie była konwencjonalna, to nie jej styl. Pani Arbuckle powiedziała mi, że Fitzroy pojechał do Włoch specjalnie po to, aby się jej oświadczyć. – Edith uśmiechnęła się, zachwycona romantyzmem całej historii.

– Całe szczęście, że przyjęła oświadczyny, bo inaczej odbyłby taką długą podróż na darmo. – Verity pokiwała głową.

Kucharka nalała herbaty do dwóch filiżanek.

– Alba zadzwoniła z Włoch z tą radosną wiadomością. Moim zdaniem ona i Fitzroy będą cudowną parą – on jest spokojny i łagodny, ona ognista i zmienna. Doskonale się uzupełniają.

– Sześć miesięcy temu byłaś innego zdania – zauważyła Verity.

– Kobieta ma prawo zmieniać zdanie tak często, jak jej się podoba.

– Może Fitzroy zdołał ją trochę poskromić, bo tej dziewczynie naprawdę było to potrzebne. Powinna też nosić dłuższe spódnice. On wygląda na rozsądnego człowieka, więc mam nadzieję, że przy nim Alba zacznie zachowywać się z większą godnością. Pani Arbuckle na pewno byłaby z tego bardzo zadowolona...

– Na pewno. – Edith postawiła filiżankę na spodeczku. – Pani Arbuckle jest dobrze wychowana, ale nie urodziła się w tak starej rodzinie jak matka pana Thomasa, a to duża różnica. Właśnie dlatego młodsza pani Arbuckle tak zwraca uwagę na pochodzenie, wychowanie i tak dalej... Na szczęście Fitzroy pochodzi z bardzo dobrej rodziny z Norfolk, tak mi powiedziała. Zna jego kuzyna i wie, że to jak najbardziej odpowiedni człowiek...

– Pani Arbuckle będzie szczęśliwa, jeśli Alba w ogóle wyjdzie za mąż – mruknęła Verity.

Kucharka zdawała sobie sprawę, że jej przyjaciółka szuka materiału do plotek, ale była zbyt szczęśliwa, by trzymać język za zębami.

– Pani Arbuckle zawsze martwiła się o Albę, podobnie jak pan Thomas. Odkąd dziewczyna dorosła, zawsze zjawiała się tu jak burza, wiecznie niezadowolona i gotowa zrobić awanturę o byle co... Musiała odziedziczyć gwałtowność po matce, bo Włosi tacy właśnie są... Pani Arbuckle dobrze się czuje w towarzystwie ludzi ze swojego świata, a Alba nigdy do niego nie pasowała. Biedna kobieta odetchnie, kiedy uwolni się od tego ciężaru. Caroline wyjdzie za mąż zaraz po Albie, możesz mi wierzyć, moja droga...

Jednak Verity nawet w najmniejszym stopniu nie była zainteresowana przyszłością Caroline. Włożyła do ust trzecie ciasteczko i wróciła do fascynującego ją tematu.

– Nie wydaje ci się, że kapitanowi będzie przykro wydać najstarszą córkę za mąż? Często powtarzałaś, że ze wszystkich dzieci najbardziej kocha Albę...

– Tak sądzę, chociaż on nigdy by się do tego nie przyznał. Tak czy inaczej, łatwo to wyczytać z jego oczu. Mój Ernie zawsze mówił, że mam intuicję czarownicy. Alba potrafiła zranić kapitana jak nikt inny... Serce mi pękało, kiedy patrzyłam, jak cierpi z powodu jej złośliwości. Daje tej dziewczynie wszystko, po prostu wszystko, a ona... Ach, szkoda gadać.... W zeszłym tygodniu zdarzyło się jednak coś dziwnego...

Edith obiecała sobie wcześniej, że nawet nie wspomni o tym Verity, która niewątpliwie natychmiast rozpuści wiadomość po całym Beechfield, lecz najzwyczajniej w świecie nie potrafiła zachować nowiny w tajemnicy. Verity przestała przeżuwać ciastko i wyprostowała się. Kucharka w myśli ostro skarciła się za gadatliwość, ale było już za późno. Zresztą z kim miała podzielić się radosną wiadomością, jeśli nie z Verity...

– Przyszedł list od Alby – powiedziała.

– List?

– Zaadresowany do kapitana. Poznałam jej charakter pisma i włoski znaczek pocztowy.

Verity popiła ciasteczko herbatą.

– I co?

– Kapitan poszedł do gabinetu i zaczął czytać. Byłam czymś zajęta przy barku, więc widziałam, jaki miał wyraz twarzy. List był długi, kilka stron zapisanych tymi jej dużymi bazgrołami. Kiedy trzymał kartki pod światło, zauważyłam, że było tam mnóstwo skreśleń...

– Stałaś dość blisko?

– Bardzo blisko, chociaż kapitan nawet na mnie nie spojrzał, taki był pochłonięty czytaniem – oświadczyła Edith.

– O czym pisała?

Kucharka z westchnieniem wzruszyła ramionami.

– Nie wiem, ale kiedy kapitan skończył, był jak odmieniony.

– Jak to? – Verity zmarszczyła brwi.

– Wyglądał młodziej.

– Młodziej?

– Tak. I pogodniej, bo te ciemne cienie pod jego oczami nagle zniknęły. Moim zdaniem, w liście było coś, co przywróciło mu radość życia.

– Chyba trochę przesadzasz, Edith...

– W żadnym razie. To było niesamowite, zupełnie jakby spadła z niego jakaś ciężka, ciemna zasłona...

– Co było dalej?

– Długo siedział za biurkiem, pocierał podbródek i wpatrywał się w portret swojego ojca, który wisi na przeciwległej ścianie.

– W portret swojego ojca? – powtórzyła Verity.

– Tak, starego pana Arbuckle'a. Nie mam pojęcia, o czym myślał, ale siedział tak i siedział...

– Więc co było w liście, jak myślisz? – Verity z głośnym siorbnięciem pociągnęła łyk herbaty.

– Cóż, później słyszałam, jak pani Arbuckle i kapitan rozmawiali w salonie. Byłam w holu, bo właśnie zamierzałam nakryć do kolacji. Kiedy są w domu tylko we dwoje, zwykle tam właśnie jadają, przy małym stole...

– Dobrze, dobrze, i co mówili?

– Rozmawiali cicho. Na pewno wiedzieli, że jestem w pobliżu, bo musieli słyszeć, jak trzaskam talerzami.

Trudno jest nie wydawać żadnego dźwięku, kiedy nakrywa się do stołu, sama rozumiesz... Krótko mówiąc, nie wszystko słyszałam, ale w pewnym momencie kapitan powiedział: „Alba poznała prawdę", i zaraz potem: „Przeprasza za swoje zachowanie". Zastanowiło mnie to, bo jakoś nie wyobrażałam sobie, żeby Alba mogła kogokolwiek przepraszać...

Verity zmierzyła kucharkę czujnym spojrzeniem.

– Za co przepraszała? I co to za prawda?

Edith nagle zrobiło się gorąco. Dosyć, pomyślała. Dosyć już powiedziałaś tej plotkarce. Na nieszczęście twarz Verity znajdowała się blisko, bardzo blisko... Przyjaciółka patrzyła kucharce prosto w oczy i Edith uświadomiła sobie, że nie zdoła się wywinąć.

– Wszystko to razem jest dość tajemnicze, ale wydaje mi się, że we Włoszech Alba musiała dowiedzieć się czegoś bardzo ważnego o swojej matce... – wykrztusiła. – Nie wiem, co to takiego... – Verity patrzyła na nią oczami jadowitego węża. – Och, moja droga, nie wytrzymam, muszę ci o tym powiedzieć... Ja... Ja usłyszałam... – zawiesiła głos dla lepszego efektu. – Usłyszałam słowo „morderstwo"...

Verity wciągnęła powietrze z gwałtownym świstem.

– Dobry Boże! – jęknęła. – Chyba nie przyszło ci do głowy, że kapitan zamordował swoją pierwszą żonę, co?

Kucharka załamała ręce.

– No, ale... Ale co innego mogłoby to oznaczać?

– Dlaczego Alba miałaby przepraszać za to ojca? – Verity z niedowierzaniem pokręciła głową.

– Przeprosiła go za to, że dowiedziała się, co zrobił.

– No, tak, oczywiście...

– Nigdy bym nie pomyślała, że kapitan jest zdolny do morderstwa – oznajmiła kucharka.

– Nie zapominaj, że toczyła się wtedy wojna i kapitan zabijał Niemców na prawo i na lewo, zresztą na nasze szczęście! Jeżeli Valentina była tak gwałtowna i ognista jak Alba, to nie ma się czemu dziwić...

– A niechże cię piorun strzeli! – zawołała Edith.

– Dopiero wtedy, kiedy zjem ostatnie ciastko – powiedziała Verity, pakując je sobie do ust.

Kucharka poczuła ogromną ulgę, kiedy podzieliła się tajemnicą z przyjaciółką, natomiast tej ostatniej zrobiło się ciężko na sercu i żołądku. Mdłości, jakie odczuwała Verity, nie miały nic wspólnego ze zwierzeniami Edith, lecz bardzo wiele z ciasteczkami. Verity nigdy nie przyznała się nikomu, że w drodze do domu musiała zatrzymać samochód na końcu podjazdu, schronić się na chwilę w krzakach i tam zwymiotować.

Kiedy taksówka wioząca Fitza i Albę z lotniska skręciła w Earls Court, dziewczyna zapomniała o smutnym rozstaniu z Incantellarią i z podnieceniem wyjrzała przez okno. Był pogodny październikowy dzień, słońce zalewało miasto jasnymi promieniami i krzesało iskry w zaręczynowym pierścionku z brylantem na jej palcu.

– Nie mogę uwierzyć, że jesteśmy w domu – westchnęła, przesuwając dłoń, aby iskierki zabłysły jaśniej. – Na samą myśl o moich szafach z modnymi ubraniami serce bije mi szybciej z radości...

Fitz niepokoił się stanem łodzi. Znając Albę, był pewny, że przed wyjazdem nie opróżniła lodówki i że teraz wnętrze „Valentiny" cuchnie jak wysypisko śmieci.

– Wydaje mi się, że nie było mnie tu całe wieki – dodała Alba.

– Mam nadzieję, że łódź jest na swoim miejscu...

Taksówka wjechała w Cheyne Walk. Alba pochyliła się do przodu, aby wyjrzeć przez przednią szybę.

– Jest, jest! – zawołała i nagle umilkła. – Cholera jasna... – wymamrotała niepewnie.

Fitz podążył za jej spojrzeniem, pełen obaw, że zobaczy zniszczoną przez deszcze i burze, zaniedbaną łódź. Zapłacił taksówkarzowi i ruszył za Albą w stronę pontonowego pomostu, niosąc walizki.

– Trudno ją poznać! – rozpromieniła się dziewczyna. – Jest świeżo pomalowana!

– To Viv! – Fitz postawił walizki na ziemi. – Posadziła nawet kwiaty i zasiała trawę! Teraz „Valentina" jest tak samo wychuchana jak jej łódź, tyle że wygląda bardziej ekstrawagancko. To tak jak ty, kochanie...

Alba wsunęła klucz do zamka i otworzyła drzwi.

– Czuję zapach Viv! – zaśmiała się, wciągając pachnące kadzidełkami powietrze.

Viv uprała i wyprasowała wszystkie rzeczy, jakie znalazła w łazience i pedantycznie wysprzątała wszystkie pokoje. Alba zajrzała do lodówki.

– Kupiła mleko! – zawołała. – Możemy napić się herbaty!

Fitz wniósł walizki do środka i ostrożnie przeszedł po błyszczącej podłodze korytarza do kuchni.

– Jak ona się tu dostała? – zapytał.

– Ma klucz. Dałam jej dawno temu, na wypadek gdyby pod moją nieobecność wybuchł pożar czy coś w tym rodzaju...

Fitz chwycił Albę w ramiona i pocałował ją.

– Dajmy sobie spokój z herbatą – powiedział. – Mam znacznie lepszy pomysł...

Alba rzuciła mu rozbawione, nieco kpiące spojrzenie.

– Mimo wszystko wcale się tak bardzo nie różnimy! – parsknęła śmiechem.

Zaprowadziła go na górę, do sypialni ze świetlikiem w dachu. Pokój pachniał czystością, przeciekający dach został naprawiony. Na łóżku leżała kartka.

Ponieważ tu zjawicie się w pierwszej kolejności, zostawiam list na łóżku. Najprawdopodobniej w chwili waszego powrotu nie będzie mnie w Londynie, zwłaszcza że Fitzroy nie był pewny, kiedy ostatecznie przylecicie. Mam nadzieję, że postąpiłaś jak należy i zgodziłaś się za niego wyjść, moja droga. Biedny Fitz, tyle wycierpiał! Pozwoliłam sobie wysprzątać łódź i trochę o nią zadbać, bo wyglądała okropnie i codziennie rano traciłam apetyt na śniadanie, kiedy na nią patrzyłam, że już nie wspomnę o odorze wiewiórczych odchodów... Nie mam pojęcia, dlaczego te małe bestie nie mogą załatwiać się gdzie indziej. Witaj w domu, kochanie, i wybacz starej babie, że tak zgorzkniała i straciła radość życia. Miałaś świetny pomysł z tą kozą, ją także ci wybaczam... Niedługo wracam. Jestem we Francji z Pierre'em (zapytaj Fitzroya). Miłość nigdy jeszcze nie smakowała tak wspaniale. Mnóstwo całusków, Viv.

Alba popatrzyła poważnie na Fitza.

– Miłość nigdy jeszcze nie smakowała tak wspaniale... – powiedziała, gładząc palcami jego pokryty zarostem policzek. – Dużo wycierpiałeś?

– Tak – odparł. – Ale Viv namówiła mnie, żebym po ciebie pojechał.

– Dobra wierna Viv...

– To naprawdę dobra, wierna przyjaciółka, kochanie.

– Tak jak i ty... Dziękuję, że wytrwałeś przy mnie.

– Uciekłaś z moim sercem, więc musiałem wyruszyć za nim w drogę...

– Teraz twoje serce należy do mnie – uśmiechnęła się. – Zatrzymam je na zawsze, ale tym razem postaram się traktować je jak najlepiej...

Fitz objął ją i pociągnął w stronę łóżka. Kochali się powoli i z czułością, Fitz nie miał już uczucia pustki i niepokoju. Powierzył Albie swoją duszę, a ona oddała mu całą siebie. Była jak rzadko spotykany, piękny motyl, którego mógł trzymać w dłoniach. Nie zamierzała uciekać.

Potem długo wylegiwali się w ciepłej kąpieli. Pod wieczór Alba zaczęła przeglądać zawartość szaf, zastanawiając się, co włożyć na spotkanie z ojcem i macochą, Fitz zaś obserwował jej poczynania z łóżka. Zauważył, że nie rzucała ubrań na podłogę, lecz składała je i chowała do szafy. Wybuchnęła śmiechem na widok niebieskich zamszowych kozaczków na drewnianych podeszwach i wzorzystych rajstop, króciutkich spódniczek i kolorowych płaszczyków.

– Zdążyłam już zapomnieć, ile mam ubrań... – wymamrotała, patrząc na całe rzędy torebek i butów. – Boże, ależ byłam rozrzutna... A Cosima uważa, że pięć sukienek to koniec świata... – Na chwilę wstrzymała oddech, bo pamięć podsunęła jej obraz małej dziewczynki, machającej do niej z pomostu. Szybko odwróciła się do Fitza. – Nie wiem, co włożyć... Wszystko wydaje mi się nieodpowiednie, nie chcę już wyglądać jak dziwka... Chcę, żeby ludzie widzieli we mnie młodą kobietę, która niedługo zostanie żoną pana Fitzroya Davenporta... Te ubrania zupełnie do niej nie pasują!

Fitz roześmiał się głośno.

– Och, skarbie, szybko znowu do nich przywykniesz, a na razie włóż dżinsy i sweter, co ty na to?

Alba ze zniecierpliwieniem ściągnęła brwi.

– Nie chcę tych ciuchów! – zawołała. – Zmieniłam się, nie pasują do mnie!

Fitz podszedł do niej z tyłu i otoczył ją ramionami.

– Wyglądasz cudownie we wszystkim, co na siebie włożysz...

Odepchnęła go lekko i zajęła się przeglądaniem szuflad. Wreszcie z rezygnacją wyciągnęła sprane dżinsy i białą koszulową bluzkę.

– Może być? – spytała.

– Idealne dla przyszłej pani Davenport!

Odetchnął z ulgą, widząc jej rozpogodzoną twarz.

– Co pomyśli Margo, kiedy nie znajdzie na liście gości weselnych Davida i Penelope Davenport? – zaśmiał się.

– Może zapomniała... – mruknęła Alba.

– Sądzisz, że powinienem wyspowiadać się jej ze swoich wykroczeń?

– Marny pomysł.

– Może warto by wymyślić dla nich jakiś fikcyjny adres...

– To lepsze rozwiązanie – kiwnęła głową. – Zawsze możesz powiedzieć, że przysłali życzenia, ale nie mogą przyjechać na ślub...

Alba próbowała zachować wesołość, ale coś sprawiało, że czuła się dziwnie nieswojo. Rozejrzała się po pokoju, z którym wiązało się tyle barwnych wspomnień. Wszystkie należały do życia, z którego niedawno wyrosła.

– Chodźmy. Pojedziemy do ciebie taksówką, zabierzemy twoje rzeczy i wyruszymy do Beechfield. Im szybciej, tym lepiej...

– Nie chcesz do nich najpierw zadzwonić?

– Nie – odpowiedziała. – Zawsze lubiłam działać z zaskoczenia.

Gdy Fitz się pakował, Alba leżała na kanapie i przeglądała gazety. Sprout nadal był na wsi, u matki Fitza, która niewątpliwie karmiła go siekaną wątróbką i stekami – nigdy nie pogodziła się z faktem, że jej dzieci wyfrunęły już z rodzinnego gniazda, i bardzo chętnie zaopiekowała się psem syna, rozpieszczając go nieprzytomnie.

– Nie będzie chciał wrócić! – zawołał Fitz z sypialni. – A ja chyba tego nie zniosę. Życie bez Sprouta byłoby okropne!

Alba nie słuchała go i odłożyła gazety. Jej myśli krążyły wokół Cosimy i Falca.

Podróż wiejskimi drogami okazała się dokładnie tym, czego potrzebowała, by poprawić sobie nastrój. Widok opadających liści, wyzłoconych jesiennym słońcem, szybko rozgrzał jej serce. Wiatr wysoko unosił liście, które tańczyły i wirowały w powietrzu, lekkie jak płatki śniegu. Od czasu do czasu widzieli bażanty na zaoranych polach. Duże czarno-szare wrony wydziobywały ziarno z bruzd pozostawionych przez kombajny. Jesień i wiosna były ulubionymi porami roku Alby – uwielbiała zmiany w przyrodzie tuż przed nadejściem sennej zimy i gorącego, kwitnącego lata. Miała nadzieję, że może namówi Fitza na kupno niewielkiego domu poza miastem, gdzie będą mogli żyć spokojnie i bez pośpiechu. Nie czuła się już dobrze na łodzi, a Londyn stracił w jej oczach cały urok. Zerknęła na Fitza i obiecała sobie, że zadba, aby był szczęśliwy.

Serce zabiło jej mocniej, kiedy samochód wjechał na podjazd. Żwir przysypany był pomarańczowymi i złocistymi liśćmi, które Peter, ogrodnik, starał się zmieść na bok. Mężczyzna uniósł daszek czapki i Alba pomachała mu w odpowiedzi.

W przeszłości najczęściej niechętnie wracała do Beechfield, lecz teraz nie mogła oprzeć się wrażeniu, że znowu znalazła się w domu, w którego każdym kącie czekały na nią dawno zapomniane i nagle przywołane wspomnienia.

Fitz nacisnął klakson. Dom pojawił się przed nimi, wyniosły i spokojny, z linią dachu układającą się w powitalny, przyjazny uśmiech – od wieków z cichym rozbawieniem obserwował przeżycia ludzi, którzy szukali w nim schronienia. Kiedy samochód się zatrzymał, w otwartych drzwiach stanął Thomas. Alba od razu zauważyła zmianę w jego postawie. Ojciec trzymał się prosto, na jego twarzy malowała się najszczersza radość. Otworzyła drzwiczki i wysiadła, czując, jak nogi uginają się pod nią ze wzruszenia. Thomas szedł już ku niej z wyciągniętymi ramionami. Cienie spod jego oczu zniknęły bez śladu, podobnie jak napięcie, które zawsze wibrowało w powietrzu podczas spotkań z córką. Ucałował ją z czułością, a ona poczuła, że nie jest w stanie wykrztusić ani słowa.

– Co za wspaniała niespodzianka! – zawołał Thomas, potrząsając dłonią Fitza. – Cudowna nowina, drogi chłopcze, po prostu cudowna! Wchodźcie do środka, zaraz otworzę butelkę szampana!

Poszli za nim przez hol do salonu, gdzie ciepłe powietrze pachniało cynamonem, a w kominku wesoło trzaskał ogień.

– Gdzie jest Margo? – zapytała Alba, widząc, że w pokoju nie ma psów macochy.

– W ogrodzie – odparł Thomas. – Pozwólcie, że ją zawołam...

Z prowadzącego do kuchni korytarzyka wyłoniła się Edith.

– Czy to Alba? – zapytała krótko, w obawie, aby przypadkiem nie wymknęło jej się słowo „morderstwo".

– Tak! – odpowiedział Thomas. – Zrobiła nam wspaniałą niespodziankę, prawda?

– Muszę szybko upiec ciasteczka... – wymamrotała kucharka i wycofała się, nie chcąc przeszkadzać młodej parze w salonie.

Alba przysiadła na poręczy dużego fotela i spojrzała na Fitza.

– Ty też to zauważyłeś? – zagadnęła.

Fitz kiwnął głową.

– Czyżby zrobił sobie lifting? – zapytał teatralnym szeptem.

Dziewczyna zachichotała.

– Z całą pewnością porusza się inaczej, sprężystym, szybkim krokiem. Czy to możliwe, żeby mój list aż tak go odmienił?

– Na to wygląda. Prawda o twojej matce musiała dręczyć go od lat. Teraz, gdy wreszcie ją poznałaś, poczuł się wyzwolony.

– I tak się cieszy, że za ciebie wychodzę! – Alba oparła głowę na ramieniu narzeczonego.

– Przestanie się cieszyć, kiedy odkryje, że nie jestem jednym z wysoko urodzonych Davenportów...

– Och, jest zbyt szczęśliwy, by zwrócić na to uwagę!

W tym momencie o posadzkę w holu zachrobotały pazurki. Alba podniosła głowę i wstała. Do pokoju wbiegły psy, a za nimi weszli Margo i Thomas. Margo miała na sobie brązowe spodnie, beżowy kaszmirowy sweter i tweedowy żakiet, jej policzki były ogorzałe od słońca i wiatru, nos zaczerwieniony. Na widok krótkich włosów Alby zamrugała z niedowierzaniem.

– Wspaniała niespodzianka, kochanie! – zawołała. – Wyglądasz przepięknie, naprawdę! – Przyjrzała się pasierbicy z nieskrywanym zdumieniem. – Zupełnie inaczej niż przed wyjazdem... To znakomita fryzura, jest ci w niej po prostu ślicznie! – Przytuliła zimną twarz do twarzy Alby i szybko się cofnęła. – Przepraszam, strasznie zmarzłam... Nie pocałuję cię, Fitz, bo jestem lodowata... Pracowałam w ogrodzie, tam zawsze jest coś do zrobienia. Gratuluję wam z całego serca! Weźmiecie ślub w lecie?

Alba i Fitz usiedli.

– Boże, jaki piękny pierścionek! – wykrzyknęła Margo. – Na pewno jest w waszej rodzinie od wieków...

– Należał do mojej babki – odrzekł Fitz.

– Wygląda cudownie, Albo, zwłaszcza na twojej smukłej opalonej dłoni... Nie wiem, jak to możliwe, ale jesteś teraz jeszcze piękniejsza niż dawniej...

Thomas uważnie przyglądał się córce. Dostrzegł zmianę w jej twarzy, lecz nie od razu pojął, co było jej przyczyną. Dopiero po chwili zorientował się, że obcięła włosy. Sprawiała teraz wrażenie drobniejszej, bardziej kruchej i na pewno mniej podobnej do matki. Bardzo chciał podziękować jej za list, ale czuł, że nie jest to odpowiedni moment. Podał jej kieliszek z szampanem, a ona podniosła głowę i spojrzała mu prosto w oczy.

Patrząc na ojca, uświadomiła sobie ze zdumieniem, że jego twarz w jakiś sposób przypomina jej twarz Falca. W oczach wuja także widziała błysk porozumienia, zupełnie jakby chciał powiedzieć, że tylko oni oboje wiedzą coś, co dla innych jest tajemnicą... Zanim zdążyła zastanowić się, co ojciec usiłuje jej przekazać, drzwi skrzypnęły cicho.

– Spóźniłam się na przyjęcie? – Lavender, przygarbiona i drobniutka, oparta na lasce, zamrugała załzawionymi oczami, szukając wzrokiem gości. – Nie cierpię spóźniać się na przyjęcia...

Rozdział trzydziesty

– Ach, Alba! – ucieszyła się Lavender na widok wnuczki. – Kiedy ślub? Bardzo lubię huczne wesela...

Margo próbowała podprowadzić starszą panią do skórzanego fotela, ale Lavender powoli pokuśtykała w stronę wnuczki, zaskoczonej, że babka poznała ją mimo krótkich włosów, chociaż wcześniej miała z tym wyraźne kłopoty.

– Najwyższy czas, żebyśmy urządzili w Beechfield jakieś wesele – ciągnęła staruszka.

– Dziękuję, babciu. – Alba pocałowała miękki i delikatny niczym kapelusz grzyba policzek Lavender. – Nie mogę uwierzyć, że mnie poznałaś!

Lavender spojrzała na nią ze zdziwieniem.

– Dlaczego miałabym cię nie poznać? – zapytała. – Nie mam jeszcze aż tak zaawansowanej sklerozy! Bardzo podoba mi się twoja nowa fryzura, jest ci w niej do twarzy...

– Dziękuję... – Alba zerknęła na ojca, który lekko wzruszył ramionami, nie mniej zdumiony zachowaniem matki.

Margo ujęła Lavender pod ramię, chcąc pomóc jej usiąść w fotelu, lecz staruszka odsunęła ją zdecydowanym ruchem.

– Chodź ze mną, Albo – powiedziała. – Mam coś dla ciebie...

Alba uśmiechnęła się niepewnie do Fitza i wstała z krzesła.

– Nie siedź tam długo – odezwała się Margo, wyraźnie rozczarowana. – Mamy mnóstwo spraw do omówienia. Zostaniecie na noc, prawda? Zaraz zaprowadzę Fitza do jego pokoju.

Alba poszła za babką na górę. Nie próbowała jej pomagać, chociaż starsza pani z wyraźnym trudem wspinała się na schody – zdawała sobie sprawę, że babce bardzo zależy na zachowaniu choćby pozorów niezależności. Długim korytarzem dotarły do mieszkania Lavender. Drzwi były tu niskie i Alba musiała pochylić się, żeby wejść do środka, lecz duży salon miał wysoko sklepiony sufit i duże okna. W otwartym kominku płonął ogień. Z salonu przechodziło się do sypialni i łazienki.

– Usiądź, kochanie – poprosiła Lavender. – Dawniej był tu rzadko używany, zimny pokój gościnny, którego nigdy specjalnie nie lubiłam, ale teraz w pełni doceniam piękny widok z okien, zwłaszcza zimą, kiedy drzewa i trawę pokrywa szron, i latem, o zachodzie słońca. Nie zamieniłabym go na żaden inny...

Alba usiadła w fotelu przy kominku.

– Dorzuć drewna do ognia – poleciła babka. – Nie chcę, żebyś się przeziębiła, nie przed ślubem...

Gdy Lavender zniknęła w sypialni, dziewczyna rozejrzała się dookoła. Pogodny, utrzymany w jasnozielonej i żółtej tonacji pokój pachniał różami. Na wszystkich meblach stały cenne, piękne drobiazgi – zachwycające barwami jaja Fabergé, dzbanuszki i figurynki z delikatnej porcelany, zdjęcia w srebrnych ramkach.

Starsza pani wróciła z płaskim czerwonym puzderkiem ozdobionym wyblakłym złotym motywem. Alba od razu się domyśliła, że wewnątrz musi być jakiś klejnot.

– Nosiłam ten naszyjnik w dniu ślubu, podobnie jak wcześniej moja matka – powiedziała Lavender. – Chciałabym, żebyś podtrzymała tę tradycję... Mam wrażenie, że ci się spodoba...

– Jesteś dla mnie bardzo dobra, babciu – uśmiechnęła się Alba. – Na pewno będzie pasował do ślubnej sukni...

– Rzeczy tej klasy nigdy nie wychodzą z mody – przytaknęła staruszka.

Alba przycisnęła złoty guziczek i uniosła wieczko. Wewnątrz spoczywał naszyjnik z trzech sznurów pereł.

– Jest przepiękny! – Aż westchnęła z zachwytu.

– I bardzo cenny, chociaż jego wartość finansowa nie może równać się z wartością sentymentalną. Dzień ślubu był najszczęśliwszym dniem mojego życia i tak samo było w przypadku mojej matki... Podoba mi się Fitz. To dobry człowiek, a o takich dziś niełatwo... Kiedy będziesz w moim wieku, zrozumiesz, że dobroć to najważniejsza z ludzkich cech...

– Jestem dumna, że będę mogła włożyć ten naszyjnik, babciu.

– Później przekażesz go swojej córce, ona podaruje swojej... Tę tradycję podtrzymywano w mojej rodzinie, nie u Arbuckle'ów, dlatego nie dałam naszyjnika Margo, kiedy wychodziła za Thomasa. Zachowałam go dla ciebie. Jesteś moją najstarszą wnuczką i właśnie tobie powinnam go dać...

Alba przymierzyła naszyjnik przed wiszącym nad kominkiem lustrem w pozłacanej ramie i z przyjemnością pogładziła chłodne perły.

– Bardzo mi się podoba! – zawołała, odwracając się twarzą do babki.

– Perły delikatnie pieszczą skórę – uśmiechnęła się Lavender. – Wyglądają cudownie. Masz długą szyję, a to bardzo ważne, kiedy wkładasz kilka sznurów pereł. Chyba odziedziczyłaś ją po mnie, chociaż resztę cech masz po matce... Arbuckle'owie to blondyni o jasnej skórze...

Alba usiadła i odłożyła naszyjnik do puzderka.

– Czy ojciec opowiadał ci o mojej matce? – zapytała.

– To była straszna historia... – Lavender ze smutkiem potrząsnęła głową. – Przyznaję, że z trudem przypominam sobie, co wydarzyło się wczoraj czy parę dni temu, ale doskonale pamiętam wieczór, kiedy Thomas wrócił z Włoch z malutkim dzieckiem na ręku...

– Zawsze byłam przekonana, że poślubił moją matkę... – szepnęła Alba.

Nigdy wcześniej nie przyszło jej do głowy, że Lavender dokładnie wie, co przydarzyło się synowi we Włoszech.

– Myślałam, że to wojna złamała Tommy'ego – zaczęła starsza pani.

Alba usłyszała miękki ton głosu, jakim wypowiedziała imię syna. Twarz staruszki ożyła w pomarańczowym blasku ognia i nagle wydała się młodsza.

– Szybko jednak odkryłam, że tak naprawdę zniszczyła go Valentina... To okropne, że została zamordowana, i to w tak brutalny sposób, lecz nawet gdyby przeżyła, Tommy nigdy nie otrząsnąłby się z przekonania, że kobieta, którą kochał, umarła, odeszła na zawsze... Wystarczyło przecież, że zobaczył ją w tamtym samochodzie, w futrach i brylantach... Ten wstrząs zabił jego duszę, Valentina mogła równie dobrze wbić mu sztylet w pierś...

– Jak tata poznał Margo?

– W dniu powrotu twojego ojca padał deszcz. Dostaliśmy od niego depeszę, ale oczywiście nie wiedzieliśmy nic o tym, co stało się z Valentiną. Nie spodziewaliśmy się, że przywiezie ze sobą małe dziecko. Pamiętam, jak przystanął na schodach – krople deszczu rozpryskiwały się o jego kapelusz, a on trzymał cię w ramionach, owiniętą w jakiś cienki kocyk... Wzięłam cię na ręce i usiedliśmy przy ogniu. Byłaś taka maleńka i kruchutka... Nie miałaś w sobie nic z Tommy'ego, nic poza jego oczami. Pokochałam cię od razu, tak mocno, jakbyś była moją córeczką... Rozmawialiśmy do późnej nocy, twój dziadek, Tommy i ja. Opowiedział nam wszystko i pokazał portret, który naszkicował. Valentina była piękną dziewczyną, ale w jej leciutkim uśmiechu kryła się mroczna tajemnica. Tommy tego nie widział, Hubert także nie, tylko ja dostrzegłam, że jej niewinność była maską. Nigdy nie zaufałabym takiej kobiecie, ale cóż, nie było mnie przy Tommym, kiedy ją poznał... Nie mogłam go ostrzec. W obliczu takiej urody mężczyźni zawsze okazują się potwornie łatwowierni i naiwni. Postanowiliśmy wtedy, że ze względu na ciebie nikomu nie powiemy, że ślubu nie było. Ludzie nie wahają się używać obraźliwych określeń wobec nieślubnych dzieci, więc byliśmy gotowi zrobić wszystko, by oszczędzić ci wstydu. W tamtych czasach był to skomplikowany problem, możesz mi wierzyć. Tommy kupił tę cholerną łódź, na której służył, nie pamiętam już jej numeru... Wydał majątek, żeby przerobić ją na mieszkanie. Całe tygodnie spędzał w Londynie, gdzie pracował, a na weekendy przyjeżdżał tutaj, do ciebie... – Lavender uśmiechnęła się z dumą. – Miałam cię tylko dla siebie i opiekowałam się tobą jak własnym dzieckiem...

– Więc „Valentina" to łódź torpedowa, którą ojciec dowodził w czasie wojny? – zapytała Alba ze zdumieniem.

– Tak. Miał obsesję na jej punkcie. Wydawało mi się, że jego także straciłam, ale na szczęście miałam ciebie... – Spojrzała na wnuczkę załzawionymi oczami. – Byłaś moim dzieckiem... Potem pojawiła się Margo.

– Jak się poznali? – Alba powtórzyła wcześniejsze pytanie.

Lavender westchnęła.

– Tommy został zaproszony na polowanie w Gloucestershire, do kogoś z rodziny Margo. Nie wydaje mi się, żeby się w niej zakochał. Była energiczna, zabawna i naturalna, a on chciał się ożenić, chciał dać ci matkę... – Na twarzy Lavender pojawił się pełen napięcia wyraz. – Muszę przyznać, że okazała się dobrą żoną. Tommy był beznadziejny, nie potrafił nawet uprać sobie koszuli. Mieszkał na łodzi, ale nie potrafił utrzymać porządku... Wybrałam się tam raz i obiecałam sobie, że nigdy więcej tego nie zrobię. Prowadził dekadenckie życie, zmieniał dziewczyny jak rękawiczki. Wiedział, że musi się ustatkować. Margo uporządkowała wszystkie jego sprawy, uspokoiła go. Uwielbiała cię, doskonale się tobą zajmowała. Wprowadzili się do domu pod lasem i założyli rodzinę. Na początku przyprowadzała cię do mnie codziennie. Można powiedzieć, że mieszkałaś tutaj – byłyśmy sobie bardzo, bardzo bliskie... – Staruszka uśmiechnęła się lekko. – Bardzo lubiłaś bawić się w szukanie naparstka, który przed tobą chowałam i ciągle się domagałaś, żebym czytała ci książeczki Alison Uttley o Szarym Króliczku. Pamiętasz je? Byłaś małą dziewczynką i mocno mnie kochałaś... Potem na świat przyszły Caroline i Miranda, po nich Henry i powoli rodzina Margo wchłonęła cię bez reszty... Już nie byłaś moja...

– Ależ babciu, przecież ty mnie nawet nie poznawałaś!

Lavender ze zniecierpliwieniem klasnęła językiem o podniebienie.

– Oczywiście, że cię poznawałam, kochanie, drażniłam się tylko z Margo. Nie chciałam cię zranić, byłam tylko zła, że odsunięto mnie na bok, chociaż byłaś dla mnie jak córka... Córka, której nigdy nie miałam. Wybacz mi, proszę.

– Nie mam ci czego wybaczać, babciu. – Alba mocno chwyciła kościste dłonie staruszki. – Sama nie byłam zbyt sympatyczną osobą, prawda? Ja także strasznie dokuczałam Margo...

– Tak samo jak ja. – Lavender pokiwała głową. – A ona była naprawdę dobrą matką dla ciebie i przykładną żoną dla Tommy'ego. Pomogła mu podnieść się i zacząć nowe życie, przyjęła jego dziecko jak własne i starała się uleczyć mu serce... Znosiła nawet przywiązanie Tommy'ego do tej przeklętej łodzi, której za żadne skarby świata nie chciał się pozbyć. Margo jest silną kobietą, kochanie. Dużo zniosła, naprawdę...

– Zastanawiałam się, skąd się wziął pod łóżkiem portret mojej matki... – wymamrotała Alba. – Ale teraz wszystko już rozumiem. Nie dziwię się, że Margo nigdy mnie tam nie odwiedzała. Miała powód, żeby znienawidzić „Valentinę"...

– Kiedy wyjdziesz za Fitza, i tak nie będziesz tam mieszkać.

– Chciałabym przeprowadzić się na wieś – wyznała dziewczyna.

Oczy Lavender zabłysły.

– Och, moglibyście zamieszkać w domu pod lasem, na terenie Beechfield Park – zaproponowała. – W tej chwili jest wynajęty, ale to nie problem.

– Świetny pomysł!

– Przeniosłam się tam po śmierci Huberta. To bardzo miłe, wygodne mieszkanie.

– Chciałabym spędzić jak najwięcej czasu z tatą – powiedziała Alba. – Tak okropnie go traktowałam...

– Cóż, Tommy'emu rzeczywiście nie było łatwo, zwłaszcza że jesteś bardzo podobna do Valentiny... Nie mógł od niej uciec, a w miarę jak dorastałaś, wciąż się zastanawiał, czy powinnaś poznać prawdę. Dźwigał na barkach straszny ciężar.

– Napisałam do niego z Włoch, kiedy się dowiedziałam, co stało się z matką...

– I nawet sobie nie wyobrażasz, jak dobrze mu to zrobiło – uśmiechnęła się Lavender. – Teraz wreszcie może zostawić to wszystko za sobą, i ty także. Niedługo wyjdziesz za Fitza i założysz własną rodzinę, kochanie.

– Dziękuję za naszyjnik, będę go strzegła jak oka w głowie. – Alba wstała i serdecznie pocałowała babkę w policzek.

– Dobra z ciebie dziewczyna. – Lavender poklepała ją po ramieniu. – Wreszcie dorosłaś... Najwyższy czas, kochanie.

Kiedy Alba i Lavender wróciły do salonu, Fitz popijał szampana z Thomasem i Margo.

– Spójrzcie, co dostałam od babci! – Alba podbiegła do ojca i otworzyła czerwone puzderko.

– Ach, perłowy naszyjnik, jak to miło... – rzekł Thomas. – Będziesz przepiękną panną młodą, skarbie...

– To wspaniała ozdoba! – zachwyciła się Margo. – Jesteś bardzo hojna, Lavender!

– Długo rozmawiałyśmy – szepnęła Alba, siadając obok Fitza. – Nigdy wcześniej nie byłam u niej na górze.

– Nie jest tu tak wygodnie jak w domu pod lasem, ale przynajmniej wszyscy jesteśmy razem – powiedziała Margo.

– Lavender zaproponowała, żebyśmy zamieszkali w tamtym domu po ślubie – oznajmiła Alba. – Co o tym myślisz, tato?

Thomas uśmiechnął się z zadowoleniem.

– To doskonały pomysł. My także mieszkaliśmy tam w pierwszych latach małżeństwa.

– Bardzo dziękuję – odezwał się Fitz odrobinę niepewnie. – Zastanowimy się nad tym...

Alba lekko zmarszczyła brwi.

– Nie zapominaj, że pracuję w Londynie, kochanie – dorzucił.

Skrzywiła się lekko. Nie chciała mieszkać w wielkim mieście.

Później, w sypialni Fitza, wróciła do tego tematu.

– Nie mógłbyś dojeżdżać do pracy? – zapytała, patrząc, jak zmienia koszulę przed kolacją.

Fitz westchnął.

– Nie jestem przekonany, czy w ogóle byłoby to możliwe...

– Pomyśl, jaki szczęśliwy byłby tutaj Sprout, tyle miejsca do biegania... Moglibyśmy kupić mu przyjaciela...

– Wydawało mi się, że życie w mieście bardzo ci odpowiada. – Fitz zapiął kołnierzyk.

– Bo tak było, ale teraz wolałabym mieszkać tutaj...

– Chyba głównie dlatego, że ostatnie pięć miesięcy spędziłaś w Incantellarii i po prostu odzwyczaiłaś się od Londynu. Tak czy inaczej, myślę, że za parę dni będziesz z przyjemnością biegać po sklepach na Bond Street.

– Potrzebuję spokojniejszego stylu życia. – Ze smutkiem pomyślała o trattorii. – Tęsknię za Incantellarią.

– Na pewno uda nam się wypracować jakiś kompromis – powiedział Fitz. – Możemy przecież spędzać tydzień w Londynie, a weekend tutaj...

– Co będę tam robiła przez cały tydzień?

– Możesz malować.

– W Londynie?

– A gdybyśmy tak urządzili studio w gościnnym pokoju w moim mieszkaniu? – zaproponował Fitz.

– Prawdziwą inspiracją są dla mnie wiejskie krajobrazy, nie miasto. – Ścisnęło jej się serce na myśl o gajach cytrynowych, starej, zrujnowanej wieży, bezmiernej przestrzeni morza i Cosimie, małej dziewczynce z lokami podskakującymi jak sprężynki, tańczącej w nowych sukienkach.

– Kochanie, dopiero kilka godzin temu wróciłaś do domu – Fitz musnął pocałunkiem wargi narzeczonej. – Daj sobie trochę czasu, by się przyzwyczaić do nowej sytuacji. Kocham cię i pragnę twojego szczęścia. Jeśli chcesz mieszkać tutaj, to na pewno znajdziemy jakieś rozwiązanie.

Po kolacji, w czasie której dokładnie omówiono wszystkie szczegóły ślubu i weselnego przyjęcia, Thomas zaprosił Albę do swego gabinetu.

– Chciałbym ci coś dać – powiedział, porozumiewając się z żoną spojrzeniem.

– Zaraz przyjdę – odparła Alba. – Muszę tylko wziąć coś z pokoju...

Wybiegła do holu, a Thomas poszedł do gabinetu i zdjął ze ściany portret swojego ojca. Otworzył drzwiczki sejfu i wyjął zwiniętą kartkę sztywnego papieru. Nie czuł już magicznego wpływu obecności Valentiny, milczącego żądania, aby w każdej chwili o niej pamiętał. Rozwinął szkic i spojrzał na twarz kobiety, którą tak głęboko kochał. Po raz pierwszy jej widok nie budził w nim żadnych emocji, wreszcie mógł zamknąć za sobą drzwi przeszłości i pozostawić za nimi Valentinę.

Alba weszła do pokoju i zamknęła za sobą drzwi. Na widok szkicu rzuciła ojcu pytające spojrzenie.

– Powinienem ci to dać – odezwał się Thomas. – Mnie ten portret nie jest już potrzebny...

– Była piękna, prawda? – westchnęła Alba. – Ale bardzo ludzka i słaba...

Thomas nalał sobie szklaneczkę whisky i usiadł w ulubionym zniszczonym skórzanym fotelu, wyjął ze skrzyneczki cygaro i zaczął pieczołowicie przycinać jego koniuszek.

– Jaka jest teraz Incantellaria? – zapytał.

– Prawdopodobnie taka sama jak wtedy, gdy tam byłeś. To jedno z miejsc, które nigdy się nie zmieniają.

– Napisałaś w liście, że Immacolata wciąż rządzi rodziną... Nie do wiary! Już w tamtych latach była starą kobietą...

– Teraz jest malutka i wysuszona jak orzeszek. Kocha mnie jak córkę. Na początku w ogóle się nie uśmiechała, ale później, gdy przekonałam ją, by pozbyła się tych ponurych ołtarzyków, zaczęła znowu nosić barwne suknie i się uśmiechać...

– Kiedyś musiała być piękną młodą kobietą. – Thomas przypomniał sobie, jak Jack ostrzegał go przed Valentiną, twierdząc, że córki zawsze upodobniają się do matek.

Valentina nie żyła wystarczająco długo, aby mógł się przekonać, czy ta teoria jest słuszna, czy nie.

– Pracowałam w trattorii razem z Totem i Falkiem – podjęła Alba.

– Toto jest już dorosłym mężczyzną, prawda?

– Ma małą córeczkę, Cosimę... – Dziewczyna nagle spoważniała. – Chcę, żebyś wiedział, tato, że rozumiem, dlaczego chroniłeś mnie przed przeszłością. Zachowywałam się wobec ciebie po prostu okropnie i muszę cię za to przeprosić...

Thomas zapalił cygaro i zaciągnął się, aż koniuszek rozżarzył się świetlistą czerwienią.

– To nie twoja wina. Może jednak powinienem był powiedzieć ci o wszystkim wcześniej... Cóż, wciąż uważałem, że właściwa chwila jeszcze nie nadeszła...

– Ja na pewno nie znajdę bardziej odpowiedniej chwili, żeby ci to dać. – Alba podała ojcu trzeci portret. – Falco poradził mi, żebym ci go oddała, miałam jednak pewne wątpliwości...

– Gdzie to znalazłaś, do diabła?! – Thomas sam nie wiedział, czy jest zadowolony, czy wstrząśnięty.

Tak długo i rozpaczliwie szukał tego szkicu... Tak dręczyła go świadomość, że nigdy go nie odzyska...

Alba wyprostowała się i wzięła głęboki oddech.

– Rozwiązałam zagadkę morderstwa, tato.

– Mów dalej...

– Poszłam z Fitzem do *palazzo* Montelimone.

– Ach, tak? – Twarz Thomasa przybrała trudny do odszyfrowania wyraz.

– Falco i Immacolata zniechęcali nas do tej wyprawy, więc odgadłam, że z pałacem wiąże się jakaś tajemnica. W *palazzo* mieszka niezwykły człowiek imieniem Nero... Powiedział nam, że odziedziczył pałac w spadku po swoim kochanku, markizie. Pokazał nam też mały domek za pałacem, schronienie markiza. Nero zostawił tam wszystko, jak było, niczego nie zmienił. Portret wisiał tuż przy łożu. Nero załamał się i wyznał, że Valentina była kochanką markiza i że to markiz ją zamordował. Wiedziałam, że nie była tylko niewinną ofiarą mafijnego zamachu, ale nie miałam pojęcia, jaką rolę odegrała w całej tej historii... – Alba przyglądała się, jak dym cygara otacza ojca aromatycznym obłokiem. – Lattarullo twierdził, że najlepsi włoscy detektywi nie rozwiązali tej zagadki, ale to nie wszystko, tato...

– Co jeszcze odkryłaś? – spokojnie zapytał Thomas.

Wiedział, czego dowiedziała się Alba. Brakowało już tylko jednego kawałka układanki.

– Falco się przyznał, że to on zabił markiza...

Thomas kiwnął głową.

– Powiedział, że była to sprawa honoru...

– Dla mnie było to coś więcej niż sprawa honoru.

Alba utkwiła w twarzy ojca oczy rozszerzone przerażeniem i podziwem. Historia Valentiny zyskała nagle zupełnie nowy wymiar. Thomas pochwycił jej spojrzenie i nie odwrócił wzroku. W jego oczach było coś obcego, nieznanego, bezwzględność, której Alba nigdy wcześniej nie widziała.

– Byłeś tam z nim, tak? – wyszeptała. – Falco nie był sam, ty mu towarzyszyłeś... Obaj zabiliście markiza...

– Nie zrobiłem nic, czego nie zrobiłbym i dzisiaj – odparł cicho Thomas i podał jej trzeci portret. – Powinnaś go zatrzymać, moja droga, jest twój, masz do niego prawo... – Wstał, przeciągnął się i wrzucił niedopalone cygaro do kominka. – Wracajmy do salonu, dobrze?

* * *

Tego wieczoru Thomas udał się na spoczynek pijany radością.

– Kochanie, najwyższy czas pozbyć się tej łodzi – oświadczył.

Margo zaniemówiła.

– Myślę, że nie powinniśmy jej sprzedawać, ale po prostu zatopić – ciągnął Thomas. – Poślemy ją na dno morza razem ze wszystkim, co symbolizuje. Powinniśmy się z nią pożegnać.

Margo przysunęła się bliżej i położyła głowę na piersi męża.

– Czy Alba nie będzie miała nic przeciwko temu?

– Nie. Alba wychodzi za Fitza i będzie mieszkała gdzie indziej. „Valentina" jest za mała dla nich dwojga.

– Jakoś nie bardzo mogą się zgodzić co do tego, gdzie zamieszkają – zauważyła Margo.

– Poradzą sobie.

Margo uniosła się na łokciu i pocałowała Thomasa w policzek.

– Dziękuję ci, Tommy...

– Wiesz, że właśnie powiedziałaś do mnie: „Tommy"?

– Naprawdę? – Margo roześmiała się głośno. – Nie zwróciłam na to uwagi... Tommy! Podoba mi się to zdrobnienie...

– Mnie także. – Thomas objął ją i przyciągnął do siebie. – I ty mi się podobasz, kochanie, bardzo, bardzo mi się podobasz...

Rano Thomas zrobił coś, co powinien był zrobić wiele lat temu. Wszedł do gabinetu, zamknął za sobą drzwi, usiadł przy biurku i sięgnął po notes z adresami i telefonami. Otworzył go na literze „H" i wybrał numer. Po paru sygnałach usłyszał zapamiętany w młodości głos. Lata opadły z Thomasa jak wyschnięta łuska i znowu poczuł się jak młody oficer marynarki.

– Halo, Jack, staruszku – powiedział. – Mówi Tommy.

Rozdział trzydziesty pierwszy

Alba bez cienia smutku obserwowała zatapianie „Valentiny". Po wszystkim, co się wydarzyło, taka decyzja wydawała jej się jak najbardziej właściwa. Holownik wyciągnął łódź na środek Kanału, a jeden z robotników wywiercił otwór. Alba stała na nabrzeżu z Margo, Fitzem i ojcem, i w milczeniu patrzyła na pogrążającą się w wodzie łódź. Trwało to dłużej niż się spodziewała. „Valentina" przez parę chwil stawiała opór, lecz wreszcie zatonęła i powierzchnia morza znowu była tak gładka i nieruchoma jak wcześniej. Dziewczyna wyobraziła sobie, jak łódź opada na dno, na piasek, jak ryby przepływają przez okna, a skorupiaki powoli pokrywają kadłub. Ostatnie ogniwo łączące ich wszystkich z Valentiną przestało istnieć i teraz mogli zacząć życie od nowa. Zauważyła, że ojciec obejmuje Margo w talii i delikatnie gładzi jej biodro, zwróciła też uwagę, że Margo zwraca się do niego zdrobniałym „Tommy", co najwyraźniej bardzo mu się podoba.

Alba przeprowadziła się do domu Fitza, urządziła sobie studio w pokoju gościnnym i całymi dniami szkicowała portrety Sprouta. Pies pozował jej z przyjemnością i cierpliwie słuchał opowieści o planowanym na wiosnę ślubie, nadstawiał nawet uszy w odpowiednich momentach i wzdychał ze zrozumieniem, gdy Alba narzekała, że jest tym wszystkim zmęczona.

Margo była niestrudzona. Wybrała firmy, które miały się zająć dekoracją domu i ogrodu oraz dostarczeniem potraw, więc teraz w Beechfield bez przerwy kręcili się ludzie odpowiedzialni za kwiaty, transport, zaproszenia, oświetlenie i muzykę. Z wielkim entuzjazmem rzuciła się w wir zajęć i codziennie rozmawiała z Albą przez telefon. Wreszcie miały wspólny temat, który z przyjemnością omawiały. Ku zaskoczeniu Alby, Margo uważnie słuchała jej propozycji i brała je pod uwagę. Ku zaskoczeniu Margo, Alba chętnie korzystała z jej rad i wcale się nie dąsała.

– Edith mówi, że pani Arbuckle i Alba świetnie się teraz rozumieją – oznajmiła Verity, zdejmując płaszcz przed próbą uruchomienia dzwonów.

– Nic nie godzi ludzi tak skutecznie jak ślub – pokiwała głową Hanna.

– I nic ich tak nie dzieli! – prychnęła Verity. – Śluby są jak Boże Narodzenie, nagle spotykamy się ze znienawidzonymi krewnymi i znajomymi, których od lat nie widzieliśmy... Coś okropnego!

– Och, nie mów mi tylko, że nie lubisz Bożego Narodzenia! – Hanna położyła szal na ławce i dotknęła koka, sprawdzając, czy jakieś pasmo włosów nie wymknęło się spod spinek.

– A jaki właściwie sens mają święta? – Verity ze złością wzruszyła ramionami.

Nie miała rodziny, z którą mogłaby się cieszyć Gwiazdką, tylko męża, jej zdaniem bardziej męczącego od najnudniejszego krewnego.

– W gruncie rzeczy święta urządza się dla dzieci – odezwał się Fred, chwytając linę i ciągnąc ją z całej siły. – Doskonale! – zawołał, kiedy dzwon posłał w powietrze pierwsze donośne tony.

– Ślub Alby na pewno będzie wyjątkowo uroczysty i piękny – powiedziała Hanna. – Pani Arbuckle świetnie zna się na kwiatach, dekoracje w kościele na pewno będą niezrównane, zwłaszcza że ślub wypada wiosną, więc będzie miała ogromny wybór...

– Wyobrażam sobie Albę z białymi kwiatami we włosach... – rozmarzył się Fred.

– Och, jaki z ciebie romantyk! – roześmiała się Hanna.

Verity obrzuciła ich kwaśnym spojrzeniem. Wszyscy troje zamilkli na dźwięk kroków na schodach. Wielebny Weatherbone zawsze mocniej stawiał jedną nogę, zorientowali się więc, że to on, zanim stanął w progu.

– Dzień dobry! – zawołał wesoło. Kępki szpakowatych włosów nad jego uszami układały się w kształt skrzydełek. – Mam nadzieję, że wymyśliliście już odpowiednią melodię na ślub Alby...

– Pozwoliłem sobie sam ją skomponować – oświadczył Fred.

– Wspaniale!

Verity skrzywiła się lekko.

– Nic nam o tym nie mówiłeś... – mruknęła.

– Fred powiedział mi wczoraj, ale kompletnie wyleciało mi to z głowy – skłamała szybko Hanna, przepraszając Boga w myśli za grzech popełniony w obecności duchownego.

W miarę upływu lat stawała się coraz mniej tolerancyjna wobec przykrych humorów Verity.

– Powiem wam, czy melodia jest odpowiednia, kiedy jej wysłucham – warknęła ta ostania.

– Czy to nie cudowne, że Alba i Fitzroy wkroczą na nową drogę życia w naszym małym kościele? – rzekł wielebny Weatherbone. – Czuję się tym naprawdę zaszczycony. Ciekawe, jaką suknię wybierze narzeczona... – dorzucił, wypowiadając na głos myśl, która zajmowała go znacznie bardziej niż powinna.

– Na pewno krótką – wymamrotała Verity.

– Tradycyjną – rzekła Hanna. – W głębi serca Alba jest zwolenniczką tradycji. Zastanówcie się tylko, skąd pochodzi...

– Z Włoch? – Verity sarkastycznie uniosła brwi.

– Była we Włoszech tylko raz, co z pewnością nie czyni ją Włoszką... – Hanna lekko wydęła wargi. – Alba jest jedną z nas...

– Ale ma w żyłach włoską krew – nie ustępowała Verity. – I w ogóle nie jest podobna do reszty Arbuckle'ów. Oni są blondynami, ona ma ciemne włosy i zupełnie inne rysy.

– Jest egzotyczna, bez dwóch zdań – odezwał się wielebny. – Będzie piękną panną młodą...

– Oczywiście! – Fred w zamyśleniu przesuwał palcami po splotach liny. – Pani Arbuckle na pewno także ubierze się wyjątkowo elegancko...

– Nie jest przecież matką dziewczyny, prawda? – wycedziła Verity.

Wielebny Weatherbone zauważył, że Verity złowrogo zmrużyła swoje wężowe oczy. Nie miał cienia wątpliwości, że wcześniej czy później jej rozdwojony jęzor obwieści im wszystkim jakąś przerażającą nowinę, zasłyszaną od Edith. Z piersi duchownego wyrwało się ciężkie westchnienie.

– Nie, nie jest biologiczną matką Alby, chociaż pod innymi względami odegrała w jej życiu jeszcze ważniejszą rolę – rzekł zdecydowanym tonem, mając nadzieję, że ta uwaga położy kres wszelkim dyskusjom.

– Szkoda, że rodzona matka Alby nie może być obecna na jej ślubie... – pokiwała głową Hanna. – Byłam taka dumna z mojej córki, kiedy stanęła przed ołtarzem... Nigdy tego nie zapomnę...

– Znam Albę od dziecka – wtrącił Fred.

– Poznałeś ją szczególnie dobrze, gdy razem popijaliście piwo w gospodzie. – Hanna mrugnęła do niego porozumiewawczo.

Fred odpowiedział szerokim uśmiechem. Ach, to były dobre czasy...

– Wiecie, jak zginęła matka Alby? – zapytała Verity.

Wielebny Weatherbone przywołał cały zapas spokoju i rozwagi i pomyślał, że powinien szczerze współczuć zgorzkniałej kobiecie, choć było to naprawdę trudne zadanie.

– W wypadku samochodowym – odparł chłodno. – Wiele lat temu.

Zamierzał pośpiesznie zmienić temat, lecz Verity miała inne plany.

– Nieprawda!

– Nie wiem, jakich plotek słuchałaś, moja droga, ale...

– Edith podsłuchała rozmowę Arbuckle'ów – przerwała duchownemu Verity. – To kapitan zamordował matkę Alby!

Hanna szeroko otworzyła usta ze zdumienia, Fred drgnął nerwowo. Wielebny Weatherbone z trzaskiem odłożył Biblię na pulpit.

– Co za bzdury! – zawołał. – Ty i Edith naprawdę nie macie wstydu! Jak można rozpuszczać tak podłe, pozbawione podstaw oszczerstwa! Jesteśmy w Domu Pańskim, a ja jestem jego strażnikiem! Nie będę tolerował szerzenia kłamstw wśród uczciwych mieszkańców Beechfield! – Głos wielebnego odbił się echem od ścian, potężny jak głos Boga. – Rozumiesz, Verity?

Kobieta spuściła wzrok pod twardym spojrzeniem błyszczących oczu kapłana i głośno przełknęła ślinę.

– Edith słyszała tę rozmowę... – zaczęła.

– Znasz powiedzenie: „Oko za oko, ząb za ząb"? – zagrzmiał wielebny.

– Oczywiście...

– Mówi ono, że będziesz zbierać to, co posiejesz. Na twoim miejscu byłbym trochę ostrożniejszy i spróbowałbym traktować ludzi z większą łagodnością i wyrozumiałością, bo inaczej twoja własna złość wróci do ciebie, dziesięciokrotnie silniejsza! No, dosyć tego! Chętnie posłucham twojej kompozycji, Fred, daj mi znać, kiedy już ją przećwiczysz. A teraz pomyślmy o ślubie, nie o morderstwie... Matka Alby spoczywa w Panu i będzie obecna duchem na ślubie córki, nie wątpię w to ani przez chwilę!

Z tymi słowami duchowny odwrócił się, furkocząc połami sutanny, i zostawił dzwonników samych.

– No, czas poćwiczyć! – zaśmiał się Fred, sięgając po linę. – Bierzmy się do roboty, podzwońmy dla wielebnego!

* * *

Boże Narodzenie w Beechfield Park minęło szybko, a Nowy Rok rozpoczął się od wielkiego pokazu sztucznych ogni dla całej wioski, urządzonego na polu za domem. Fitz i Alba patrzyli na wybuchające na tle nieba barwne światła, mocno trzymając się za ręce. Fitz witał nowy rok z optymizmem i radością, Alba zaś patrzyła na biegające po śniegu dzieci i myślała o Cosimie. Jak bardzo cieszyłby ją biały puch i fajerwerki... Mijający czas nie zmniejszył ani uczucia, jakim darzyła dziewczynkę, ani tęsknoty. Fitz nie zdawał sobie sprawy, że powoli traci narzeczoną. Myśli Alby z każdym dniem rzadziej krążyły wokół ich wspólnej przyszłości i częściej zwracały się ku przeszłości.

Pewnego zimowego weekendu, kiedy lodowaty deszcz siekł w okna Beechfield Park, Alba usiadła przy stole razem z Margo i zabrała się do wypisywania zaproszeń. Margo nastawiła płytę z utworami Mozarta i rozpaliła ogień w kominku. Fitz grał w squasha z Henrym, a Miranda i Caroline, które miały być druhnami, wybrały się na zakupy do Winchester. Margo już wcześniej zauważyła, że Alba jest dziwnie milcząca i zamyślona. Okres oczekiwania na ślub powinien być najszczęśliwszym w życiu dziewczyny, lecz Alba bynajmniej nie sprawiała wrażenia uszczęśliwionej. Margo postanowiła skorzystać z nadarzającej się okazji i dyskretnie wypytać, o co chodzi.

– Jesteś ostatnio trochę roztargniona, kochanie... – zaczęła ostrożnie, zdejmując okulary do czytania. – Nie denerwujesz się chyba ślubem, co?

Alba nawet nie podniosła głowy znad zaproszeń.

– Nic mi nie jest – powiedziała. – Wszystko to po prostu trochę mnie przytłacza...

– Wiem... – Margo ze zrozumieniem pokiwała głową. – Dzieje się wokół ciebie tyle rzeczy, że czasami na pewno czujesz się tak, jakbyś tonęła...

– Właśnie – przyznała Alba, zaklejając kopertę.
– Zdecydowaliście już, gdzie będziecie mieszkać?
Alba westchnęła.
– Jeszcze nie. Fitz rzeczywiście musi mieszkać w Londynie, bo dojazdy zajmowałyby mu za dużo czasu, ale ja chcę zostać tutaj...
– Nie brakowałoby ci przyjaciół?
– Jakich przyjaciół, Margo? Dobrze wiesz, że ich nie mam. Miałam wielu chłopaków, lecz to już przeszłość, a Viv właściwie przeprowadziła się do Francji, do Pierre'a... Fitz jest moim przyjacielem i chcę być tam, gdzie on, ale żałuję, że tym miejscem musi być właśnie Londyn...
– Może nie będziesz musiała długo tam mieszkać – powiedziała Margo. – Kiedy urodzą się wam dzieci, Fitz na pewno chętnie przeniesie się na wieś.
– Tak bym chciała, żeby Cosima mogła być moją druhną... – Głos Alby zadrżał nagle ze wzruszenia. – Wiem, że sprawiłoby jej to wielką przyjemność...
– Tęsknisz za nimi, prawda? – Margo wreszcie zrozumiała, co dręczy dziewczynę.
– Tęsknię za nimi wszystkimi, ale najmocniej za Cosimą. Od czasu do czasu rozmawiam z nią przez telefon, lecz to nie to samo... Mała jest skrępowana, a ja koncentruję się głównie na tym, żeby się nie rozpłakać... – Alba z trudem przełknęła ślinę. – Nie mam pojęcia, co robić... Cosima mnie potrzebuje, tymczasem ja jestem tak daleko...
– Pytałaś Fitza, czy moglibyście zamieszkać we Włoszech?
Alba roześmiała się gorzko.
– Fitz nie potrafiłby żyć w takim sennym miasteczku jak Incantellaria...
Margo zmierzyła pasierbicę poważnym, pełnym niepokoju spojrzeniem i odłożyła pióro.
– Jeżeli nie czujesz się gotowa, żeby wyjść za mąż, jest jeszcze czas, aby wszystko odwołać, kochanie – powiedziała.
Alba popatrzyła na nią z takim zdumieniem i nadzieją, jak tonący, któremu nagle ktoś rzucił koło ratunkowe.

– Twój ojciec i ja nie będziemy mieli ci tego za złe – ciągnęła Margo. – Zależy nam tylko na tym, żebyś była szczęśliwa...

– Ale przecież wszystko już zorganizowałaś, zadałaś sobie tyle trudu! Przygotowujemy zaproszenia, nie mogę się teraz wycofać!

Margo położyła rękę na ramieniu Alby. Jeszcze niedawno obie poczułyby się skrępowane tym macierzyńskim gestem, lecz teraz wydawał im się całkowicie naturalny.

– Moja kochana... – zaczęła łagodnie Margo. – Wolę odwołać ślub choćby w ostatniej chwili, niż żyć ze świadomością, że tkwisz w Londynie, nieszczęśliwa i sfrustrowana. Nie ma sensu wychodzić za mąż, jeżeli po dwóch czy trzech latach miałabyś się rozwieść. Wyobraź sobie, jakie byłoby to straszne, gdybyście mieli dzieci... Jeżeli chcesz zamieszkać we Włoszech, zrozumiemy to i wesprzemy cię w tym postanowieniu. Jeśli twoje serce jest właśnie tam, powinnaś pójść za nim, kochanie...

Alba pośpiesznie otarła łzy i zarzuciła Margo ręce na szyję.

– Myślałam, że będziesz na mnie zła... – wykrztusiła.

– Och, skarbie, nic nie rozumiesz... – Margo delikatnie odsunęła pasierbicę i zdjęła z szyi złoty medalion na łańcuszku. – Widzisz to?

Alba skinęła głową.

– Zawsze go noszę, bo w środku znajdują się zdjęcia moich dzieci, wszystkich czworga... – ostrożnie otworzyła medalion.

Alba zobaczyła malutkie fotografie, swoją, Caroline, Mirandy i Henry'ego.

– Kocham cię tak samo jak moje rodzone dzieci – powiedziała spokojnie Margo. – Jak mogłabym nie zaakceptować twojej decyzji?

Długą chwilę obie milczały, głęboko wzruszone.

– Chyba lepiej porozmawiam z Fitzem... – Alba pociągnęła nosem.

– Chyba tak – zgodziła się Margo, odkładając zaproszenia do pudełka.

* * *

Alba bardzo bała się rozmowy z Fitzem. Tyle dla niej zrobił, tak długo i cierpliwie na nią czekał... Trudno jej było znieść myśl, że znowu go zrani, ale kiedy wchodziła po schodach do jego pokoju, ogarnęła ją ciepła fala radosnego podniecenia. Wyobraziła sobie rozjaśnioną buzię Cosimy i uśmiechnięte twarze Immacolaty i Falca, widziała, jak czekają na nią na pomoście. Wiedziała, że podjęła słuszną decyzję. Fitz nigdy by się nie zdecydował przenieść do Włoch... Co robiłby w takiej małej, prowincjonalnej mieścinie?

Usiadła na brzegu jego łóżka i postanowiła zaczekać, aż wróci z meczu squasha. Za oknem rozpościerał się już zmrok, ciężkie ciemne chmury gromadziły się na niebie. Gałęzie nagich drzew wyglądały jak wychudzone, kościste palce. W końcu usłyszała głosy na schodach, pogodną wymianę łagodnych kpin między jej narzeczonym i bratem. Mocno zacisnęła drżące ze zdenerwowania dłonie. Jakże łatwo byłoby odrzucić już podjęte postanowienie i udawać, że jest szczęśliwa...

Fitz natychmiast zauważył wyraz powagi, malujący się na jej twarzy.

– Co się stało? – zapytał.

Jego dobry nastrój rozwiał się w jednej chwili. Alba wzięła głęboki oddech i przystąpiła do rzeczy.

– Chcę wrócić do Włoch.

– Ach, tak... – powiedział Fitz. – Od dawna nosisz się z tym postanowieniem?

Nagle powietrze stało się ciężkie od smutku. Fitz usiadł obok niej na łóżku.

– Chyba od dnia powrotu...

– Rozmawiałaś o tym z rodzicami?

– Na razie tylko z Margo. Chciałabym, żebyś pojechał tam ze mną.

Fitz potrząsnął głową i utkwił wzrok w oknie.

– Moje życie toczy się tutaj – rzekł, nie mogąc pozbyć się nieprzyjemnego wrażenia *déjà vu*.

– Chciałeś przecież napisać książkę. – Alba uklękła i objęła go mocno. – Nie mógłbyś zrobić tego we Włoszech?

– Jestem agentem literackim, nie pisarzem.

– Nigdy nie próbowałeś pisać... – Przytuliła mokry od łez policzek do jego twarzy.

Fitz zmarszczył brwi.

– Nie kochasz mnie? – zapytał łamiącym się głosem.

– Ależ kocham! – wykrzyknęła, gotowa zrobić wszystko, byle tylko złagodzić żal i zawód, malujące się w jego łagodnych brązowych oczach. – Bardzo cię kocham... Jesteśmy sobie przeznaczeni, nie mam co do tego cienia wątpliwości... – westchnęła. – Co teraz zrobimy?

Fitz wziął ją w ramiona i przytulił.

– Ty nie możesz żyć tutaj, a ja tam...

Motyl rozpostarł skrzydła, szykując się do odlotu. Tym razem Fitz zwątpił, czy kiedykolwiek odzyska ukochaną.

– Muszę jechać, Fitz. Cosima mnie potrzebuje, tam jest moje miejsce... – Wtuliła twarz w jego szyję. – Nie mów mi, że nie przyjedziesz do Incantellarii, nie mów, że to koniec... Nie zniosłabym tego... Zobaczymy, co będzie. Jeżeli zmienisz zdanie, będę na ciebie czekała. Nie wyrzeknę się nadziei, będę czekała na ciebie z otwartymi ramionami. Moja miłość nie wystygnie, na pewno nie we Włoszech.

Epilog

Włochy, 1972

Serce Alby biło radośnie. Wiosna w Incantellarii była najpiękniejszą wiosną na świecie. Małe ptaki przysiadały na stołach i krzesłach przed trattorią, a słońce zalewało morze łagodnym porannym światłem. Dziewczyna wytarła ręce w fartuch. Miała na sobie prostą, zapinaną na guziki sukienkę w niebieskie kwiaty i klapki. Poprzedniego dnia pomalowała paznokcie stóp różowym lakierem, który razem z Cosimą kupiły w sklepie u karłów. Pomalowała także paznokcie Cosimie, co trwało znacznie dłużej, niż powinno, ponieważ mała bez przerwy poruszała palcami i chichotała.

Alba otarła czoło dłonią. W trattorii było gorąco, a ona pracowała naprawdę ciężko – robiła zakupy, nakrywała do stołów, obsługiwała klientów. Nauczyła się nawet gotować, chociaż nigdy wcześniej nie wierzyła, aby spod jej ręki mogły wyjść pyszne, aromatyczne dania. Immacolata była pod wielkim wrażeniem, Beata zaś pogratulowała jej w charakterystyczny dla siebie spokojny, pełen godności sposób – powiedziała, że właśnie ona ma sztukę gotowania we krwi i na pewno będzie kontynuowała tradycję Fiorellich i dbała o dobre imię rodziny.

Alba wsunęła rękę do kieszeni i wyjęła zużytą serwetkę

i białą wizytówkę. Odwróciła ją i spojrzała na wydrukowane pochyłymi literami imię i nazwisko Gabriele. Przystanęła przy wychodzącym na plażę oknie i długą chwilę wpatrywała się w mały kartonik, potem znowu włożyła go do kieszeni sukienki.

Włosy trochę już odrosły i były wystarczająco długie, aby ściągnąć je w króciutką kitkę na karku. Nie zamierzała ich zapuszczać, po prostu nie miała czasu, by je obciąć. Podniosła ręce i poprawiła kolorową gumkę. W tej samej chwili dobiegł ją odległy na razie warkot motorówki.

Zerknęła na ścianę przy drzwiach, gdzie wisiały trzy szkice oprawione w proste, drewniane ramki. Pierwszy przedstawiał twarz kobiety, łagodną, niewinną, z uśmiechem pełnym tajemnic i malującym się w oczach trudnym do określenia smutkiem. Na drugim rysownik uwiecznił matkę z dzieckiem. Twarz matki wyrażała spontaniczną, bezgraniczną miłość, wolną od wszelkich sekretów, naznaczoną pragnieniem szczęścia dla dziecka. Ostatni szkic, akt, przedstawiał nagą, zmysłową, bezwstydną Valentinę, kobietę grzeszną i niezgłębioną jak morze. Nikt poza Albą nie zwracał już uwagi na te portrety. Rysunki wtopiły się w ściany trattorii tak samo jak warkocze cebuli i czosnku, ozdobne talerze i religijne symbole, i często nawet ona przechodziła obok nich obojętnie.

Warkot silnika motorówki narastał, zakłócając ciszę sennej zatoczki i płosząc ptaki. Powietrze drżało dziwnym podnieceniem, zupełnie jakby ktoś wrzucił kamyk do spokojnego stawu, wywołując rozchodzące się na powierzchni kręgi. Alba wyszła na zewnątrz i zatrzymała się pod markizą. Na ramieniu miała duży kosz z jabłkami. Uczucie oczekiwania przyśpieszyło rytm serca i kazało dziewczynie ruszyć przed siebie, w stronę pomostu. Gumka zsunęła się z włosów, które otoczyły twarz niczym ciemny jedwab. Alba przystanęła, ciężko oddychając. Jej piersi unosiły się i opadały pod materiałem sukienki, twarz była promienna i doskonale piękna, jak rozgwieżdżone niebo nad oceanem. Lekki uśmiech uniósł kąciki ust i znalazł odbicie w jasnych oczach. Był to zaledwie cień uśmiechu, tak delikatny i subtelny, że uroda Alby wydała się nagle wprost porażająca. Z motorówki, która właśnie przybiła do brzegu, wyskoczył młody mężczyzna. Jego wzrok napotkał dziwne, jasne oczy kobiety z koszem na ramieniu. Stała w tłumie, lecz wokół niej wytworzyła się odrębna przestrzeń, jej piękna twarz wyraźnie odcinała się od tła, jakie stanowiły inne, przeciętne i niegodne uwagi twarze. Młody człowiek oddał dziewczynie swoje serce – stało się to właśnie w tamtej chwili, na pomoście w małym miasteczku o nazwie Incantellaria. Mężczyzna dobrowolnie i chętnie podarował serce młodej kobiecie i nie wiedział, że stracił je na zawsze i już nigdy nie odzyska.